T5-ANA-313

лучшие романы о любви

Салли

Боумен

Любовь красного цвета

роман

Москва
ЭКСМО-ПРЕСС
2002

УДК 820
ББК 84(4 Вел)
Б 72

Sally BEAUMAN
DANGER ZONES

Перевод с английского *Ю. Кирильченко* и *А. Новикова*

Серийное оформление художника *С. Киселевой*

Серия основана в 1999 году

Боумен С.

Б 72 Любовь красного цвета: Роман / Пер. с англ. Ю. Кирильченко и А. Новикова. — М.: Изд-во ЭКСМО-Пресс, 2002.— 384 с. (Серия «Лучшие романы о любви»).

ISBN 5-04-009069-2

Словно в густом лондонском тумане, молодая журналистка Джини Хантер и ее друзья нащупывают нити, ведущие к исчезновению и гибели юных девушек из разных стран Европы. В ходе этих поисков постепенно проступает одна зловещая примета под романтическим названием «белая голубка» — так называется новый сильнодействующий наркотик. Заполучить его стремятся не только зеленые юнцы, но и сильные мира сего. Плата за обладание этими чудо-таблетками высока: это и любовь, и сама жизнь.

УДК 820
ББК 84(4 Вел)

Copyright © 1996 by Sally Beauman
© Издание на русском языке.
ЗАО «Издательство «ЭКСМО», 2002
© Оформление. ЗАО «Издательство «ЭКСМО-Пресс», 2002

ISBN 5-04-009069-2

Пролог

Молодой человек в черном плаще заметно волновался, хотя до сих пор проблем с пересечением границ у него не возникало. Он выехал из Амстердама в пять часов утра, когда еще только занимался холодный январский рассвет, и теперь ехал по шоссе за рулем одного из целой флотилии роскошных «Мерседесов» империи Казарес. Опасаясь гололеда и любого — пусть самого незначительного — дорожного инцидента, который мог бы привести к столкновению с полицией, он вел машину осторожно и расчетливо.

Достигнув бельгийской границы, водитель занервничал. Однако к этому часу движение на дороге стало более интенсивным, и теперь сидевший за рулем «Мерседеса» человек ничем не выделялся среди сотен таких же, как он, бизнесменов, мчавшихся в дорогих машинах в Антверпен, Брюссель или Париж. Существование Европейского союза превратило границы в условность, упразднив практически все пограничные формальности, и теперь, если только не случалось каких-нибудь чрезвычайных происшествий, можно было не опасаться, что на пропускном пункте тебя остановят.

Путешественник вихрем промчался по идеальным скоростным трассам Бельгии и в девять утра уже въезжал во Францию. До пункта его назначения — Парижа — оставалось около двух часов осторожной езды.

Очутившись на французской территории, молодой человек немного расслабился, и, как он понял чуть позже, это стало его ошибкой. Испытывая радостный подъем, он включил проигрыватель компакт-дисков и закурил долгожданную сигарету. Приподнятое настроение заставило его забыть о бдительности и увеличить скорость.

Обгоняя грузовик, водитель вдруг увидел полицейскую машину, ехавшую впереди медленного неповоротливого трейлера. У молодого человека бешено забилось сердце и мгновенно пересохло во рту, однако предпринимать что-либо было поздно. Заметно сбросив скорость, он продолжал движение, а затем включил сигнал поворота и перестроился в средний ряд.

Водитель пытался убедить себя в том, что полицейские не обратят внимания на это незначительное нарушение. Не успел он об этом подумать, как увидел, что полицейская машина уже висит у него на хвосте.

«Сохраняй спокойствие!» — приказал себе водитель. Он сделал вежливый жест, показывая, что понял приказ остановиться, и съехал на плотно утрамбованную обочину дороги. До того момента, как полицейские выйдут из автомобиля и подойдут к его машине, оставалось не более пятнадцати секунд. Молодой человек бросил взгляд на черный атташе-кейс, лежавший на пассажирском сиденье рядом с ним. На нем было выгравировано его имя — Кристиан Бертран, а на ручке болталась маленькая бирка с монограммой «Ж. Л.». Она указывала на то, что Бертран входил в число шести главных помощников, работавших на самого Жана Лазара.

Несколько мгновений молодой человек смотрел на чемоданчик. Его так и подмывало хоть как-то спрятать эту опасную вещь — сунуть под сиденье или хотя бы просто прикрыть газетой, однако один из полицейских уже приближался к его машине, а любое действие, которое могло привлечь внимание к кейсу, было бы ошибкой.

Водитель взглянул на свое отражение в зеркале. Он выглядел чуть бледным, но вполне собранным. Затем открыл дверцу машины. К тому времени, когда полицейский подошел к «Мерседесу», у водителя уже были наготове все необходимые документы и оправдания.

Оправдания были стандартными: да, немного отвлекся, потому и превысил скорость. «Ни в коем случае не обмолвиться про Амстердам!» — внутренне приказал себе он, а затем продолжал объяснять вслух: задумался о деталях деловых переговоров в Брюсселе и о том, как будет отчитываться перед мсье Лазаром, когда приедет в штаб-квартиру Дома моды Казарес. Молодой человек выждал некоторое время, чтобы эти имена, обладавшие магическим воздействием на любого француза, проникли в сознание полицейского. Они сработали и на сей раз — это было видно по лицу стража порядка.

Полицейский молча проглотил всю эту информацию и окинул Бертрана оценивающим взглядом. Он, несомненно, оценил и плащ, и дорогой костюм, и безупречную рубашку с

галстуком, и стрижку водителя, и его затемненные очки в черепаховой оправе. Бертран молча молил всевышнего, чтобы его благопристойный внешний вид усыпил любые подозрения, которые могли возникнуть в душе ищейки. Только бы понял, что имеет дело с образованным, занимающим высокое общественное положение бизнесменом, чья работа на Казарес имеет поистине международную значимость. Пусть он окажется патриотом, пусть увидит, с кем, черт побери, имеет дело! — отчаянно молил небеса молодой человек.

И в этот момент сердце его чуть не остановилось. Пока первый флик с невыносимой медлительностью изучал документы, второй неспешно обходил «Мерседес». Он нагнулся, чтобы как следует разглядеть номер, потрогал задний фонарь, затем зашел спереди и в течение нескольких томительных секунд пристально рассматривал щетки стеклоочистителя на ветровом стекле. В следующий миг он открыл пассажирскую дверь. Бертран исподтишка следил за его действиями. Засунув голову в машину, полицейский внимательно осмотрел приборную доску с многочисленными переключателями и кожаные сиденья ручной работы. Протянув руку, он открыл отделение для перчаток и снова захлопнул его. Водитель отвел взгляд в сторону и сунул руки в карманы плаща, чтобы никто не заметил, как они дрожат.

Теперь второй полицейский, должно быть, смотрит на атташе-кейс, подумал Бертран и, метнув быстрый взгляд вправо, убедился в правильности своей догадки. Служитель закона повернул чемоданчик к себе и внимательно изучал бирку с монограммой. Молодой человек почувствовал спазм в низу живота. «Я должен отвлечь их, — пронеслось в его мозгу, — я должен что-то говорить...»

А в следующий момент все кончилось. Второй полицейский захлопнул пассажирскую дверь, первый — протянул водителю его документы.

— Что ж, в таком случае...

Блюститель порядка оставил фразу неоконченной, но все было ясно и без того. У Бертрана вновь закружилась голова, но на сей раз — от облегчения. Они отпускали его. Даже без положенного в подобных случаях штрафа! Пронесло... Тот полицейский, что рыскал до этого вокруг «Мерседеса», уже возвращался к своей машине, первый же, сделав несколько шагов в том же направлении, вдруг остановился и повернулся к Бертрану.

— Казарес... Давно вы у нее работаете?

— Четыре года. — Бертран недоуменно смотрел на стража порядка.

— В таком случае вы, должно быть, встречались с ней самой? С Казарес...

Да, теперь блюститель закона явно проникся уважением, даже почтением, с облегчением подумал Бертран. Он больше не чувствовал себя рыбиной на крючке, поскольку подобные вопросы ему задавали не раз: в ресторанах, на вечеринках и во время деловых встреч в Париже, Лондоне, Риме и Нью-Йорке... Да, что ни говори, а работа на мировую знаменитость имеет свои неоспоримые преимущества: исходящее от нее сияние касается своим краешком и тех, кто находится рядом — будь ты высокопоставленный помощник или простая швея.

Бертран улыбнулся. Конечно же, он видел Казарес — на тех торжественных мероприятиях, проводимых дважды в году, когда великая Казарес спускается со своего Олимпа и появляется на публике, чтобы принять очередной шквал оваций по поводу завершения показов мод. Выдав полицейскому эту порцию лжи, Бертран понизил голос и добавил: мало того, примерно два года назад он был представлен ей лично самим Жаном Лазаром на банкете в честь этой выдающейся женщины.

— Вы хотите сказать, что говорили с ней?

— Накоротке, хотя и недолго. Казарес весьма застенчива и очень эмоциональна. Женщина, которая стесняется собственной славы, да еще — художник... Это восхитительно. Мне никогда не забыть этой встречи.

Молодой человек врал легко и непринужденно, ведь вся эта ложь являлась политикой компании, была тщательно отрепетирована и озвучивалась уже много раз до этого. Весь мир должен был знать, что загадочная, окруженная тайной Казарес тем не менее продолжает творить. Каждый из ее высокопоставленных сотрудников врал на свой лад. Кто-то делал упор на ее внешность, кто-то — на обаяние или одухотворенность, а вот Бертран, который, кстати сказать, ни разу в жизни не встречался с Казарес, решил сделать ставку на утонченную артистичность своей недосягаемой хозяйки. Это, как ему казалось, срабатывало лучше всего остального.

— Необычайная женщина, — проговорил полисмен, покрутив головой.

Бертран торжественно кивнул, но дальше предпочел не распространяться. Дело в том, что о других необычных качествах, присущих личности Марии Казарес (о которых, впрочем, Бертран мог догадываться лишь благодаря слухам и собственной интуиции), он не посмел бы поведать никому, даже собственной жене.

Инцидент был исчерпан. Полицейская машина уехала. Бертран сел за руль своего «Мерседеса», закурил сигарету, пытаясь успокоить нервы, и решил, что постарается не упоминать об этом незначительном происшествии мсье Лазару. Затем он продолжил свой путь по направлению к Парижу, но уже с более умеренной скоростью.

Его нервы, однако, вновь разыгрались, когда он въехал во внутренний дворик изумительного особняка семнадцатого века, купленного Лазаром примерно пятнадцать лет назад специально для штаб-квартиры империи Казарес. Лазар не выносил, когда его заставляли ждать, а уж если во время вынужденного ожидания ему не на ком было сорвать гнев, он вообще превращался в тигра. Поэтому Бертран приготовился к неизбежной экзекуции. Миновав привратника, он остановил кинувшегося было к лифту лифтера и пошел вверх по лестнице. Поднявшись на два пролета и убедившись в том, что его никто не видит, молодой человек перешел с шага на рысь.

Поскольку Бертрана ждали, остановить его никто не пытался. Лишь в самой последней из комнат при его появлении главная секретарша Лазара обратила взгляд к циферблату настенных часов и сделала предупреждающий жест.

— Сосредоточьтесь, — сказала она.

Бертран помедлил, прочистил горло и только затем благоговейно приоткрыл дверь. Он знал, что о его приезде шефу уже доложили.

Пройдя по паркету, Бертран остановился перед письменным столом.

Однако громы и молнии не торопились обрушиться на несчастную жертву. В кабинете царила тишина. Лазар медленно поднял голову. Он словно не замечал своего помощника. Взгляд его был прикован к одному только атташе-кейсу в руке последнего.

— Никаких сложностей? — спросил он наконец.

— Нет, сэр. Я приношу извинения за то, что опоздал, но на шоссе было очень интенсивное движение.

— Новый продукт — у вас?

— Да, сэр, как и было оговорено.

— У нас достаточно времени?

— Да, сэр. Изготовители советуют в течение первых четырех дней произвести мониторинг, выяснить уровень восприимчивости организма. Принимать лишь по одной таблетке в день — утром, вместе с пищей...

Бертран запнулся.

— Продолжайте, — велел Лазар.

— Пища рекомендуется, сэр, жидкая. До и после приема таблетки. Они особо подчеркнули это.

— Побочные эффекты?

Бертран снова замешкался.

— Вы слышали мой вопрос. Побочные эффекты: да или нет?

— Да, сэр. Препарат пока еще не испытан в достаточной степени. В ряде случаев было зафиксировано учащение пульса. Возможна бессонница, однако она наблюдается лишь при увеличении дозировки или когда препарат принимается непосредственно перед сном...

Лазар прервал говорившего коротким взмахом руки и жестом велел ему положить чемоданчик на стол. Для него перестало существовать все на свете, кроме лежавшего перед ним чемоданчика.

Бертран работал с Лазаром с девяносто первого года, но и сейчас понимал своего шефа не лучше, чем в день своего прихода сюда. За все эти четыре года Лазар ни разу не сделал попытки сблизиться, не сообщил ни единого факта о своей личной жизни. Бертран знал лишь то, что Лазару около пятидесяти, что по происхождению он, вероятно, не француз, что он говорит на пяти языках, много работает, мало спит и, по слухам, живет один. Если верить сплетням, Лазару также принадлежала собственность в Париже, его окрестностях и за границей.

Что было известно Бертрану наверняка и по собственному опыту, так это невероятная трудоспособность Лазара. Его преданность империи Казарес была вне всяких сомнений. Вот только верить ли слухам о том, что причиной этой фантастической преданности являлось особое отношение Лазара к самой Марии Казарес?

Глядя на этого аскетичного человека, Бертран, не любивший Лазара, но уважавший его, испытывал смесь страха, восхищения и жалости. Гордость Лазара ни за что не позволила бы ему признать собственную слабость, и тем не менее свидетельство этой слабости лежало сейчас на его письменном столе.

Если он считал, что без этого допинга не сможет дотянуть до показа новой коллекции, значит, его переутомление было гораздо сильнее, нежели полагал Бертран. Разглядывая Лазара сейчас, он видел явные признаки этого переутомления и удивлялся, как мог не заметить их раньше. Шеф выглядел усталым и поникшим. Когда он поднял глаза на Бертрана, тот был потрясен болью, поселившейся в них, видимо, очень давно.

— Откройте кейс, — велел Лазар.

Бертран выполнил приказание. Внутри чемоданчика находилось несколько маленьких свертков. В каждом свертке было по небольшой белой коробочке, а в них по одной таблетке, завернутой в золотой шелк. Коробочки были обтянуты белым шелком — фирменной тканью Лазара — и перевязаны серебряной шелковой тесьмой. Это была идея Лазара — упаковать товар таким образом, чтобы он походил на дорогие подарки.

— Итак, четыре дня. После этого до показа коллекции у меня останется один день. Что потом?

Помощник сглотнул ком в горле.

— В день показа коллекции можно принять сразу две таблетки, сэр. К тому времени организм выработает восприимчивость к препарату.

— Результаты?

— Ощущение благополучия, оптимизм. Внутренний подъем, уверенность в себе.

— Приятно знать, что даже такие вещи можно купить за деньги.

— Все это сопровождается улучшением общего самочувствия, сэр. Этот эффект — временный, но весьма заметный. Наблюдается также омоложение кожи и...

— Что произойдет с глазами?

— Всего небольшое сужение зрачков, сэр. Заметить это можно будет только с очень близкого расстояния.

— Речь? Движения?

— Никаких изменений, сэр.

— Вы опробовали препарат на себе?

— Да, сэр, как вы и велели. — Бертран смотрел прямо в глаза шефу. Он всегда так поступал, когда лгал ему. — Я принял одну таблетку вчера утром...

— Целую таблетку?

— Да, мсье Лазар, — ответил помощник. На самом деле он принял лишь половину. — Я принял таблетку после завтрака, в десять часов утра. Эффект был мгновенным и, должен вам сказать, просто потрясающим.

— Хорошо ли вы спали? Без сновидений?

— Я с удовольствием видел бы такие сны каждую ночь. Все пять чувств словно бы обострились, мсье Лазар. Сны были эротическими. Я сразу же заметил, как повысилась моя мужская потенция. Если бы в тот момент я был не один...

— Вы свободны, — холодно бросил Лазар.

Бертран, думавший, что его последние наблюдения могут заинтересовать даже такого человека, как шеф, мгновенно

понял, что ошибся. Лицо Лазара являло собой непроницаемую маску отчужденности. Пятясь к двери, Бертран ожидал, что в любую секунду шеф изольет на него присущий ему холодный сарказм.

— Погодите, — проговорил Лазар.

Бертран побледнел и повернулся к хозяину.

— Скажите... Эти маленькие волшебные таблетки уже как-нибудь окрестили? У них есть название?

У Бертрана словно гора с плеч свалилась. Он сообщил Лазару, что чудодейственные таблетки окрестили «белыми голубками».

Это название, похоже, затронуло какую-то струну в душе Лазара, поскольку он завороженно повторил это название. Затем снова поднял взгляд на Бертрана. Последний его вопрос был остр, словно бритва:

— Они — безопасны?

Бертран, мечтавший поскорее сбежать отсюда, понял, что сейчас не самый подходящий момент, чтобы вдаваться в детали. Он решил не упоминать о некоторых многозначительных замечаниях голландского химика, о предостережении, сделанном его партнером-американцем. Тем более Бертран не испытывал ни малейшего желания признаваться в том, что он, женатый мужчина и человек поистине пуританских взглядов, после всего лишь половины таблетки полностью утратил контроль над собой. Пусть это станет сюрпризом и для Лазара, не без некоторой мстительности подумалось ему.

— Эффект их действия необычайно силен, но они абсолютно безопасны. Да, сэр, абсолютно безопасны.

Часть I

Англия

1

Встреча с главой отдела очерков Роулендом Макгуайром была назначена на десять часов в его кабинете в отделе новостей, а не у Линдсей в отделе мод. Согласившись на это предложение, Линдсей сразу же пожалела об этом, поскольку Макгуайр теперь мог играть, что называется, на своей территории. Она не любила Макгуайра. Более того, она должна была его ненавидеть, поскольку за те два недолгих месяца, которые этот человек работал в редакции, он уже несколько раз сумел посадить ее в лужу. Линдсей решила, что не позволит ему больше финтить и на сегодняшней встрече поставит его на место.

Накануне она легла спать в полночь, поднялась в шесть утра, на рабочем месте была, как обычно, в восемь. Линдсей вяло пыталась убедить саму себя в том, что она бодра и энергична, словом, готова к поединку.

К девяти часам Линдсей успела просмотреть заметки о новостях в мире мод и выбрала три снимка своего любимого фотографа Стива Маркова. Вообще-то все фотографы были неврастениками, но страдающий Стив, брошенный недавно неверным любовником, мог дать своим коллегам сто очков вперед. Кроме того, Линдсей успела уладить все дела, связанные с аккредитацией своего еженедельника «Корреспондент» на показах весенних коллекций в Париже, которые должны были начаться на следующей неделе.

В половине десятого она уединилась в своем кабинете.

Сегодня была пятница, и Линдсей собиралась уехать на уик-энд. Ни ее мать, ни сын не относились к категории людей, которые по мере необходимости покупают продукты, вовремя звонят водопроводчику, когда в ванной текут трубы. Каким же образом она рассчитывает разделаться с Макгуайром, если не способна справиться даже с такими ничтожными бытовыми мелочами?

Печальная истина состояла в том, что она не предназначена для роли гранд-дамы и никогда ею не была. Во-первых, будучи маленькой и похожей на мальчишку, Линдсей не подходила для этого внешне, а во-вторых, в-третьих, в-четвертых, и по всем остальным параметрам... Тридцативосьмилетняя мать-одиночка, живущая в вечно неприбранной квартире в западном Лондоне со своей невыносимой мамой и семнадцатилетним сыном. Последний, судя по всему, только начинал выбираться из гормональной бури взросления. Оба — и бабушка, и внук — свято верили в то, что именно Линдсей обязана оплачивать все счета и улаживать любые жизненные невзгоды, выпадавшие на долю семьи.

Решительным шагом Линдсей вышла в приемную своего кабинета. Сидевшая там Пикси — ее девятнадцатилетняя секретарша — уже была наготове. Выждав ровно до пяти минут одиннадцатого, она набрала номер Макгуайра и сладчайшим голосом сообщила, что мисс Драммонд находится на совещании и потому, видимо, опоздает на встречу, а Линдсей тем временем стояла рядом с секретаршей.

Повесив наконец телефонную трубку, девушка хихикнула.

— Бедный мистер Макгуайр, — сказала она. — У него был такой несчастный голос.

— Вот и хорошо.

— Почему вы его так не любите? — воззрилась на Линдсей секретарша. — По-моему, он классный мужчина.

— Пикси! Посмотри лучше на меня. Как я выгляжу? Как костюм?

— Костюм у вас совершенно обалденный! Просто супер! Хотите меня проверить?

— Ну что ж, попробуем. Могу даже дать тебе подсказку: он обошелся мне в пять месячных зарплат. Чтобы его купить, мне пришлось заложить кое-какое имущество и взять кредит во Всемирном банке.

— Костюм явно от Казарес. — Пикси наморщила лоб. — Дайте секунду подумать. — Модель прошлого года, точнее, осень 94-го. Строгие линии... Все, вспомнила! Авторская модель. На показе он шел то ли под сорок третьим, то ли под сорок четвертым номером.

— Под сорок третьим. Прекрасно, Пикси! Итак... Я уже достаточно опоздала, как ты думаешь?

— На двадцать минут. Может, еще минут пять подождать? Уж коли хамить, то по-крупному, верно?

— Верно, — улыбнулась секретарше Линдсей.

Она выждала еще десять минут.

* * *

— Садись, будем пить кофе, — предложил Роуленд Макгуайр, снимая ноги со стола и выпрямляясь во весь свой чуть ли не двухметровый рост.

— Что ж, если у тебя так много свободного времени... — проговорила она, надменно пожав плечами. — У меня-то, как ты знаешь, работы по горло.

Макгуайр отреагировал на этот выпад лишь мимолетным взглядом на циферблат своих часов.

— Садись, — бросил он через плечо. — Извини за беспорядок. Сбрось весь этот бумажный хлам в сторону. Я слышал, ты сегодня едешь за город? Намерена провести выходные у Макса?

— Да, собираюсь, — ответила она.

Макгуайр улыбнулся.

— Передай от меня горячий привет миссис Макс. И всем маленьким Максикам. Надо же, четверо детей! Поначалу я думал, что это, должно быть, чрезвычайно обременительно, но теперь переменил свое мнение. По-моему, у них уже и пятый на подходе...

— Да, должен появиться на свет через два месяца.

— Может, на сей раз будет девочка?

— Несомненно, — откликнулась Линдсей, стараясь не замечать почти неуловимый ирландский акцент, время от времени проскальзывавший в речи собеседника. Этот легкий акцент и улыбка делали его на редкость привлекательным, и Макгуайр, похоже, знал об этом.

— Послушай, может, мы все-таки займемся работой? — подалась вперед Линдсей. — До отъезда мне надо переделать еще кучу дел. Я уже договорилась почти обо всем, что связано с парижским показом. Надеюсь, ты видел составленный мною план его освещения?

Макгуайр принялся перебирать бумаги на своем столе.

— Макс вроде бы говорил, что ты собираешься ехать со своей подругой.

— Джини. Женевьева Хантер. Ты ее не знаешь.

— Да, я ведь здесь недавно, — кивнул он, продолжая рассеянно перебирать лежавшие перед ним листки. — Однако я знаком с ее работой и, конечно, с прошлогодними репортажами из Боснии. Они были просто блестящи! Так же хороши, как снимки Паскаля Ламартина. Они и раньше вместе

работали, насколько мне известно. Прекрасная команда. Куда же делся этот чертов план? Ведь только минуту назад лежал на этом месте! Кстати, почему она не осталась там?

— Вот этого я не знаю.

— Кто-то мне говорил... Она, кажется, заболела?

— Да нет вроде. По крайней мере, сейчас с ней все в порядке.

— Ага, значит, я что-то напутал. Макс говорил...

Именно в тот момент, когда она гадала, о чем еще Макс мог рассказать Макгуайру, тот огорошил ее. Он наконец нашел составленный Линдсей план освещения парижского показа и положил его перед собой.

— Прекрасно, — сказал он.

Не веря своим ушам, Линдсей изумленно уставилась на собеседника.

— Прекрасно? Ты хочешь сказать, что тебе нравится мой план?

— Да. Коллекции мод — это твоя епархия. Я бы и помыслить не смог о том, чтобы занимать чужую территорию. Тем более что сам я не способен отличить Лакруа от Сен-Лорана.

«Чертов Макс!» — подумала Линдсей, уловив лукавые огоньки, заплясавшие в глазах Макгуайра. Значит, редактор передал ему их разговор!

— Я рада, что ты наконец уяснил рамки своей компетенции. — Линдсей встала, оттолкнув стул и намереваясь побыстрее покинуть кабинет.

— Да, и вот еще что, — бросил ей в спину Макгуайр. — Скажи, костюм, который на тебе, не от Казарес?

— Угадал.

— А ты когда-нибудь встречалась с самой Казарес? Может быть, брала у нее интервью?

Линдсей недоуменно посмотрела на Макса, гадая, чего больше в его вопросе: невежества или подвоха.

— Нет, — ответила она наконец, — я с ней никогда не встречалась. И, как тебе, должно быть, известно, ни один журналист — тоже. Казарес никогда не появляется на публике, только в день закрытия ее показов. И никому не дает интервью. Она настоящая затворница.

— И к тому же — удивительно красивая затворница.

— Да, и это тоже.

— Но Лазар — он-то общается с журналистами?

— Только с теми, которых считает надежными. Со своими друзьями, которые не будут задавать ему неудобных вопросов о Казарес. Я бы не стала называть это интервью, но изредка он действительно дает аудиенции журналистам.

— Не могла бы ты с ним встретиться?

Линдсей озадаченно посмотрела на Макгуайра.

— Зачем? Это же бессмысленно. Даже если мне удастся встретиться с Лазаром, я не узнаю от него ничего мало-мальски стоящего. Разумеется, мне хотелось бы узнать, насколько верны те или иные слухи. Например, правда ли то, что пять лет назад Мария Казарес стала разваливаться на части. И мне очень хотелось бы узнать, какую именно коллекцию она разрабатывает в настоящее время. Любой журналист не пожалел бы усилий, чтобы услышать ответы на эти вопросы, но...

— Вот и задай их. Почему бы не попробовать?

— По нескольким причинам, — фыркнула Линдсей. — Во-первых, я не осмелюсь это сделать, поскольку меня после этого на пушечный выстрел не подпустят к Дому мод Казарес. Во-вторых, это бессмысленно. Для интервьюеров у Лазара существует заготовка: Мария Казарес — гений высокой моды. Его задача в том и состоит, чтобы ограждать хозяйку от назойливых плебеев.

— И еще в том, чтобы управлять империей стоимостью во много миллионов долларов. Давай и об этом не будем забывать.

— Само собой. С этой задачей он, кстати, справляется блестяще. Лазар охотно станет говорить о фасонах их платьев, об их косметике, о духах. Он будет сыпать цифрами и излучать обаяние. Пустая трата времени! Об империи Казарес мне известно абсолютно все.

— Абсолютно все? Ты в этом уверена?

Линдсей уже была готова ответить какой-нибудь дерзостью, но в последний момент заметила, каким острым стал взгляд зеленых глаз Макгуайра, как по-новому зазвучал его голос.

— Ну, хорошо, я преувеличила. Конечно, я знаю не все, как, впрочем, и остальные. Лазар и Казарес окружены завесой таинственности, причем с давних пор...

— Не могу не согласиться. — Макгуайр заглянул в зеленую папку. — Вопросов больше, чем ответов. Откуда они всплыли, как встретились, каким образом Лазар заработал свои первые большие деньги, какие взаимоотношения связывают их сейчас, почему в прошлом году Лазар собирался продать компанию?..

— Это были чистой воды сплетни, — перебила Линдсей.

Макгуайр бросил на нее быстрый взгляд и продолжал:

— Конечно, редакторы отделов мод — особенные люди, верно? Не задают острых вопросов, не пытаются заняться се-

рьезным анализом. Они лишь ходят на показы, воркуют с подружками, охают и ахают над складочками и развивают в себе способность впадать в экстаз. По поводу юбки, или жакета, или шляпки... Они просто не осмеливаются критиковать! А если бы осмелились, то никогда больше не получили бы приглашений на показы мод и распростились бы с престижными местами в первом ряду. Кстати, Линдсей, ты ведь обычно сидишь в первом ряду?

Макгуайр поднял на нее холодный взгляд, а Линдсей впилась ногтями в свои ладони.

— Да, — сказала она, — в первом. Для того чтобы попасть туда, мне, черт возьми, понадобилось десять лет, и с этого места я могу описывать то, что вижу, гораздо лучше, нежели с галерки. Прежде чем читать мораль, взгляни лучше на собственный отдел очерков. В прошлую субботу вы поместили две большие статьи: одну — про Чечню, вторую — про Клинтона.

— Ну и что из того?

— Помимо этого, в автомобильной рубрике вы напечатали заметку о новой модели «Астон-Мартина», затем — об элитарном морском курорте в Таиланде, и еще поместили в кулинарном разделе статейку со сравнительным анализом пятнадцати сортов оливкового масла. Вы отвели этой вашей ужасной девице, которую, кстати, именно ты притащил в газету, целую колонку под описание какого-то роскошного ресторана неподалеку от Оксфорда, где она на пару со своим дружком просадила двести фунтов из редакционного бюджета. Это ли не безумие? Очнись, Роуленд, и не корми меня больше словесным дерьмом!

— Вот это удар, — сказал он. — Ощутимый удар. Но, с другой стороны, — Макгуайр наклонился над столом, — ты должна признать, что эта ужасная, по твоему мнению, девица проявила объективность, отругав ресторан за то, что соус «дюгле» там ниже всякой критики... И тем не менее по поводу статьи об оливковом масле я с тобой полностью согласен: она отвратительна и нечитабельна. На этой неделе я уволил того, кто ее написал.

— Это — угроза? — спросила она, стараясь говорить как можно более спокойным голосом.

Макгуайр, казалось, удивился — в первый раз за время их разговора. Он окинул ее недоуменным взглядом и пробежал пятерней по волосам.

— Я могу воспринимать твои слова только в качестве угрозы, — продолжала Линдсей. — Вероятно, мне следует позвонить Джини и отменить встречу.

— Почему же?

— Джини придется ждать. Если тебя это хоть сколько-нибудь интересует, что, впрочем, маловероятно, ждать также придется и моей матери, и моему сыну, и этому чертову магазину, где я надеялась купить бутсы двенадцатого размера, и водопроводчику, поскольку я все еще буду находиться здесь, в этом здании. Я буду говорить с Максом. Так я работать больше не могу.

Довольная тщательно выверенным сарказмом и чувством собственного достоинства, которыми была пронизана ее речь, Линдсей направилась к двери. Она чувствовала, что сейчас самое время для эффектного ухода. Макгуайр закашлялся.

— Бутсы для футбола или регби? — внезапно спросил он.

Линдсей остановилась и, обернувшись, метнула в мужчину испепеляющий взор.

— Для футбола. И не пытайся снискать мое расположение. Слишком поздно.

— Двенадцатый размер... Он, наверное, высокий?

— Метр восемьдесят пять. Ему семнадцать лет. Эта информация поможет тебе в твоих вычислениях?

— Я ничего не вычисляю. Просто я удивлен. Я думал, тебе лет тридцать, ну, может, тридцать один.

— Льстить уже поздно, — бросила польщенная в душе Линдсей. — И поздно выпутываться. Я...

— Это была не угроза, — быстро перебил ее Макгуайр, вставая. — Тут какое-то недоразумение. Может, ты просто неправильно меня поняла. Я пригласил тебя вовсе не для того, чтобы запугивать или критиковать. Я не люблю моду и не пытаюсь делать вид, что разбираюсь в ней. — Неожиданно Макгуайр широко улыбнулся и взял Линдсей за руку. — Скажу по секрету, что мне не нравятся «Астон-Мартины» и счета из ресторанов на двести фунтов. Ты здорово меня уела, признаю.

Линдсей неподвижно стояла, глядя на его большую, загорелую, красивую руку, и пыталась вспомнить, не было ли у нее ранее аритмии. Если нет, то чем вызвано это неровное сердцебиение под жакетом от Казарес? Затем Линдсей задумалась: не потому ли у них с Макгуайром сложились такие отношения, что именно она первой повела себя неправильно? Разумеется, она могла бы сбросить сейчас его руку и завершить свой эффектный уход со сцены, но она этого не сделала.

— В таком случае почему же ты решил меня допрашивать? — спросила она. Макгуайр взял зеленую папку, развязал тесемки и протянул ее Линдсей.

— Потому что мне нужна твоя помощь, — сказал он. — Вот в этом.

Она опустила взгляд на зеленую папку — увесистую и без каких-либо пометок.

— Тут какая-то история, связанная с модами?

— Только косвенным образом. На самом деле история гораздо грязнее.

— Здесь что-то секретное?

— Можно сказать и так.

Линдсей открыла папку, и оттуда на нее взглянуло знакомое, знаменитое на весь мир лицо. Мария Казарес была запечатлена на пике своей красоты. Черноволосая и черноглазая, она смеялась, приподняв руки и словно собираясь прикрыть ими лицо. Волосы ее были коротко подстрижены, и теперь Линдсей поняла, что стояло за ставшей знаменитой фразой: Казарес похожа на самого красивого в мире мальчика. На груди ее висел маленький золотой крестик.

Линдсей нахмурилась и стала перелистывать содержимое папки, состоявшее в основном из газетных вырезок, имевших хоть какое-то отношение к Лазару и Казарес. Вырезки охватывали период почти в тридцать лет. Неудивительно, что папка была в десять сантиметров толщиной.

— Я хочу, чтобы ты просмотрела эту подборку. Здесь абсолютно все, что удалось собрать моим сотрудникам: вырезки из американских, английских, итальянских и французских газет. Не согласилась бы ты заняться этим во время выходных?

— Это так срочно?

— Да, срочно. Я подумал, что ты могла бы пролистать папку в любое удобное тебе время: после ужина или, может, в постели...

Он снова улыбнулся Линдсей, и та вдруг поняла, что этот человек обладает еще одним талантом: когда ему нужно добиться какой-нибудь цели, он умеет даже флиртовать.

— От меня было бы больше пользы, если бы я знала, что именно надо искать.

— Белые пятна.

— Их могут быть сотни. Чуть раньше ты сам перечислил некоторые из них. Вся эта папка состоит из предположений и домыслов. Слухи, мифы, легенды...

— Не страшно. Я хочу знать обо всем, что известно тебе, но чего нет в этой папке, — каким бы незначительным и маловероятным это ни казалось.

— Даже откровенные сплетни?

— Даже сплетни. И они могут пригодиться.

— Я должна отчитаться перед тобой в понедельник?

— Э-э-э... да. — Он отвел взгляд. — Желательно до твоего отлета в Париж. Если после этого у тебя найдется свободное время и желание, я в благодарность с удовольствием приглашу тебя поужинать.

— Поживем — увидим.

Макгуайр, казалось, был задет ее ответом.

— Разве мы еще не заключили мир?

— Нет. Пока не заключили. — Линдсей встретилась с ним взглядом. — Я по-прежнему думаю, что ты хитришь и пытаешься обвести меня вокруг пальца.

— Но ты согласна мне помочь?

— Знаешь, с тобой гораздо проще общаться, когда ты просишь об одолжении. Ладно, помогу.

Линдсей поднялась и направилась к выходу. Движимый внезапным порывом галантности, Макгуайр тоже вскочил на ноги и распахнул перед ней дверь. Когда женщина уже стояла на пороге, он задал последний вопрос, вконец озадачивший ее: известно ли ей о каких-либо делах Жана Лазара в Амстердаме?

— Нет, а с чего он должен их иметь? Какой бы национальности он ни был, но уж точно не голландец. Кроме того, Голландия — страна, не имеющая практически никакого отношения к миру мод.

— Просто я подумал... — проговорил Макгуайр, и в эту секунду на его столе зазвонил телефон.

Не договорив, он схватил телефонную трубку. До слуха Линдсей донесся женский голос, торопливо и взволнованно говоривший что-то на другом конце провода. Макгуайр, нахмурившись, слушал.

— Ну ладно, Роуленд, увидимся в понедельник... — Линдсей не стала ждать завершения его разговора.

— В понедельник? — Он поднял на нее взгляд.

— За ужином, Роуленд. За ужином с твоими извинениями передо мной.

— А, да, конечно. Точно. В понедельник.

Выходя из кабинета, Линдсей бросила последний взгляд на его хозяина. Женщина, позвонившая Роуленду, продолжала говорить, не делая пауз. Макгуайр, не зная, что за ним наблюдают, издал тяжелый вздох, положил трубку на стол и, взяв томик Пруста, принялся листать. В тот момент, когда Линдсей бесшумно закрывала за собой дверь, собеседница Макгуайра испустила на другом конце провода яростный крик. Роуленд безмятежно перевернул страницу.

* * *

В четверть второго Роуленд Макгуайр подошел к окну своего кабинета на двенадцатом этаже. Отсюда была видна Темза, судоверфь Кэнари и стоянка автомобилей в редакционном дворе.

— Точно по расписанию, — проговорил он.

Макс отложил в сторону папку, принесенную ему Макгуайром, и присоединился к другу.

Оба мужчины внимательно следили за миниатюрной женщиной, которая, выйдя из здания газеты, лавировала между автомобилями, пробираясь к новенькому «Фольксваген-Пассату». Непокорные коротко остриженные волосы женщины были такими же черными и так же блестели под солнцем, как и лак на крыльях ее машины. На ней были черные полотняные туфли, черные брюки, черный свитер и куртка — тоже черного цвета. В руках она держала атташе-кейс, плетеную сумку и большую завязанную тесемками зеленую папку. Ей было трудно тащить всю эту поклажу, и, пока она добиралась до машины, несколько раз роняла то одно, то другое. В очередной раз выронив сумку, она ожесточенно пнула ее ногой, запрокинула голову к небу, и губы ее зашевелились. Даже с высоты двенадцатого этажа было понятно, что она ругается на чем свет стоит. Роуленд улыбнулся и сказал:

— Какая досада! Она переоделась. Сняла свой костюм. А он так хорош!

— Тот, который от Казарес? — ухмыльнулся Макс. — Неужели она надела его специально на встречу с тобой? В таком случае это война, Роуленд, и у тебя нет ни малейшей надежды одержать в ней победу.

— Ошибаешься. Сейчас она поехала к Джини Хантер. Все идет по плану.

— Она ни о чем не подозревает?

— Говорю же тебе: я ее очаровал. Напоил кофе, расхвалил костюм. Это будет легкая победа, Макс.

— Надейся, надейся... Ты не знаешь женщин, Роуленд, и никогда их не знал.

— Поверь мне, — бросил Макгуайр, пропустив мимо ушей замечание друга. Он наблюдал за тем, как «Фольксваген» прибавил ходу и двинулся к выезду со стоянки. Затем, выбросив указатель левого поворота, машина повернула направо, едва избежав столкновения с тяжелым грузовиком, возмущенно взвизгнувшим тормозами. Макс закрыл глаза.

— Никогда не садись в машину, если за рулем — Линд-

сей, — сказал он товарищу. — Это мой единственный совет тебе. Я хотел тебе сказать о Линдсей еще кое-что. Она вовсе не такая крутая, какой пытается казаться, и очень много значит для нас с Шарлоттой. Я знаю, как важна для тебя та тема, которую ты принялся раскапывать, и понимаю, насколько серьезную помощь может тебе оказать здесь Линдсей, но...

Роуленд не слушал. Он перечитывал последний отчет своего информатора, служившего в Амстердаме, в местном бюро американского Агентства по борьбе с наркотиками. Максу он этот документ уже показал. Разумеется, имени информатора Макс не знал и никогда не узнает — таков был стиль работы Роуленда.

— Конечно, конечно, — сказал он, закрывая папку и отмахиваясь от Макса, как от назойливого комара. — Не сотрясай воздух, ради бога.

Роуленд положил фотографии обратно на стол.

— Эти снимки — последние работы Паскаля Ламартина?

— Да. — Макс взял фотоснимки. — Хочу напечатать один из них завтра на первой полосе.

Он поднял глаза, встретился взглядом с Роулендом и отложил снимок в сторону.

— Как долго еще Ламартин будет находиться в Боснии? — спросил Роуленд, поднимаясь на ноги и принимаясь мерить комнату шагами. — Я полагал, он вернется вместе с Женевьевой Хантер.

— Так и задумывалось, — пожал плечами Макс. — Наверное, вернется, когда сочтет нужным. Ламартин, как киплинговская кошка, гуляет сам по себе.

Роуленд никак не отреагировал на это замечание.

— Итак, приступим, Макс? — Он бросил взгляд на часы. — Ты хотел рассказать мне о Женевьеве Хантер... Давай, Макс. До твоей следующей встречи осталось десять минут. Мне нужны детали.

2

Теперь по утрам Джини гуляла. Ей нравились эти прогулки — они заряжали энергией ее тело, очищали ум, благодаря им день пролетал быстрее. Оставаясь дома, Джини слишком остро чувствовала отсутствие Паскаля. Эта квартира стала их первым общим домом. Они вместе нашли ее, вместе обставили. Их любовь прикоснулась к каждому стоявшему здесь предмету. Прожили они здесь вместе пять месяцев, а потом и она, и Паскаль отправились в Сараево, освещать события в Боснии. Они и там работали рука об руку.

Паскалю и до этого приходилось работать во многих регионах, охваченных кровопролитными конфликтами, для нее же это был первый опыт.

А шесть месяцев спустя Джини вернулась домой. Одна. Измученная тем, что увидела и пережила в Боснии. Смерть детей, кровь, муки людей — Джини не могла вынести всего этого.

Паскаль, не подозревавший о происходивших в ней переменах, согласился с тем, что это действительно будет наилучшим вариантом. Сам он решил задержаться в Боснии, чтобы сделать побольше снимков. Сначала — на три недели, которые обернулись затем месяцем, а теперь уже перевалили за девять недель. Дата его возвращения по-прежнему оставалась открытой. Поначалу Джини втайне даже радовалась этой задержке. Она надеялась, что за это время успеет избавиться от мучивших ее каждую ночь кошмаров, перемежавшихся с бессонницей.

Постоянная близость смерти, трупы, запах разлагающейся плоти — все это она привезла с собой в Лондон, хотя ни разу не упоминала об этом в письмах или телефонных разговорах с Паскалем.

— Как ты спишь, дорогая? Хорошо ли ешь? — спрашивал он обычно.

— Да, — отвечала Джини, — аппетит наладился, прошлой ночью беспробудно проспала десять часов.

— Ты куда-нибудь выходишь? Видишься с людьми?

— Конечно, — продолжала лгать Джини, — я была в театре, кино, встречалась с Линдсей.

Как хорошо у нее это получалось — обманывать по телефону! Как замечательно получалось врать в письмах! Ну разве имеет она право обременять Паскаля своими заботами? Вот и приходилось наполнять свой голос фальшивым теплом, искусственной искренностью и деланой уверенностью. Она успокаивала его и убеждала не торопиться с возвращением, хотя на самом деле желала этого больше всего на свете. Да, она обманывала умело, в Боснии у нее было целых шесть месяцев, чтобы овладеть этим искусством. А в последнее время к ее пугающим воспоминаниям прибавились новые страхи. Вдруг, думала она, сейчас раздастся телефонный звонок или в дверях появится какой-нибудь незнакомец, принесший страшную весть? А вдруг Паскаль уже никогда не вернется?

Мучимая этими страхами, она открывала дверцы стен-

ных шкафов и прикасалась к одежде Паскаля, снимала с по-
лок его книги, вновь и вновь перечитывала его полные любви письма, пока не выучивала их наизусть. Она писала ему,
осторожно выводя на бумаге слова, которые должны были
скрыть ее отчаяние, и внимательно следила за тем, чтобы
слезы не капали на бумагу.

Под Рождество — Джини была уверена, что Паскаль вернется именно на Рождество, — надежда вновь поселилась в
ее сердце. Это будет их первый совместный праздник! Чуть
ли не бегом она кинулась на улицу и вернулась домой с
елкой и пакетом с украшениями для нее, а потом снова побежала в магазины — покупать для любимого подарки. После
этого, предвкушая встречу, Джини каждый вечер упаковыва-
ла по одному из них в красивую подарочную бумагу — таким
образом ей удалось растянуть эту эйфорию на целую неделю.

Однако долгожданное возвращение Паскаля так и не со-
стоялось. Ему подвернулась редкая возможность пробраться
в северную зону военных действий.

— Ты не должен отказываться. Поезжай обязательно, —
сказала ему по телефону Джини. Но чего стоило ей произнести эти слова!

Джини провела бессонную ночь, а на следующее утро
проснулась с твердым решением идти к врачу. Она и так потеряла слишком много времени. Врач — молодая миловид-
ная женщина — уверенно поставила диагноз «стресс» и велела Джини принимать успокоительное. Придя домой, Джини
высыпала таблетки на ладонь и спустила их в унитаз.

Она изо всех сил пыталась работать, но у нее ничего не
получалось. Старалась спать, но и из этого ничего не выходило. А по утрам, мечтая о том, чтобы день пролетел поскорее, Джини выходила на улицу. В ту пятницу, на которую
была назначена их встреча с Линдсей, она пошла к Холланд-
парку. Моросил мелкий дождь, и автомобили с шуршанием
катили по мокрому асфальту. Джини вспомнила, как настойчиво Линдсей уговаривала ее на поездку к Максу.

— Только представь себе, Джини: выходные в деревне! —
говорила Линдсей. — Ведь тебе же нравится Шарлотта, нравится Макс, нравятся маленькие максята. Ты не имеешь
права превращаться в отшельницу! Я заеду за тобой на машине — и никаких возражений!

Через час Джини уже приближалась к дому Линдсей,
хотя поначалу твердо решила избежать поездки к Максу, а
еще через час они уже ехали по шоссе на запад, по направлению к Оксфорду. Линдсей вела машину и говорила, не закрывая рта. Единственным предметом этой нескончаемой

болтовни являлся некий мужчина, которого Джини никогда в жизни не видела и который ее совершенно не интересовал. Его звали Роуленд Макгуайр, и, по словам Линдсей, она его терпеть не могла.

3

В тот день Макс неожиданно позвонил Шарлотте в их деревенский дом. Торопливо заверив постоянно волновавшуюся за него жену в том, что с ним все в порядке, и сообщив, что вернется сегодня позже, Макс перешел к делу.

— Я звоню по поводу Роуленда, — сказал он. — Он только что вышел из моего кабинета. Послушай, дорогая, я тут подумал...

— Только не говори, что Роуленд передумал!

— Нет, нет, Роуленд, конечно же, не передумал — ты же его знаешь. Но зато передумал я. Милая, я помню все наши разговоры, но по здравом размышлении я понял: нас с тобой чересчур занесло. Я так решил. Мы не будем влезать в чужие судьбы и не станем брать на себя роль всевышнего. Это слишком опасно с таким человеком, как Роуленд. Он — мой друг, и я хочу сохранить его именно в таком качестве, понимаешь?

— Он и мой друг, Макс, — мягко начала она. — Роуленд несчастлив, как бы усердно он ни пытался изображать полное довольство. Он же не может посвятить жизнь одной только работе. Он одинок, опустошен...

— Он не всегда одинок, — перебил жену Макс. — Шарлотта, Роуленда окружает целая орава влюбленных в него женщин. Он слишком занят, разбивая сердца. Любовные похождения Роуленда — это минное поле, и мы с тобой оба это знаем.

— О господи! Все эти женщины, романы с которыми длятся по пять секунд, не в счет. Как только Роуленд видит, что какая-то из них начинает относиться к нему серьезно, он тут же от нее сбегает.

— Для этого имеются причины, и ты знаешь о них не хуже меня.

— Но разве ты не видишь, Макс, — продолжила она через пару секунд, — это только подтверждает мою правоту. Если Роуленд полюбил один раз, то может полюбить и во второй. Не может же он скорбеть вечно! Ведь с тех пор, как это случилось, прошло уже шесть лет!

— Это для нас шесть лет, но не для него. Дорогая, я же

сказал тебе, что расстался с ним буквально минуту назад. Так вот, во время нашего разговора я случайно упомянул о Вашингтоне. Видела бы ты, как изменилось при этом его лицо! Почему, по-твоему, для него так важны эти наши расследования по поводу наркотиков? Почему, по-твоему, он поставил подготовку этих статей в качестве непременного условия, когда я звал его к нам в газету? Для Роуленда это — его личная война, крестовый поход, если хочешь. Его раны до сих пор не зажили, Шарлотта.

— Их может залечить женщина. Хорошая женщина, — парировала Шарлотта. Она говорила очень уверенным тоном, и Макс, не столь романтичный, как жена, снова обреченно вздохнул. Наивность жены всегда умиляла его. Ее вера в целительные свойства любви казалась Максу трогательной.

— Дорогой, что же ты молчишь? Итак, что ты предлагаешь? Ничего не предпринимать?

— Абсолютно ничего, — ответил Макс уверенно. Невинный тон жены не мог обмануть его. — И я говорю это совершенно серьезно, Шарлотта. Ты должна пообещать мне: никаких уловок, никаких многозначительных намеков.

— Ну хорошо, обещаю. А теперь заканчивай побыстрее дела и поскорее возвращайся домой. Я без тебя скучаю. И Дэнни — тоже. Он тебя целует и обнимает.

— Я люблю тебя, — сказал Макс изменившимся голосом. Эта интонация была хорошо знакома Шарлотте, но, наверное, удивила бы его сотрудников, услышь они сейчас своего шефа. — Я очень люблю тебя. Это прямо какое-то сумасшествие. И еще... — Он помолчал. — Еще я хочу тебя. Через две с половиной минуты у меня состоится очередная рабочая встреча, и я буду хотеть тебя все время, пока она длится.

Шарлотта торжествующе улыбнулась.

— Макс, — сказала она, — мне это льстит, но лучше не надо. Я, как ты помнишь, на восьмом месяце и похожа на бочку.

— А разве меня это когда-нибудь останавливало? — возразил ее муж. — Наоборот, это всегда помогало мне оттачивать свою технику. Если я буду мчаться как сумасшедший и окажусь дома около шести...

— Около половины восьмого. Поэтому, когда ты приедешь, осуществление твоих развратных планов станет весьма рискованным. Здесь уже будут Линдсей и Джини, так что могут возникнуть осложнения.

— Я приеду раньше, — ответил Макс. — У нас будет полчаса свободного времени. А за это время я успею...

Затем он стал рассказывать Шарлотте, что он намерен

сделать за эти тридцать минут, однако, дойдя до самого интересного, неожиданно замолчал и прервал разговор. Шарлотта с улыбкой повесила телефонную трубку. Макс мог быть смешным и занятным, но еще ни разу в жизни он не опоздал ни на одну встречу.

* * *

Когда неделю назад Макс заговорил о планах Роуленда, мысль о том, чтобы свести Роуленда и Линдсей, сразу же пришла Шарлотте в голову и показалась настолько простой и очевидной, что Шарлотта удивилась: как она раньше не подумала об этом?

Линдсей — теплый, независимый и сильный человек. У нее есть сын, которому непременно нужен человек, подобный Роуленду, чтобы восхищаться им и брать с него пример. Его собственный отец — бывший муж Линдсей, которого Шарлотта видела только однажды и возненавидела с первого взгляда, — был красивым слабовольным мерзавцем, в последний раз он объявился, кажется, в Канаде.

Линдсей заслуживала лучшего, нежели мужчина, который сбежал от нее через шесть месяцев после рождения сына. Она заслуживала лучшей доли, нежели провести остаток жизни с фантастически эгоистичной матерью, а именно это, как опасалась Шарлотта, и ожидает Линдсей после того, как Том оперится и вылетит из гнезда. Не желая делить внимание дочери ни с кем другим, мамаша Линдсей ревностно изгоняла всех мужчин, с которыми после развода у ее дочери начинали складываться более или менее серьезные отношения.

Шарлотта знала и историю Роуленда. Женщину, по которой он до сих пор тосковал, звали Эстер. Она была чернокожей. Роуленд долго не шел на откровенный разговор, но однажды его словно прорвало. Шарлотта и сейчас помнила в деталях тот день прошлого лета. Роуленд тогда приехал к ним на уик-энд, и Шарлотте захотелось расшевелить его.

— Я не позволю тебе упиваться собственным горем, Роуленд, — сказала она тогда.

— Упиваться? С чего ты это взяла?!

— Чего ты боишься, Роуленд? Признаться, что прошло уже пять лет и боль от случившегося — у всех, даже у тебя, — уже не так мучительна, как тогда?

После этих слов мужчина побледнел как полотно. Он пошел прочь, но затем остановился, повернулся к Шарлотте

и посмотрел на нее долгим пронизывающим взглядом, от которого по ее коже побежали мурашки.

— Не терпится послушать трогательную историю? Тебе этого хочется? Ну что ж, изволь. Уж коли ты числишь себя в моих друзьях и так обо мне беспокоишься, я тебе удружу, Шарлотта. Мы жили в Вашингтоне. Я работал там корреспондентом своей газеты и примерно за месяц до того, как все это произошло, получил указание возвращаться в Лондон. Я отказался и, разумеется, был уволен. Но решение это я принял с легким сердцем. Макс думает, что мне было тяжело пойти на этот шаг, но он ошибается. Эстер работала в ФБР и даже подумать не могла о том, чтобы уехать из Соединенных Штатов. Для меня было просто немыслимо расстаться с нею. В следующем месяце мы должны были пожениться. Я подрабатывал где только мог. И как-то раз подвернулась работа в «Пост»... — Роуленд помедлил, но через несколько мгновений продолжал: — Был выходной, стояла ужасная жара. В тот день мы собирались поехать навестить ее брата. Однако я отложил поездку, поскольку подвернулась хорошая тема для статьи. Не сделай я этого, все обернулось бы по-другому и Эстер была бы жива. Она стала бы моей женой, у нас могли бы быть...

Он снова осекся. Шарлотта сделала непроизвольное движение в его направлении, но тут же подалась назад.

— Она пошла в магазин, чтобы купить какой-то зелени, — продолжал Роуленд тем же бесцветным голосом. — Я сидел дома — работал, звонил по телефону. Она так и не вернулась. Ее убили на обратном пути из магазина. Какой-то пятнадцатилетний парень, до одури накачавшийся крэком, выстрелил ей в шею. Сначала он потребовал у нее сумочку, и Эстер отдала ее, но он все равно ее убил. Она умерла на тротуаре в двух кварталах от нашего дома. Сразу же после похорон я уехал из Вашингтона и никогда больше туда не вернусь. Если ты мне друг, Шарлотта, не мучай меня. И никогда больше не заговаривай со мной о ней! — резко закончил Роуленд.

Теперь, когда у нее появилась возможность обдумать все как следует, она осознала: с самого начала это был идиотский замысел. У Линдсей был такой светлый, такой солнечный характер, а под внешне лощеным обликом Роуленда скрывалась тьма. Зная это, она едва не совершила такую непростительную ошибку!

* * *

До приезда мужа и гостей Шарлотта решила пойти прогуляться с собаками — двумя терьерами. Малыша Дэниэла она оставила с Джесс. Эта женщина приходила из деревни помогать Шарлотте по хозяйству. Шарлотте предстоял ее обычный маршрут — вниз по реке, мимо церкви и, миновав холмы, повернуть назад. На обратном пути Шарлотта постояла на мосту несколько минут. Начинало смеркаться, холмы окутались дымкой вечернего тумана. Окликнув собак, Шарлотта вернулась на проселочную дорогу и направилась в ту сторону, откуда пришла. Едва она достигла того места, где дорога сужалась, как услышала звук мотора. Через несколько секунд новенький серебристый «БМВ» был уже рядом. Машина неслась на недопустимой для такой дороги скорости. Едва справившись с управлением, автомобиль срезал угол и пролетел совсем рядом с перепуганной Шарлоттой. Шарлотта проводила машину яростным восклицанием, но сидевший за рулем мужчина никак не отреагировал на это и не снизил скорость. Стремительно удаляясь, автомобиль свернул на боковую дорогу и пополз вверх по склону поросшего буком холма.

Все еще не придя в себя от испуга, Шарлотта, словно пытаясь защитить нерожденного ребенка, поплотнее закуталась в плащ и продолжала свой путь. По дороге ей встретился только один человек — мужчина. Он медленно шел по змеившейся вдоль берега реки дороге. На мосту он — точно так же, как незадолго до этого Шарлотта, — остановился. Налетел порыв пронизывающего ветра. Шарлотта поежилась и снова свистнула собакам. Они свое получили, пора было возвращаться домой.

В поселке Шарлотте попались только две школьницы в форменных костюмчиках. Одну из них Шарлотта хорошо знала. Ее звали Кассандра, и время от времени по просьбе Шарлотты она сидела с Дэнни. Ее мать была смазливой разведенной бабенкой, Шарлотта терпеть ее не могла. Рядом с Кассандрой, как показалось женщине, шагала Майна — девочка, недавно переехавшая сюда вместе с родителями. Шарлотта пригласила на сегодняшнюю вечеринку несколько местных семейных пар, в том числе и родителей Майны. Отец девочки был начальником находившейся неподалеку базы ВВС.

Женщина поздоровалась с девочками, но, к ее удивлению, те никак не отреагировали на ее приветствие. Кассандра, более высокая, чем подруга, перешла на бег, и до Шар-

лотты донесся их заливистый смех. «Какая невоспитанность!» — с раздражением подумала Шарлотта. Кассандра, как и ее мать, отличалась грубостью манер, а вот Майна — тихая маленькая Майна, мама которой всегда выглядела такой робкой и несчастной, — производила впечатление вполне воспитанной девочки.

Шарлотта ускорила шаг. Уже подходя к дому, она увидела, как маленький черный автомобиль, проскочив поначалу мимо ворот, остановился, дал задний ход и въехал на подъездную дорожку, едва не своротив одну из створок. Когда Шарлотта, задержавшись в оранжерее, вернулась в дом, Линдсей и Джини уже расположились на кухне, в которой витал соблазнительный аромат свежеиспеченного хлеба.

Линдсей держала на руках Дэнни и была занята разговором с Джесс, которая уже собиралась уходить, Джини с мрачным выражением лица и пустым взглядом сидела за кухонным столом. Шарлотта даже не сразу узнала ее. Линдсей предупреждала о произошедших с ее подругой переменах, но на поверку они оказались столь разительными, что Шарлотта, не видевшая Джини после возвращения из Сараева, просто растерялась. Когда-то Шарлотта считала Джини самой красивой женщиной из всех, кого знала. Остатки этой красоты угадывались и сейчас, однако лицо утратило краски и стало безжизненным, некогда удивительно пышные серебристые волосы поредели и потеряли блеск.

Шарлотта издала невольное восклицание, но тут же перехватила предостерегающий взгляд Линдсей и взяла себя в руки. Ей не терпелось узнать, что могло вызвать в молодой женщине такие разительные перемены. А пока она мужественно шагнула к поднявшейся со стула Джине и крепко обняла ее.

* * *

— Это была Шарлотта Фландерс? — спросила Майна подругу, как только за их спинами с шумом захлопнулась дверь.

— Та, с четырьмя злобными псами и, как всегда, беременная? Да, это она.

— О Касс! — Майна сняла форменную школьную курточку и аккуратно повесила ее на вешалку. — Мы должны были с ней поздороваться. Она — хорошая.

— Конечно, конечно, хорошая, — нетерпеливо отмахнулась Кассандра. — Только болтливая. А у нас нет времени, Майна.

— Не знаю. — На бледном личике Майны читалась нере-

шительность. — Я чувствую себя виноватой. К тому же мои родители сегодня вечером идут к ней в гости. А вдруг она скажет, что встретилась с нами?

— Ну и что? Даже если скажет? Они и так знают, что ты собралась ко мне.

— Но не так рано. Если она проговорится о том, в котором часу встретилась с нами, моя мама сразу почует неладное. Она поймет, что мы слиняли из школы.

— Да ладно тебе! — беззаботно бросила Кассандра. — Она и не вспомнит, что видела нас. А если твоя мама станет тебя завтра допрашивать, придумаешь что-нибудь. Скажешь, что одна из учительниц заболела.

— А если мама позвонит сюда сегодня вечером?

— Если позвонит, наткнется на автоответчик. Надеюсь, ты не забыла: мы поехали в Бас, в театр. С моей мамой. Путь туда неблизкий, после спектакля встретили друзей и поужинали с ними, а потом мама привезла нас обратно. Твоя мать считает, что раньше полуночи мы не вернемся. Ну, хватит, Майна, мы все это уже сто раз обсуждали. У нас — идеальное алиби, его не сможет расколоть даже твоя мама.

— А если кто-то из гостей у Шарлотты Фландерс проговорится, что твоя мама — в отъезде? Вдруг она сказала кому-нибудь, что уезжает в Нью-Йорк?

— Черта с два! Она плевать хотела на соседей, — дернула плечиком Кассандра, — и называет их всех «крестьянами». Тем более что она улетела неожиданно. И вообще, Майна, кончай трепаться и поторопись! Займись северным крылом, а я возьму на себя южное. Задерни везде шторы, включи свет. Дом должен выглядеть так, будто в нем кто-то есть. Потом — поедим и переоденемся. Встречаемся на кухне через пять минут.

Кассандра побежала по широкой лестнице наверх. Майна, еле передвигая ноги, последовала за подругой. Она пыталась убедить себя, что и на этот раз все обойдется. В конце концов, Кассандре уже приходилось бывать на подобных сборищах: прошлым летом — в Глэстонбери, накануне Рождества — под Челтенхэмом. Сегодняшнее у Кассандры — третье, и, по ее словам, каждый раз это было просто классно!

Впрочем, Кассандре было проще — с такой-то матерью. Ее мать никогда не интересовало, куда ушла дочь, во сколько она вернулась, она спокойно оставляла ее без присмотра в огромном загородном доме, никогда не звонила, чтобы выяснить, дома ли дочка, а на шестнадцатилетие дочери подарила ей прагматичное наставление: «Старайся избегать сильных наркотиков. Используй презервативы. И помни: большинство мужчин — дерьмо».

Майна поднялась по лестнице и оказалась в анфиладе роскошных спален. Они словно рекламировали мастерство хозяйки дома, являвшейся дизайнером интерьеров. Майна включила все лампы, задернула портьеры. Ее собственная мама никогда в жизни не дала бы ей подобного совета. Она обращалась с Майной так, будто та все еще была десятилетней девчонкой. Она переживала по поводу всего: парней, вечеринок, транспорта, курения, выпивки. Больше всего она боялась секса и наркотиков, боялась даже самих этих слов и поэтому предпочитала говорить о «мальчиках» и «всякой дряни». Время от времени она вырезала из газет заметки о нежелательной беременности или последствиях пристрастия к героину и втихомолку подкладывала их на письменный стол дочери. Эти уловки были столь наивными, что просто бесили Майну. Она комкала найденные вырезки и швыряла их в мусорное ведро, не читая.

И все же девушка терпела эту опеку, поскольку любила мать и знала, что та желает ей только добра. Затем ее отца перевели в Англию, Майна стала ходить в колледж в Челтенхэме, подружилась с Кассандрой. А потом, за несколько недель до рождественских каникул, когда они с матерью находились в доме вдвоем, Майна, намереваясь позвонить Кассандре, сняла трубку параллельного телефона, стоявшего в ее комнате, и невольно услышала разговор матери. Ее мать говорила с каким-то англичанином, голос которого был ей незнаком. Девушка уже собралась положить трубку, но рука ее замерла в воздухе, когда она услышала слова матери:

— Дорогой, я отчаянно хочу увидеться с тобой, но сейчас не могу — Майна дома. Нам придется подождать до следующей недели.

Сначала Майну пробрал озноб, потом ее бросило в жар, и она почувствовала, как к щекам прилила горячая кровь. Не в состоянии пошевелиться, она стояла, сжимая в руке телефонную трубку. Она дослушала разговор до самого конца — все эти задаваемые шепотом вопросы, клятвы в любви, разные гадкие детали, из-за которых выглядывали ложь и предательство. Затем девушка осторожно опустила трубку на рычаг, пошла в ванную, и ее стошнило. Мысли теснились и путались в голове.

После этого случая Майна и сблизилась с Кассандрой, стала подражать ей. Ну и что, если ради этого приходилось обманывать мать! Теперь, когда она знала, что мать — сама обманщица, это уже не имело значения.

В последней из череды умопомрачительных спален Майна задержалась перед огромным зеркалом в подвижной раме и с головы до ног окинула свое отражение холодным придирчивым взглядом: худенькая девчонка в блеклой форменной юбке и свитере. Как ненавидела она свои рыжие волосы, бледное лицо, плоскую грудь! «Я выгляжу на двенадцать лет», — сокрушенно подумала Майна, и в тысячный раз ей захотелось быть похожей на Кассандру — высокую, золотоволосую, беспечную и неустрашимую, которую природа наградила такими потрясающими грудями.

Еще не поздно передумать, подумалось ей. Она почувствовала, как к глазам подступают слезы, и, моргнув, чтобы не заплакать, дала волю злости. Злость лучше, чем слезы, она придает смелости. «Я пойду!» — решительно сказала девушка самой себе и побежала обратно на кухню. Кассандра уже была там и с отвращением рассматривала пустой холодильник.

— Нет, ты представляешь? — возмущенно проговорила она. — Я-то думала, что она оставила хоть немного еды. А тут? Пара банок консервированных бобов, чуть-чуть хлеба — и все. — Девушка гневно хлопнула дверцей холодильника, но тут же, взяв себя в руки, улыбнулась Майне. — Гляди, что я купила, — сказала она, беря полиэтиленовый пакет и вываливая его содержимое на стол. — Гель для волос, косметика, переводные татуировки. Смотри, Майна, правда, классные?

Майна с сомнением поглядела на псевдотатуировки. На трех бумажках были изображены черный скорпион, ястреб и дракон, а на четвертой — буквы, которые образовывали слово «НЕНАВИСТЬ».

— Сделаем прически, накрасимся, я дам тебе кое что-из своих вещей — думаю, они будут тебе в самый раз. Сколько у тебя денег?

— Десять фунтов.

— Черт! Этого мало. Мы же с тобой хотим оттянуться по полной программе?

— Наверное.

— Покурить, понюхать, может, даже чуточку ширнуться... Там всего навалом. Да, и обязательно чуть-чуть «экстази». Ты увидишь, это просто отпад! После нее чувствуешь себя настоящим секс-символом. Ну, само собой — техномузыка. Надеюсь, там будут крутить «Продиджи». Или «Ликвид дэс». Лично я собираюсь танцевать всю ночь напролет. Постой! Тут где-то должно быть немного денег. Мать заначивает их, чтобы платить молочнику, водопроводчику и всяким таким...

Кассандра принялась открывать дверцы кухонных шкафов, рыться в банках, заглядывать в кастрюли. Майна наблюдала за ее действиями. Иногда она задумывалась, не испытывает ли Кассандра боль от того, что родителям на нее ровным счетом наплевать. Сама Кассандра всегда представляла такие отношения величайшим благом, но Майна не была уверена, что подруга говорит искренне. Однажды, когда Кассандра вернулась после выходных, которые провела со своим сорокалетним отцом и молоденькой мачехой, она долго плакала. Это было почти год назад. Теперь Кассандра редко говорила о своем отце и так же редко виделась с ним. С тех пор она не проронила ни одной слезинки.

В пятой по счету банке Кассандра нашла наконец деньги и с победной улыбкой швырнула их на стол.

— Так я и знала! Сорок фунтов! Нам понадобится много. Ну что, будем тратить время на еду?

— Я пока не очень голодна.

— Я — тоже. Тем более что терпеть не могу бобы. Когда проголодаемся, найдем что-нибудь получше. Итак... — Кассандра посмотрела на свои часы. — Допустим, час-полтора, чтобы одеться, значит, выйдем отсюда в шесть с небольшим. Выйдем через заднее крыльцо на главную дорогу, а потом...

— Это далеко, Касс?

— Не очень, — беззаботно махнула рукой Кассандра. — Я знаю, где это. Классное место! Здоровенный такой сарай прямо в чистом поле. До ближайшего дома — не меньше мили, так что — никаких козлов-соседей и никаких фараонов.

— Это замечательно, но как мы туда доберемся?

— По прямой туда — всего несколько миль. Но не попремся же мы с тобой через поле? На фига нам туфли пачкать! — хихикнула подруга. — Доедем на попутке до Челтенхэма, а там прицепимся к кому-нибудь из бродяг — и прямиком к амбару. Они все туда едут. Только представь себе, какой это класс: сотни разных машин, автобусы, даже лошади есть! Эти ребята умеют оттянуться по полной. Я кое-кого из них знаю. Они наверняка нас подбросят.

Майна колебалась. До сегодняшнего дня она еще никогда не встречалась с «бродягами нового века», как называли их журналисты. Девушка полагала, что они похожи на дикарей, кочуют, подобно цыганам, целым табором и по-чудному выглядят: в грязной одежде, с неряшливыми детьми и шелудивыми собаками. Ее мама называла этих людей ничтожествами, негодяями и жалкими хиппи, которые продолжают цепляться за свой образ жизни с опозданием в тридцать лет.

А Кассандра уверяла, что бродягам можно доверить даже

собственную жизнь. Местные, говорила она, ненавидят их только за то, что они разоблачают пороки и никчемность современной жизни.

— Взгляни на мою мать, Майна, — убеждала она, — взгляни на своих родителей. На первый взгляд они совершенно разные, а на самом деле ничем друг от друга не отличаются. О чем они думают? О деньгах, о работе. Больше работать, чтоб больше заработать, чтоб больше накупить. Дом — побольше, машину — побольше... Это все дерьмо, Майна, это засасывает, как трясина. Неужели тебе именно это нужно от жизни?

Майна не ответила. Она сама не знала, чего хочет от жизни. Раньше она сказала бы, что ее родители не такие, какими их описывает Майна, но теперь она в этом уже не была уверена. После того телефонного звонка она чувствовала себя опустошенной и слабой, а собственный дом казался ей бутафорскими декорациями, построенными на лжи.

Она посмотрела на Кассандру, не ведавшую сомнений ни в чем, и в который раз позавидовала ей. Кассандра потеряла девственность в четырнадцать лет. Отправившись на гулянку в Глэстонбери, она накурилась и всю ночь наблюдала небо в алмазах. Тогда-то с ней это и произошло. Там, на холмах, существовал другой мир. Майна почти физически чувствовала его, и ее неудержимо влекло туда. И все же она продолжала колебаться.

Кассандра, сунув руку в карман, извлекла папиросную бумагу, машинку для скручивания сигарет и пластиковый мешочек, в котором лежал табак, перемешанный с «травкой».

— Покурим перед уходом? Надо же взбодриться.

Майна вздохнула. Кассандра познакомила ее с сигаретами в прошлой четверти, и когда она научилась правильно затягиваться, дала ей первую самокрутку с марихуаной. Сначала «травка» почти не подействовала на нее, но со временем девушка научилась задерживать дым в легких и стала испытывать ощущение легкости и покоя. Наркотик отгонял прочь все заботы и злость.

Кассандра умело свернула самокрутку, закурила и, затянувшись, передала подруге. Следуя ее примеру, Майна также глубоко наполнила легкие дымом. Уже через несколько минут она почувствовала легкость и подъем.

— Стар там будет? — вместе с дымом выдохнула она.

— Наверняка будет. Я же тебе говорила. Подожди, когда увидишь его, сама поймешь. Он — обалденный мужик! Дикий. Когда он до тебя дотрагивается...

— Что происходит, когда он до тебя дотрагивается?

— Не знаю... Даже не могу описать. Но стоит ему только прикоснуться к тебе — хотя бы просто взять тебя за руку, — как ты чувствуешь его силу. Она переходит от него к тебе.

Девушки поднялись на второй этаж, переоделись и стали неузнаваемы. Волосы они уложили прядями наподобие змей на голове горгоны Медузы, веки накрасили золотым, а губы — черным. Майна перевела татуировку с ястребом на свою левую скулу, Кассандра пристроила у себя на лбу скорпиона, на горле — дракона и затем подняла левую руку, и Майна перевела на ее кожу татуировку со словом «НЕНАВИСТЬ».

— Мы выглядим просто отпадно! — констатировала Кассандра, когда они изучали результаты своих трудов, стоя перед зеркалом в ванной комнате. Кассандра крепко обняла подругу. — Я познакомлю тебя со Старом, обещаю, — сказала она. — Тебе он понравится. И главное, он должен принести какие-то новые «колеса». Говорит — офигительная штука. Лучше, чем все остальное. Вчера вечером он вернулся от своих друзей из Амстердама, он оттуда и привез все это.

4

Молодой человек, которого встретила во время прогулки Шарлотта, продолжал вышагивать по полю. Свернув с тропинки, он остановился, чтобы бросить взгляд на изгиб реки и раскинувшийся позади него поселок. Церковная колокольня, освещенные окна коттеджей — за последние четыре столетия этот прекрасный вид не претерпел почти никаких изменений. Однако молодой человек смотрел на этот пасторальный вид с ненавистью: обиталище богатых, самоуверенных, насосавшихся пауков! Стар ненавидел английскую провинцию.

Стар — это не было его настоящее имя, но в последнее время он откликался только на него — вышел на просеку. Там, в тени высокой стены, с выключенными огнями был припаркован новенький серебристый «БМВ» пятой серии.

— Твоя? — обратился Стар к изысканно одетому молодому человеку, стоявшему возле машины.

— Господи! Ну и напугал ты меня! — резко обернулся он. — Ты всегда так подкрадываешься к людям? У меня от этого местечка и без того мурашки по спине бегут. Кстати, ты опоздал.

— Твоя машина? — повторил вопрос Стар.

Молодой человек уже пришел в себя. Он ухмыльнулся и сделал неуверенный жест.

— Можно и так сказать. Классная тачка, правда?

Стар окинул собеседника презрительным взглядом. Ему не нравился этот тип по имени Митчелл, вертевшийся на валютном рынке Сити, ему не нравилась его машина.

— Немецкое дерьмо, — высокомерно пожал он плечами. — Если уж берешь машину, то покупай «Мерседес». Он — лучше.

— А кто говорит о покупке? — снова ухмыльнулся Митчелл. — К сегодняшнему вечеру все готово? — спросил он, снова принимаясь топтаться на месте. — Господи, до чего же холодно! Я гнал всю дорогу от Лондона, ко мне должны присоединиться друзья, так что я очень надеюсь, что все устроено должным образом.

Стар был одет в свободное поношенное твидовое пальто, из кармана которого он извлек маленький и очень дорогой мобильный телефон и набрал номер.

— Последний звонок, — сказал он, — и все будет улажено окончательно.

— Девочки хороши? — придирчиво спросил Митчелл. Он питал пристрастие к скорости и девочкам-подросткам, а если то и другое можно было соединить, бывал наверху блаженства. Именно этим и должен был обеспечить его Стар. Он откинул назад длинные черные волосы и усмехнулся. Небеса наградили — или, наоборот, наказали — Стара, подарив ему привлекательную внешность и неотразимую улыбку, которую, впрочем, он усердно оттачивал перед зеркалом. Но на Митчелла, который знал Стара давно, его обаяние не действовало. Вот и сейчас, как и много раз до этого, он заметил в иссиня-черных глазах Стара недобрый блеск, какой-то безумный огонек, позволявший ожидать от этого человека всего, чего угодно.

Коротко поговорив по телефону, Стар сунул трубку обратно в карман, а затем ответил на вопрос Митчелла:

— Хороши ли девочки? Там будет триста человек. Триста — как минимум! А свиньи об этом даже не пронюхали. Улови силу в волнах ветра, мужик, и ты ощутишь ее сладость. Племена собираются воедино. У меня будет музыка, глотатели огня, жонглеры и много богатых доверчивых деток... — Он засмеялся. — Огромная лестница на небеса — обещаю тебе. Доверься Стару. Разве я тебя когда-нибудь подводил?

— Да, — собравшись с духом, ответил Митчелл.

— И когда же?

— Прошлым летом, например. Что ты нам тогда дал? Вместо стóящей наркоты какой-то поганый самодельный аспирин!

— Это была проба пера. Сегодня все будет иначе. У меня появилась серьезная наркота.

На лице Митчелла отразился неподдельный интерес.

— Дай попробовать.

— Хрен тебе. По крайней мере, не за бесплатно.

— Слушай, я должен быть уверен в том, что на сей раз все будет нормально. Я добирался сюда черт знает как долго, да еще друзей пригласил из Бирмингема. Если выяснится, что из-за меня они потратили столько времени напрасно, я буду выглядеть кретином!

Стар безразлично пожал плечами. Несколько секунд между ними продолжался молчаливый поединок, но под конец Митчелл выудил из кармана толстый бумажник, вынул оттуда бумажку в двадцать фунтов и протянул Стару. Тот даже не пошевелился.

— Ты что, шутишь?! — вспылил Митчелл.

— Я никогда не шучу.

Подождав пару секунд, Митчелл вытянул вторую купюру. Стар взял деньги и вручил ему маленький пакетик. Раскрыв его, Митчелл оглядел лежавшую там таблетку и сунул ее в рот. Затем немного походил, зажег сигарету. Прошло некоторое время. Внезапно Митчелл замер на месте, бросил сигарету на землю, прислонился к машине и схватился за грудь. Прошло еще несколько минут. Скрестив руки на груди, Стар молча наблюдал за происходящим. Наконец глаза Митчелла открылись.

— Господи! — проговорил он. — Господи Иисусе!

— Ну как? Быстро действует?

— Моментально. На сей раз ты действительно мне угодил. Где, черт побери, ты откопал такую штуку?

— В Амстердаме.

— Благослови, господи, голландцев! И как это называется?

— «Белая голубка».

Митчелл снова закрыл глаза. Стар отвернулся.

— Ладно, в таком случае — до скорого, — сказал он. — Жду тебя с твоими друзьями. Да, кстати, тебе — скидка, а они будут платить по полной программе.

Митчелл вздохнул.

— Во сколько начнем?

— В восемь, в девять, в десять... Для свободных людей время не играет роли.

— Только не надо этих разглагольствований в стиле

хиппи! — снова открыл глаза Митчелл. — Ты любишь деньги не меньше, чем я. И — девочек. Не забывай, ты с Митчеллом говоришь! Я ведь видел, что ты вытворял с той малолеткой из Голландии. А годом раньше — с девчонкой-француженкой. Стоит мне только шепнуть кое-кому словечко, и...

Митчелл умолк, у него перехватило дыхание. Он почувствовал, как внутри черепа началась какая-то новая химическая реакция. На мгновение у него потемнело в глазах. Он задрожал и выругался, а когда зрение прояснилось, увидел черные глаза Стара в дюйме от своего лица.

— Что же ты видел? — прошипел тот. — Ну-ка, расскажи.

— Ничего. Ничего я не видел, Стар, это все твоя таблетка виновата! У меня мысли в голове путаются. Давай обойдемся без неприятностей. Мы же знаем друг друга.

— Конечно, знаем. — Стар придвинулся еще ближе и схватил Митчелла за лацканы пиджака. — Ты хорошо знаешь, из-за чего у меня внутри начинает тикать.

Митчелл отчаянно пытался освободиться от мертвой хватки Стара.

— Отпусти меня, — визгливо крикнул он.

— Митчелл, у меня внутри тикает из-за кое-чего гораздо большего, нежели наркота, девки-малолетки и бабки. У меня бóльшие потребности. Итак, Митчелл, если ты так хорошо меня знаешь, скажи, что я должен с тобой сделать? Поцеловать? Или — убить?

Митчелл застонал от страха. Стар был гораздо сильнее и сейчас приподнял его в воздух так, что ноги Митчелла болтались в добром футе от земли.

— Сладенький мой...

Эти слова прозвучали у Стара как заклинание. Он приблизился вплотную к Митчеллу и укусил его за нос. У того вырвался крик ужаса и боли. Стар разжал пальцы.

— Всего лишь любовный укус, — сказал он.

Дрожащими руками Митчелл вытащил из кармана носовой платок и прижал к кровоточащему носу. Голова его все еще кружилась от принятого наркотика.

— Проклятый маньяк... — Он уставился на окровавленный платок, а затем тупо огляделся. Стар исчез. Митчелл потряс головой, сделал глубокий вдох, закрыл глаза, а затем снова открыл их. На сей раз он увидел Стара. Тот, как и прежде, стоял прямо перед ним с таким видом, словно ничего не произошло, — всесильное существо с дьявольским взглядом. Митчелл поежился и выругался.

— Ты что это себе позволяешь! — начал было он.

Стар словно не слышал. Он сказал:

— Куда идти, знаешь? Тогда — до вечера.

Он не стал дожидаться ответа. Глаза Митчелла снова подернулись пленкой и стали непроизвольно закрываться. Стар наблюдал за ним еще несколько секунд — холодно и бесстрастно. Когда через несколько мгновений Митчелл вновь обрел способность видеть, то обнаружил, что находится в одиночестве. Способность Стара появляться из ниоткуда и исчезать в никуда всегда вселяла в него страх. Вот и теперь он словно растворился в холодном вечернем воздухе.

* * *

Макс притормозил машину у развилки и медленно подъехал к воротам. Он железной хваткой впился в запястье Роуленда.

— Предоставь все мне, — сдавленно прошипел он. — Ты сам испортишь всю игру. Мы должны разработать план. — Макс затравленно огляделся. — Не можешь же ты возникнуть из ниоткуда! Линдсей сразу почует неладное.

— Ты это уже говорил, и не один раз. А дальше-то что? Может, все-таки войдем? Здесь холодно.

— Подожди... Подожди! — снова вцепился в приятеля Макс. — У меня — идея. Во-первых, о нашем появлении их надо оповестить осторожно. Речь не о Шарлотте, она и так знает. Так что, когда окажемся на кухне, нужно немного пошуметь. Пошаркать ногами, например, будто мы вытираем ботинки...

— А зачем их вытирать? На улице сухо.

— Да просто затем, чтобы обозначить свое присутствие, Роуленд. Потом ты немного пошумишь в прихожей. Причем шуметь нужно так, чтобы они сразу узнали тебя. К примеру... ты можешь покашлять.

— Покашлять? Да что я, туберкулезник? Макс, мы наконец войдем или так и будем торчать здесь?

— Ну, хорошо, я нервничаю. Нет, скорее, испытываю возбуждение. Просто ты не знаешь Линдсей. Только представь себе, что будет, если Линдсей решит, будто ты подстроил все это специально, чтобы еще раз увидеться с ней! Она подумает, что ты в нее влюбился.

— Да ты рехнулся! Совсем из ума выжил! В эту женщину? Я скорее повешусь! Никогда! Она вообще не в моем вкусе. — Роуленд немного помолчал, а затем спросил: — Ты думаешь, ей может прийти такое в голову?

— Я только предположил. Кто знает, что может взбрести в голову женщине!

— Верно, верно... И нужно еще учитывать то, что там — Джини.

— Вот именно! — горячо подхватил Макс. — Ты же хочешь произвести на нее благоприятное впечатление, верно? Значит, твой выход на сцену нужно обставить наилучшим образом. Так что закрой рот, Роуленд, и предоставь это мне.

— С какой стати? Врун из тебя — никудышный.

— А вот и нет, — возразил Макс, к которому вернулась прежняя уверенность в себе. — Ошибаешься, Роуленд. Я — мягок и романтичен, а ты — нет.

Макс открыл дверь на кухню.

— Следуй за мной, — тоном завзятого заговорщика прошипел он. Роуленд с тяжелым вздохом повиновался. Им показалось, что в гостиной необычно тихо, поэтому, оказавшись в прихожей, Роуленд зашелся в приступе тяжелого кашля.

* * *

— Роуленд? Я не верю своим глазам! Какой приятный сюрприз!

Шарлотта бросилась навстречу вошедшим мужчинам и с жаром обняла нового гостя. Макс яростно дернул Роуленда за полу пиджака, и тот отшатнулся назад. Линдсей стояла у окна, крепко сцепив руки. На диване, рядом с ней, сидела женщина. Это, судя по всему, и была Женевьева Хантер. Когда Роуленд вошел в комнату, она подняла свои ясные серые глаза и поглядела на него — внимательно, но без интереса. От ее взгляда ему стало не по себе.

— Да. В общем, я как раз уходил с работы, — начал Макс, — и в вестибюле наткнулся на Роуленда. И тут меня осенило — прямо как лампочка в голове вспыхнула: а почему бы Роуленду не присоединиться к нам! Он же, бедняга, работает на износ. Вот я и подумал: провести выходные на свежем воздухе — это как раз то, что ему нужно. Он сможет расслабиться, сможет...

Макс внезапно увял — Линдсей не отрываясь смотрела на него.

— Ты просто ясновидящий, Макс, — заговорила она. — Знал, чем всех тут порадовать.

— Да, вот именно, — вяло, словно не понимая намека, кивнул Макс, отводя глаза в сторону. — И, к счастью, выяснилось, что у Роуленда нет никаких планов на эти выходные. Конечно, многие приглашали его, но ради нас он отказался от всех других предложений.

— Вот уж сюрприз! Никогда бы не подумала, что он настолько импульсивен. Мне он всегда казался человеком, который все планирует заранее, причем — очень тщательно.

Услышав это, Женевьева снова подняла глаза.

— Давай уж скажем правду, Макс, — проговорил он. Макс растерянно моргнул. — За всем этим стоит женщина, и именно из-за нее я заставил Макса пригласить меня к вам. Я скучал по тебе, Шарлотта. — С этими словами Роуленд поцеловал хозяйку дома в щеку. — Мы так давно не виделись, и я сказал Максу, что просто обязан увидеть тебя до того, как родится ребенок. Ты выглядишь просто великолепно!

— Я выгляжу толстой, — проворковала Шарлотта, зардевшись от удовольствия.

— Ты просто красавица, — искренне сказал Роуленд. — И главное, что на сей раз родится девочка.

— Уверен? — засмеялась Шарлотта. — Откуда ты можешь знать?

— У тебя — низкий живот. Верный признак того, что будет девчонка — так всегда говорила моя ирландская бабушка.

— Какая ерунда, Роуленд! Готова спорить, ты даже не помнишь свою ирландскую бабушку.

— Что ж, поглядим через пару месяцев.

Роуленд отпустил Шарлотту, огляделся и заметил Дэнни, смущенно спрятавшегося за стулом. Не сомневаясь, что кто-кто, а уж Дэнни наверняка поможет снять возникшую неловкость, он протянул к нему руки, и мальчик с радостным воплем выскочил из своего убежища. Он прыгнул на колени к Роуленду и снова завопил, когда тот подбросил его высоко в воздух.

После этого, как и надеялся Роуленд, все встало на свои места. Собаки ожили и принялись оглушительно лаять, Шарлотта засуетилась вокруг стола, Макс начал подробно рассказывать о целом караван-сарае хиппи, из-за которого они никак не могли въехать в поселок, а старшие мальчики, услышав голоса отца и Роуленда, сломя голову кинулись вниз по лестнице со второго этажа, где до этого момента увлеченно играли. Эта спешка, надо признать, была вызвана не только их трогательно-преданным отношением к Роуленду, но и основанным на опыте знанием того, что он никогда не приезжает без подарков.

Посреди этой суеты Роуленд был представлен Женевьеве Хантер и пожал ее холодную тонкую руку. Низким голосом с сильно выраженным американским акцентом она произнесла какое-то приветствие.

Он ни за что не признался бы в этом, но внутри себя испытывал разочарование. Что же касается Макса, тот не мучился подобными комплексами. Уже через двадцать минут он кинулся на второй этаж, волоча друга за собой.

— Нам нужно помыться и переодеться, — крикнул он женщинам, втаскивая Роуленда в свою спальню и закрывая дверь. — Ну, как? — торжествующим тоном обратился он к Макгуайру. — Здорово сработано, правда?

— Ты полагаешь?

— Ну, разве что с Линдсей пришлось чуть-чуть повозиться, но у тебя это отлично получилось. Признаю, Роуленд, ты — специалист. Мне стоит у тебя поучиться. Какое хладнокровие! Даже не покраснел. Какое присутствие духа!

— Спасибо, Макс, это приходит с практикой.

— А Джини тебе понравилась?

— Послушай, Макс, как может человек понравиться, если ты обменялся с ним всего лишь рукопожатием и одной фразой?

— Я предупреждал тебя, что она замкнута. После того, как она вернулась из Боснии, каждое задание, которое ей поручают... В общем, если ты хочешь, чтобы она занялась делом Лазара, ты должен по-настоящему заинтересовать ее. Джини может заинтересоваться тем, что связано с наркотиками. Словом, постарайся ей понравиться.

— Да прекрати ты! — раздраженно отмахнулся от друга Роуленд. — Она — журналист. Прекрасный журналист. И давай ограничимся этим.

— Вот еще что, — сказал он. — По поводу Женевьевы Хантер... Почему ты не хотел посылать ее в Боснию? В конце концов, ее рекомендовал Ламартин, который и раньше с ней работал.

— Они живут вместе, Роуленд. Они не пытались делать тайны из своих отношений. Ламартин развелся уже как четыре года, а с Джини они сошлись не больше года назад. Но именно это меня и смущало: практически муж и жена вместе работают в зоне военного конфликта. А ведь у нее в отличие от Паскаля подобного опыта раньше не было.

— Это была азартная игра, и она закончилась выигрышем. Они вдвоем блестяще освещали события в Боснии. Она подписала контракт на шесть публикаций и сделала их, причем так, что лучше вряд ли возможно. Что бы ни думал Ламартин поначалу, его вера в ее способности оправдалась. Ты принял верное решение, Макс.

— Но... — Макс вновь замешкался, — впоследствии мне

приходилось жалеть о своем решении. Не с профессиональной точки зрения, а с человеческой, так сказать.

— Почему?

— Это не более чем предчувствие. — Макс пожал плечами. — Ведь она вернулась уже два месяца назад, а Ламартин все еще там, и никто не знает, когда он вернется. Война, стресс — все это, вместе взятое... Ее болезнь, то, как она сейчас выглядит, несколько намеков, которые обронила Линдсей... Я предположил, что они поссорились или даже разошлись, хотя сама Джини ни о чем таком, разумеется, не говорила. — Он покачал головой.— Если бы это случилось, я чувствовал бы, что часть вины лежит и на мне.

— Твоей вины тут нет, — внезапно оживившись, сказал Роуленд, наградив Макса теплой улыбкой. — Это их проблемы, а не твои, Макс, и ты это понимаешь. А теперь... — Он открыл дверь. — В котором часу придут твои гости? В половине восьмого? Тогда я успею залезть под душ.

5

К тому времени, когда Майна и Кассандра добрались до амбара, ночная прохлада опустилась на землю. Огромные двери были открыты, а все внутри было залито ярким светом. Здесь уже вовсю танцевали, а поле вокруг было уставлено домами на колесах, древними драндулетами и мини-грузовичками. Некоторые из участников веселья разожгли костры.

Все пространство вокруг амбара было наполнено двигавшимися силуэтами. Бегали оборванные дети, лаяли собаки, некоторые хитч-хайкеры танцевали и снаружи, размахивая руками и притопывая под аккорды странной электронной музыки, другие готовили пищу или сидели у костров на пледах.

Майна попятилась назад, но Кассандра поймала ее за руку и втолкнула в самую гущу толпы. Звуки музыки становились все громче и били Майну по ушам. От этого грохота и царившего здесь запаха ей стало нехорошо. Тут сильно пахло марихуаной, потными телами и грязной одеждой, а запахи стряпни, дым от костров и выхлопные газы автомобилей делали зловоние совершенно невыносимым. По стенам сарая плясали отблески света — тут, вспыхивая с определенными интервалами, работал стробоскоп. Его вспышки ослепили Майну. Она крепче вцепилась в руку Кассандры и посмотрела на нее испуганными глазами. Во вспыхивающем и тут же

гаснущем свете лицо подруги выглядело как на старинной кинопленке, а скорпион у нее на лбу, казалось, ожил.

Глаза Кассандры искали кого-то в толпе. Где-то здесь, в гуще мелькающих рук и развевающихся волос, должен был находиться Стар.

— Он высокий, — попыталась перекричать музыку девушка, — и похож на ангела. У него — длинные черные волосы, и он носит красный шарф.

Крепко держа подругу за руку, она стала проталкиваться сквозь толпу, а Майна, оказавшись в эпицентре этой суматохи, вдруг ощутила завораживающее воздействие музыки и мельтешения десятков людей. У нее приятно закружилась голова. Майна почувствовала, как в ее жилах начал пульсировать ритм электрических гитар, а редкие слова, перемежавшиеся с музыкой, воздействовали на самые потаенные уголки ее сознания. Ей стали нравиться эти странные высокие голоса. Ей тоже захотелось танцевать, проникнуть в самую сердцевину этих звуков.

Руки и ноги Майны начали дергаться сами по себе, она глубоко вдохнула едкий, наполненный дымом воздух. Толпа разделила их с Кассандрой, но вскоре снова столкнула девушек — уже на другом краю полянки.

— Видала? Каково? — Лицо Кассандры появлялось и снова исчезало. Скорпион на ее лбу шевелился. Между пальцами девушка держала самокрутку с марихуаной, и ее огонек вспыхивал и снова угасал. — Держи.

Она протянула самокрутку Майне. Та втянула в себя сладкий дым и сразу же испытала внутренний подъем. Теперь она иначе воспринимала музыку, вспышки света возбуждали ее. Ей казалось, что она без труда может прикоснуться к стропилам в десятке метров над ее головой. Да что там стропила! Еще одна затяжка — и она запросто дотянется до неба!

Кассандра улыбалась. Ее лицо выражало одобрение и поддержку.

— То ли еще будет! Вот только найдем Стара...

Она повернула голову, и Майна сразу же поняла, что подруга смотрит не туда, куда нужно — в сторону пляшущей толпы и вспышек стробоскопа. Она не почувствовала присутствия Стара, а Майна сразу уловила миг его появления. Майна пыталась подобрать слова и сказать Кассандре, что Стар уже здесь. Он возник из ниоткуда, и Майна знала, что он уже здесь, ей даже не пришлось поворачивать голову, чтобы убедиться в этом. Теперь, оглянувшись, она увидела его и с первой секунды поняла, что верит ему безоглядно. Он был

изумительно красив, словно чудесное видение. Майна как завороженная смотрела в его блестящие глаза. Из-за вспышек стробоскопа казалось, что в них мелькают молнии. Потом он взял ее за руку, и она сразу же ощутила — точно так, как рассказывала Касс, — таящуюся в нем силу.

Сначала он поздоровался с Кассандрой, потом повернулся к Майне и посмотрел на нее долгим пристальным взглядом.

— Значит, вот она какая, Майна — твоя американская подружка, — проговорил он. — Добро пожаловать, Майна, я о тебе наслышан. Тебе хорошо здесь этим вечером? Ты еще не летаешь?

— Есть немножко, — ответила Майна.

— Хорошо. — Он пожал ей руку и тут же отпустил ее. — Могу помочь. Я принес для вас обеих крылья.

Это было похоже на фокус искусного иллюзиониста. Только что его руки были пусты, а спустя мгновение, вытянув их вперед, он медленно разжал кулаки, и на его ладонях, появляясь и исчезая во вспышках стробоскопа, оказались две маленькие таблетки. Одна была ярко-розовая, как сахарная вата, другая — словно жемчужина.

— «Белая голубка» и «розовый камень», — медленно проговорил он. — Особый подарок Стара двум особенным девушкам. А теперь надо решить, кому — что. Что предпочтет Майна: «голубку» или «камень»?

— А какая сильнее? — осведомилась Кассандра.

— О, они обе очень сильные. Я привез их из-за моря.

— Из Амстердама?

— Возможно. Кто знает! — Музыка громко взвизгнула, и Стар улыбнулся. — Отдадим, пожалуй, розовую Кассандре, а белую — Майне. Розовая — как бирманский рубин, белая — как покрывало монахини...

— Нет. — На лице Кассандры отразилось несогласие. Майна, которая не отрываясь смотрела на Стара, ощутила в воздухе что-то новое — ревность и обиду. — Нет! — повторила Кассандра, возвысив голос. — Я уже пробовала эти розовые. Теперь я хочу белую.

— Ты в этом уверена? Что ж, так тому и быть.

Он снова проделал руками какие-то незаметные манипуляции, и в его левой ладони появилась белая таблетка, которую тут же схватила Кассандра. Розовую он протянул Майне, и она проглотила ее без малейших колебаний. Кассандра сделала то же и принялась рыться в своих карманах. Стар, казалось, чего-то ждал. Вокруг кипел водоворот тел, свет то гас, то зажигался, поэтому Майна не разглядела, что именно произошло. Однако ей показалось, что Кассандра протянула Стару деньги. Значит, таблетки оказались все же не подарком.

Все вокруг нее закружилось, начал двигаться даже каменный пол амбара. Прежде чем Майна успела произнести хоть слово, Стар сильной рукой обнял ее за талию и повел прочь. Оглянувшись напоследок, она увидела в отдалении лицо Кассандры — неподвижное и бледное, как луна.

Стар отвел ее в уединенное местечко, где не так гремела музыка, постелил на землю яркий клетчатый плед, и Майна опустилась на него.

Стар сел рядом с ней, и Майна посмотрела в его лицо. Она была поражена тем, что из всех собравшихся здесь людей Стар выделил именно ее и, более того, намеревается, похоже, остаться здесь с ней.

— У тебя на щеке ястреб. — Он легко прикоснулся к лицу девушки кончиками пальцев. — А ресницы — золотые. Ты просто красавица, Майна.

Майна не сводила с него глаз. Еще никогда и никто — даже родители — не говорил ей ничего подобного.

— Нет, — сказала она. — Вот Касс действительно красивая, а я — нет. Посмотри. — Она подняла голову, чтобы свет костра падал на ее лицо. — Я — рыжая, и у меня веснушки.

— Кассандра — самая обычная девушка. Таких — тысячи. А мне нравится твоя кожа, и твои веснушки, и твои волосы, Майна.

Майна продолжала смотреть на него не отрываясь, вслушивалась в звуки его голоса, пытаясь определить проскальзывавший в нем акцент — не английский, не американский, не немецкий и не французский. Он, кажется, был присущ только ему одному.

— Ты боишься? — неожиданно спросил он, взглянув ей в глаза. — Нет! Если бы ты боялась, я бы это почувствовал.

— Нет, я не боюсь. Я ощущаю... — Майна помедлила, пытаясь подобрать слова для того, чтобы описать чувства, которые испытывала. А с ней действительно происходило нечто необычное. — Я ощущаю покой. Мне кажется, будто передо мной открывается дверь, а за ней — мой дом.

Судя по всему, ответ ему понравился. Стар продолжал молча смотреть на нее еще несколько секунд, а затем откинулся на спину, сцепил руки под головой и стал смотреть в ночное небо. Майна тоже подняла голову. Там, в вышине, ярко светили звезды. Девушке показалось, что она узнала Большую Медведицу и Орион, Полярную звезду и Млечный

Путь. Она подумала о том, где сейчас находится и чем занимается Кассандра, но тут же забыла о ней.

Майна обвела взглядом этот импровизированный лагерь. Она заметила, что что-то в нем изменилось. Девушка увидела, что к стоявшим здесь с самого начала рыдванам прибавились новые машины. Это были сияющие лаком дорогие автомобили. Открылись дверцы, и появились вновь прибывшие — одетые с иголочки мужчины. Смеясь, шутливо переругиваясь и хлопая друг друга по спинам, они направились к амбару. Майна повернулась к Стару.

— Кто это?

— Городские. Приехали повеселиться, — скучным голосом ответил Стар. — Дураки, но платят хорошо.

— А сам-то ты кто?

— Никто. Я — сам по себе. Со всеми и ни с кем. Куда хочу — туда иду.

— И тебе не одиноко?

— Сейчас — нет. Потому что я нашел тебя, Майна. Я очень долго тебя искал.

Он приподнялся на локте, взглянул на нее блестящими глазами.

— Так тому и быть, — сказал Стар и снова откинулся на спину, уставившись в звездное небо. Рука его сжимала ладонь Майны. — Ложись рядом со мной.

Майна повиновалась. Небо теперь было ярко освещено, исчерчено алмазными полосами и быстро вертелось. Она видела бесконечные линии, свивавшиеся, вытягивавшиеся и переплетавшиеся между собой.

— Тебе известно, чего ты хочешь от жизни, Майна? — спросил Стар.

— Нет, — ответила она. — Я даже не знаю, кто я.

— Я дам тебе то, что ты хочешь, и покажу, кто ты есть, — проговорил он. — Возьми мою руку. Почувствуй силу.

И вновь Майна повиновалась. Они лежали рядом в молчании. Душа Майны словно освободилась от телесной оболочки и свободно парила в вышине. Она чувствовала, как ее наполняет сила, исходящая от Стара.

6

Шарлотта была вполне довольна тем, как прошел ужин — при свечах, за длинным столом. Без четверти одиннадцать зазвонил телефон. Джини, которая в этот момент рассеянно

слушала Роуленда, приподнялась со стула. Шарлотта пошла в кабинет Макса, чтобы ответить на звонок.

Вернувшись, Шарлотта старательно избегала вопрошающего взгляда Джини.

— Линдсей, звонит этот твой фотограф Марков. Он звонит из машины. И находится, если хочешь знать, в Париже.

Линдсей со вздохом поднялась, прошла в кабинет Макса и взяла трубку.

— Нет, ты только послушай! — начал он без всяких предисловий. — Хочешь услышать кое-что интересное? Знаешь, на кого я только что наткнулся в аэропорту в зале для особо важных персон? Представляешь, я вхожу, а они оттуда как раз выходят. Поверь мне, Линди, ты просто обалдеешь, когда узнаешь.

— Ладно, кого? Только давай поскорее, Марков. В твоем распоряжении ровно десять секунд. Я уже в постели и сплю.

— Линди, ты становишься самой настоящей занудой, тебе это известно? Ну, хорошо. Я встретил всего лишь Марию Казарес. И — Лазара. Идут, как голубки, он ее обнимает эдак за талию, она рыдает и трясется, а он целует ее волосы.

— Ты не обознался?

— Милая, у меня зрение — как у орла. Они находились в десяти метрах от меня. Я аж затрясся. И, кстати, подслушал кое-что очень интересное. Там у них, видно, такое дерьмо происходит!

— Марков, подожди секунду...

— Милая, мне еще нужно перезвонить тысяче людей. Ты представляешь, о чем я тебе рассказываю? Я всем об этом должен рассказать...

— Подожди, Марков! Кому ты уже об этом наболтал?

— Пока никому. Я тебе первой позвонил.

— Как насчет ужина в понедельник? — Линдсей лихорадочно соображала. — У «Максима»? На Эйфелевой башне? В «Гран-февур»? Что я должна тебе, чтобы купить твое молчание? Только скажи!

— Пятидневную командировку на съемки в Индию. Квест и Евангелиста. Три полосы с моими снимками в воскресном номере. Шестнадцать тысяч.

— Считай, что ты все это имеешь.

— Плюс обед в «Гран-февур» в понедельник.

— Господи, Марков! Ну, ладно.

— Теперь мои уста намертво запечатаны! Чао!

С горящими глазами Линдсей вернулась в гостиную. Зевающая Шарлотта и молчаливая Джини уже собирались расходиться по своим комнатам.

— Пора в постель, — сказала Шарлотта.

Линдсей выждала несколько секунд и, когда за ними закрылась дверь, быстро заговорила.

— Ты сошла с ума, Линдсей! Зачем ты обещала ему все это! — простонал Макс, когда она закончила свой рассказ. — И потом — ну, увидел он их вместе в аэропорту. И что из этого? Подумаешь, сенсация!

— Ты не знаешь Маркова, а я знаю. Он наверняка сообщил мне только затравку. Дайте мне с ним поговорить, и вы увидите: он расскажет гораздо больше.

— А вот у меня — идея получше, — холодно посмотрел на нее Роуленд. — Как насчет того, чтобы с Марковым поговорил я сам? Уж меня-то он вокруг пальца не обведет.

— И не мечтай, Роуленд! Марков тебе не скажет даже, который час. Он тебя не знает. И ты ему наверняка не понравишься. Он требует особого подхода, а ты — готова биться об заклад — не знаешь, с какой стороны к нему подъехать.

— По крайней мере, он не сможет меня надуть так, как надувает тебя. Урезонь ее, Макс, это все, о чем я тебя прошу.

Макс колебался.

— В конце концов, если мы и предложим это, вреда не будет, Роуленд, — миролюбиво проговорил он. — Линдсей права: Марков — темпераментный и, кроме того, очень осведомленный человек. И у них с Линдсей особые отношения. Марков ее обожает, буквально с руки у нее ест.

— Особые отношения? С Марковым? Не могу поверить... — На лице Роуленда было написано недоверие. — Ну, знаете, я многое слышал, но...

— Возможно, было бы неплохо, если бы вы оба поговорили с ним, — принял соломоново решение Макс. — Вместе.

Этот подход был ошибочным. Роуленд с видом мученика закатил глаза, а Линдсей, заметив это, быстро заговорила:

— Если ты хотя бы на секунду допускаешь, что я буду сидеть в «Гран-февур» с этим упрямым ирландцем и подпущу его к Маркову, значит, ты спятил, Макс.

— Договорились, — процедил Роуленд. — Никаких проблем. Я предпочитаю работать с профессионалами. Истерички — не мое хобби.

— Роуленд, — заговорила наконец она подозрительно спокойным голосом. — Ты ничего не понимаешь в мире моды. Тебе не обойтись без меня. Тебе нужно, чтобы я просмотрела твою папку, тебе нужно, чтобы я поговорила с Марковым, тебе нужен мой опыт. Потому что без всего этого ты будешь лететь, как самолет в туманную ночь над горами и без радара. Спокойной ночи. — Приподнявшись на цыпоч-

ки, она чмокнула Макса в щеку. — Ужин был чудесным. Приятных снов.

После этого Линдсей вышла из комнаты, бесшумно закрыв за собой дверь.

* * *

На втором этаже Линдсей впорхнула в свою комнату. Натянув плед до подбородка, она зажгла лампу в изголовье кровати и взяла зеленую папку Роуленда. Некоторое время она никак не могла сосредоточиться. Перед ее внутренним взором, застилая страницы, неотвязно маячило лицо Роуленда.

Линдсей вновь вернулась к папке и, сосредоточившись, читала ее в течение часа. Потом, когда она просмотрела папку до середины, на нее снизошло озарение. Женщина поняла, что в истории Лазара и Марии Казарес существует очевидный провал, который, возможно — только возможно! — ей удастся заполнить.

* * *

На первом этаже томился полусонный Макс, а Роуленд предавался размышлениям.

— Давай, Роуленд, закругляться! Выведу на минутку собак, а потом — в постель.

— Я пойду с тобой.

Мужчины надели плащи, ботинки и вышли с собаками к оранжерее.

— Что это за шум? — Роуленд насторожился.

— Какой еще шум? Я ни черта не слышу. Ветер, наверное. Пойдем, Роуленд, у меня уже зуб на зуб не попадает.

— Слушай. — Роуленд замер. — Я слышу музыку. Оттуда, с холмов.

Макс напряг слух и через несколько секунд тоже услышал далекие, но отчетливые звуки, пульсировавшие в воздухе.

— Вечеринка, наверное, — предположил он. — Поздняя вечеринка. Какого черта, Роуленд? Пойдем скорее, я продрог до костей.

— Вечеринка? — Роуленд по-прежнему не двигался. — Но там же нет никакого жилья, Макс. Ни единого дома. Там вообще ничего нет — одни только поля, деревья да старый амбар.

— Ну, может, кто-то на свежем воздухе гуляет. Какая тебе разница?

— В январе? При минусовой температуре? Не говори глупостей, Макс.

— Слушай, — с нажимом заговорил Макс, — мне на это плевать. Может, какие-нибудь сатанисты устроили свой шабаш.

Они прошли чуть дальше. Собаки бегали от дерева к дереву. Роуленд подумал, что животные, должно быть, почуяли запах лисицы, и внезапно вспомнил двигавшиеся в поле огоньки, которые заметил из окна детской, когда поднимался к детям, чтобы сказать им спокойной ночи. Он замер на месте.

— Пойду-ка я погляжу, что там такое, — сказал он. — Прогуляюсь и голову заодно освежу. Мне что-то не хочется спать.

— Тебе никогда спать не хочется, — сварливо отозвался Макс. — Это один из твоих многочисленных недостатков. Чем ближе рассвет, тем больше в тебе энергии. Нет уж, я — в кровать. Дверь оставлю незапертой, а ты, когда вернешься, запри.

Макс с собаками, фыркавшими у его ног, вернулся в дом. Роуленд прошел мимо оранжереи и открыл калитку, выходившую в поле.

Ему всегда нравилось гулять, особенно по ночам и в одиночестве. Через несколько минут Роуленд ускорил шаг, направляясь к ближайшей гряде холмов.

* * *

Оказавшись там, он остановился и оглядел пройденный путь. Дом Макса и поселок были отсюда не видны. К западу от Роуленда лежал Челтенхэм. Он видел, как огни ночного города озаряют небо. На востоке располагалась военно-воздушная база, которой командовал муж миссис Лэндис. Отсюда Роуленд ясно различал взлетно-посадочные полосы, ярко освещенные дуговыми лампами, очертания строений и ангаров, он видел рвы и колючую проволоку, тянувшиеся по периметру базы. К северу и к востоку не было вообще ничего — одни только пустые поля и растрепанные купы деревьев, клонившихся и дрожавших под холодным ветром. До него по-прежнему долетали звуки музыки, но желание обнаружить их источник начисто улетучилось. Он решил, что пройдет еще пару миль, а затем вернется в уютный дом Макса.

Тропинка здесь поднималась вверх и была вполне сносной. Роуленд прошел по ней примерно милю и снова остановился, укрывшись от ветра возле колючих кустов ежевики.

Он чувствовал себя посвежевшим и взбодрившимся. Прислонившись спиной к стене из дикого камня, он позволил ветру вымести из своих мыслей мрачные образы прошлого, посмотрел на созвездия, попытался определить их, а затем ступил чуть в сторону, взглянул вниз и увидел девушку.

Издав негромкое восклицание, Роуленд наклонился. До тех пор, пока не прикоснулся к ней, он был почти уверен, что это — обман зрения, фокус, который выкинула с ним игра лунного света и теней, а может, просто нагромождение сухих веток и белых камней, случайно принявшее очертания человеческого тела.

Затем он дотронулся до нее и понял: это не иллюзия, девушка реальна. У нее были голые ноги, одета она была во все темное. Роуленд отвел в сторону ветви ежевики и прикоснулся к ее холодной руке. Девушка не шевелилась. Она лежала, свернувшись калачиком на краю канавы, лицо ее было скрыто темнотой. Роуленд ощупал ее шею, позвоночник и, только убедившись в том, что они не повреждены, рискнул подвинуть ее. Он осторожно перевернул ее лицом к себе и положил на правый бок, как предписывают правила оказания первой помощи.

Ее тело было вялым и безжизненным. После того, как Роуленд повернул ее к себе, на лицо пострадавшей упал свет луны, и Роуленд вздрогнул. Она была совсем юной, почти ребенком. На ресницах виднелись остатки золотистой краски, лицо было перемазано грязью, губы — черные. Роуленд попытался нащупать пульс у нее на шее, но ему это не удалось. Тогда он взял ее за запястье и тут увидел татуировку: на пальцах девушки читалось слово «НЕНАВИСТЬ». Они уже начали холодеть и скрючиваться.

Роуленд почувствовал приступ холодного бешенства, но тут же его захлестнула волна жалости к этой несчастной. Он еще раз попробовал нащупать пульс, хотя уже знал, что девушка, вероятно, уже несколько часов как была мертва. Роуленд осторожно перевернул ее на спину, снял с себя плащ и прикрыл им тело. Затем распрямился и побежал назад тем же путем, которым пришел сюда. Он бежал к дому Макса, к телефону.

В четверть третьего он уже звонил в полицию, поднял с постели Макса, объяснил ему, где находится девушка, и снова помчался через поля — назад, к этому страшному месту. Ему казалось, что ее нельзя оставлять там одну, и поэтому он терпеливо стоял возле ее тела, глядя на темневшие вокруг холмы и пытаясь разгадать, как такое юное и так необычно

одетое существо могло оказаться в подобном месте в подобный час.

Роуленд не сразу связал воедино виденные им огни, музыку и мертвую девушку. Он резко развернулся и только теперь понял, что музыка уже не слышна. Единственными звуками, нарушавшими тишину, были его собственное дыхание и шелест ветра в кустах ежевики.

Однако если музыка и могла объяснить присутствие здесь девушки, ее смерть она не объясняла. Встав на колени у прикрытого плащом трупа, Роуленд стал размышлять о том, каким образом она оказалась здесь, причем — мертвая, если на ее теле не было заметно никаких повреждений.

* * *

Несколько часов назад Кассандре показалась блестящей мысль покинуть амбар, танцующих и направиться прямиком в чистое поле.

Поначалу она ощущала в себе необычайный прилив сил. Правда, все тело горело так, будто ее одежда была и впрямь охвачена огнем. Остановившись, она сняла чулки и туфли и пошла дальше, пока ночной холод не остудил полыхавший изнутри жар.

Кассандра шла очень долго, но внезапно почувствовала, что не может больше сделать ни шагу. Ноги заплетались, тело отказывалось повиноваться. Она подумала, что это, возможно, из-за холода. Надо прилечь, лениво шевельнулась мысль в ее голове. Девушка нашла канаву и забралась в нее, свернувшись клубочком. Затем ее вырвало. Тело стала бить дрожь, унять которую было невозможно, но она по-прежнему пыталась убедить себя в том, что с ней все в порядке. Это пройдет, твердила она себе, нужно только полежать и не двигаться.

От «белой голубки» в голове у нее гудело, а сердце билось как сумасшедшее. Но она понимала, что должна перетерпеть это. Только бы не отключиться, не потерять сознание! «Никогда не позволяй, чтобы наркотик тебя вырубил, — учил ее Стар, — несись вперед полным ходом, но умей вовремя остановиться». Она всегда следовала этому совету. Вот и сегодня, почувствовав, что ее начинает заносить, она ушла куда глаза глядят.

Кассандра нырнула очень глубоко и, когда вновь очутилась на поверхности, хватала ртом воздух, и все равно это было здорово, очень здорово! Она увидела своего отца. Он находился рядом с ней, омываемый теми же волнами, кото-

рые ласкали ее, и они вместе пили это жидкое золото — воплощение покоя. Слава богу, подумалось ей, что они с Майной поменялись таблетками. Мысли ее приняли другое направление. Майна наверняка не выдержала бы этого зелья, а вот для нее, Кассандры, с гораздо большим опытом глотания всяких диковинных таблеток, «белая голубка» была в самый раз. Какой полет! Какой потрясающий полет! Стремительный и в то же время плавный. Она помнила, как забурлила кровь, как ее швыряло то вверх, то вниз.

Дрожь, сотрясавшая тело, усилилась. Держись, не двигайся, велела она себе, но почувствовала непреодолимый страх. Кассандра попыталась что-то сказать, с ее губ готово было сорваться «папа», но она не смогла издать ни звука. Она застонала и подтянула колени к подбородку. Через пять минут у нее начались конвульсии.

7

Первой из объятий сна выбралась Шарлотта. Зевая и жалуясь на то, что ее разбудили полицейские сирены, она спустилась на кухню, кутаясь в синий теплый халат. Джини, застигнутая врасплох на кухне, поспешно отвела взгляд от большого живота хозяйки дома.

— Ничего не понимаю! Макс оставил мне записку. — Она взмахнула зажатым в руке листком бумаги. — Не захотел меня будить, а я спала и ничего не слышала. А оказывается, произошел несчастный случай. Они с Роулендом вчера ночью, после того, как мы легли спать, вызывали полицию. Но почему их до сих пор нет? Где они могут быть? Почему не позвонили?

— Я сейчас приготовлю чай, — поднялась Джини. — Не волнуйся, Шарлотта, ничего серьезного не могло случиться. Они появятся, и все объяснится очень просто. Иначе Макс разбудил бы тебя.

— Нет, не разбудил бы. Он так заботлив. Опекает меня и... — Она похлопала себя по животу. — Нашу дочку. Смотри-ка, она снова шевелится. Вот здесь. Потрогай, Джини. Правда, удивительно? Такая маленькая, и такая сильная!

Джини позволила женщине взять свою руку и положить на выпуклый живот. Ее поразило, какой он упругий. Сначала она ничего не чувствовала, но затем ощутила легкую дрожь и отчетливое движение. Как будто какая-то маленькая ручка или ножка пыталась разрушить стены своего тесного убежи-

ща. Затем все затихло, но вскоре снова началось. Пальцы Джини ощущали, как под ними пробегают волны.

— Она перевернулась, — с улыбкой пояснила Шарлотта. — А теперь немного поспит. Обычное дело.

— Она? — Джини убрала руку. Зависть и страстное желание иметь собственного ребенка с такой силой сдавили ее сердце, что она едва не задохнулась и быстро отвернулась к плите.

— Я верю Роуленду. — Шарлотта засмеялась. — Я не удивлюсь, если он на самом деле обладает неким волшебным даром. Выпью чашечку чаю, а потом пойду в магазин. Это у нас центр всевозможных слухов и сплетен. Если что-то и случилось, там об этом уже знают.

Внезапно Шарлотта умолкла и резко обернулась. Джини, повернув голову, услышала звук торопливых шагов и взволнованный голос. По открытой террасе бежала женщина. Она без стука распахнула дверь в кухню. Только когда женщина начала говорить, Джини узнала в этой белой как полотно, дрожащей женщине еще несколько часов тому назад так роскошно одетую Сьюзан Лэндис. Эта женщина была совсем не похожа на ту, что так возбужденно щебетала во время вечеринки у Макса и Шарлотты.

— Господи, о господи, Шарлотта! — сбивчиво начала она. — Ты должна мне помочь. Я звоню, звоню, звоню без конца. Я только что из дома. Там на каждом шагу — полиция... — Женщина пошатнулась, ухватилась за спинку стула и издала странный гортанный звук. — Помоги мне, пожалуйста! Случилось что-то ужасное. Кассандра мертва, а Майна исчезла. Она такая хорошая, добрая девочка, ей ведь всего пятнадцать! Прошу тебя, Шарлотта! Я пытаюсь объяснить полицейским, что Майна пропала, но они меня не слышат.

* * *

В половине десятого утра Роуленд сидел в маленькой, насквозь пропахшей никотином комнате для допросов главного полицейского управления Челтенхэма. Он находился тут уже с половины седьмого, так и не успев ни побриться, ни поесть, ни поспать. Макс сидел в такой же комнатке за стеной. Именно он первым опознал тело Кассандры Морли и теперь скорее всего занимался тем, чем пришлось заниматься Роуленду на протяжении трех часов кряду — вновь пересказывать события прошлого вечера.

Роуленд дал показания, а затем был вынужден отвечать на бесконечные вопросы. Почему он очутился в таком глу-

хом месте в такой поздний час да еще один? Зачем он двигал труп?

— Потому что я не знал, что она мертва, — отвечал Роуленд. — Она лежала в странной позе. Я ощупал ее шею и позвоночник, затем перевернул и...

— А вы что, врач?

— Нет, но у меня имеется подготовка в оказании первой помощи.

— Вот как? Откуда же?

— Видите ли, я увлекаюсь альпинизмом. Я совершал восхождения в Шотландии, в Альпах, я знаю, как обнаруживать подобного рода повреждения, и сделал это автоматически. Я пытался обнаружить какие-то видимые травмы. Может быть, рану на голове... Не знаю.

— Вы не пытались делать ей искусственное дыхание?

— Нет. У нее не было пульса и...

— Вы в этом уверены?

— Боже ты мой! — вышел из себя Роуленд. — У нее уже было трупное окоченение. К тому моменту, когда я ее нашел, девушка была мертва уже несколько часов.

Дальше продолжалось в том же духе. Сначала его допрашивал один полицейский, затем — другой. Постепенно к Роуленду пришло неприятное осознание того, что ему не верят. Затем тактика допроса изменилась. Тон полицейских приобрел менее враждебную окраску. Видимо, они получили результаты вскрытия, да и Макс подтвердил своим рассказом слова Роуленда. И все же последнего не покидало ощущение того, что его подозревают — хотя бы только потому, что он мужчина.

Показания Роуленда были запротоколированы, перечитаны и отправлены на перепечатку. В девять часов ему принесли чашку чаю, а спустя еще час в комнату вернулся старший детектив. Детектив сел и протянул Роуленду его показания, их было необходимо подписать.

— И еще одно. Ваш звонок в полицию был зарегистрирован в 2.11 ночи. Во сколько вы вернулись к телу девочки?

— Примерно в 2.30. Может быть, в 2.50.

— А когда заметили, что музыки больше не слышно?

— Наверное, минут через пять. Я не уверен. Просто не думал об этом. А вы считаете это важным?

— Может пригодиться. — Полицейский вздохнул. — К тому моменту, когда наши машины подъехали к амбару, собравшиеся там уже стали разъезжаться. Тех, кто все это устроил, уже не было, по крайней мере, нам так сказали. Но обычно подобные сборища продолжаются всю ночь напро-

лет. Вот я и думаю, что их заставило свернуть свой шабаш раньше времени?

— Значит, там были устроители?

— Несомненно! Вообще-то в таких ситуациях, как эта, бродяги обычно принимаются самозабвенно врать. Говорят, что то ли голос свыше, то ли карты Таро велели им приехать в определенное место в определенный час, потому они и собрались там — якобы совершенно спонтанно. Но в данном случае умерла девочка, поэтому, я думаю, они будут более сговорчивыми. И все же иллюзий питать не стоит. Они знают имена тех, кто снабдил их наркотиками, но нам их не назовут.

— Так вы полагаете, девушку убили наркотики?

— Вполне возможно, хотя нам, конечно же, придется дождаться результатов вскрытия. В последнее время наш район буквально наводнила всякая дрянь: «экстази», героин, кокаин, амфетамины. Считается почему-то, что в отличие от крупных городов, где наркотики являются серьезной проблемой, в сельской местности с этим — тишь да благодать. Это заблуждение. Я постоянно пытаюсь вбить это в головы своим дочерям. Они делают вид, что слушают, но, как только я выхожу из комнаты, поднимают меня на смех. У вас есть дети?

— Нет.

— Ну, когда появятся, сами с этим столкнетесь. Раздобыть наркоту здесь не сложнее, чем в Лондоне. В пабах, клубах, дискотеках, на вечеринках и оргиях, причем все, что душа пожелает: хоть марихуану, хоть «экстази». Они сейчас дешевле пива. — Детектив постучал пальцами по листку с отпечатанными на нем показаниями Роуленда. — Что ж, если вам довольно всего этого, подпишите протокол. Мне кажется, вам уже осточертело здесь сидеть.

Роуленд сделал то, что от него просили.

— За последние четыре недели это уже вторая смерть такого рода, — продолжал говорить полицейский, хотя Роуленд уже встал со стула. — В прошлый раз погибшей тоже была девушка. Голландка, сбежавшая от родителей. Всего четырнадцать лет. И что ей только дома не сиделось! Хорошая семья, куча денег, никаких проблем... Она не появлялась в семье больше девяти месяцев. Родители опознали ее тело на Рождество.

— Девушка была из Голландии? — переспросил Роуленд. — А откуда именно?

— Из Амстердама, по-моему. У нее все руки были иско-

лоты. — Детектив открыл дверь. — Благодарю вас за помощь. Ваш друг, наверное, скоро тоже освободится. Можете подождать его здесь.

Роуленд вернулся в вестибюль полицейского управления и стал дожидаться Макса. Он был измучен и зол на самого себя. Он ничего не смог сделать для этой несчастной девочки, а от информации, предоставленной им полицейским, вряд ли будет много толку.

Сейчас в вестибюле было пусто, если не считать дежурного констебля, сидевшего за письменным столом, и молодого человека в дорогом костюме и яркой рубашке, с сильным акцентом жителя южного Лондона. Они вели дискуссию на повышенных тонах, которая длилась, по всей видимости, уже несколько минут.

Когда Роуленд приблизился к ним, молодой человек заговорил еще более пронзительным голосом:

— Как вам вбить в голову: я пришел сюда заявить об угоне автомобиля, а не для того, чтобы отвечать на ваши идиотские вопросы! Новенький «БМВ» пятисотой модели! Серебристый «металлик»! Кожаная обивка! Литые диски! Он стоит почти тридцать косарей!

— Все эти детали я уже записал. И номер машины — тоже. Скажите, вы владелец машины?

— Нет, она не моя, но об этом не надо орать на каждом углу. Моя фамилия Митчелл, поняли? Запишите, чтобы не забыть. Тачка принадлежит моей знакомой, у которой я ее одолжил на выходные. Надеюсь, это не преступление? Что вам еще сообщить? Может, мою группу крови и резус-фактор? День рождения моей мамочки? Что еще нужно, чтобы вы прекратили трепаться и начали действовать?

— Вы оставили машину запертой, сэр?

— Да. То есть нет... В общем, я не помню. Слушайте, я же вам уже сказал...

— Не помните? Может, вы находились в состоянии опьянения?

— Нет, черт побери, я не пил! Да вы что, в самом деле, глухой? Неужели не понятно: я возвращался в Лондон, и мне приспичило.

Констебль записал в свой блокнот и эту информацию. Роуленд стал слушать с удвоенным вниманием. Это был бой на истощение противника, и Роуленд уже знал, кто выйдет из него победителем.

— Так вот, — продолжал Митчелл, — я притормозил, чтобы по-быстрому отлить. Съехал с основного шоссе на проселочную дорогу и оказался в какой-то пустыне. Впереди

был этот амбар. Я видел огни, слышал музыку, вот и решил сходить туда, поглядеть, что там такое. И что же я вижу? Целая толпа хиппи. Я был там минуты две, может, три. Возвращаюсь — а чертовой машины нет! Они и бумажнику моему ноги приделали, так что я вообще без всего остался — ни денег, ни пластмассы[1]! Сейчас меня интересует только одно: вы намерены объявить эту машину в розыск?

Констебль сделал в блокноте очередную пометку и осведомился:

— Время, сэр? Назовите точное время случившегося.

Роуленд, прислушивавшийся с удвоенным любопытством, понял, что вопрос не праздный. Почувствовал это и Митчелл.

— Время? Точно не помню. Может, в полночь, может, чуть раньше.

— Сейчас — десятый час утра, сэр.

— Ну и что!

— Почему вы не заявили об угоне раньше, сэр, и делаете это только сейчас?

— Потому что мне пришлось протопать несколько миль в темноте по проселочной дороге, а когда я наконец очутился здесь, то столкнулся с кучей бестолочей...

Митчелл умолк. Во время его тирады констебль поднял трубку телефона и произнес в нее несколько слов. Положив трубку, он поднялся из-за стола и взял Митчелла под руку.

— Пройдемте со мной, сэр. С вами хочет поговорить один из наших детективов.

Митчелл принялся громко протестовать. Роуленд даже заметил, как он метнул быстрый взгляд в сторону входной двери, как бы раздумывая, не удариться ли в бега. Однако констебль увлек его за собой. После того, как за ними закрылась дверь, Роуленд еще некоторое время слышал возмущенные вопли Митчелла, но затем внезапно наступила тишина. Они сообщили ему о мертвой девушке, догадался Роуленд.

Митчелл лжет, это очевидно. Интересно, подумал Роуленд, удастся ли полицейским вытянуть из него что-нибудь мало-мальски ценное.

Через пять минут появился Макс с посеревшим лицом. Он взял Роуленда под руку.

— Пойдем отсюда, — проговорил он. — Пойдем, Роуленд. Мне нужно глотнуть свежего воздуха и подумать.

---

[1] Жаргонное название пластиковых кредитных карточек.

* * *

— Поехали домой. — Макс посмотрел на Роуленда. — Послушай, ты не мог бы сесть за руль? Я чувствую себя настоящей развалиной.

Они проехали уже несколько миль, и только тут Макс заговорил:

— Видишь ли, мне еще ни разу не доводилось видеть покойников. Даже если это чужие для меня люди. А тут — такая молоденькая девушка, которую я к тому же знал. Наверное, дело в том, что я все это время жил словно в раковине. Теперь, после всего случившегося, я начинаю презирать себя за это. Знаешь, что они мне сказали? Что в последнее время в этот район хлынул поток наркотиков.

— Мне они сказали то же самое.

— Когда мы покупали этот дом... — Макс махнул рукой в сторону. — Мы думали: привезем детишек в деревню, будем держать их подальше от Лондона, будем воспитывать, как в старые добрые времена — собаки, прогулки, деревенская школа, свежий воздух...

— Сейчас нигде нельзя чувствовать себя в безопасности. Тебе это известно, Макс.

— Тут крутится слишком много денег. Огромные владения, частные школы, загородные виллы. Слишком много богатеньких детей и беззаботных родителей. Как эта чертова Морли — мать Кассандры.

— Ладно тебе, Макс, от наркотиков страдают самые разные люди. Съезди как-нибудь в муниципальный приют и найдешь там кого угодно. Богатые, бедные — какая разница!

— Ты прав, конечно же, прав. Я знаю, что... — Макс помялся и махнул рукой в сторону окна: — Видишь проселочную дорогу? Она ведет как раз к тому амбару. Полицейские сказали, что некоторые из бродяг все еще находятся там. Их продержат там еще двадцать четыре часа. Может, меньше, поскольку они, как я думаю, не очень-то сговорчивы. Роуленд, я хочу напечатать статью об этом. Хочу, чтобы кто-нибудь отправился туда, поговорил с бродягами. Я бы и сам пошел в этот чертов амбар, но...

— С твоим-то произношением? В твоей-то одежде? Они с тобой даже не станут разговаривать!

— Конечно, это мог бы сделать ты. — Макс испытующе глянул на друга. — Но ведь ты теперь не репортер, а редактор отдела. Ты завтра должен возвращаться в Лондон, а нам нужен человек, который смог бы побыть здесь еще пару дней, поговорить с бродягами, со школьными подружками

Кассандры Морли, выяснить, что им известно. Кто-нибудь молодой, кто сможет разговорить их...

— Я знаю, кого ты имеешь в виду, Макс, и сразу отвечаю: нет.

— Но почему? Джини — хороший репортер. Ведь только вчера ты сам собирался использовать ее.

— То было вчера, а то — сегодня, — сухо парировал Роуленд. — Ты же не слепой, Макс, ты видел ее вчера вечером. Она ведь живет на автопилоте.

— Ее можно вывести из этого состояния. Шарлотта говорит, что ее психика надломлена из-за Паскаля...

— Из-за чего конкретно она надломлена, не имеет никакого значения. Она выглядит больной. Настоящий лунатик! Я уже не хочу прибегать к ее помощи, чтобы раскрутить историю Лазара. Я вообще не хочу иметь с ней никаких дел и прямо заявляю тебе об этом.

Макс промолчал. Он уже привык к упрямству Роуленда. Однако он чувствовал, что на сей раз доводы друга не лишены смысла. Он пожал плечами.

— Так или иначе, давай сперва доберемся до дома. Мне надо поговорить с Шарлоттой. А уж потом будем решать. Здесь — направо, а потом — налево.

Войдя на кухню, мужчины сразу поняли, что в их отсутствие что-то случилось. В воздухе царило напряжение. Шарлотта была бледной как полотно, а по виду Джини можно было предположить, что она недавно плакала. Она стояла в некотором отдалении, повернувшись ко всем спиной, и не обернулась даже тогда, когда вошли Макс с Роулендом. Макс еще не успел открыть рта, как Шарлотта бросилась к нему на шею и, всхлипывая, принялась рассказывать о том, как сюда прибежала Сьюзан Лэндис, потом — ее муж, как наконец объявились полицейские и принялись задавать вопросы.

— Макс, речь идет не только о Кассандре, но и о Майне Лэндис. Прошлой ночью они были вместе. Они вдвоем ходили в тот амбар. А теперь Майна исчезла. Ее нет дома, нет в особняке, нет среди бродяг, нет в амбаре. Только что снова позвонил Роберт Лэндис. Похоже, бродяги утверждают, что вчера ночью она уехала оттуда. На машине, с каким-то мужчиной.

Шарлотта находилась на грани истерики. Макс обнял ее за талию и ласково прижал к себе.

— Не надо, милая, — проговорил он. — Ты не должна расстраиваться. Подумай о ребенке.

Роуленд отвел взгляд в сторону. Наблюдая Макса и Шарлотту в такие моменты, он всегда бывал тронут и в то же

время начинал ощущать собственную ненужность и одиночество. Они словно начинали говорить на своем языке — мужа и жены, — который был недоступен ему, Роуленду, и выучить который ему, вероятно, уже не суждено. Он заметил, что Линдсей отвернулась одновременно с ним.

Роуленд подошел к окну и выглянул в сад. На кухне тикали часы. Внезапно на него навалилась усталость. Линдсей готовила кофе, Макс и Шарлотта продолжали разговаривать приглушенными голосами. Некоторое время они стояли обнявшись, но затем Макс заставил жену сесть на стул. Джини выглядела совершенно больной. Она наблюдала за супружеской парой, и зрелище это, как показалось Роуленду, доставляло ей боль.

— Могу я кое-что сказать? — вдруг резко заговорила Джини. — Мы все тут только теряем время. Роберт Лэндис просил, чтобы Макс ему перезвонил. Он сейчас в полиции, в Челтенхэме.

— Слушай, Джини, хватит тебе. — Линдсей загремела чайником на плите. — Давай не начинать все заново! Пусть Шарлотта расскажет все так, как ей хочется. Не мешай ей. Она, кстати, на восьмом месяце беременности, если ты до сих пор не заметила.

— Этого трудно не заметить, — фыркнула Джини. Шарлотта посмотрела на нее с упреком и удивлением. Макс нахмурился.

— По-моему, Джини, ты не очень хорошо отдаешь себе отчет в происходящем, — заговорил он. — И подобные реплики с твоей стороны неуместны. Так что, если не возражаешь...

— Прекрасно. — В тоне Джини уже отчетливо угадывалась враждебность. — Но все это словоблудие бессмысленно. Оно продолжается уже целый час, если не больше.

— Это не словоблудие, Джини. — Шарлотта взяла мужа за руку. — Мы с Линдсей просто пытаемся понять, что же произошло.

Джини повернулась к Максу:

— Макс, может, хоть ты выслушаешь меня? Свидетели, с которыми говорили полицейские и Лэндисы, совершенно определенно заявили, что Майна не была под воздействием наркотиков, не находилась в бессознательном состоянии. Ее никто не затаскивал насильно в машину. Если они говорят правду, все выглядит очень просто... — Она умолкла, не договорив. Шарлотта заплакала. Макс склонился над женой и принялся ее успокаивать. Лицо Джини приняло упрямое и дерзкое выражение. Впервые с их первой встречи Роуленд

ощутил сильную неприязнь по отношению к этой женщине. Впрочем, не только он один. Аналогичные чувства испытывали все находящиеся в комнате, и она тоже ощущала это. Откровенно игнорируя всех остальных, она вновь заговорила, обращаясь к одному только Максу: — Макс, ведь совершенно ясно, как все было. Зная, что родители ни за что на свете не позволят ей идти в этот амбар, девчонка наврала им. Наверняка она курила «травку» — другие видели...

— Ее мать говорит, что она ни за что не сделала бы этого, Джини, — вмешалась Шарлотта. — Чтобы Майна курила марихуану? Это невозможно. Она и к обычным-то сигаретам не прикасалась. Сьюзан Лэндис сказала, что...

— Да прекрати ты ради бога! — раздраженно отмахнулась Джини. — Неужели ты всему этому веришь! Матери всегда последними узнают о таких вещах. Послушай, Макс, свидетели дали показания. Пусть они не смогли описать автомобиль и мужчину, но утверждают, что Майна поехала с ним по собственной воле. Из-за ее вранья ее никто не хватился, поэтому у того, кто увез ее, была фора в десять часов. Подростки никогда не ведут себя так, как ожидают их родители. В противном случае не было бы столько трупов. — Джини возвысила голос, и Роуленд почувствовал еще большую враждебность по отношению к ней.

— Ради всего святого, — начал он, с трудом сдерживая холодную ярость, — что с вами происходит? Если вы полностью лишены чувств, то пощадите хотя бы чувства других. Проявите хоть немного снисхождения...

— При чем тут снисхождение! Я пытаюсь рассуждать трезво.

— В таком случае думайте, прежде чем что-то сказать. Умерла молоденькая девушка. Я обнаружил ее тело. Мы с Максом проторчали возле него почти целую ночь. Шарлотта и Макс знали ее...

— Мне это известно. Но она мертва. Теперь уже никто из нас не в силах помочь Кассандре Морли. Но мы могли бы помочь Майне Лэндис, если бы не стояли здесь, сложа руки и разводя нюни.

— Черт побери! — взорвался Роуленд. — Какого дьявола вы вообще лезете во все это?! Почему бы вам не посидеть молча? Судя по вашему вчерашнему поведению, это ваше естественное состояние, особенно в последнее время.

В комнате воцарилась тишина. Женевьева Хантер отступила назад, словно ее ударили. В лицо ей бросилась кровь. Она посмотрела на Роуленда, а затем обвела комнату невидящим взглядом. После этого Джини, схватив брошенную на

спинку стула куртку, метнулась мимо Роуленда к двери. Линдсей сделала несколько шагов в ее сторону.

— Подожди, Джини! Куда ты?

— На улицу. Мне нужно подышать.

Дверь громко хлопнула за ее спиной. На кухне вновь повисло долгое молчание. Роуленд, стоя у окна, видел, как женщина быстро пересекла сад и пропала из виду. Линдсей, взглянув на Шарлотту, тяжело вздохнула.

— Роуленд, ты не должен был так говорить. Джини и без того плохо. Она не хотела никого обидеть.

— А я плевать на это хотел! Кто-то должен был ей это сказать. Пусть прогуляется. По мне, так пусть вообще идет пешком в Лондон. Макс, давай я позвоню Джону Лэйну или Крису Хаксли. До кого-нибудь одного наверняка дозвонюсь. Если тот или другой в Лондоне, они могут быть здесь через час.

— Позвони из моего кабинета. Впрочем, пойдем вместе. Надо позвонить Лэндису.

Мужчины вышли из комнаты. Оставшиеся на кухне Линдсей и Шарлотта обменялись взглядами. Линдсей пересекла комнату и села рядом с хозяйкой.

— Ох, Линдсей! — вздохнула Шарлотта. — Я уже жалею, что пригласила ее. Может, это нехорошо с моей стороны, но я действительно жалею.

— Я не обвиняю тебя, Шарлотта. Она стала совершенно невыносимой. Все утро она пыталась дозвониться Паскалю.

— Ей это удалось?

— Нет.

Шарлотта помялась, затем встретилась взглядом с Линдсей.

— Между ними все кончено, Линдсей? Она тебе что-нибудь говорила? Мне кажется, они разошлись.

— Точно не знаю, но мне тоже начинает так казаться. Почему он так долго не приезжает? Сначала он собирался задержаться там на пару недель, потом они превратились в четыре, после этого он обещал приехать к Рождеству. Понимаешь, Шарлотта, это должно было быть первым Рождеством, которое они собирались провести вместе. Она купила елку, подарки для него, упаковала их... Я видела, как счастлива она была, ожидая его. Это была прежняя Джини.

— А он так и не приехал...

— Нет. — Линдсей огорченно покачала головой. — Я узнала об этом лишь спустя некоторое время, а поначалу думала, что все произошло так, как планировалось. Нет, рождественскую ночь она провела в одиночестве. Правда, она ут-

верждает, что провела Рождество с какими-то друзьями, о которых я слыхом не слыхивала. Я-то знаю: она лжет, потому что не выносит, когда ее жалеют.

— Как все это ужасно, Линдсей! Бедная Кассандра! Майна, Джини, любовь, ложь... Вся эта злоба и несчастья... Вчера вечером мы сидели за ужином, а Кассандра все это время лежала где-то там, в поле. Это так жутко, так страшно! Я боюсь...

Она принялась собирать грязную посуду, словно, наводя порядок на столе, могла наладить порядок в этом мире.

— Я хочу пойти с мальчиками на улицу, — вдруг произнесла она. — Не могут же они весь день играть на втором этаже. Отведу их к друзьям в поселке, а потом наведаюсь к Сьюзан Лэндис. Не надо сейчас оставлять ее одну.

— Шарлотта... — предостерегающе начала Линдсей.

— Я знаю, знаю. — Шарлотта снова была на грани слез. — Но ты сама мать, Линдсей, ты должна понимать. Я обязана сделать хоть что-нибудь. Мне невыносимо тут находиться, Линдсей. Здесь я больше не чувствую себя дома. Я просто не вынесу.

8

В течение целого часа после ухода Шарлотты Линдсей пыталась хоть чем-то себя занять. Роуленд с Максом закрылись в кабинете, и до нее доносились лишь бормотание их голосов да треньканье телефона. Она чувствовала себя покинутой и никому не нужной. Джини все еще не вернулась, и Линдсей не находила себе места от волнения.

Линдсей взяла папку Роуленда и попробовала сосредоточить внимание на оставшихся вырезках, однако тема, которой они были посвящены, казалась ей сейчас легкомысленной и далекой. Умерла молодая девушка, подумала Линдсей и раздраженно захлопнула папку. Рядом с этим все остальное казалось мелким и незначительным. Чему она посвятила себя? Пустой гонке, которая длится вот уже семнадцать лет. Одно дело, когда этот бег дает ей возможность содержать дом и воспитывать Тома, но еще через один-два года Том поступит в университет и улетит из материнского гнезда. «Что я буду делать тогда? — подумала Линдсей. — Неужели и дальше год за годом буду кроить свою жизнь по выкройкам модельеров?»

Она вдруг ощутила страх и безысходность. Как меняет все вокруг себя смерть! Только недавно она видела, как переживала Шарлотта, ощутив хрупкость жизни и таких твер-

дынь, как семья и брак, сейчас Линдсей испытывала точно такие же чувства. Активность — вот лекарство от всего этого, сказала себе Линдсей. Она тоже может быть полезной, хотя о ней и забыли. Она приготовит Роуленду и Максу бутерброды и выведет собак. Пусть в доме пылает очаг, невесело сказала она самой себе и вышла в холл.

— Макс... — начала она, но осеклась. Дверь в кабинет Макса была теперь открыта нараспашку, и до Линдсей доносилось каждое слово мужчин.

— Забудь об этом, Макс, — злым голосом говорил Роуленд. — Я уже высказал тебе свое мнение. Испробуй еще раз Джонни Лэйна, привлеки Хаксли.

— Черт побери! Я не могу с ними связаться. От Лэйна — ни ответа ни привета, Хаксли должен перезвонить только в четыре. Дохлый номер! А мне нужен человек срочно. Кто-нибудь, кто находится поблизости.

— В таком случае давай подумаем о ком-нибудь другом. И ради всего святого, пусть это будет мужчина! Хватит с меня женских истерик. Сначала — Линдсей, потом — она...

— Ладно, ладно. Может, я попробую добраться до Ника.

— Звони ему прямо сейчас, Макс. Если же не получится, я сам отправлюсь в этот чертов амбар. Полиция не будет вечно держать там всех этих бродяг, а мы с тобой только теряем время.

— А ты пока можешь позвонить Лэндисам. Воспользуйся вторым телефоном. Возможно, им уже что-то сообщили относительно машины, в которой уехала Майна. Потом еще раз позвонишь в отдел новостей. Да, и не забудь сказать Лэндисам, что нам нужна фотография Майны. Какая-нибудь из последних.

В кабинете наступила тишина, а затем вновь послышалось позвякивание телефонов. Рассерженная Линдсей вернулась на кухню и начала готовить бутерброды. Через пятнадцать минут она услышала, как хлопнула входная дверь. Вернулась Джини. Сбросив у порога свои заляпанные грязью ботинки, она стала стягивать куртку.

Линдсей смотрела на нее, изумленно открыв глаза. Джини выглядела преобразившейся. Холодный воздух вернул ее щекам румянец, но это было еще не все. В комнату вошла совсем другая женщина. В ее глазах словно светился какой-то огонь, она была преисполнена решимости. В каждом ее движении угадывались энергия и устремленность. Ошеломленная Линдсей смотрела на подругу, не в силах отвести глаз. Перевоплощение Джини застало ее врасплох, и на секунду она испытала неловкость, подумав, что успела забыть, каким

хорошеньким было лицо прежней Джини, как она умела заражать всех своей жизненной силой.

— Где Макс? — без предисловий спросила Джини.

— В кабинете. С Роулендом. — Линдсей замялась. — Поливают тебя на пару, если хочешь знать.

— Плевать мне на это. Мне нужно с ним поговорить. Я была в том амбаре. Пошла туда, чтобы посмотреть на бродяг...

— Ты туда ходила?

— Конечно. Более того, они со мной говорили. Я принесла им немного «травки», и это помогло.

— Марихуану? Ты дала им марихуану? А как же полицейские?

— Они смотрели в другую сторону. Это ведь хорошая валюта, Линдсей. В Сараеве я постоянно ее использовала. Плюс сигареты, плюс виски. Это все тоже очень хорошо помогает...

Джини осеклась. На кухню, продолжая спорить, вошли Макс и Роуленд, и для всех четверых было очевидно, что слово «сука», только что произнесенное Роулендом, относилось вовсе не к одной из собак Макса. Увидев Джини, мужчины разом умолкли, однако она не обратила внимания ни на выражение их лиц, ни на только что услышанную ремарку.

— Макс, — начала она, — я ходила в тот амбар и разговаривала с бродягами. Майна Лэндис действительно была там и уехала с мужчиной. Они отчалили незадолго до полуночи на украденной машине — новехоньком серебристом «БМВ» пятисотой серии. Мужчину, который увел машину, зовут Стар...

— Серебряный «БМВ»? — Роуленд посмотрел на Макса. — Я слышал об этой машине.

— Никто не знает, откуда взялся этот Стар и где он обитает. Никто не знает, куда они уехали. Они могли направиться в любую сторону. Стар постоянно в разъездах. На прошлой неделе, например, он был в Амстердаме.

— В Амстердаме? — резко переспросил Роуленд.

— Да, и вернулся оттуда с большим багажом: «травка», амфетамины, бета-блокеры. И еще какие-то таблетки, которые он называл «белыми голубками». Они, видимо, представляют собой что-то особенное, поскольку за них Стар заломил цену в три раза выше, чем за все остальное. Их у него было немного, и продавал он их крайне осторожно.

Джини умолкла, ощутив воцарившееся в комнате напряжение.

— Я сказала что-то не то? Или чего-то не понимаю?

— Не обращай внимания, — быстро проговорил Макс. — Что еще тебе удалось узнать? Ты получила его описание?

— Стара? Разумеется. Немногим старше двадцати, высокий — примерно сто восемьдесят пять сантиметров, гладко выбрит, волосы черные, до плеч. Сине-черные глаза, волевое лицо. Бродяги — особенно женщины — называли его настоящим красавчиком. Одевается, как один из них: старое твидовое пальто и все черное. Не расстается с красным шарфом. Может быть кем угодно: англичанином, американцем, европейцем. Национальность его никому не известна.

В комнате повисла тишина. Роуленд, не спускавший взгляда с Джини, пока она говорила, теперь многозначительно посмотрел на Макса. Тот ответил ему понимающим кивком.

— Значит, — заговорил Роуленд, — у нас появилась ниточка, причем очень прочная. Макс, ты звонишь Лэндисам, я — в полицию. Потом я отправлюсь в Челтенхэм. Сегодня утром о пропаже этого «БМВ» заявил человек по имени Митчелл. Полицейские допрашивали его при мне. Если повезет, я еще застану его там.

Роуленд направился к кабинету Макса, но на полпути остановился, словно ему в голову пришла неожиданная мысль, обернулся к Джини и спросил:

— Хотите поехать со мной?

— Да, конечно, — ответила та.

Стоявшая в углу всеми забытая Линдсей горько вздохнула и отвернулась.

* * *

Митчелл был вынужден торчать в полиции целый день. Его отпустили, но он прекрасно знал, что его ждет в дальнейшем: ночь, проведенная в дешевом отеле, и долгое ожидание, пока не будут закончены многочисленные формальности с оформлением украденных у него кредитных карточек, а затем — долгие недели нудных приставаний со стороны полиции.

Митчелл вышел из участка в воинственном настроении. Из его головы еще не выветрилась химия, которой он наглотался накануне. Однако при выходе его ожидал сюрприз в виде двух журналистов. Митчелл приободрился. Светловолосая женщина-репортер была весьма привлекательна, а ее спутник купил для него виски.

Митчелл окинул его оценивающим взглядом. Мужчина, по всей вероятности англичанин или ирландец, был высо-

ким и крепко скроенным. Лицо его нуждалось в бритве, зеленые глаза смотрели холодно. Митчелл сразу же понял, что с этим человеком лучше не связываться. Что же касается блондинки, говорившей с американским акцентом, она была немного худощава, но весьма миловидна. У нее был невероятно сексуальный рот и ласковый, вызывающий доверие взгляд серых глаз. Она определенно гораздо приятнее этого мужика, подумал Митчелл и решил обращаться только к ней.

— Эй, дайте мне передохнуть, — сказал он. — Я чувствую себя выжатым, как лимон, и уже рассказал все, что знаю.

Рука мужчины, закрывавшая стакан с виски, не шевельнулась. Женщина с усталым вздохом проговорила:

— Вот черт! А я-то думала, вы сможете оказаться для нас полезны. Ладно, Роуленд, отдай ему это виски. Он старался помочь нам.

— Ты так полагаешь? Черт бы меня побрал, если я верю его байкам. Это все вранье от начала до конца, вариации той самой лапши, которую он вешал на уши полицейским. По крайней мере двойной порции виски его россказни не стоят.

— Да нет же, Роуленд. — Она смущенно взглянула на Митчелла, словно извиняясь за своего напарника. — Вы ведь не лжете нам, верно? Я не обвиняю вас за то, что вы проявляете осторожность. Но если вы и покупали что-нибудь, то, я думаю, не очень серьезное?

— Господи, Джини, — вмешался мужчина, — когда только ты научишься разбираться в людях! Неужели ты не видишь: это же чертов торговец наркотиками! По крайней мере, так считают в полиции. Они мне только что сами об этом сказали.

Митчелл испуганно уставился на говорившего. Это для него было новостью, причем весьма неприятной. Он почувствовал, что начинает потеть, и обвел взглядом бар, пытаясь прогнать из головы остатки наркотического дурмана.

— Вот что, — заговорил он, поворачиваясь к женщине, — хочу сразу прояснить одну вещь. Может, я что и покупал, я готов даже признать это. Но — ничего не продавал. Ни в коем случае! И мне ничего не известно об этой девице. Я эту сучку поганую вообще в глаза не видел, богом клянусь.

Он напрасно использовал крепкие выражения. В тот же момент, как только они сорвались с его губ, лицо мужчины окаменело.

— Ну, все, довольно, — обратился он к женщине, сидевшей рядом. — У меня есть дела поважнее.

С этими словами мужчина встал, захватил с собой бутылку и пошел прочь.

— Подожди, Роуленд, — окликнула его женщина и с

симпатией посмотрела на Митчелла. — Не обращайте на него внимания, — сказала она, понизив голос. — Я вам верю. Я знаю, вы не стали бы лгать в такой серьезной ситуации. Ведь как-никак умерла девочка.

Митчелл, которому на протяжении целого дня никто не верил, ощутил волну благодарности и потребность сейчас же исповедаться этой симпатичной женщине.

— Слушайте, — быстро заговорил он, подаваясь вперед, — вот что я вам скажу по поводу этой мертвой девчонки. За этим стоит он. Она уже не первая, кому он причинил вред. До нее, прошлой зимой, была французская девчонка, так он располосовал ей бритвой лицо. А потом — еще одна, из Голландии. Ее звали Аннека. Богатые родители, хорошая школа. Она жила с ним некоторое время, была его девчонкой, а он «угощал» ею всех кого ни попадя. Вы меня понимаете? Так вот, вчера я спросил его про нее, поинтересовался, что с ней. Она мертва. Говорю же вам, он настоящий маньяк. Глядите. Глядите сюда...

Он подвинулся вперед, чтобы свет падал на его лицо.

— Взгляните, что он сделал с моим носом. Вчера. Он, сволочь такая, укусил меня — просто так, без всякой причины. Мне теперь нужно сдавать кровь на анализ. Он наверняка заразил меня СПИДом. Я, может, уже умираю... Я не против того, чтобы рассказать вам все. Вчера он продал мне какую-то новую хреновину. По сорок фунтов за таблетку, представляете! Сказал, что это называется «белая голубка». Черт знает что такое! Она из меня чуть дух не вышибла. Посмотрите на мои руки — они до сих пор трясутся, а перед глазами все плывет.

Высокий мужчина вернулся и снова сел за столик, но Митчелл, которого уже понесло, этого даже не заметил. Он не отрывал глаз от женщины.

— Роуленд, отдай ему, пожалуйста, виски, — сказала Джини возбужденно. — Неужели ты не видишь, ему же плохо! Я ведь говорила тебе: он нам поможет.

Мужчина передернул плечами и подтолкнул стакан с выпивкой через стол, а женщина пододвинула к Митчеллу пакетик с чипсами и бутерброд. Голодный как волк, он расправился с едой за считаные секунды. Репортеры посовещались между собой вполголоса. Женщина, казалось, что-то предлагала, а мужчина отказывался. Через некоторое время, пожав плечами, она вновь повернулась к Митчеллу.

— Слушайте, — сказала она, — Роуленд считает, что я не должна вам этого говорить, но мне кажется, он не прав. Дело в том, что мужчина, которого вы описали... Мне кажется, я

его знаю. По-моему, это тот самый человек, которого я уже давно пытаюсь прижать к ногтю.

— Оставь это, Джини, — вмешался ее спутник, однако женщина не обратила на его реплику внимания. Митчелл наполнился гордостью.

— Правда? — спросил он. — В таком случае я наверняка смогу вам помочь. А почему бы и нет, верно? Я ведь ему ничего не должен. Если вы засадите его, от этого всем только лучше станет.

Его слова, казалось, произвели на женщину впечатление, однако на лице ее отразилось сомнение.

— Вы уверены? — спросила она. — Мне не хотелось бы подвергать вас опасности.

— Вы что, думаете, я боюсь этого парня? Еще чего! — Митчелл раздулся еще больше. — Вы же, я надеюсь, не выдаете своих информаторов?

— Конечно! Полная анонимность гарантируется.

В руке у женщины словно из воздуха материализовался диктофон. Митчелл, загипнотизированный ее взглядом, даже не заметил, как она нажала кнопку записи.

— Скажите, — проговорила она, готовясь ловить каждое слово Митчелла, — этот ваш поставщик... Его ведь можно назвать вашим поставщиком, правда? Его зовут Стар?

Митчелл кивнул и, наклонившись к ней, быстро заговорил.

* * *

Через час, когда уже начало вечереть, Джини сидела в «Лендровере» Макса, дожидаясь Роуленда, который находился в полицейском отделении, беседуя с детективом. Роуленд появился через пятнадцать минут.

— Они до сих пор не нашли «БМВ», — сказал он, забираясь на водительское сиденье, и завел мотор. — Я пересказал им то, что мы услышали от Митчелла. — Чуть поколебавшись, Роуленд посмотрел на Джини и добавил: — Ты здорово его расколола. Просто здорово.

— Обычная работа, — пожала плечами Джини. — Ничего особенного, но я действительно старалась.

— Я смогу что-нибудь выяснить о той голландской девушке, Аннеке. Ее отец торгует бриллиантами. Только что полицейские сообщили мне кое-какие подробности. — Роуленд говорил ровным голосом, озирая автомобильную стоянку, где находилась их машина.

— Что еще? — посмотрела на него Джини. — Они ведь наверняка сообщили тебе что-то еще.

— Час назад стали известны результаты вскрытия. Оказалось, что смерть Кассандры была вызвана наркотиками. Медики еще не знают, что именно она приняла. Для этого необходимо дождаться результатов токсикологической экспертизы.

— Как много времени это займет?

— По их словам, не менее трех дней.

Роуленд снял ногу с тормоза, и машина двинулась. Когда они выехали на открытый участок дороги, Роуленд искоса взглянул на Джини. За все это время она не произнесла ни слова.

В машине было холодно. Джини сидела, закутавшись в свой плащ и скрестив руки на груди. Вокруг ее шеи был намотан ярко-зеленый вязаный шарф, а под ним виднелась узкая полоска бледной кожи. Волосы были коротко острижены. Стрижка была сделана не очень профессионально, скорее всего, самой Джини. Она придавала Джини беззащитный вид, чего Роуленд не замечал раньше. Почему-то это показалось ему трогательным.

Наконец он решил, что настало время заговорить.

— Так или иначе, — начал он, — мы получили важную информацию. Точнее, ты получила. Теперь полиция сможет установить местонахождение Майны. Они воспользовались приметной машиной, да и сами они бросаются в глаза: красивый парень в заметной одежде и молоденькая девчушка с рыжими волосами. Если только они по-прежнему вместе.

— Я думаю, они вместе, — откликнулась Джини. — Даже не думаю, а уверена.

— У тебя есть для этого основания? — с любопытством взглянул на женщину Роуленд и не заметил в ней никаких признаков отчужденности. Она говорила с какой-то необъяснимой уверенностью.

— Никаких особых оснований. Скорее интуиция. Кроме того, я помню, что рассказывал нам Митчелл. Из его слов можно вывести некий стереотип поведения Стара. Прошлой зимой — девушка-француженка, которую затем сменила Аннека. Теперь — Майна. Он подбирает их на некоторое время и, возможно, привязывается к ним. Ненадолго. Ему нравятся совсем молодые девушки, а Майна выглядит гораздо моложе своего возраста. По словам Шарлотты, ей можно дать лет двенадцать. И еще кое-что... Судя по всему, он испытывает пристрастие к девушкам из богатых, благополучных семей. Кроме того, возможно, в его выборе играет роль и их нацио-

нальность. Девочка, которую он изрезал бритвой, была француженкой, Аннека — голландкой, Майна — американка. Не исключено, что ему нравится выдергивать девушек из их домов, отрывать от семей. Возможно, это дает ему ощущение собственного могущества.

— Интересно. И что же дальше?

— Именно поэтому я задумалась о том, как далеко он мог увезти Майну. Ведь они уехали за десять часов до того, как ее хватились.

— Да, это верно. Они стартовали в полночь, причем на мощной машине. За два-три часа они могли добраться до любого города на берегу Канала, а оттуда продолжить путь по туннелю на пароме или на пароходе.

— Думаешь, они могли отплыть ночью?

— Не знаю. В полиции и не удосужились проверить это сразу. Макс сейчас как раз занят тем, что выясняет расписание отправлений паромов. Ранним утром рейсы есть — это точно. Они могли пересечь Канал и оказаться во Франции уже к рассвету.

— Но с таким же успехом они могли направиться куда угодно. В Амстердам, к примеру.

— Совершенно верно, куда угодно — и в Бельгию, и в Италию, во Францию или в Германию... А может, они вообще не покидали Англию. — Джини поежилась от холода и плотнее закуталась в плащ. — Он опасен, — сказала она, — и поэтому я очень боюсь за девочку.

— Он опасен, что правда, то правда, — мрачно подтвердил Роуленд. — А то, чем он торгует, еще опаснее.

Некоторое время в машине царило молчание. Потом Роуленд отрывисто заговорил:

— Послушай, я должен извиниться перед тобой. Когда мы с Максом вернулись домой сегодня утром... То, как я говорил, непростительно. Я был груб. Извини меня за мои слова.

— Не надо извиняться. Я рада, что ты говорил именно так. Ты был прав, и я заслужила, чтобы со мной разговаривали грубо. — Джини помолчала. — Если кто-то и должен извиняться, так это я. Мне стыдно за то, как я себя вела. Тебе это, наверное, неинтересно, но мне бы хотелось, чтобы ты это знал.

Голос Джини был тихим. Это признание далось с видимым трудом, и, окончив говорить, она погрузилась в глубокое молчание.

— Я также хотел сказать, — сухо продолжил он, — что я

читал твои статьи и всегда восхищался ими. Особенно — теми, которые ты писала в Сараеве.

— Спасибо, но... — Джини сделала какое-то неуловимое движение. — Я взяла за правило никогда больше не говорить о Сараеве.

— И даже не хочешь, чтобы тебя хвалили?

— Нет, — спокойно ответила она, — за это — нет.

— Объясни мне — почему, — попросил Роуленд.

— То, что я писала, не соответствовало действительности. — Она говорила, по-прежнему отвернув от него лицо, но Роуленд уловил в ее голосе неожиданное возбуждение. — В моей писанине не содержится и тысячной части того, что я видела там. Возможно, так всегда бывает в подобных ситуациях, но я по своей глупости такого не ожидала. Способны ли слова хоть что-либо изменить в этом мире?

— Возможно, не очень многое и не очень надолго. — Роуленд подумал. Он чувствовал, что она перестанет уважать его, если ответ его будет неискренним. — Но, с другой стороны, — медленно продолжил он, — чего можно добиться с помощью молчания? А вот хорошие статьи все же могут способствовать переменам.

— Спасибо, Роуленд, за эту поддержку. Но для меня они уже не могут быть утешением. Сменим тему.

Роуленд притормозил, посмотрел на сидевшую рядом женщину, а затем, придя к какому-то неожиданному решению, съехал на обочину. Остановив машину, он повернулся к Джини.

— Могу я тебя кое о чем спросить? Известно ли тебе, почему ты находишься здесь?

— Здесь? Почему я приехала на эти выходные к Максу? — недоуменно переспросила Джини и слабо улыбнулась. Лунный свет обострял черты ее лица. — Конечно, я понимаю это, Роуленд, я же не дура. Я нахожусь здесь из-за того, что Шарлотта и Макс жалеют меня. Скорее всего на них насела Линдсей и прожужжала им все уши о том, что я нахожусь на грани нервного срыва. Они пригласили меня по доброте, за которую я, похоже, отплатила не той монетой.

— Диагноз Линдсей правилен?

— Относительно нервного срыва? — Джини встретилась с ним взглядом, но затем нахмурилась и отвернулась. — Нет, хотя, возможно, я была близка к этому. На Рождество. Тогда мне действительно было туго, но сейчас это прошло. — Поколебавшись, она продолжала: — Время от времени я веду себя плохо. Ты, вероятно, заметил это сегодня утром. Я раздражала тебя, раздражала всех остальных. Я и сама это пони-

маю... — Джини снова виновато улыбнулась. — Знаешь, что говорит по этому поводу Линдсей? Что я вызываю у нее сочувственную усталость. Она права. Я вела себя непростительно эгоистично. Придется исправляться. — Теперь она говорила быстрее. — Теперь-то я понимаю, что мне просто нужно взяться за работу. После возвращения из Боснии я не могла заставить себя писать. Даже испортила несколько хороших тем.

— Макс говорил мне об этом.

— Но после того, как я отправилась к этому чертову сараю, после того, как мы поговорили с Митчеллом, я почувствовала: наклевывается настоящая статья. А я ведь уже забыла, каково это: загореться какой-то темой. Но сейчас... Я очень хочу отыскать Стара. И больше всего мне хочется найти Майну. Так что, если я каким-либо образом могла бы быть полезной, если Макс захочет, чтобы кто-то поговорил с подружками Кассандры и Майны, я бы могла заняться этим. Мне бы хотелось это сделать. В общем, я в вашем распоряжении, — закончила она внезапно упавшим голосом.

Роуленд понял, что, предложив свою помощь, Джини уже не верила в то, что она будет принята. Она ожидала уверток или прямого отказа. Что-то или кто-то, подумал Роуленд, убил в ней надежду на лучшее.

— Я хочу объяснить тебе, почему ты оказалась здесь в эти выходные. Это вовсе не было жестом сострадания. Ты ошибаешься.

— Ошибаюсь? — Она повернулась и с недоумением посмотрела на Роуленда.

— Да. Ты оказалась здесь, потому что я попросил Макса пригласить тебя. Он вообще устроил все это по моей настоятельной просьбе. Я хотел встретиться с тобой. И хотел, чтобы мы работали вместе.

— Правда? — Джини покраснела. — Наверное, я чего-то не понимаю. Почему же ты не мог просто поговорить со мной об этом? Зачем было выстраивать такие декорации? А-а, понятно... — Кровь внезапно отлила от ее лица. — Ты боялся, что я откажусь? Или думал, что Линдсей настроит меня против тебя?

— Не скрою, эта мысль приходила мне в голову.

— Значит, не только из-за этого? — Она пристально посмотрела на собеседника. — Значит, тут кроется что-то еще. Ты хотел прощупать меня, посмотреть, не превратилась ли я окончательно в развалину, в неврастеничку, с которой не стоит связываться?

— Я бы не стал называть это так. Ты писала о войне, о

безобразной войне. Это не могло не повлиять на тебя. Честно говоря, если бы это на тебя не повлияло, я бы, наверное, в меньшей степени хотел повстречаться с тобой. Но мне нужно было убедиться...

— Не стоит так тщательно подбирать слова. Я не придаю большого значения такту, а ты не похож на тактичного человека. Лучше говори прямо. — Она помолчала. — Ага, понятно. Я начинаю прозревать. Видимо, между этой историей и той, которую ты раскручивал, существует какая-то связь, о которой ты не догадывался? Это каким-то образом связано с наркотиками, с «белыми голубками», с Амстердамом. Вот почему вы с Максом так странно отреагировали на мой рассказ о разговоре с бродягами. — Джини умолкла. Возбуждение, которым только что светилось ее лицо, внезапно угасло. — Ладно, — устало сказала она.

Роуленд увидел, как на ее лицо упал лунный свет.

— Ты позволишь мне объяснить, в чем тут дело? — спросил он.

— Здесь? Сейчас?

— А почему бы и нет? Здесь нам никто не помешает, да и времени это займет не так много. Ты не замерзла?

— Немного.

— Я оставлю мотор работать и включу печку.

Роуленд выключил фары и подождал, пока глаза привыкнут к полутьме. Затем он указал рукой в сторону проселочной дороги, серебрившейся в лунном свете.

— Видишь эту дорогу? Она тоже ведет к тому злополучному сараю. Однако вся эта история, как ты правильно догадалась, начинается не здесь. Она начинается вовсе не со смерти Кассандры и даже не с человека по имени Стар. До сегодняшнего дня я вообще не слышал о нем. Она начинается...

Роуленд замолчал. Если бы он был правдивым до конца, он должен был бы сказать, что для него самого эта история началась много лет назад в Вашингтоне. Однако сейчас обнаруживать свои чувства было несвоевременно и неуместно.

— Она началась в Амстердаме. Прошлой осенью.

* * *

— Тогда, — начал Роуленд, — я работал над серией расследований, связанных с наркотиками, и незадолго до перехода в газету Макса у меня появились кое-какие новые зацепки. Мне рекомендовали повнимательнее приглядеться к сравнительно небольшой группе, которая занималась производством наркотиков и базировалась в Амстердаме. До этого

момента меня в основном интересовали героин, кокаин, новые маршруты доставки наркотиков, участие в этом русской мафии и так далее. Эти расследования продолжаются до сих пор, и я по-прежнему пытаюсь распутывать этот клубок. Но та история меня также заинтересовала. Группа из Амстердама, на которую мне дали наводку, занималась несколько другим: разработкой новых наркотиков, наркотиков будущего, как сказали бы некоторые. Группа в Амстердаме была создана усилиями нескольких молодых людей. Один был американцем и несколько лет отирался на задворках мирового наркобизнеса, одновременно торгуя наркотиками и употребляя их самолично. Второй, его напарник, был ученым — одаренным голландским химиком. Оба парня достигли определенных успехов на ниве производства и сбыта МДМ — наркотика, известного также под названием «экстази», и его разновидностей, но в прошлом году почувствовали, что рынок этого зелья значительно сузился. Подростки в дискотеках, которые являлись основным потребителем «экстази», стали смотреть на него с подозрением. Этот наркотик уже повлек за собой несколько смертей, к тому же стало ясно, что он не является сексуальной панацеей, как его рекламировали.

Роуленд взглянул на Джини.

— Голландский химик решил создать принципиально новый наркотик. У него светлая голова, так что парень совершенно точно представлял себе, что следует искать. Ему было нужно что-нибудь такое, что вызывало бы у наркоманов более сильную по сравнению с «экстази» зависимость, гораздо сильнее действовало и дарило ощущение огромной силы, эдакого ускорения. В то же время новый продукт должен был обладать значительно более мощным, нежели у «экстази», сексуальным воздействием и, кроме того, без нежелательных в этом плане последствий.

— А употребление «экстази» приводило к нежелательным последствиям?

— Конечно. В какой-то момент наркотик дарил возбуждение, но затруднял у мужчин эрекцию. Все сильные наркотики неблагоприятно сказываются на сексуальных возможностях человека, и излишне говорить, что молодой химик был об этом прекрасно осведомлен. Для него было очевидным: сумей он создать наркотик, который усилит сексуальную потенцию потребителя, и тот озолотит его. Он станет богатым, очень богатым человеком.

— И ему это удалось?

— Да, по крайней мере, так он заявил. Ему сыграло на

руку то, что он сумел найти инвестора — кого-то, кто согласился финансировать его исследования. Если судить по размаху, который приобрела эта голландская операция, спонсор проявил невероятную щедрость. Он предоставил химику-голландцу двести пятьдесят тысяч швейцарских франков, снятых с личного счета в Цюрихе. Эти деньги были переданы американскому партнеру химика в апреле прошлого года в номере отеля «Амстердам Хилтон». Уже через полгода голландский химик довел свое изобретение до кондиции и был готов к тому, чтобы выпустить его на рынок. Я думаю, вы знаете, как он назвал его.

— «Белая голубка»?

— Именно так. «Белая голубка».

На некоторое время воцарилось молчание. Джини с любопытством посмотрела на Роуленда.

— А вы хорошо информированы, — сказала она. — Кто же снабдил вас такими сведениями?

— У меня есть кое-какие контакты в американском Агентстве по борьбе с наркотиками. Химик и его американский партнер находились под наблюдением на протяжении целого года. Амстердам является главным перекрестком на путях международных наркоперевозок, поэтому вполне естественно, что АБН имеет там своих оперативников.

— Это понятно, — проговорила Джини, заметив, что после ее последнего вопроса Роуленд сразу подобрался и словно закрылся. — Мне неясно другое: наверное, для них нехарактерно снабжать подобной информацией английского журналиста.

— Я несколько лет проработал в Вашингтоне, — сухо сообщил Роуленд, — и имею там связи. Если позволите, в самом скором времени я вернусь к вопросу о финансировании исследований нового наркотика и о личности спонсора. Но вот что случилось прошлой осенью. У химика уже был готов его новый продукт, на который он возлагал такие большие надежды. Следующим его шагом должно было стать скармливание зелья клиентам, и эта часть работы возлагалась на американца. Он пошел проторенным путем: стал поставлять наркотик своим друзьям из мира рок-музыки, снабдил некоторым количеством товара клубы для гомосексуалистов, знакомых фотографов и фотомоделей. Слухи о новом товаре распространились быстро. Музыканты обнаружили, что с его помощью они могут, не отдыхая, записывать музыку весь день, всю ночь и еще следующий день. Фотомодели с радостью осознали, что таблетки напрочь отбивают аппетит, облегчают задачу следить за своей фигурой. Пошли разгово-

ры о том, что «белая голубка» позволяет чувствовать уверенность, счастье и вдохновение. Вы можете обходиться без сна, без пищи. Не стоит говорить о том, что особо отмечался рост сексуальной мощи, который тоже являлся результатом действия этих маленьких таблеток.

— Это было на самом деле?

— По крайней мере так говорили. Американец утверждал, что «голубка» пробуждает ненасытное желание, и если у человека имеется возможность его удовлетворить, тогда... только держись! Шесть, семь, восемь раз за ночь — по его словам, это еще были цветочки. Могу только сказать, что, хотя за два месяца они подняли цену на наркотик в три раза, от клиентов все равно отбоя не было. Так что, возможно, в его заверениях и впрямь что-то было.

Джини недоверчиво покачала головой.

— Надеюсь, вы понимаете, на какие суммы можно было рассчитывать в такой ситуации? Со временем, конечно, монополия на «белую голубку» разрушится. Поэтому сейчас голландец и его американский напарник намерены максимально быстро увеличить производство. А судьбы таких, как Кассандра Морли, их не волнуют. Поэтому, Джини, мы не можем оставаться в стороне. Ради детей Макса и Шарлотты, ради наших будущих детей, наконец! Надеюсь, вы правильно меня поняли.

Если бы Джини и не думала так, эти слова Роуленда убедили ее. Он впервые позволил обуревавшим его чувствам вырваться наружу. В какое-то мгновение его горячность и идеализм напомнили ей Паскаля.

— Я осознаю все это, — тихо ответила она.

— В таком случае... — Он умолк, словно пришел к какому-то неожиданному решению. — В таком случае я предлагаю вам поработать над этим вместе со мной. Я давно хотел предложить вам это.

Джини удивилась его прямоте и стремительности, с которой он принимал решения.

— Вы и вправду этого хотите? — Она посмотрела ему в глаза. — Вспомните вчерашний вечер, сегодняшнее утро. Вы предложили бы мне эту работу тогда?

— Нет.

— Но вы предлагаете ее мне сейчас.

— Да, предлагаю.

— Тогда я согласна. Я хочу заняться этим.

— В таком случае, — проговорил он, — вам необходимо знать еще некоторые детали.

— Например, кто дал деньги на исследования? Кто при-

езжал в Амстердам с четвертью миллиона швейцарских франков, снятых со счета в Цюрихе?

— Конечно. — Роуленд вырулил на дорогу.

— Что это за человек? Кто-то, кто связан с наркобизнесом?

— Нет. Совсем наоборот. Но вы о нем наверняка слышали. Этот человек загадка для меня.

— Кто же это?

— Француз. — Роуленд на большой скорости, но очень чисто вписался в крутой поворот. — Очень богатый и очень влиятельный француз. Его имя — Жан Лазар.

* * *

На обратном пути Роуленд изложил Джини известные ему факты.

Роуленд закончил говорить как раз тогда, когда они подъехали к дому Макса. Он объехал дом и поставил машину возле конюшни.

— Прежде чем мы войдем, я хотела бы удостовериться, что поняла все правильно. Значит, те деньги привез в Амстердам главный помощник Лазара?

— Да, его зовут Кристиан Бертран. Выпускник Сорбонны, Гарвардской школы бизнеса, многообещающий молодой человек. Он работает на Лазара уже четыре года.

— А на этой неделе он снова приезжал в Амстердам, чтобы забрать партию «белых голубок»? Но почему так мало — всего шесть?

— Вот этого я не знаю. — Роуленд подумал. — Впрочем... Линдсей не устает напоминать мне, что на следующей неделе в Париже начинаются показы новых коллекций одежды. Коллекция Казарес будет представлена публике в среду. Возможно, «белые голубки» понадобились Лазару, чтобы справиться с тяготами этих церемоний и нейтрализовать их последствия. По крайней мере, так утверждает американец. Но, с другой стороны, это, кажется, не в характере Лазара. Он, похоже, обладает железной волей и самообладанием.

— Вы хотите сказать, что наркотики, возможно, предназначены кому-то другому?

— Такая мысль приходила мне в голову, и наиболее вероятной кандидатурой представляется Мария Казарес. Ходит много слухов о ее хрупкости, нездоровье... Она — главная деталь в бизнесе, который приносит миллиарды франков и который Лазар в прошлом году намеревался продать. Если он не расстался с этой мыслью, Казарес должна работать и де-

монстрировать это другим. Ее появление в день закрытия шоу имеет огромное значение. Если этого не случится, опять пойдут сплетни о ее болезнях и неспособности работать. Что тогда случится с ценой, которую можно запросить за компанию? Она резко упадет. А небольшое количество «белых голубок» гарантирует не только ее появление на церемонии, но и то, что она так и будет лучиться здоровьем и радостью. Теперь понимаете?

— Да.

— Однако здесь мы уже оказываемся в области домыслов. — Роуленд потянулся, чтобы открыть свою дверцу. — Первым делом мы обязаны сконцентрироваться на уже имеющейся у нас ниточке. Установить местонахождение Майны. Обнаружить Стара. Поговорить с подругами Майны и Кассандры. Поговорить с семьей той голландской девочки, которую звали Аннека...

— И поговорить с вашим человеком из Агентства по борьбе с наркотиками, — быстро вставила Джини. — Если я поеду в Амстердам, я должна с ним побеседовать.

Джини почувствовала, как напрягся Роуленд, и умолкла. Он так и не открыл дверь машины. Воцарилось молчание, нарушаемое лишь порывами ветра.

— Нет, — сказал Роуленд через некоторое время. — Это невозможно. И даже не подлежит обсуждению.

Джини изумленно уставилась на него.

— Не подлежит обсуждению? Почему? Вся информация, которая у вас имеется, поступила именно от этого человека. Я просто обязана с ним поговорить.

— Все контакты с АБН будут осуществляться только через меня. Это — их условие, а не мое, и я вынужден был принять его. Я дал им слово, что мое расследование никак не помешает их работе.

* * *

Когда за окном послышалось шуршание гравия и на подъездной дорожке показался «Лендровер», Линдсей сидела на кухне и читала книжку Колину и Дэнни. Уже одетые в пижамы, они примостились возле нее и таращили слипавшиеся глазенки. Макс висел на телефоне у себя в кабинете, а Шарлотта наверху купала Алекса и Бена. Было восемь вечера, Роуленд и Джини отсутствовали уже несколько часов.

За чаем Макс с деланым равнодушием осведомился, не согласится ли Линдсей подбросить завтра днем Роуленда домой. Сам он решил выехать рано утром.

— А почему он не может вернуться с тобой? — поинтересовалась она.

— Потому что я выезжаю на рассвете. Шарлотта расстроится, если все разъедутся сразу. Ну же, Линдсей, уж пару часов ты сможешь потерпеть его общество!

— Ну, хорошо, — смилостивилась та, — тем более мне все равно нужно рассказать ему кое-что.

— Правда? — заинтересовался Макс.

— Да. Помнишь, он дал мне папку и просил просмотреть ее как можно быстрее? Я сделала это и наткнулась на одну странную вещь...

— Черт! Вечно этот телефон трезвонит некстати! Наверное, из отдела новостей.

С этими словами Макс исчез. Затем, пока Линдсей читала его сыновьям, он появлялся еще несколько раз, но уже не пытался расспрашивать ее. Линдсей, носившаяся со своим открытием как курица с яйцом, была разочарована этим и размышляла, что Максу неинтересно ничего из того, что она могла бы ему рассказать. Роуленда, думала она, это тоже вряд ли заинтересует.

Через пятнадцать минут после возвращения «Лендровера» открылась дверь, и вместе с потоком холодного ночного воздуха вошли Роуленд и Джини.

— Вы встретились с Митчеллом? — начала Линдсей, решив выйти из тени.

— Что? — Теперь Роуленд заметил Линдсей. — Ах да, конечно, встретились. И не без пользы. Где Макс?

— Так как вы полагаете, Роуленд? — заговорила Джини, явно продолжая начатый до этого разговор. — Я думаю, одного дня хватит. Один день — здесь, а потом я могу отправиться в Амстердам.

— Одного дня должно хватить с лихвой. Не думаю, что одноклассницы смогут поведать что-нибудь важное, но... всякое бывает. Не исключено, что кто-то из них слышал о Старе. Возможно ведь такое, что Кассандра и Майна встречались с ним прежде...

Он осекся, не договорив фразы. В комнату вошел Макс, размахивая листком бумаги. Он выглядел взволнованным.

— Прорыв! — начал он. — Машина найдена! Мне только что звонили из полиции.

— Нашли «БМВ»? Где?

— В очень любопытном месте. — Макс бросил на Роуленда многозначительный взгляд. — В Париже!

— В Париже? Это точно?

— Подтверждено. Она была брошена в районе Пантэн,

рядом с кольцевой дорогой. Какой-то полицейский случайно наткнулся на нее три часа назад.

Зазвонил телефон, и Макс умолк.

Услышав, что на втором этаже Шарлотта сняла трубку, он снова повернулся к Роуленду и продолжил:

— Да, в Париже. И, учитывая то, что тебе уже было известно, надо заметить, что это — весьма любопытно. Как, по-твоему?

Линдсей снова ушла в тень и наблюдала за Роулендом, который почему-то медлил с ответом. Только тут до нее дошло, что внимание всех присутствующих приковано к Джини. Та стояла совершенно неподвижно. Секундой раньше она снимала свой зеленый шарф, и руки ее так и застыли в воздухе. Она прислушивалась к голосу Шарлотты, что-то говорившему в отдалении. Глаза ее неестественно расширились, лицо побледнело и было напряжено. Услышав шаги Шарлотты, она сдвинулась с места и через секунду уже сломя голову бежала по направлению к кабинету Макса. А Шарлотта в тот же момент, перегнувшись через перила, кричала:

— Джини! Быстрее! Он дозванивался несколько часов подряд! Слышимость ужасная, но хоть что-то да услышишь. Скорее, Джини, это Паскаль!

Часть II

Европа

9

Майну разбудил звук церковных колоколов. Во сне она гуляла по каким-то поросшим травой холмам, и поначалу ей показалось, что это звенят колокольчики на шеях коров. Потом они превратились в бубенчики на санях, на которых они со Старом летели по заснеженному полю, а затем сон начал таять, и девушка поняла, что звук доносится с колокольни за окном. Майна потянулась, открыла глаза и напрягла память. Она вспомнила эту комнату, матрас, на котором лежала, накрывавший ее плед, украшенный лоскутами в виде морских звезд, вспомнила, что находится в Париже.

Затем Майна села, потерла глаза и улыбнулась. Стар говорил, что должен будет выйти по делам, а ей велел отдыхать. Значит, он вернулся, поскольку сейчас сидел на маленьком деревянном стульчике напротив нее и следил за ее пробуждением.

— Сколько времени, Стар?

— Время второй мессы. Уже — восемь.

— Мессы? Ты хочешь сказать, что сегодня — воскресенье?

— Вот именно. Поездка была тяжелой, ты очень устала, а потом мы еще долго искали это место. Ты спала целые сутки. Хочешь позавтракать? Здесь неподалеку есть одно симпатичное кафе.

— Да, я проголодалась. Наверное, из-за твоей таблетки я разоспалась. Хорошо бы позавтракать, Стар.

— На первом этаже есть небольшая ванная, можешь туда наведаться. Смотри, я купил тебе подарок, когда выходил на улицу. Косынка. Голубая косынка. Она — под цвет твоих глаз.

Движением иллюзиониста он вытащил из кармана косынку. Она была шелковой, легкой, чудесного цвета — как

крылья зимородка. Майна радостно вскрикнула. Стар неторопливо поднялся и вручил ей подарок.

— Повяжи ее на голову, — сказал он. — Нам нужно соблюдать осторожность, Майна. Даже здесь.

Майна неуверенно посмотрела на юношу.

— Я ведь смогу вскоре позвонить родителям, правда, Стар? Я не хочу, чтобы они волновались. Если сегодня — воскресенье... Ой, Стар, моя мама, должно быть, сходит с ума! Я должна сообщить им, что со мной все в порядке. Я не скажу, где мы.

— Конечно, ты можешь им позвонить. — Стар улыбнулся, и Майне показалось, что от этой улыбки в комнате стало светлее. — Если бы ты не спала так долго... Можешь позвонить из кафе — там есть телефонная будка. Пойдем, моя маленькая Майна. — Он взял ее руки в свои. — Это — приключение, не забывай. Наше приключение. А потом... — Стар умолк, и Майна увидела, как изменилось его лицо.

— Что потом? — спросила она, глядя в его насторожившиеся и потемневшие глаза.

— У меня назначена одна встреча, вот и все. Мы с тобой поедем в аэропорт Шарля де Голля, а когда окажемся там, ты сама решишь, что тебе делать дальше. Оттуда каждый час вылетают рейсы в Англию. Если хочешь, я посажу тебя на самолет, и ты уже сегодня окажешься в Лондоне.

— Правда? — Майна неуверенно посмотрела на Стара. — Но ведь у меня нет денег на билет. Все, что у меня было, я отдала Кассандре.

— Никаких проблем. — Стар сделал неуловимое движение, и в его ладонях оказалось несколько бумажек. — Франки, доллары, фунты. Тут — гораздо больше, чем на билет до Лондона. Скажи только слово, Майна, и мы поедем вместе в любой уголок мира.

— Я не могу позволить тебе платить за меня, — нахмурилась Майна. — Только при условии, что я потом верну тебе долг.

— Давай пока не будем спорить на эту тему. Кто знает, может быть, оказавшись в аэропорту, ты и не захочешь уезжать. А теперь — поторопись, погода чудесная, сейчас мы с тобой сядем в кафе и будем любоваться солнцем над Парижем. Париж — один из четырех красивейших городов мира.

Стар произнес это очень серьезным тоном.

— А какие — три остальных?

— Венеция, Новый Орлеан и Гонконг. Может быть, когда-нибудь я отвезу тебя туда.

— Ты в них бывал? — спросила Майна, но Стар внезапно отвернулся, словно ему наскучил этот разговор.

— Конечно, — ответил он. — Я объездил весь свет.

Майна поняла, что его мысли уже заняты чем-то другим. Она успела привыкнуть к быстрым переменам в его настроении. Он то окружал ее вниманием, и его черные глаза читали ее душу, как открытую книгу, то словно угасал, и лицо его становилось отчужденным.

Майна спустилась на первый этаж, нашла ванную, умылась и причесалась. Ванная была самая что ни на есть примитивная, но и самому дому было уже много десятков лет. Комната, в которой разместились они со Старом, находилась на верхнем этаже, а сам дом стоял на вершине холма. Из окна открывался головокружительный вид. Стар сказал, что эта квартира принадлежит его другу. Дом был расположен на левом берегу Сены, в студенческом квартале, неподалеку от Сорбонны. По словам Стара, это был самый лучший район Парижа.

Майна взяла подаренную косынку и аккуратно повязала ее на свои рыжие волосы так, как повязывали женщины-бродяги, по-цыгански. Концы косынки она завязала сзади, а саму ее сдвинула почти до бровей. Посмотрев в зеркало, девушка понравилась себе и одобрительно улыбнулась своему отражению. Она смыла глупую татуировку с ястребом, но оставила золотую краску на ресницах. На ней по-прежнему были вещи Кассандры — длинная свободная юбка, цветастая блузка и кожаная черная куртка с заклепками.

Ей не терпелось встретиться с Кассандрой и рассказать ей обо всех своих приключениях.

Майна услышала, как ее зовет Стар, и одернула себя. Она подумала о своей матери, об отце, и снова какой-то червячок шевельнулся в ее душе. Она почувствовала смесь восторга, нетерпения и страха.

Стар повел ее в близлежащее кафе, и они устроились за столиком у окна. Наблюдая в окно за парижской суетой, Майна почувствовала себя спокойнее.

— Значит, ты никогда не бывала в Париже? — спросил молодой человек, глядя на нее. Девушка жевала круассан и запивала его кофе со сливками. Стар протянул руку и смахнул крошку, прилипшую к подбородку.

— Нет, ни разу. Мы объездили много мест, но везде было жутко скучно. В основном это были городки при военно-воздушных базах. Хуже всего было в Германии.

— Сейчас я вернусь, — неожиданно бросил Стар и резко поднялся со стула. Майна проводила его удивленным взглядом.

Стар отсутствовал долго — минут десять, а может, и боль-

ше. Когда же он подошел, Майна сразу поняла, что хорошее настроение вернулось к нему. Усевшись напротив нее, он стал застегивать пуговицы на манжетах рубашки. Его руки пахли мылом.

— Значит, в Германии? — Стар подался вперед и прикоснулся к руке девушки. — Именно там между твоими родителями начались нелады? Помнишь, ты рассказывала мне, когда мы ехали в машине?

— Может быть. — Майна наморщила лоб. — Мне ведь было всего тринадцать, когда мы туда переехали, а прожили мы там целых три года. Может, они начали ссориться раньше, но я этого не замечала или не хотела замечать. До Германии мы жили на Гавайских островах — там было куда лучше! Не знаю, наверное, когда-то они были счастливы друг с другом. Когда я была маленькой. Мама рассказывала мне, что они очень любили друг друга, когда поженились. Она говорила, что папа часто брал ее на руки и... — Майна запнулась, пытаясь справиться с внезапно подступившими слезами. Стар не спускал с нее своего пристального неподвижного взгляда, а затем взял ее руку в свои.

— Любовь приходит и уходит. Ты должна уяснить это, Майна.

— И никогда не остается? — Девушка повернула к нему голову.

— Может остаться. — Стар зажег сигарету, глубоко затянулся и выдохнул. Майна наблюдала, как голубое облако окутало его. — Конечно, большинство людей хотят, чтобы она осталась, и лезут ради этого из кожи вон. Они нервничают, переживают. А надо всего-навсего ждать. Ждать, когда она придет, и надеяться на то, что останется. Даже кусочек любви — уже хорошо. В этом мире чересчур много ненависти.

Майна продолжала пристально смотреть на собеседника, она ожидала услышать нечто иное.

— Скажи, Стар, — заговорила она, — когда это случается, если вообще случается, как об этом узнать?

Он с такой силой схватил ее за запястье, что Майна едва не вскрикнула от боли, и резко дернул к себе. Девушка почти упала на стол, и теперь ее глаза находились всего в нескольких сантиметрах от его лица.

— Посмотри мне в глаза, — приказал он. — Давай же. Смотри внимательно, Майна. И постарайся увидеть...

Майна заглянула в его глаза. Их радужная оболочка была темной, почти черной, и отливала синевой. В них она увидела саму себя — маленькую Майну, но затем ей показалось, что все вокруг нее исчезает, и она смотрит в бездонный океан.

Ей казалось, что она видит волны, пробегающие по его гипнотической поверхности. Майна слегка вздрогнула и вздохнула.

Стар держал ее за запястье уже не так сильно. Он ласково погладил ее руку и сказал:

— Ну вот, теперь ты знаешь меня. А я знаю тебя. Ты очень нужна мне, Майна. Я понял это в первую же секунду, когда увидел тебя.

Майна задохнулась, а он отпустил ее руку и встал.

— Пойдем. — Голос Стара звучал обыденно, будто за секунду до этого он не сказал ничего особенного. — Нам пора в аэропорт.

Майна тоже поднялась из-за столика. Она оттолкнула стул назад и протянула руку за своей курткой. Движения ее были неуверенными. Стар уже направлялся к двери. Девушка догнала его и схватила за руку.

— Стар, — заговорила она, — а как же — позвонить? Ведь ты сказал, что я смогу позвонить родителям!

— Телефон не работает. Я только что проверил. — Он взял ее под руку, вывел на тротуар и поднял руку, останавливая такси. — Поедем, позвонишь из аэропорта.

Однако, когда они добрались до аэропорта, Стар, казалось, начисто забыл о своем обещании. Он быстро шел по огромному залу, поднимался и спускался на эскалаторах. Чтобы поспеть за ним, Майне приходилось бежать. Аэропорт был наводнен людьми, и ее толкали со всех сторон. Голова кружилась от шума голосов, объявлений, которые изрыгали динамики.

Майна остановилась возле электронного щита объявлений и стала смотреть, как мелькают цифры. Тут и впрямь сообщалось о нескольких рейсах в Лондон. Десятичасовой уже вылетел, на одиннадцатичасовой шла посадка, а следующий рейс — в полдень.

— Пойдем. Нам сюда. — Стар вернулся к Майне, крепко взял ее под руку и повлек за собой. Он шел все быстрее. Бросив взгляд на его лицо, девушка увидела, что на нем написана злоба — жуткая злоба, для которой, казалось бы, не было никаких причин.

— Что я такого сделала, Стар? — Она дернула его за рукав. — Чем я провинилась?

Он посмотрел на нее пустым взглядом.

— Что? Ничего. Просто я тороплюсь, вот и все. Сейчас прибывает один рейс, и я не хочу пропустить его. Сюда... Подожди. Подержи мое пальто. Вот так-то лучше. А теперь — молчи и тихо стой рядом со мной.

Он кинул ей на руки свое старое твидовое пальто. Теперь, подумала Майна, он выглядел совсем по-другому, в нем не осталось ничего от бродяги. Должно быть, он помылся и переоделся, поняла она. Девушка все время смотрела только на его лицо и не обращала внимания на то, как он одет. Сейчас Стар был похож на студента Сорбонны — в черной рубашке, черной куртке и черных джинсах.

— Шарф, — сказала она. — Ты забыл надеть свой красный шарф, Стар.

— Заткнись! — бросил он. — Я же велел тебе молчать. Иди сюда.

Он подвел ее к двери, ведущей из зала, и втолкнул в какой-то коридор. Пытаясь не отстать, Майна побежала вслед за ним, сжимая в руках пальто. В ее голове продолжали кружиться вопросы, на которые она никак не могла найти ответы. Что случилось с той чудесной серебряной машиной? Она помнила, как Стар оставил ее у тротуара на какой-то улице, но где она теперь? Где был Стар все то время, пока она спала? А ведь она спала никак не меньше шестнадцати часов! И где маленькая собачка, что сидела на руках у Майны в течение всей их долгой дороги? Она вместе с Майной пряталась под пледом, когда они переезжали таможенный пункт, и была с ней — Майна точно это помнила, — когда она засыпала в маленькой комнате на верхнем этаже.

— Где собака? — крикнула она в спину Стара, продолжая бежать следом за ним. — Что с ней случилось? Ты же говорил, что она — повсюду с тобой!

— А теперь — не со мной.

Стар остановился так неожиданно, что Майна со всего размаха налетела на него. Злоба исказила его лицо: оно буквально почернело. Майну передернуло от страха.

— Она — у моих друзей. А если ты задашь хотя бы еще один вопрос... — Майна видела, что он с трудом сдерживается. — Я тебя попросту оставлю здесь. Уйду и оставлю. Ненавижу вопросы и тех, кто любит их задавать. Мне казалось, ты это понимаешь. А теперь встань вот здесь.

Майна согласно кивнула. Сейчас они находились в зале основного терминала аэропорта, где царило относительное спокойствие. Стар отошел от девушки на несколько шагов и остановился в ожидании. Через некоторое время около Стара появился мужчина — служащий аэропорта. Они обменялись короткими репликами. Похоже, мужчина и Стар были знакомы. Человек в униформе воровато огляделся, а Стар произвел одно из своих неуловимых движений. Майна успела разглядеть, что Стар что-то передал служащему.

После этого мужчина вытащил связку ключей и отпер малоприметную дверцу. Стар жестом позвал Майну, и служащий пропустил их в открывшийся проход и запер за ними дверь. Майна огляделась. Теперь они стояли в зале, интерьер которого был выдержан в мягких тонах. Пол был устлан толстым ковром, около низких столиков, на которых были разложены журналы, стояли удобные кресла.

— Где мы? — прошептала Майна.

— В зале VIP[1], — так же тихо ответил Стар. — Знаешь, что это такое? Когда прилетают и улетают всякие важные шишки, они проходят именно через этот зал, чтобы не попадаться на глаза журналистам. Прессу сюда не пускают.

— А нам тут можно находиться?

— Нет, но мы же ничего такого не делаем. Стоим себе тихонечко и смотрим.

Непривычное возбуждение щекотало нервы девушки. В комнате находилось еще несколько человек, а поодаль от них стояла группа работников аэропорта. На них, похоже, никто не обратил внимания. Несколько мужчин и две женщины, все великолепно одетые, стояли у окна. Майна вытянула шею. Окно было огромным — от пола до потолка — и выходило на взлетное поле. Девушка увидела, как по одной из полос медленно катит небольшой частный самолет с неизвестной ей эмблемой на борту. Стар тоже заметил самолетик и в тот же момент напрягся, как пружина.

— Не двигайся, — прошептал он. — Стой и смотри. Не двигайся ни в коем случае.

Самолетик наконец замер, и его передняя дверь распахнулась. Мужчины и женщины, ожидавшие в зале, сгрудились у окна и заслонили от Майны все, что за ним происходило. Они сразу же оживились и стали громко переговариваться по-французски.

Один мужчина отступил в сторону и стал что-то быстро говорить в трубку мобильного телефона, другой открыл атташе-кейс и вытащил оттуда какие-то папки. Разместившись по обе стороны дверей, встречавшие образовали своеобразный коридор. Справа от двери стояла пожилая дама в изысканном костюме и с безукоризненной прической, рядом с ней, отступив на шаг назад, ожидал мужчина. Майне показалось, что он был здесь старшим. На нем был черный плащ, очки в черепаховой оправе с затемненными стеклами. Остальные расположились на некотором отдалении.

Наконец двери открылись. Теперь происходящее было

[1] VIP — особо важные персоны (*англ.*).

отчетливо видно Майне. В зале появилась пара, которую, видимо, ждали люди. Мужчине было около пятидесяти, и несомненно он был значительной персоной — от него исходили сила и властность. Легкий загар тронул его кожу, черные как вороново крыло волосы блестели. Он был сравнительно невысокого роста, элегантный строгий костюм подчеркивал его мужественное обаяние. Майна предположила, что этот человек может быть испанцем или итальянцем. Кем бы он ни был, держался он с поистине королевским достоинством.

Войдя в зал, он сразу же заговорил, и было забавно наблюдать, как встречавшие засуетились, стали демонстрировать преувеличенное внимание к каждому сказанному им слову. Затем вошедший сделал повелительный жест, после которого воцарилась тишина, и отступил на шаг в сторону, пропуская вперед свою спутницу.

Женщина была хрупкой и стройной, едва ли выше самой Майны, и двигалась грациозно, словно танцовщица. У нее также были черные как смоль волосы, покрытые дорогой шелковой косынкой, а на глазах — такие большие темные очки, что разглядеть ее лицо было практически невозможно. Майна видела лишь бледные, без малейших признаков помады, губы женщины. На ней была изумительная меховая шуба, на руках — перчатки. Женщина стала обмениваться приветствиями с теми, кто их встречал, и Майна заметила тусклый блеск золотых браслетов на ее запястьях. С одними она обменивалась рукопожатиями, с другими — легкими поцелуями. Девушка отметила про себя, что это удивило многих встречавших, поскольку за спинами вошедших они стали незаметно обмениваться многозначительными взглядами, словно поздравляя друг друга с неожиданным расположением этой элегантной дамы. Настроение присутствующих явно повысилось. Между тем женщина и ее заботливый спутник медленно продвигались по залу. Встречавшие смыкались за их спинами, как волны за кормой флагмана. Когда пара проходила мимо Стара и Майны, девушка явственно ощутила аромат свежих весенних цветов. Атмосфера становилась все менее официальной. Наконец вся процессия покинула зал, двери захлопнулись. Все происшедшее теперь казалось Майне каким-то волшебным сном.

Последовала пауза — натянутая и дрожащая, словно струна. С той самой секунды, когда в зал вошли эти двое, и до того момента, когда они вышли, Стар, застыв, как сеттер, ни на миг не отрывал глаз от мужчины и женщины. Он смотрел на них, неподвижный, как статуя, лицо его было сосредоточенным, бледным и лишенным всякого выражения.

Майна не осмеливалась нарушить тишину. Она не понимала, что творится со Старом — то ли он злится, то ли испытывает боль, и знала только одно: с ним творится что-то неладное. Через некоторое время она все же отважилась тронуть его за рукав.

— Стар, — прошептала она, — мы сюда пришли из-за этих людей?

— Да, — кивнул он, — именно из-за них. У меня есть план относительно этой парочки.

— План? — Майна непонимающе взглянула на своего спутника. Ее пугал странный блеск его глаз. — Я ничего не понимаю.

— Поймешь через три дня. В среду. Знаешь ли ты, как долго я ждал этого дня? Двадцать пять лет!

— Но почему? Кто они такие, Стар?

— Мои враги.

— Враги? Этот мужчина и эта женщина? — Майна отступила назад. Ей стало по-настоящему страшно. — Почему, Стар? Ты их знаешь? Кто они?

— Они знамениты. Очень знамениты. Знамениты на весь мир. — К ужасу Майны, по его лицу пробежала судорога. На секунду ей показалось, что Стар ударит ее. — Эту женщину зовут Мария Казарес, — добавил он, — а мужчина рядом с ней известен как Жан Лазар.

* * *

Мария Казарес очень любила машины. Когда они жили в Париже, Лазар держал в постоянной готовности четыре автомобиля, которые можно было вызвать по телефону в любой момент. В то утро, еще находясь на вилле в пригороде Феса, Лазар позвонил в Париж и распорядился прислать в аэропорт автомобиль, который он подарил Марии на ее день рождения два года назад. Машина была сделана на заказ в 1937 году для одного из членов семейства Крупп. Конечно, у них имелись и более современные модели, но Мария находила, что новые машины обладают недостаточно строгими линиями, и поэтому предпочитала «Роллс-Ройсы» довоенных лет.

Путешествовать на заднем сиденье этого автомобиля было все равно что находиться в коконе, отгородившись от всего остального мира. Стеклянная перегородка отделяла салон от шофера, затемненные стекла оберегали от любопытных взглядов прохожих. Лазар откинулся на спинку мягких сидений, обитых изумительной кожей ручной выделки. Единствен-

ным звуком, проникавшим в салон, было едва слышное шуршание колес по асфальту. В воздухе витал аромат духов, которыми пользовалась Мария, — тонкий запах самых нежных весенних цветов — жонкилий и нарциссов. Это были первые — и до сих пор самые популярные — духи, выпущенные под именем Казарес, — «Аврора».

Лазар прикрыл глаза. Прошлую ночь он провел без сна, а ведь лет ему уже немало. Он сполна расплачивался за то, что спал лишь урывками и вечно просыпался уставшим. Почувствовав, как пошевелилась сидевшая рядом Мария, Лазар открыл глаза. Она прижалась щекой к окну и смотрела на пробегавшие мимо улицы. Внезапно она повернулась к нему.

— Жан, — сказала она, — я хочу к Матильде. Мы не виделись уже столько дней. Я хочу видеть ее сейчас же.

— Нет, дорогая. — Лазар потянулся к ней и взял ее за руку. — Ты звонила ей из Марокко четыре раза. Сейчас — воскресенье и к тому же раннее утро. Она наверняка еще спит, и ты разбудишь ее. Не забывай, дорогая, она уже давно не девочка.

— Я скучаю по ней. Мне хочется, чтобы она жила с нами, как раньше. Ты не должен был отсылать ее, Жан.

— Я и не делал этого, милая, — со вздохом ответил Лазар. — Она сама решила уйти на отдых. Я купил ей квартиру, у нее теперь собственная служанка.

— Она была моей служанкой. Она была мне как мать. Она понимает меня. А ты... Ты выгнал ее!

— Выгнал? Как ты можешь так говорить, дорогая!

Лазар попытался подавить в себе гнев. Он действительно всегда недолюбливал Матильду — суровую женщину, простую крестьянку из Прованса, которая прислуживала Марии на протяжении последних двадцати лет. Она была ревнива, скрытна и являлась главным хранителем святилища Марии. Однако Лазар не выгонял ее, разве что способствовал ее добровольному выходу на отдых. Но в конце концов за последние пять лет Матильду на самом деле извели непрекращавшиеся стрессовые ситуации в доме Марии.

— Послушай, дорогая, — продолжал он, — ты сможешь повидаться с Матильдой завтра, когда отдохнешь и будешь чувствовать себя получше. А пока... — Лазар умолк, размышляя, чем бы отвлечь ее от грустных мыслей. — Покажи мне, что ты купила.

К его облегчению, это сработало. Что ж, Мария в последнее время была не способна сосредоточиваться на чем-то одном в течение долгого времени. Ее лицо сразу же осветилось радостной улыбкой, и она потянулась к сумке, с кото-

рой не расставалась на протяжении всего перелета из Марокко в Париж. Одну за другой она стала перебирать маленькие красивые вещицы, находившиеся там. Она сама покупала их, и все же, вынимая очередную, неизменно издавала тихий возглас радости и восхищения, словно сумка эта была мешком с неизвестными подарками, а сама она — маленькой девочкой.

Поездка в их загородный дом в Марокко явилась внезапным капризом Марии. Эта мысль осенила ее ночью в пятницу, а двумя часами позже они уже летели на частном реактивном самолете. Всю дорогу Мария пребывала в слезливом настроении, а как только они прибыли в Фес, ей тут же захотелось обратно.

Этому воспротивился Лазар. По его распоряжению их уже ждал джип. После легкого завтрака, в течение которого Мария не взяла в рот ни крошки, они отправились в пустыню. Они смотрели, как медленно проступали в предутреннем свете невидимые пока горы, материализуясь в фантастическом сочетании желтого, розового и лазури — цветов, которые являют собой рассвет в пустыне. Однако эта красота, так пленявшая Марию в прежние годы, теперь лишь на мгновение привлекла к себе ее внимание. Лазар сжал ее руку.

— Взгляни, родная, видишь тот пик? Видишь снег, лежащий на нем? Смотри, как солнце окрашивает его золотом.

— Мне холодно, Жан. Я хочу домой.

— Милая, еще несколько минут. Иди ко мне, поплотнее закутайся в свой мех, а я обниму тебя — вот так. Дорогая, ты помнишь нашу коллекцию восемьдесят пятого года? Тогда мы тоже приезжали сюда. Ты так беспокоилась за коллекцию, говорила, что у тебя нет ни идей, ни вдохновения — ничего! А потом ты посмотрела на эти цвета, и к тебе пришло озарение, помнишь? Мы сразу же вернулись домой, и ты принялась рисовать. Лист за листом, десятки рисунков, и все они были восхитительны: такие светлые, утонченные. А цвета, Мария, какие были цвета! В тот год ты создала наряды для богинь. Те, кому довелось их увидеть, запомнили их навсегда. О них до сих пор говорят.

— Сейчас все иначе. Теперь я несчастна.

— Ты счастлива, дорогая! Мы оба счастливы! — Лазар крепче прижал к себе Марию и почувствовал, как она дрожит.

— Жан, ты обещал мне подарок. Я хочу его получить. Ты сказал — утром. Сейчас — утро.

— Хорошо, — ответил он. Они вернулись к машине, и Лазар быстро погнал ее по направлению к вилле. Отослав

слуг, он провел Марию в ее любимое место — уединенный внутренний дворик виллы. Патио было выдержано в мавританском стиле — с жасминовыми кустами и апельсиновыми деревьями. Тут был и маленький фонтан. Вода, нежно звеня, струилась из чаши, расписанной лазурью и золотом. Этот звук был единственным, нарушавшим тишину. Лазар опустился на каменную скамью у фонтана и со своей неизменной церемонностью и обстоятельностью достал из кармана и положил на свою ладонь маленькую белую коробочку, перевязанную серебряным шнуром, затем с улыбкой протянул коробочку женщине.

Мария взяла подарок и стала нетерпеливо рвать обертку, а когда открыла коробочку, увидела в ней что-то, завернутое в золотистую легкую ткань.

— Что это, Жан? О, что же это может быть?

Мария подняла к нему порозовевшее от волнения лицо. Ее широко раскрытые черные глаза смотрели на него, рот приоткрылся. Когда Мария смотрела на него таким доверчивым, таким невинным взглядом ребенка, у Лазара щемило сердце.

— Нет, не говори, я сама догадаюсь. Здесь что-то маленькое и очень красивое. Это кольцо, Жан? Или драгоценный камень? Изумруд? Скарабей? Какой-нибудь необыкновенный камушек? Помнишь, какие мы с тобой находили в Таиланде? Да, тут что-то маленькое и твердое. Я думаю, камень.

Лазар улыбнулся. Его всегда умиляло это трогательное отношение Марии к красоте. Ну, где еще найти женщину, в глазах которой драгоценный бриллиант будет обладать такой же ценностью, как красивая, но ничего не стоящая раковина или камушек?

— Ни то, ни другое, ни третье, дорогая, — мягко ответил он. — Поверишь ли ты, если я скажу, что ты держишь в руках птицу?

— Птицу? — Мария удивленно смотрела на него.

— Да, моя дорогая. У тебя в руках — маленькая голубка. Маленькая «белая голубка» — так это называется. Проглоти ее. Видишь, я даже приготовил для тебя стакан с водой. Ее нужно запивать только водой, дорогая, и ни в коем случае вином. Выпей — и увидишь. Эта маленькая «голубка» обладает огромной силой. Ты почувствуешь, как за твоей спиной воистину вырастают крылья.

— Ты уверен? — Она не сводила с него пристального взгляда. — Обещай мне, Жан! В прошлый раз...

— Я знаю, дорогая. На сей раз — никаких ошибок. Клянусь тебе! Попробуй.

Мария развернула золотой шелк, внимательно поглядела на маленькую белую таблетку, затем взяла из рук Лазара стакан с водой. После этого она проглотила таблетку так, как послушная девочка пьет лекарство, прописанное врачом. Прошло некоторое время. Лазар наблюдал за ней, слушая журчание воды в фонтане. Мария прижала ладошку к груди и вскрикнула.

А затем началось: лихорадочная активность, поездка на рынок, откуда они возвращались, заваленные маленькими свертками, купание в бассейне, желание говорить — так, как она не разговаривала с ним уже многие годы. Даже сейчас, сидя рядом с ней в роскошной машине, Лазар продолжал ощущать на своей коже давно забытые ласковые прикосновения ее губ и пальцев. Для него это было агонией, для нее — двадцать четыре часа ничем не омраченного счастья. По крайней мере, Мария сама не уставала это повторять. Однако теперь Лазару казалось, что она постепенно начинает выходить из этого состояния.

— Вчера он выглядел гораздо красивее.

Мария рассматривала браслет, купленный накануне на рынке. Он был сделан из золота и усеян кораллами и зернами бирюзы. Старинная и красивая вещица представляла собой точную копию одного из тридцати браслетов, купленных Марией в прежние их приезды.

— А это... Ты только посмотри на это. — Она взяла крохотный бронзовый колокольчик, критически оглядела его и швырнула на пол машины. Затем без всякого перехода вдруг произнесла: — Жан, когда мы вернемся домой, я сразу лягу спать. Мне хочется проспать целый год. В синей комнате, Жан, на тех белых простынях, которые тебе прислали из Лондона.

— Спи в любой комнате, где тебе захочется, родная. Отдохни. И ни о чем не тревожься. Все будет хорошо.

— Ты побудешь со мной? Поговоришь со мной? Хотя бы пока я не засну?

— Нет, милая. Сегодня — воскресенье. Если хочешь, я пробуду рядом с тобой целый день.

— Воскресенье. Я люблю воскресенья. — Мария вздохнула. — Я буду лежать, разговаривать с тобой и слушать звон колоколов.

Она откинулась на спинку сиденья и закрыла глаза. Жан рассматривал ее лицо, которое любил столько лет. Ее лоб был чист, морщины до сих пор не тронули его, длинные ресницы отбрасывали тень на изящно очерченные щеки. На них еще сохранился розовый оттенок. Внезапно его тело захлест-

нула волна желания, которому Жан никогда не мог противостоять. Придвинувшись к Марии, он нежно поцеловал ее в губы, призывно разомкнувшиеся при этом прикосновении. Лазар развязал мягкий пояс ее пальто, просунул руку под дорогие меха и стал гладить окружности любимых грудей. Пальцы мужчины ощущали, как бьется ее сердце.

Отвечая на ласки, Мария подалась к нему и обвила его шею руками. Лазар стал целовать ее закрытые глаза, густые волосы. Внезапно женщина напряглась и стала отталкивать его. Он сразу же отстранился, взял ее миниатюрную руку и поцеловал ее, избегая встречаться с женщиной взглядом.

— Не надо, Жан. Не надо, милый, не плачь. — Мария стала целовать лицо Лазара, пытаясь заставить его посмотреть на нее. — Прошу тебя, не надо. Я не могу видеть, как ты грустишь. Я чувствую себя гораздо лучше, уверяю тебя. Если бы я только могла немного отдохнуть и, может быть... — Она замялась. — Может быть, если бы я приняла еще одну «белую голубку»... Ты сказал, что у тебя есть еще. Ты говорил, что мне станет от них лучше, и так и случилось.

— Я дам тебе еще, когда приедем домой.

Он откинулся назад, взял ее за руку и отвернулся в сторону. Мария терпеливо ждала. Она верила ему безоговорочно, твердо зная: он может лгать кому угодно, но ей — никогда.

Их дом находился в двадцати километрах от Парижа — на полпути между столицей и Версалем. Он был первым из всех домов, купленных Лазаром для нее. Построенный в восемнадцатом веке, он был тщательно отреставрирован. Раньше, приезжая сюда, Лазар каждый раз испытывал чувство радости и триумфа. Теперь все было иначе. Да, красивый, даже роскошный дом — и ничего больше. Им теперь принадлежало столько домов и поместий, что Лазар не сразу мог вспомнить их все. Иногда, остановившись на лестнице или в коридоре, он недоуменно оглядывался, рассматривал бесчисленные зеркала и позолоту и думал: «А что теперь?»

Сегодня, как и хотела Мария, они поднялись в синюю комнату с белыми кружевными занавесками из Лондона, кроватью, которая когда-то принадлежала Марии-Антуанетте, а также неудобными, но бесценными стульями, на которых когда-то восседал Людовик XIV. Это была чисто женская комната, предназначенная для отдыха, царившие здесь мягкие тона успокаивали глаз. Лазар отослал прислугу.

Он достал из кармана маленькую коробочку. Увидев, что обертка такая же, как была в прошлый раз, Мария была разочарована. Лазар отметил про себя, что упаковку других коробочек необходимо сменить.

Мария нетерпеливо проглотила таблетку и запила ее глотком воды.

— Дорогая, — проговорил он, — ты должна выпить всю воду. Это необходимо. И тебе следует поесть. Сказать, чтобы тебе что-нибудь принесли? Что ты хочешь?

— Нет, Жан. Позже. О, моя любимая кровать! Она так красива и так удобна!

— Она была сделана для королевы.

— Да, для не очень счастливой королевы. Для не очень хорошей королевы. Впрочем, это не имеет значения. Сейчас она моя.

Мария прошлась по комнате, сбросила туфли, скинула на пол меха. Затем она улеглась на кровать и похлопала ладошкой по синему покрывалу.

— Сядь рядом со мной, Жан. Ты обещал мне. Поговори со мной, дорогой. Расскажи мне что-нибудь, чтобы я уснула. Это умеешь только ты.

Лазар подошел и присел рядом с женщиной. Она откинулась на спину и закрыла глаза. Аккуратно и умело он вытащил шпильки из ее волос и рассыпал их по белоснежной подушке. Лазар стал нежно гладить эти волосы — черные как вороново крыло, и лоб — белоснежный, как слоновая кость, а затем начал рассказывать ей об их прошлом.

Мария любила его истории, но эту — их общую историю — больше всех остальных. Он начал со старого дома, который она помнила до сих пор, — с маленькими, будто бы кружевными, резными балкончиками. Он стал вспоминать их прежнюю жизнь, когда они были бедны, а он — горд, несговорчив и упрям.

— Это было ужасное время, дорогая, ты помнишь? — говорил Лазар. — Я ел себя поедом.

— Потом все стало хорошо. — Она пошевелилась и взяла его за руку. — Все кончилось хорошо, потому что я указала тебе путь.

— Да. — Лазар наклонился и поцеловал женщину в лоб. — Да, ты проявила огромное мужество.

Он поколебался. Эта часть истории всегда давалась ему с трудом. Возможно, подумал Лазар, Мария не заметит, если он опустит кое-какие детали из их дальнейшей жизни? Мария, казалось, уже дремала. Может быть, эффект «белых голубок» каждый раз различен и сегодня они подействовали на Марию успокаивающе?

— Через два года после этого мы отправились в путешествие, — продолжал рассказывать Лазар. — Сначала мы ехали на поезде, потом летели на самолете...

— Нет, не пропускай! — Она открыла глаза. — Я ненавижу, когда ты пропускаешь самое главное. Рассказывай все. Рассказывай о том, как это случилось впервые. Рассказывай о самом лучшем.

— Но ведь это было не единственным хорошим в нашей жизни, дорогая, не правда ли?

— Да, но с этим мало что может сравниться. Я больше всего люблю вспоминать именно об этом.

— Ну, хорошо. — Он вздохнул. — Это случилось в твоей комнате. Ты помнишь свою комнату?

— Конечно.

— Я пил. В тот день мне очень хотелось напиться, но никак не удавалось. Я бродил, кружил по городу. Была уже ночь. Я вернулся в старый квартал и ходил вокруг кладбища. Помнишь это кладбище с красивыми и огромными, словно дома, склепами? Девочкой ты очень любила там играть.

— Я помню. По-моему, помню.

— Придя туда, я стал думать о тебе. В отдалении раздавались звуки джаза. Саксофоны играли какой-то блюз. Эта мелодия буквально сводила меня с ума. Мне было очень грустно.

— Тебе не стоило грустить. Ведь все было так просто! Я всегда тебе это говорила.

— Но я не слушал. Не осмеливался. И вот, в ту ночь я почувствовал себя сильным и... проклятым. Я находился на перепутье жизни. Мне казалось, что я могу либо жить вечно, либо убить себя — там же и в тот же момент. Я почувствовал, что мне необходимо поговорить с тобой. Я так тебя боялся! Одно твое слово — и я был готов совершить что угодно.

— И я сказала тебе это слово.

Мария распахнула свои огромные глаза и устремила взгляд на Лазара. Ее снова стала бить дрожь. Взгляд ее блуждал по его лицу, словно она никак не могла узнать того, кто был перед нею.

— Так ты помнишь? — Она схватила его за руку. — Скажи, что помнишь! Что это было за слово?

— Maintenant[1].

Он произнес это тихим голосом, с тем акцентом, который когда-то был присущ им обоим, и отвернулся. Это слово до сих пор отзывалось болью в его сердце. Перед его мысленным взором и сейчас стояла та комната, в которой оно прозвучало. Она была полна теней, откуда-то издалека в нее вплывали звуки джаза, а затем донесся гудок товарного поезда и глухой перестук колес. В неподвижном ночном воздухе

[1] Теперь (*фр.*).

звук раздавался отчетливо, а те товарные составы обычно бывали очень длинными — по тридцать, а то и по сорок вагонов.

Он выждал, пока утихнет стук колес, и перевел взгляд на тонкое бледное лицо Марии, проступавшее из густой тени. «Теперь», — сказала она. Почти сердито, категоричным, не допускавшим возражений голосом, словно устав от всех этих уверток и окончательно решив смести с дороги все те линии обороны, которые он так усердно возводил. «Теперь», — сказала она. Лазар вслушался в затихавший стук колес, взглянул на распятие, висевшее на стене, и понял, что больше сопротивляться не в силах. Он был побежден.

После этого он взял ее в свои объятия и впервые поцеловал не так, как во все прежние годы — поцелуем любовника, защитника и друга.

— Вот так все и началось, — продолжал он теперь в тишине синей комнаты. — Я уже тогда знал, во что это выльется. Мы оба знали. Мы положили начало тому, чему суждено было длиться вечно.

По мере того как он говорил, Мария зашевелилась. Глубоко погрузившись в прошлое, Лазар не сразу заметил это. Она потянулась, перевернулась на бок и снова вцепилась в его рукав.

— Прикоснись ко мне, Жан. Так же, как вчера ночью. Мне хочется ощутить это снова.

— Нет, дорогая. Ты хочешь спать. Ты сама говорила.

— Я хотела спать. А сейчас не хочу.

Мария села на постели и откинула назад свои густые черные волосы. Ее пальцы побежали по груди, пытаясь расстегнуть пуговицы блузки, лицо разгорелось, а движения стали лихорадочными. Ей удалось расстегнуть всего две пуговицы, затем дорогой шелк блузки с треском разорвался.

— Не важно... Пусть... Мне все равно... Прикоснись ко мне, Жан, погладь мою грудь. Поцелуй меня, дорогой! Пожалуйста, поцелуй меня.

Лазара охватило дурное предчувствие, под ложечкой у него засосало, а поглядев на Марию, он окончательно понял, что все это плохо кончится. И все же он стал гладить ее спину и грудь, стараясь не думать о том, как страшно она похудела. Его пальцы чувствовали каждый ее позвонок, каждое ребро. Ее груди, которые всегда были маленькими, сейчас были похожи на груди девочки-подростка.

Лазар уткнулся лицом в ее шею, пытаясь справиться с накатившими на него усталостью и стыдом.

— Нет, дорогая, — так же ласково, как и в первый раз, повторил он. — Ты должна отдохнуть.

— Я не хочу отдыхать, — возвысила голос Мария, и в нем появилась та самая непререкаемость, которой он всегда так боялся. — Я хочу, чтобы мы с тобой занялись любовью. Неужели я так много прошу? Почему ты отказываешься? Почему не можешь? Я ведь знаю, что ты любишь меня, так в чем же дело? Жан, ведь тебе еще нет и пятидесяти. Или ты все-таки чересчур стар? Ты что, и вправду не можешь?

Мария впервые поддела его подобным образом. Она увидела, как в лицо ему бросилась кровь, и из ее груди вырвался торжествующий возглас:

— Ага, так вот, значит, в чем дело! Ты слишком стар! Ты больше не способен этим заниматься!

Лазар встал и холодно посмотрел на нее сверху вниз.

— Ты ошибаешься, — произнес он. — Когда я ощущаю желание, я вполне способен на это.

— Тогда в чем же дело? Давай! Докажи мне!

— Ну что ж, на такую просьбу невозможно ответить отказом.

— Жан...

— Ложись, черт бы тебя побрал!

Он расстегнул пояс и дал одежде упасть на пол. Когда он вошел в нее, из груди Марии вырвался крик, она содрогнулась и стала извиваться в его объятиях. Тогда он навалился на нее всем телом и прижал руки к кровати. Двигаясь внутри ее, Лазар ничего не чувствовал и не видел. Единственным желанием, которое он ощущал, было скорее кончить и заглушить наслаждением ту боль, которая терзала его сердце. Впрочем, наслаждение коротко и не может длиться долго.

Он почувствовал приближение оргазма, следующий его толчок был глубоким и мощным. В этот момент Мария, распростертая под ним, стала говорить и двигаться, от чего ему стало еще хуже. Она говорила языком шлюхи и делала похабные движения, и, хотя в последние несколько лет подобное иногда возбуждало его, сейчас он хотел этого меньше всего на свете. Лазар закрыл ладонью ее рот, чтобы она замолчала. Прошлой ночью его постигла неудача, сейчас он обязан одержать победу.

Изо рта Марии, прикрытого его ладонью, доносилось невнятное бормотание. Лазар попытался вызвать в своей памяти образ той Марии, которой больше не существовало. Он ощущал застенчивость ее рук и видел веру в ее глазах. Та Мария, за которую он сражался, любовь к которой была его религией, смыслом всей его жизни. Он сосредоточился на этом, всплывшем из прошлого, образе, и даже теперь этот образ его не подвел. Целуя ее плечи и груди, он торжествующе кончил и в следующий момент откатился в сторону с жестом отвращения, ненавидя самого себя и эту женщину, в которую превратилась утраченная им Мария.

Когда-то он с легкостью удовлетворял ее, но сейчас ему это не удалось. Она схватила его руку и прижала к животу, а затем, закрыв глаза, стала тереться о него, словно одержимая. Для того чтобы достигнуть оргазма, ей потребовалось чуть больше пяти минут, однако удовлетворение ее было глубоким. Женщина сразу же выпустила его руку.

— Засыпай. — Лазар резко поднялся с постели и стал приводить себя в порядок. — Засыпай. Теперь ты обязательно уснешь.

Мария не ответила. Она лежала совершенно неподвижно, закрыв глаза. Лазар сидел рядом с ней. Он ненавидел эти стулья, эту кровать, все, что они собрали и приобрели за предшествующие годы: дома, машины, самолеты, картины — все это опротивело ему. Он приобретал их, надеясь, что они смогут загладить боль их потери, однако теперь, заглянув в черную бездну своей жизни, почувствовал, что его мутит от страха.

Так, пребывая в состоянии мрачного отчаяния, он просидел около часа. Все это время Мария лежала неподвижно. Лазару нестерпимо хотелось вырваться из этой комнаты, но он боялся пошевелиться и произвести шум. Может, Мария и впрямь уснула? Ему хотелось поскорее остаться в одиночестве, выйти в парк и пройтись по каштановым аллеям, вдохнуть свежий воздух, подумать обо всем. Эти таблетки были его последней надеждой, последним условием той кошмарной — в духе Фауста — сделки, на которую ему пришлось пойти. Теперь он думал о том, насколько они ужасны. Пусть открытие показа будет сорвано, пусть Мария не сможет на нем появиться, пусть вдохновение больше никогда не вернется к ней, пусть ему придется вытерпеть еще пять лет такой же преисподней, какими были предыдущие пять. Пусть! Он уничтожит оставшиеся «белые голубки» и никогда больше не купит ни одной.

Очевидно, их бизнес пострадает, но Лазара это уже не волновало. Он сможет и дальше поддерживать на плаву дело их жизни — теми же средствами, что и раньше. На него, как и прежде, будут продолжать работать два талантливых молодых человека, которые пытаются имитировать неподражаемое. Именно они создавали все коллекции Дома Казарес на протяжении последних пяти лет. Если показ новой коллек-

ции не обернется катастрофой, Лазар возобновит переговоры, начатые им год назад. Он продаст их империю, а потом они с Марией... Внезапно он осознал, что не видит будущего для них двоих, если только какой-нибудь врач, какой-нибудь кудесник, о существовании которого ему еще неизвестно, не найдет доселе неведомый способ.

На кровати пошевелилась Мария. Она села, откинула назад свои черные волосы и посмотрела на Лазара взглядом, полным спокойствия.

— Жан, — произнесла она, — где моя бумага? Где мои карандаши, мои ручки?

— Там, дорогая, — усталым голосом ответил он, — где обычно. На столе.

К его удивлению, Мария молча встала с постели, подошла к столу, пододвинула листы бумаги и принялась рисовать. Она все еще была полуобнаженной. Лазар встал, взял халат и накинул ей на плечи. Женщина раздраженно дернула плечами, и халат упал на пол.

— Не отвлекай меня, Жан. Зажги свет и уходи, оставь меня одну.

Он включил стоявшую рядом со столом лампу и, отойдя на несколько шагов, стал с тревогой наблюдать за Марией. Она не рисовала уже целый год. На сколько ее хватит теперь — на полчаса, час? — прежде чем она изорвет бумагу в мелкие клочья и отшвырнет в сторону.

Лазар отошел в дальний полуосвещенный угол комнаты и опустился в кресло. Он взял одну из книг, лежащих на низеньком столике, и стал перелистывать страницы, даже не пытаясь вникнуть в суть. Так прошел час, затем второй. Тишину нарушал лишь шорох бегавшего по бумаге карандаша, тиканье маленьких часов.

Лазар наконец поднялся и, подойдя к окну, выглянул в темноту. Неожиданно сзади послышался какой-то звук, шелест бумаги и тонкий плач, наполненный мукой. Лазар бросился к Марии и склонился над ней, крепко обняв. Рисунки были сброшены на пол. Поначалу, пытаясь утешить ее своими объятиями, он едва посмотрел на валявшиеся у его ног листы. Но вот вгляделся сначала в один, потом в другой, разомкнул объятия и наклонился, чтобы поднять листы. Увиденное захватило Лазара, и он стал внимательно изучать легкие, летящие линии и быстрые штрихи. Для постороннего глаза они показались бы лишенными всякого смысла, и неудивительно: тайный язык этих набросков был понятен лишь им двоим. Он давно научился читать эти воздушные линии, и теперь сердце его взволнованно забилось.

Лазар поднял голову и посмотрел на Марию с удивлением и тайной надеждой. Может быть, подумал он, они, эти «белые голубки», все же подействовали? Мария спрятала лицо в ладонях и горько заплакала.

— Не плачь, милая, — тихо заговорил Лазар, — они прекрасны. Это — самые чудесные рисунки за все последние годы. Вот видишь, дорогая? Я всегда говорил тебе...

Мария не слушала. Она подняла лицо, и Лазар увидел, что из глаз ее ручьями текут слезы.

— Я хочу, чтобы мне вернули ребенка, — всхлипывала она. — Пожалуйста, Жан, верни моего сына. Я не могу без него. Жан, у меня душа разрывается.

Он почувствовал боль, словно ножом пронзившую его сердце. Так бывало всегда, когда она начинала молить его об этом. Он снова обнял ее и в который раз принялся мягко объяснять, что это единственное, что он не может для нее сделать, поскольку их ребенка давно нет в живых.

— Ребенок умер, дорогая, — ласково говорил он. — Ты должна смириться с этим. Врачи сказали, что...

— Ты лжешь! Врачи ничего не понимают. Это ты забрал у меня моего мальчика. Ты выгнал его, Жан, точно так же, как выгнал Матильду. Ты стыдился моего ребенка. — Она спрятала лицо в ладонях. — Я хочу увидеть его. Хочу увидеть его сейчас же.

Пытаясь взять себя в руки, Лазар отвернулся. Это началось пять лет назад, после того, как ей сделали операцию. Когда она осознала, что не сможет больше иметь детей, что-то сломалось в ее прелестной головке и в ее сердце. Раньше, как полагал Лазар, она, смирившись с утратой сына, глубоко запрятала свою печаль, которая теперь снова всплыла на поверхность. В течение последнего года и особенно на протяжении нескольких последних месяцев эти жуткие сцены, полные боли и обвинений, повторялись все чаще. Вот и теперь Мария буквально захлебывалась рыданиями. Подобные выбросы горя разрывали его сердце, были невыносимы. Ощутив внезапный прилив бешенства, он резко развернулся и грохнул ладонью по крышке стола. Стоявшая на нем лампа завалилась набок, карандаши взлетели вверх.

— Прекрати! — закричал он. — Ну сколько можно мучить себя и меня! Ребенок мертв, Мария, вот уже двадцать пять лет, как мертв! Я могу отвести тебя на его могилу, могу сводить в церковь, где было отпевание...

— Я никогда не была ни на каком отпевании.

— Ты была тогда больна, Мария. Всем этим занимался я. Могу сказать тебе, как звали священника. У меня в столе лежит свидетельство о смерти. Ты хочешь, чтобы я принес

го? Хочешь, чтобы я прочитал его тебе? Боже милостивый, у сколько же раз можно возвращаться к этому!

Но она не слушала его. Слезы уже не текли из ее глаз, а ицо снова превратилось в безжизненную маску. Мария наклонила голову и смерила Лазара долгим взглядом, в котором а мгновение мелькнула подозрительность. Наклонившись, Мария стала перебирать свои бумаги, ручки и карандаши.

— Уходи, — сказала она вялым, бесцветным голосом. — не люблю, когда ты кричишь на меня. Ты лжешь, ты вечно еня обманываешь.

В ярости на нее и на самого себя он оставил ее, а когда ернулся часом позже, Мария крепко спала и новая горничая собирала свои вещи. С виноватым видом она сообщила азару, что мадемуазель Казарес звонила по телефону и вызвала к себе Матильду. На этот раз это известие Лазара не зволновало. Черт с ней, пусть эта злобная баба возвращается, подумал он равнодушно и наклонился к разбросанным исункам.

Лазар отметил, что в его отсутствие Мария рисовала овсе не одежду. Многочисленные листы были испещрены транными иероглифами. Между ними то и дело встречались елкие тщательно проработанные рисунки: распятие, колыбель и — могилы. Ряд за рядом.

Чуть дольше, чем на других рисунках, Лазар задержал згляд на одном, где была изображена большая могила, а на адгробном камне было печатными буквами выведено имя х сына — Кристоф — и возраст, в котором он умер, — три есяца. Может быть, она все-таки осознала то, что он говоил ей, подумал Лазар, пытаясь справиться с волнением, которое охватило, когда он увидел имя их мальчика.

Одна деталь, впрочем, озадачила его, и он долго пытался онять скрытый смысл, содержавшийся в ней. Справа от могилы Кристофа Мария нарисовала солнце, слева — полумесяц. А прямо над могилой, словно некий библейский символ, красовалась большая многоконечная звезда, и если все стальные рисунки были черно-белыми, то эту звезду, будто келая привлечь к ней внимание и вложить в нее какой-то собый смысл, Мария закрасила — звезда сияла золотом.

10

Вечсром того же воскресенья Линдсей и Роуленд подъезжали к Ноттингхилл-Гейт. Нервы Линдсей были на пределе.

Подъехав к дому, Линдсей что было мочи ударила по тор-

мозам, и машина, обиженно взвизгнув шинами, останові
лась.

— Я на минутку. Только сбегаю за своей статьей и сним
ком, — сказала она. — Мне трудно объяснить это на слова
но когда ты увидишь фотографию, то поймешь. Сейчас я пр
несу ее, а потом отвезу тебя домой. Значит, где ты живешь?

— В Спайталфилдсе, — напомнил Роуленд. — Это в Ис
Энде, довольно далеко отсюда, так что я вполне мог бы д
браться домой на метро. К тому же ты не можешь остави
здесь машину — ты же перегородила дорогу.

— Ну и черт с ней, — бросила Линдсей, которая слушал
собеседника лишь вполуха и слабо представляла себе, г
именно находится Ист-Энд.

— Это займет у нас пятнадцать минут... Я уже сказала: т
что я собираюсь тебе показать, просто потрясающе. Потерп
еще немного, я тебе все объясню.

— Кажется, мы с тобой завтра собирались поужина
Может, тогда и расскажешь все?

— Нет, сегодня. Дело не терпит отлагательств. К тому ж
завтра с ужином ничего не получится — мне нужно собрат
ся перед отлетом в Париж и вообще... Слушай, Роуленд, п
дожди меня в машине ровно три минуты. Если кому-нибуд
срочно понадобится проехать, ты ее передвинешь.

Она выскочила из «Фольксвагена» прежде, чем Роулен
успел ей ответить, вбежала в дом и понеслась вверх по лес
нице. На полпути Линдсей остановилась и задумалась: н
верное, оставив его в машине и не пригласив в дом, она п
ступила по-свински. А впрочем, все правильно. Пусть лучш
он считает, что она невоспитанная взбалмошная бабенка. П
дороге у нее было достаточно времени подумать, и Линдсе
твердо решила: во-первых, она любой ценой должна увиде
дом Роуленда Макгуайра и, во-вторых, он ни в коем случа
не должен встретиться с Луизой.

Женщина распахнула дверь своей квартиры, и прямо
порога в нос ей ударил запах жареного лука и гамбургеро
Она увидела стоящего у кухонной плиты Тома, гору немыто
посуды в раковине и Луизу, которая сидела на диване, под
жав под себя ноги. На ней был убийственный наряд, а в ру
она держала бокал вина.

— Привет, ма! — сказал Том.

— Где он? — спросила Луиза.

— Ждет меня в машине, — ответила Линдсей, обнима
Тома. — Я же сказала тебе, мама, когда звонила по телефон
что мне нужно кое-что взять, чтобы показать ему, а потом
быстренько отвезу его домой.

— Милая, как это невежливо! Как ты могла так поступить! — Луиза, когда хотела, могла быть очень проворной. Вот и сейчас она уже стояла у окна и открывала шпингалет. — Бедняжка, он даже припарковал за тебя машину! Да он просто красавчик! А сейчас он стоит внизу один-одинешенек и дрожит от холода.

— Луиза, прекрати!

— Э-э-эй! — Луиза высунулась из окна и размахивала своим бокалом. — Эй, Роуленд, — призывно пропела она. — Линдсей никак не может найти эти свои бумажки. Поднимайтесь сюда, выпьем по бокалу вина.

— Господи, за что мне это все?! — задыхаясь от обиды, пробормотала Линдсей. Луиза закрыла окно и обернулась.

— Что ты сказала, дорогая?

— Не обращай внимания, — ответила Линдсей. — Я молилась о том, чтобы моя жизнь изменилась.

Она уже протянула руку к панели домофона, чтобы открыть нижнюю входную дверь. Линдсей бросила последний отчаянный взгляд на свою красавицу мать — эту совершенно невыносимую женщину — и кинулась к себе в кабинет. Теперь она молила бога только об одном: лишь бы поскорее найти нужную статью и фото. Линдсей принялась выдвигать ящики и рыться в папках. В какую папку она положила ее — в ту, которая помечена надписью «Вог», или — «Внештатные»?

— Дорогая, что там у тебя за шум? Можешь не торопиться, мы уже перезнакомились. Господи, как же здесь воняет луком! Том, открой окно на кухне. Вы умеете готовить, Роуленд? Нет? И правильно. Я считаю, что это — дело женщины. А Линдсей со мной не согласна. Вечно носится со своими идеями о равноправии. Вот и приходится бедняжке Тому заниматься готовкой. Правда, у него прекрасно получается. Садитесь сюда, Роуленд, поближе ко мне. А журналы скиньте на пол, да и дело с концом. Надеюсь, вам нравится «Шардонне»? Австралийское, конечно, не бог весть что, но зато страшно дешевое. А теперь расскажите, давно ли вы знакомы с Линдсей?

Линдсей швырнула на пол целую стопку папок. Господи, беспомощно подумала она, да что же это такое! Луиза никогда не теряла времени даром, однако тот напор, с которым она действовала сейчас, удивил даже Линдсей. Не в силах выслушивать все это, она пнула дверь ногой, и та с грохотом закрылась. Теперь до ее слуха доносилось лишь неразборчивое бормотание — и то слава богу! Чтобы найти статью и иллюстрировавший ее фотоснимок, ей понадобилось почти десять минут. Стоило ей увидеть их, как женщина тут же поняла: она была права в своих догадках, память не подвела ее. Издав торжествующий клич, она прижала драгоценные листки к груди и выскочила из комнаты.

— ...Так, значит, вы никогда не были женаты, Роуленд? Такой красивый мужчина? Да что же происходит с современными девушками! Господи, да в мое время вас бы просто на части разрывали!

— Говоря военным языком, я неплохо овладел тактикой уклонения, — услышала Линдсей ответ Роуленда. — Возвел его прямо-таки в ранг искусства.

— Глупости! — возопила Луиза. — Вы просто еще не нашли достойной женщины. Вы — романтик, Роуленд. Поверьте мне, я знаю мужчин и никогда не ошибаюсь.

— Вы правы, Луиза, — к удивлению Линдсей, ответил Роуленд. — Вы видите меня насквозь.

— Без своих очков, которые бабушка стесняется носить, она не видит даже противоположной стены, — вставил Том. — А уж чужое сердце — тем более.

— Том, не надо афишировать мою немощь. — Луиза театрально вздохнула. — Хотя должна признать, что это правда, Роуленд. Я старею и становлюсь развалиной.

— Выдумки! — галантно возразил мужчина.

— Нет, Роуленд, я не кокетничаю. Что поделать, приходится смотреть правде в глаза: я не становлюсь моложе, и уж не знаю, что бы я делала без Линдсей. Я для нее — тяжелая обуза, хотя она не жалуется...

— Я уверен, она думает иначе.

— И все же я полностью завишу от нее, — категорично сказала Луиза. Голос ее приобрел неожиданную твердость. — Теперь мы неразлучны. Куда она, туда и я. Как библейская Руфь, помните?

Линдсей слушала этот давно знакомый ей монолог, окаменев на пороге своего кабинета. Наконец у нее кончилось терпение. Обычно, отваживая очередного потенциального жениха дочери, Луиза добиралась до этой части своего репертуара через несколько недель после первого знакомства. Почему же она так гонит лошадей сейчас?

С мрачным выражением лица женщина вошла в гостиную, в кавардак, царивший в большой и приятной на первый взгляд комнате. Понял ли он, во что Луиза и Том могут превратить комнату за два дня отсутствия в доме хозяйки, и есть ли ему до этого дело?

Том сидел на полу, напротив Роуленда и Луизы, которые на первый взгляд были настроены по отношению друг к другу вполне дружелюбно. Когда-то прекрасные голубые глаза

Луизы были прикованы к гостю, а по лицу последнего блуждала благодушная улыбка. Том оглянулся и, увидев мать, даже попытался приподняться.

— Сиди, Том, — нервно сказала Линдсей. — Роуленд, я все же нашла статью.

— Увы, нам пора, — проговорил мужчина. Поставив бокал, он с изысканной галантностью поклонился Луизе. — Я очень рад знакомству с вами. Том, я обязательно найду для тебя те книги, о которых мы говорили.

Луиза беззвучно, но так, чтобы Роуленд заметил, шевелила губами, выговаривая слова: «Чудесный человек!» Затем, кряхтя и двигаясь с трудом, она позволила Роуленду помочь ей встать с дивана. Немощь была разыграна так искусно, что Линдсей даже удивилась: ее ли мать так резво подскочила к окну четверть часа назад? Луиза изобразила гримасу, которая должна была обозначать ее мужественное отношение к жизни.

— Нет, нет, ничего, — отстранила она Роуленда, встав на ноги. — Вот только эта боль в позвоночнике... Я так рада, что наконец встретилась с вами, Роуленд! Хотя даже до этого у меня было чувство, что я знакома с вами очень давно. Линдсей только о вас и говорит...

— Ага, кроет вас на чем свет стоит, — кивнул Том, правдивый и бескомпромиссный до последнего.

— Правда? — переспросил Роуленд, бросив на Линдсей насмешливый взгляд. — Наша вражда уже в прошлом. Сейчас мы ведем мирные переговоры. Верно, Линдсей? Договариваемся об условиях.

Последняя фраза была наполнена каким-то скрытым эротичным подтекстом. Линдсей почувствовала, что ее «я», ее тело откликаются на взгляд и голос этого мужчины, и отвела глаза в сторону. Луиза издала странный звук, который мог означать все что угодно — от материнского всепрощения до праведного гнева.

Линдсей должна была признать, что Роуленд, когда захочет, может быть решительным. Прежде чем Луиза успела выдать очередной залп, он подхватил Линдсей под руку, бросился к двери и увлек ее вниз по лестнице.

* * *

— Вечно она так, — пожаловалась Линдсей, влезая в машину, мастерски запаркованную Роулендом на крошечном пространстве, и принимаясь ожесточенно выкручивать рулевое колесо. — Со всеми. И всегда.

— Я так и понял, — невозмутимо откликнулся он. — Потихоньку, Линдсей, аккуратнее. Вот так, отлично!

Багровая от стыда и усилий, Линдсей наконец выехала на дорогу и погнала во весь опор.

— Значит, на восток? — спросила она. — Я буду ехать в восточном направлении, а ты потом покажешь мне, куда именно.

— Хорошо, Линдсей, но в данный момент ты едешь на север. Сворачивай здесь направо.

— С тобой легко ездить, Роуленд. Обычно я терпеть не могу, когда рядом сидит другой водитель — обязательно начнет поучать, а я от этого зверею. Вот, например, с Джини ездить совершенно невозможно. Нервная, как кошка. А то вдруг словно каменеет. Представь только, когда мы ехали к Максу, она всю дорогу просидела с закрытыми глазами! Ни слова не сказала!

— Я ее за это не осуждаю, — ответил Роуленд. — Ты — самый отвратительный шофер, которого я когда-либо видел. Соперничать с тобой мог бы только одноглазый таксист, который однажды вез меня в Стамбуле и всю дорогу курил гашиш. В манере водить машину вы с ним очень похожи.

Линдсей решила отнестись к этой реплике как к милой шутке.

— Я прекрасно вожу машину, — твердо сказала она. — Разве что чересчур быстро, но мне не нравится еле-еле тащиться.

— Женщины в большинстве своем бывают скверными водителями, — продолжал гнуть свое Роуленд. — Они страдают отсутствием пространственной ориентации. Это научно доказанный факт, проверенный с помощью многочисленных экспериментов.

— Какая чушь!

— Это правда. Именно поэтому так мало талантливых женщин-архитекторов. Именно поэтому женщины — посредственные игроки в шахматы.

— Я блестяще играю в шахматы! Я и Тома научила.

— И кто же сейчас побеждает?

— Ну, он. Но это ничего не доказывает. Том — необычный ребенок. Он не по годам умен.

Линдсей резко повернула налево. Думая о том, как странно, что Роуленд живет в таком квартале — она еще никогда не видела в Лондоне подобных трущоб, — Линдсей внезапно сообразила, что спутник указывает ей на свой дом, вдавила педаль тормоза в пол, и машина встала как вкопанная, заехав одним колесом на тротуар.

— Господи, какая удивительная улица! Какие удивитель-

ные дома! — Роуленд с восхищением взирал на кирпичные фасады — Это место вообще всегда было чем-то вроде убежища для беженцев. После того как французы покинули этот квартал, здесь поселились евреи, а теперь преобладают бенгальцы. Я спас этот дом. Когда я его купил, он почти разваливался.

— Прекрасный дом, Роуленд.

— Нравится? Внутри, правда, все довольно просто. Он принадлежит мне уже двенадцать лет. Когда я был в Вашингтоне, в нем жили мои друзья. Я так толком и не собрался обставить его как полагается... О господи! Заводи машину! Быстрее!

Линдсей, которая в этот момент уже выбиралась из машины, в растерянности оглянулась вокруг. Чуть впереди она увидела длинный приземистый «Мерседес» с откидным верхом, из которого появилась высокая красавица блондинка.

— Ты, дэрмо! — закричала блондинка с чудовищным французским акцентом. Подбежав к Роуленду, она что было силы ударила его кулачком в грудь. — Свинья! Я звонью! Я плячу! Я пишю тебье письма от всего сьердца! И сижю в машинье! И опьять плячу вот такими большими сльезами! Как ты мог так делять со мной!

Кривя рот и роняя слезы на свою кожаную куртку, красавица продолжала изрыгать проклятия на своем родном языке. Периодически она била Роуленда в грудь, а тот бормотал:

— Сильви...

В какой-то момент Сильви прервала свой речитатив и обратила внимание на Линдсей, стоявшую возле своего «Фольксвагена». Подскочив с невероятной быстротой к машине, француженка размахнулась и изо всех сил ударила кулаком по капоту машины. На блестящей поверхности появилась заметная вмятина.

— Эй, позвольте... — сказала Линдсей, выдвигаясь вперед.

— Сука! — завопила Сильви. — Английский сука! Ты своровать мой мужчина! Я тебе покажу, что я думаю об английский сука! И их глюпие машины!

С этими словами она ударила ногой по номерному знаку «Фольксвагена», и тот безобразно выгнулся.

— Какого черта! — воскликнула Линдсей. Она попыталась оттолкнуть Сильви, но промахнулась, поскольку та неожиданно отпрыгнула в сторону.

— Вон отсюда! Уходи! Убирайся домой! — кричал Роуленд голосом, который, наверное, можно было слышать за три квартала отсюда. — Все! Довольно!

Он крепко держал Сильви за талию, приподняв ее на несколько футов от земли. Красотка извивалась и, словно автомат пулями, поливала проклятиями всех и каждого. Уж на что горячий нрав был у Линдсей, но такой темперамент впечатлил даже ее.

— Я умру! — Сильви внезапно обмякла в руках Роуленда. — Я убью себья! Я перерьежу себье шейа!

— Не перережешь, — буркнул Роуленд, волоча красавицу к ее машине.

— Я убью эта сука, прежде чем уезжать!

— Эта сука — моя жена, Сильви! — рявкнул Роуленд, грубо ставя блондинку на землю рядом с ее «Мерседесом». — Мы поженились вчера. Между нами возникло быстрое и сильное чувство. А теперь — отправляйся домой!

Француженка издала вопль раненой выпи, осыпала Роуленда новым потоком непонятных проклятий, влепила ему оглушительную пощечину и, вскочив в свой «Мерседес», рванула с места.

Роуленд вернулся к Линдсей. Та с открытым от изумления ртом стояла возле своей покалеченной машины. С непроницаемым лицом Роуленд взял ее под руку, увлек за собой по ступеням крыльца и открыл входную дверь. Когда зажегся свет, они увидели на полу в прихожей — прямо под прорезью для газет — целую кучу женских трусиков. Линдсей наклонилась и подняла их. Каких там только не было! Черные кружевные, розовые кружевные, белые кружевные... Она перевела недоуменный взгляд на Роуленда.

— Сильви? — спросила она.

— Вроде она носит именно такие, — ответил мужчина. — Просовывать их в прорезь для газет — в ее духе.

— Черт побери! — выдохнула Линдсей, и они оба расхохотались.

* * *

Они не переставали смеяться, пока поднимались по лестнице и шли длинным коридором к гостиной на втором этаже. Ослабев от смеха, Линдсей рухнула на единственный имевшийся в комнате стул.

— О боже! — вымолвила она наконец. — Она — просто чудо, Роуленд. Тебе повезло!

— Да нет, ничего особенного, — ответил он, переставая смеяться. Лицо его посерьезнело.

— И часто с тобой такое случается?

— С теми или иными вариациями — да, довольно часто. Два-три раза в год.

Линдсей произвела в уме быстрый подсчет: Макс говорил, что ни одной женщине не удается продержаться рядом с Роулендом больше трех месяцев. «Три месяца — рекорд, — сказал он. — Для большинства предел — месяц». «Интересно, — подумала Линдсей, — сколько держалась Сильви: три месяца или всего один? Впрочем, — тут же одернула она себя, — это не мое дело».

Только сейчас она заметила, что Роуленд проявлял все признаки суетливости. При том олимпийском спокойствии, которое он демонстрировал еще несколько минут назад, сейчас он выглядел возбужденным.

— Здесь холодновато? — неуверенным тоном спросил Роуленд. — Или мне это кажется?

— Как на Северном полюсе.

— Камин! Сейчас я разожгу камин, и станет теплее.

Он принялся складывать в топке щепки, бумагу и поленья, а затем сделал то, что никогда не удавалось Линдсей — развел огонь с первой же спички. Затем Роуленд выпрямился и сделал шаг назад.

— Я думаю, тебе не помешает глоток спиртного, — сказал он. — У меня осталось чуть-чуть виски... Хотя, с другой стороны, ты — за рулем. Тебе еще предстоит возвращаться в западный Лондон, и...

— Не беспокойся, Роуленд, — сжалившись, сказала Линдсей. — Я не собираюсь задерживаться у тебя надолго, обещаю. Расслабься. Мы же здесь ради работы. Я покажу тебе статью и тут же отправлюсь восвояси. А немного виски действительно не повредит.

— Прекрасно, прекрасно. — Роуленд все еще выглядел взбудораженным. — Хорошо. В таком случае сейчас принесу виски. Оно у меня на кухне.

Линдсей принялась расхаживать по гостиной. Только сейчас она заметила то, что укрылось от ее взгляда с самого начала: вся стена позади стула, на котором она сидела, была увешана фотографиями гор. Макс упоминал о том, что Роуленд увлекается альпинизмом, но душа Линдсей противилась мысли о том, что он мог лазать по этим неприступным, на ее взгляд, горам.

Через несколько минут хозяин дома вернулся с бутылкой шотландского виски, низкими стаканами, кувшином воды и блюдцем с солеными орешками. Увидев Линдсей, рассматривавшую фотографии, он потеплел.

— Вершина Сгурр, — указал он на один из снимков, где

был запечатлен горный пик, покрытый снегом. — Это — на Скае[1]. Я поднялся на этот хребет в прошлом месяце. Погода была просто на диво: целых два дня — ясно. Там я провел на привале рождественскую ночь. — Он ткнул пальцем в снежную шапку на вершине. Линдсей это место показалось самым негостеприимным во всем мире. — Конечно, пришлось привязаться — на тот случай, если изменится погода.

— Рождественскую ночь? — слабым голосом переспросила Линдсей. — Один?

— Да. Возможно, с моей стороны это было не очень осмотрительно — отправляться на Скай одному, да еще зимой. Вообще-то обычно я совершаю восхождения с друзьями, но в Рождество... Сама понимаешь. Большинство людей предпочитает проводить этот праздник в кругу семьи. Кроме того, мне все же больше нравится лазать по горам в одиночестве.

Линдсей ничего не ответила. Она ощущала, как набирают обороты ее эмоции, пыталась привести в действие тормоза здравого смысла, но — тщетно.

Роуленд протянул ей стакан с виски и пододвинул блюдце с солеными орешками. Она смотрела на орешки — их было ровно десять штук — и чувствовала, что вот-вот разревется.

Впоследствии Линдсей утверждала, что именно в эту секунду серьезно и безнадежно влюбилась в Роуленда Макгуайра, но так никогда и не поняла, что стало толчком для этого эмоционального взрыва: мысль о Роуленде, одиноко сидящем на заснеженной горной вершине в рождественскую ночь, или те, черт бы их побрал, десять сиротливых орешков в блюдечке.

* * *

Роуленд притащил два кресла, придвинул их к столу и скинул со стола книги прямо на пол. Линдсей положила на стол зеленую папку Роуленда и принесенную из дома статью. Они уселись рядышком, и Линдсей сделала первый глоток из своего стакана, за ним последовал второй и третий. Близость Роуленда будоражила ее.

— Итак, — торопливо начала она, — я, как и обещала, помогу тебе, Роуленд, хотя ты не только не искупил свою вину, но даже не извинился.

— Я забыл. Обещаю, что непременно сделаю это чуть позже.

---

[1] Крупнейший из Гебридских островов.

— В таком случае постарайся сосредоточиться. Ты вступаешь в мир, о котором не имеешь понятия.

— Я весь внимание, — с подозрительной покорностью кивнул Роуленд. — Ловлю каждое твое слово.

— Вот и прекрасно. Помнишь, мы с тобой говорили о многочисленных тайнах, окружающих Лазара и Марию Казарес? Откуда они появились, как он заработал свои первые крупные деньги, являлись ли они любовниками, какими отношениями связаны сейчас и тому подобное. Какая из этих загадок представляется тебе наиболее важной?

— Откуда они появились. Если найти ответ на этот вопрос, можно будет ответить и на многие другие.

— Согласна. А теперь я хочу устроить тебе небольшой экзамен. Ты говорил, что ознакомился с содержанием этой папки. В таком случае скажи, какова официальная версия на этот счет?

— Версия их службы по связям с общественностью? О, это замечательная сказка! Мария Казарес якобы родилась в маленькой испанской деревушке и осиротела еще ребенком. После этого она жила во Франции у какой-то своей родственницы — то ли у тетки, то ли еще у кого-то, также испанки по происхождению. Эта тетка, которую не видела ни одна живая душа, была искусной вышивальщицей и много лет работала на Балансиагу[1]. Пожилая незамужняя женщина приютила Марию и научила ее шить. С нежных лет Мария проявила себя как весьма одаренная ученица и в совершенстве овладела искусством шитья. Затем старая тетушка ушла от Балансиаги, но выяснилось, что на одну ее пенсию они были не в состоянии прожить, и тогда они решили открыть маленькое семейное предприятие. Мария помогала своей тетке, а потом, когда мифическая родственница умерла, взяла бизнес в свои руки. Мало-помалу ее модели начали приобретать известность у парижских модниц. Трудолюбивая Мария продолжала работать в крошечной мастерской до тех пор, пока не скопила достаточно денег, чтобы открыть собственный магазин. В один прекрасный день мимо его витрины проходил — также неизвестно откуда взявшийся — богатый молодой человек по имени Жан Лазар и, будучи потрясен талантом Марии, взял ее под свое крыло. Он вложил в ее предприятие деньги и с тех пор непрерывно опекал ее. В 1976 году, успешно преодолев все препятствия, он окончательно «раскрутил» ее, устроив первый показ моделей Казарес.

Линдсей смотрела на Роуленда с немым восхищением.

---

[1] Известнейший французский кутюрье.

— Просто великолепно. Ну и как, веришь ли ты этой версии?

— Ни на грош. По-моему, Испания и Баленсиага введены только для отвода глаз, а вся история выдумана от начала до конца.

— Я согласна, это привлекает внимание к личности Марии Казарес и в то же время оставляет без ответа множество других вопросов. К примеру, если Лазар — не француз, а акцент в его речи никогда не был чисто французским, то откуда же он — с Корсики? Или из какой-нибудь бывшей французской колонии вроде Алжира? А может, он португалец? Или испанец? В отношении его выдвигались все эти версии, но если одна из них верна, то почему же ее не признать? Что они пытаются скрыть? В свое время Лазар намекал, что его семья каким-то образом связана с Корсикой и что он не получил должного образования. Как же в таком случае он сколотил капитал, необходимый для того, чтобы создать для Казарес целый дом моды? Ответа на этот вопрос не знает никто.

— Но у тебя, судя по всему, существуют какие-то догадки?

— Я думаю, в нашем распоряжении есть нечто большее, чем просто догадки, Роуленд.

— На самом деле? — Роуленд пристально смотрел на собеседницу. — Это, видимо, что-то очень серьезное.

— Ваши сотрудники поработали на славу, — неторопливо начала женщина. — В этой подборке есть даже такие вырезки, которые ни разу не попадались мне на глаза. Я начала писать о моде в 1978 году, а на первый парижский показ попала лишь в 1984-м. Именно поэтому я в первую очередь обратила внимание на статьи, посвященные ранним демонстрациям моделей Казарес, на которых, собственно, она и сделала себе имя. Разглядывая снимки тех лет, я наткнулась вот на этот. Он сразу же привлек мое внимание. Это — вечернее платье, созданное Марией Казарес в 1976 году. Фотография — из американского журнала мод «Харперс базар».

Линдсей извлекла из папки вырезку, о которой только что говорила, и Роуленд наклонился поближе, чтобы рассмотреть ее.

— Никто, кроме нее, не мог сделать такое платье, Роуленд. Ни Лакруа, ни даже ранний Сен-Лоран. Оно могло появиться на свет только под руками Казарес. Ее почерк — в каждой детали этого наряда. Это платье — часть ее «русской коллекции», по крайней мере, под таким названием ее запомнили. Взгляни на линии этой пышной юбки. А какой чудесный цвет! Глубокий темно-зеленый, напоминающий морские водоросли. Обрати внимание на то, как отделаны

швы — узкой тесьмой из черного бархата. Посмотри на золотую и зеленую парчу на рукавах, как подчеркивает ее причудливые изгибы меховая оторочка. Видишь? Корсаж и рукава задуманы таким образом, что плечи кажутся у́же, а...

Роуленд зевнул, и Линдсей осеклась на полуслове.

— Сосредоточься, Роуленд, прошу тебя. Это очень важно. Если ты не прочувствуешь этого, то не поймешь и того, о чем я собираюсь тебе рассказать. А теперь скажи, что ты видишь перед собой.

— Мне не нравится этот тюрбан на голове манекенщицы. Он выглядит глупо.

— Забудь о тюрбане, Роуленд. Смотри на платье. Постарайся рассмотреть его составные части, попробуй понять его язык, прислушайся к истории, которую рассказывает этот наряд. Разве она не романтична, разве не заставляет тебя думать о балах в Санкт-Петербурге? Вспомни... — Линдсей мучительно рылась в собственной памяти. — Вспомни «Войну и мир», сцену бала, Наташу Ростову, едущую на санях по снегу.

В глазах Роуленда зажегся огонек. Похоже, Линдсей сумела добиться своего.

— Да, — задумчиво проговорил он, — я начинаю понимать. Значит, ты читала «Войну и мир»?

Линдсей вздохнула.

— Не настолько уж я необразованна, Роуленд. Конечно же, я читала «Войну и мир».

— В этом платье соединились воедино и мужские, и женские элементы, — задумчиво проговорил Роуленд. — Сам по себе наряд является воплощением женственности, однако Казарес соединила его с мужским камзолом.

— Блестяще! — Линдсей наградила собеседника одобрительным взглядом. — Ты делаешь успехи. Именно в этом квинтэссенция стиля Казарес — единство противоположностей: мужского и женского, грубого и утонченного, необычного и будничного, целомудренного и почти вызывающего. А теперь сосредоточься и посмотри на вторую фотографию.

Нервничая, она положила перед ним статью, которую отыскала в своих папках. Статья был проиллюстрирована цветным снимком размером в целую страницу: в роскошном кабинете стояла стареющая, но все еще очень красивая и величественная седовласая женщина. На кресле рядом с ней было разложено длинное платье с камзолом, отделанным мехом.

— Но это ведь то же самое платье! — сразу же, как только

увидел снимок, вскинулся Роуленд. — То же платье, тот же жакет. Они совершенно одинаковы.

— Совершенно верно, — согласилась Линдсей с ноткой едва скрываемого триумфа. — И это странно.

— Но как это возможно? Я не понимаю. Объясни.

— Первое платье, которое я тебе показала, было сшито в 1976 году, правильно? А это, которое ты видишь на этом снимке, — десятью годами раньше. Платье 1976 года — модель Казарес, тут не может быть никаких сомнений. А это — 1966-го — совершенно идентичное, сделано никому не известной девушкой, начинающей портнихой, которую звали Мария Тереза.

Теперь Линдсей удалось полностью завладеть вниманием Роуленда. Она поняла, что его мозг начал лихорадочно работать, пытаясь найти возможные объяснения всему этому.

— Я понимаю, что это звучит странно, — продолжала она. — И, наверное, ты задаешь себе вопрос: не является ли Мария Казарес и Мария Тереза одним и тем же лицом? Ты, очевидно, думаешь, не она ли, работая в одной из захудалых мастерских, о которых так любят распространяться, рассказывая о восхождении знаменитостей, сшила это платье в 1966 году — еще до того, как повстречалась с Лазаром и обрела славу.

— Ты права, мне пришло на ум именно это.

— В таком случае я подкину тебе новую пищу для размышлений. Дело в том, что это — первое платье — не было сшито в захудалом ателье. Оно появилось на свет вообще не в Париже. Его сшили... в Америке.

— В Америке?!

— Да, Роуленд, в Новом Орлеане.

* * *

— Мне продолжать, Роуленд? — неуверенно спросила Линдсей, удивленная поведением Роуленда. Он поднялся, чтобы подбросить в камин новое полено, и, сделав это, казалось, напрочь забыл о присутствии здесь Линдсей. Теперь он стоял, повернувшись к ней спиной и молча созерцая языки пламени.

— Мне бы хотелось, чтобы ты услышал этот рассказ так, как его передали мне, — снова заговорила женщина. — Это хорошая история. История любви.

— Конечно, — обернулся Роуленд, — я охотно ее послушаю.

— Что-то не так, Роуленд?

— Нет-нет. Ты спросила, знаком ли мне этот город, и я вспоминал, как в последний раз я был там.

— Ты хорошо знаешь Новый Орлеан? Потому что работал в Соединенных Штатах, да?

— Да нет, не могу сказать, что хорошо знаю. Так, бывал несколько раз. У меня была подруга в Вашингтоне, и ее брат читал лекции в Тулейне.

— Тулейне?

— Да, так называется университет в Новом Орлеане. Там один из лучших юридических факультетов в Америке. Впрочем, к нашей теме это не имеет отношения. Продолжай, пожалуйста. Расскажи мне эту историю любви, Линдсей. Я слушаю.

— Ты действительно этого хочешь? Ведь уже довольно поздно. Я могу просто оставить тебе свою статью — здесь все написано. Меня только попросили не описывать в журнале то, чем все это закончилось.

— Нет-нет! Терпеть не могу истории, у которых отсутствует конец. Каждая история должна иметь начало, середину и конец, — улыбнулся он. — К тому же я предпочел бы услышать ее из твоих уст.

— Ну что ж, хорошо. — Линдсей взяла фотографию величественной седовласой женщины. Рядом с дамой на стуле лежало красивое платье. Линдсей прекрасно помнила то интервью, да и как его можно было забыть! Ведь это было ее первое серьезное задание в качестве внештатного журналиста. Ей тогда было двадцать лет. Она страшно гордилась тем, что раскопала такую тему и получила задание от «Вог» разработать ее. Когда же она приехала в тот дом, где должно было состояться интервью, то так нервничала, что места себе не находила.

Сейчас, сидя рядом с Роулендом в тишине его комнаты, Линдсей снова слышала с французским прононсом речь Летиции, рассказывавшей ей эту историю.

— Женщину на этом снимке звали Летиция Лафитт-Грант. По крайней мере, именно так звучало ее имя, когда для нее шили это платье. Она происходила из старинного семейства Луизианы и вышла замуж за человека гораздо старше и богаче ее. Лафитт-Гранты владели хлопковыми и сахарными плантациями.

Я отправилась брать у нее интервью потому, что она считалась эталоном элегантности. Эта женщина обладала талантом выглядеть ослепительно в любой одежде. Она могла надеть мужскую рубашку, взять у мужа твидовый пиджак, натянуть поношенные джинсы, и все равно от нее невозможно

было отвести глаз. При этом Летиция испытывала страсть к высокой моде, дважды в год — на протяжении почти четверти века — посещала парижские демонстрации мод, а свой собственный гардероб содержала всегда в идеальном состоянии. Она умерла примерно через три года после нашей встречи. Сейчас ее коллекция мод находится в Нью-Йорке, в музее «Метрополитен».

Идея задуманного мной интервью заключалась в том, чтобы она показала мне свою коллекцию: Чиапарелли, ранние модели Шанель, Баланснаги. Летиция полностью удовлетворила мое любопытство. Я попросила ее показать мне самое любимое ее платье, чтобы сфотографировать и ее, и платье, и вот оно, лежит рядом с ней на стуле.

— Ее выбор тебя удивил? — заинтересовался Роуленд. Теперь он был весь внимание. — Ты ожидала, что она выберет произведение именитого модельера?

— Совершенно верно. Однако Летиция объяснила мне, что выбрала именно это платье, поскольку оно напоминает ей о счастливой поре ее жизни — когда дети ее уже выросли, а муж еще не заболел смертельной болезнью. И еще она вспомнила об удивительной девушке, которая его сшила, — Марии Терезе. Летиция сказала, что эта история весьма характерна для Нового Орлеана, — продолжала Линдсей. — А Новый Орлеан тех времен, по ее словам, разительно отличался от того, каким стал впоследствии. Тогда там не было столько туристов, сколько сейчас, и еще можно было ощутить прошлое города. Короче говоря, Роуленд, благодаря Летиции я по-новому увидела Новый Орлеан. Ну а потом она рассказала историю Марии Терезы.

Летиция познакомилась с Марией Терезой несколько лет назад. Тогда Марии Терезе было всего четырнадцать, она ходила в монастырскую католическую школу во французском квартале вместе с одной из горничных Летиции. По просьбе горничной, работавшей в доме Лафитт-Грантов, Марии Терезе доверили сделать какую-то мелкую работу: вышивку или что-то в этом роде. Рукоделию ее научили преподававшие в школе монашки, некоторые из них были француженками. У Марии Терезы, кстати, тоже были французские корни, но родилась она в Новом Орлеане. По словам монахинь, эта девочка была их любимой и самой прилежной ученицей. Мария Тереза выполнила задание, причем так искусно, что, увидев эту работу, Летиция захотела познакомиться с девочкой, а познакомившись, сразу полюбила. По ее словам, та была тихой, застенчивой до болезненности и, хотя назвать ее красивой не поворачивался язык, от девочки было невозюжно оторвать глаз. Летиция назвала ее «прекрасной дур-ушкой». У нее была бледная, как цветок магнолии, — это оже выражение Летиции — кожа и черные как вороново рыло волосы. По своему поведению Мария Тереза была ущим ребенком. Летиция загорелась мыслью дать девочке ювую работу. В первую очередь, наверное, потому, что ей ыло известно о бедственном положении Марии Терезы.

Линдсей умолкла и искоса посмотрела на Роуленда.

— У Марии Терезы был брат, судя по всему, они были си-ютами. Брат забросил школу, когда ему исполнилось только ринадцать, а сестре — девять лет. Он заменил ей родителей, тав ее единственной опорой.

В комнате повисла тишина. В камине треснуло догорав-цее полено, посыпались искры. Роуленд медленно поднял олову и встретился взглядом с Линдсей.

— У нее был брат? Старший брат?

— Да, и, насколько я поняла из слов Летиции, он опекал е словно наседка. Плохо образованный, чувствительный, ордый и трогательный юноша.

— Интересно. Продолжай.

— Эта девочка понравилась Летиции, она стала прихо-цить в дом Лафитт-Грантов, хотя сама Летиция никогда не была в доме у девушки. На протяжении следующих двух лет)на давала своей любимице работу при каждом удобном слу-іае. Со временем помимо вышивания Мария Тереза стала выполнять более сложные задания: сшила для Летиции не-сколько блузок, великолепную накидку. Летиция разрешила ей перешить кое-что из своих старых вещей, и результаты неизменно приводили ее в восторг. Она часто рассказывала девочке о том, как готовят модели в домах моды, как проис-ходят примерки.

Однажды Летиция дала Марии Терезе один из своих самых любимых костюмов — еще довоенную модель Шанель. Этот наряд уже невозможно было надевать, по мнению са-мой Летиции. Мария Тереза забрала его, а через некоторое время вернула — как новенький. Присмотревшись, Летиция поняла, что девочка распорола жакет до последнего кусочка, а затем собрала его заново. Мария Тереза дрожала от возбуж-дения. Обычно замкнутая и молчаливая, она в тот вечер тре-щала не умолкая и рассказывала о том, что ей удалось узнать. Знаешь, что она сказала Летиции? Цитирую дословно: «Ма-дам, мне всегда удавалось видеть искусство, но теперь я по-няла природу одежды».

— С тех пор, — продолжала свое повествование Линд-сей, — Летиция еще больше заинтересовалась девочкой. Она

заставила Марию Терезу рассказать о ее жизни, доме, о брат
и была крайне растрогана тем, что услышала. Мария Тере
и ее брат занимали две комнаты в бедном районе Вье-Карр
как раз напротив монастыря и школы. Комнаты были предс
ставлены им монастырем. Монахини предоставили сирота
жилье не только из благотворительности. Они, как и бра
Марии Терезы, считали, что девушка призвана служить бог
и уговаривали ее после окончания школы оставить мирску
жизнь. Она согласилась с этим и сообщила Летиции, что на
мерена со временем принять постриг.

Это встревожило Летицию, не являвшуюся католичкой
и она предостерегла девочку, сказав, что та должна очень се
рьезно подумать, прежде чем предпринимать такой ответст
венный шаг. Она даже предложила Марии Терезе поступит
на работу к Лафитт-Грантам, заняться домоводством и, во
можно, шитьем. К удивлению Летиции, девушка отказалась -
вежливо, но категорично, объяснив, что во всем слушаетс
своего брата, который для нее — все: и хранитель, и защи
ник, и друг. А он, по ее словам, ни за что не одобрил бы та
кой выбор. Тем более она, Мария Тереза, никогда не сделае
ничего, что могло бы разлучить ее с братом. Летиция тактичн
указала ей на то, что, хотя брат девушки работал в монасты
ском саду, превращение ее в монашки неизбежно предпола
гает разлуку с ним, однако Мария Тереза, вежливо выслуша
женщину, похоже, не сочла ее доводы убедительными.

Линдсей умолкла и перевела взгляд на Роуленда.

— Летиция ни разу не назвала мне фамилию сирот, н
сказала, что брата девушки звали Жан-Поль. Это имя очен
легко сокращается до Жана. Точно так же, как Мария Терез
могла изменить свое имя, превратившись просто в Марию, -
особенно если не хотела привлекать внимания к своему фран
цузскому происхождению. Ты согласен?

— Согласен, — откликнулся Роуленд, — но мне не хоте
лось бы делать поспешные выводы. — Он помолчал. — Н
пока я не вижу в этой истории никакой любовной подоплеки.

— Сейчас увидишь. Результатом того разговора, — про
должала Линдсей, — и стало появление на свет этого «рус
ского» платья Летиции. Каждый год во время Марди-Гра
Лафитт-Гранты давали бал, и каждый из них имел опреде
ленную тему: венецианский, турецкий и так далее. В тот год
1966-й, они собирались устроить русский бал. Вместо тог
чтобы по обыкновению заказывать платье для бала в Пари
же, Летиция решила поручить это важное задание Марии Те

[1] Ежегодный карнавал в Новом Орлеане.

резе. Это с ее стороны не было очередным актом благотворительности. Она решила, что, если девушка не справится — не беда, ее шкафы и без того ломились от нарядов, но если платье получится, ее друзья наверняка заинтересуются талантливой девушкой. Вот тогда Мария Тереза, возможно, поймет, что существует гораздо более интересная жизнь, чем монашеское затворничество.

— План Летиции удался?

— Нет, он с треском провалился. Платье получилось выше всяких похвал. Все подруги Летиции горели желанием узнать имя мастера, создавшего такую красоту, но ни им, ни самой Летиции не пришлось больше заказать Марии Терезе ни одного наряда. После той ночи, когда состоялся Марди-Гра, Летиция видела девушку лишь однажды.

Линдсей помолчала, прищурившись глядя в огонь, а затем со вздохом повернулась к Роуленду.

— Когда Летиция дошла до этого места в своем рассказе, я заметила, как изменилось ее лицо. Я думала, что сейчас она расскажет о каком-то ужасном случае, приключившемся с ее подопечной. Может быть, подумала я, Мария Тереза попала в катастрофу и погибла? Однако я ошиблась — ничего такого не произошло. Она поведала мне окончание этой истории на том условии, что оно не попадет в печать. Я обещала. Так вот, Роуленд, в том, что все развалилось, был виновен ее брат, Жан-Поль.

— А с братом девушки Летиция ни разу не встречалась?

— Он от зари до ночи работал в монастырском саду и ухитрялся подрабатывать, прислуживая в различных барах и гостиницах Нового Орлеана. Про него говорили, что он — механик от бога, и пару раз по просьбе мужа Летиции, который был без ума от довоенных «Роллс-Ройсов», он помогал в гараже Лафитт-Грантов.

— Он и теперь коллекционирует подобные машины.

— Вот именно. Однако это была разовая работа. Парень не полюбился мужчинам, работавшим в гараже на постоянной основе. Они сочли его высокомерным и чересчур обидчивым. На следующее после бала утро он появился на пороге дома Лафитт-Грантов, и Летиция сразу поняла причину такого отношения к юноше. Она сама с первого взгляда невзлюбила парня. — Помешкав, Линдсей продолжила: — В определенной степени, я думаю, она его жалела. Юноше было всего девятнадцать, и от Летиции не укрылись его беспомощные попытки выглядеть взрослым и искушенным мужчиной. Сразу же, едва переступив порог ее дома, он повел себя агрессивно и грубо, заявив на повышенных тонах, что его сестра не нуждается в опеке Летиции, что он сам в состоянии позаботиться о ней. Он заявил, что не потерпит, чтобы какие-то протестанты совали нос в судьбу примерной девушки-католички, которую они к тому же просто не в состоянии понять. Он долго и напыщенно распространялся по поводу добродетелей своей сестры — ее чистоты, скромности и религиозности, сообщил, что не позволит больше Марии Терезе выполнять какую бы то ни было работу для Летиции и положит конец их общению. По его словам, она лишь отравляла сознание его сестры, искушая ее мирской суетностью. Марии Терезе, сказал он, предначертано быть невестой Христовой, и ему это было ясно с самого начала. Именно о такой судьбе для своей дочери мечтала их покойная мать, и он, Жан-Поль, приложит все усилия для того, чтобы ее последняя воля осуществилась.

— Как странно! — раздался голос Роуленда в наступившей тишине. — И чем же закончилась эта история?

— Прошло несколько лет. Летиция после визита Жан-Поля не делала больше попыток увидеться с Марией Терезой. Время от времени она слышала о ней от той самой горничной, которая впервые ввела девочку в ее дом, однако информация была скудной, и постепенно Летиция забыла о девушке. Ее занимали куда более важные вещи: тяжело заболел ее муж. Только через три года все от той же горничной она узнала о кризисе в жизни своей бывшей подопечной. К тому времени Мария Тереза уже окончила школу и готовилась к постригу в монахини. Однако ей было не суждено завершить свое послушничество. Она отказалась от него, заявив, что «утратила веру». Марию Терезу вышвырнули на улицу, они с братом остались без жилья и без денег.

Горничная, рассказавшая об этом, также отличалась чрезвычайной скромностью, и Летиция почувствовала: за этим выселением стоит что-то еще, о чем горничная не решается заговорить вслух. Когда хозяйка расспрашивала ее, та начинала мучительно краснеть и нести какую-то околесицу. По ее словам выходило, что Мария Тереза обманула надежды святых сестер и теперь она всех избегает.

В заботах о больном муже Летиция забывала обо всем. Прошло пять или шесть месяцев, наступил новый, 1970 год. В здоровье ее мужа наступило временное улучшение. Снова приближался Марди-Гра. Вызвав свою горничную, Летиция чуть ли не клещами вырвала у нее новый адрес Марии Терезы и ее брата. Горничная сказала, что, насколько ей известно, они бедствуют, Мария Тереза больна, но больше из нее ничего выудить не удалось.

— Несколькими днями позже, — продолжала Линдсей, — Летиция решила предпринять миссию милосердия. Она разыскала ветхий обшарпанный дом, в котором сдавались комнаты. На двери дома не было ни звонка, ни табличек с именами жильцов. Она была открыта, а на крыльце сидел старик и прямо из горлышка хлебал дешевое виски. Да, сказал он, Мария Тереза и ее муж занимают заднюю комнату на верхнем этаже. Поднимаясь по скрипучим ступенькам, Летиция услышала писк младенца. Поначалу она подумала, что этот звук исходит из какой-нибудь другой комнаты, но затем она поняла, что уже добралась до самого верха и стоит перед обиталищем Марии Терезы. Дверь в ее комнату была приоткрыта, словно хозяин комнаты только что вернулся домой после работы. Летиция приблизилась к порогу и застыла. Мария Тереза сидела на кровати в дальнем углу комнаты, на руках ее был младенец, которого она пыталась кормить грудью. Склонившись над ней, стоял ее брат Жан-Поль. По словам Летиции, она в тот же момент поняла: он и есть отец ребенка.

Они не заметили гостью, и Летиция уже собралась уйти, как в этот момент что-то остановило ее. По тому, как плакал малыш, Летиция поняла, что он болен. У нее самой было четверо детей. Она отметила болезненную худобу и нездоровый вид Марии Терезы. От нее не укрылись нежность и забота, с которыми Жан-Поль обращался к сестре и ее ребенку. И Летиция устыдилась своего первого порыва. Ей хотелось заговорить с ними, сказать, что она пришлет врача — своего личного, если нужно. Хотя, подумалось ей, ее доктор вряд ли согласится поехать в эти трущобы. В этот момент Жан-Поль поднял голову и заметил ее. Лицо его так ужасно исказилось, что Летиция утратила дар речи. Она лишь смогла поставить на пол принесенную ею корзину с фруктами — подарок совершенно никчемный в данной ситуации. Жан-Поль молча смотрел на нее с яростью и неприязнью. Тогда Летиция достала из кошелька все деньги, которые у нее были с собой, положила их в корзину, повернулась и поспешно ушла.

Летиция больше никогда не видела ни сестру, ни брата. Еще полгода после этого она посылала им деньги по почте, но так и не знала, доходили ли они до адресата. В тот же год ее горничная сообщила ей, что брат и сестра уехали из Нового Орлеана, но когда Летиция спросила о ребенке, девушка сделала вид, будто ей об этом ничего не известно. Судьба младенца не давала Летиции покоя. Она боялась, что малыш либо умер, либо отдан в чужие руки, либо попал в приют. После долгих, но бесплодных поисков она отправилась в монастырь, где ее приняла мать-настоятельница. Да, подтвердила монашенка, у Марии Терезы действительно родился сын, хотя она и не была замужем. На вопросы о том, кто является отцом ребенка и где находится дитя в настоящее время, она ответить не захотела. Жив или мертв, сказала настоятельница, младенец, родившийся от такого союза, ее не интересует.

Летиция была очень сердита, но она оказалась в тупике и ничего больше узнать не смогла. Затем в тот же год умер ее собственный муж, и их старший сын унаследовал состояние. Летиция покинула Луизиану и отправилась погостить к друзьям в Европу, а через некоторое время повстречалась с мужчиной, который стал ее вторым мужем, и осела в Лондоне. Она сказала мне, что время от времени приезжала в Луизиану, но никогда не чувствовала себя там спокойно. И никогда больше она не слышала о Марии Терезе и ее брате. Теперь о той истории напоминает лишь это платье на фотографии. Платье, которое, должно быть, хранится сейчас где-нибудь в запасниках музея «Метрополитен» — тщательно упакованное и пересыпанное нафталином. Вот такая история любви, — закончила она свой рассказ.

— Любая история любви кажется необычной тем людям, которые в ней участвуют, — задумчиво проговорил Роуленд.

— Я уверена в том, что это — история Казарес и Лазара, — сказала она наконец. — Я абсолютно уверена в этом, Роуленд.

— Я тоже, хотя помимо этих платьев, никаких доказательств. Однако я, так же как и ты, не сомневаюсь, что это — их история. — Помолчав несколько секунд, он внимательно посмотрел на Линдсей. — И все же ты должна понять одну вещь: даже если мне удастся доказать, что все здесь до последнего слова соответствует истине, этот материал все равно нельзя публиковать. Они, пока живы, не допустят этого. Макс от подобной идеи наверняка не будет в восторге. И я, кстати, тоже. К тому же речь идет о ребенке... Эй, что ты делаешь?

— Беру пальто. Полностью тебя понимаю. Я догадывалась, как ты на это посмотришь. Знаю, о таких вещах прямо не напишешь, разве что намеками, чтобы создать определенный фон. Одним словом, информация заднего плана... Пойду-ка я домой.

— Зачем? Сейчас всего лишь девять. Мы могли бы пойти куда-нибудь поужинать. Я думал... Честное слово, я очень рад, что ты мне все это рассказала, и мне не терпится задать тебе тысячу вопросов, а то и больше.

Линдсей остановилась перед фотографиями горных ма-

ршрутов: что ни тропа, то подпись с подробными пояснениями. Глубоко вздохнув, она решилась и с улыбкой положила пальто на место.

— Ты не забыл, что мы женаты, Роуленд? Так, кажется, ты сказал своей подружке? — спросила Линдсей. — Насколько мне помнится, вчера у нас была свадьба, которой предшествовал бурный роман. Отчего бы нам в самом деле не побыть немного образцовыми супругами? Я, пожалуй, сама приготовлю тебе ужин.

11

— А вот это уж лишнее, — озабоченно бормотал Роуленд, следуя за ней. Его каблуки грохотали по деревянным ступенькам лестницы. — Я серьезно тебе говорю, Линдсей. Я же предупреждал, что не гожусь для домашней жизни. Ты не найдешь здесь ни крошки еды.

— Можешь быть спокоен, найду, — небрежно бросила она через плечо. — Запомни, Роуленд, пища есть на каждой кухне, даже на твоей. — Линдсей продолжила интенсивный осмотр буфета. Хозяин дома отыскал где-то и откупорил бутылку вина, поставил на стол две тарелки. Проявив заботу о гостье, он предусмотрительно посоветовал ей поехать после ужина домой на такси. А потом, пока она будет находиться в Париже, он займется ремонтом ее машины.

— А сейчас позволь мне задать тебе несколько вопросов, — проговорил Роуленд, усевшись за светлый стол из сосны. — Во-первых, почему раньше никому в голову не пришло сопоставить эти факты и установить между ними связь? Ясно же — эти два платья идентичны. Ведь твою статью опубликовал «Вог» — журнал довольно-таки читаемый.

— Время разное, — коротко ответила Линдсей. — Моя статья вышла весной 1979 года — через три года после показа русской коллекции Казарес. К тому же появился этот материал в английском издании, а то платье Казарес 76-го года было описано лишь в американском журнале. И если только не положить две фотографии рядом, никто ни о чем не догадается — в самом лучшем случае вспомнит, что видел где-то нечто подобное.

— Но Летиция ведь всегда интересовалась миром моды, и вряд ли бы она не заметила, что восходящая звезда, парижская модельерша, пробившаяся наверх, представила платье, как две капли воды похожее на то, которое было сшито десять лет назад специально для нее, Летиции.

— Заблуждаешься. Она полностью перестала интересоваться подобными вещами после смерти первого мужа, перестала появляться на показах мод, покупать новые туалеты. Конечно, в то время, когда я брала у нее интервью, имя Казарес должно было говорить ей что-то. Но дело в том, что она не видела того номера «Харперс базар», где была напечатана статья и эта фотография с ее платьем. Говорю же тебе, Роуленд, это американский журнал, а она в то время жила в Лондоне. Если бы ей стало известно об этом странном совпадении, она бы наверняка мне сказала, я на сто процентов уверена...

— И все же кое-какие даты совпадают, — все так же задумчиво процедил Роуленд сквозь зубы. — И возраст тоже. Сколько лет Лазару — под пятьдесят? Сама-то Казарес свой возраст скрывает, но ей уж точно за сорок, хотя и выглядит она моложе. Если в 1966-м ей было шестнадцать-семнадцать, то сейчас где-то сорок пять — сорок шесть. Ну как, сходится?

— Вполне. Правда, появляется она на людях крайне редко — разве что пару раз в год на подиуме. Лицо под слоем косметики, едва покажется — и сразу же исчезает.

— Н-да, это многое объясняет, — продолжил Роуленд. — Или вот еще — возьмем акцент Лазара. Очень странный акцент. Но я-то хорошо знаю: так говорят по-французски в Новом Орлеане. Может быть, сама Казарес смогла избавиться от этого выговора, так ведь и образование она получила получше, чем ее братец. Что более важно, это полностью объясняет ее патологическую скрытность. Все время петляет, запутывает след. Ты можешь себе такое представить, Линдсей? Если, конечно, наши догадки соответствуют действительности. Это же надо столько лет притворяться друг другу чужими, лгать, скрывать такой факт жизни от всего мира!

— Нет, не представляю, — честно ответила Линдсей. — Могу только догадываться, насколько это ужасно — все равно что продать душу дьяволу. Ведь они скрывали не только факт своего родства. А их любовная, кровосмесительная связь?! Кстати, если верить слухам, они до сих пор состоят в близких отношениях. И еще, Роуленд, этот ребенок не дает мне покоя. — Лицо Линдсей приняло озабоченное выражение. — Думаю, он и Летиции покоя не давал. Как ты думаешь, что с ним стало? Умер? Сдан в приют? Наверное, все-таки умер. Можно предположить, что у него был какой-то дефект...

— Ребенок брата и сестры? Наверное, ты права.

— А если жив? Представь себе, Роуленд, ему уже за двадцать. Вполне взрослый человек, старше Тома. Но они не

могли признать его своим, может быть, даже были лишены возможности видеть его.

— Все это не более чем домыслы. Как их проверишь? У нас нет ничего конкретного. Мы даже не знаем фамилию Марии Терезы и ее брата.

— Но даже если бы мы узнали их фамилию, — пробормотала Линдсей, — то и в таком случае как бы ты смог навести справки?

— Положим, кое-что можно проверить и не зная фамилии. Начать хотя бы с Лафитт-Грантов, с той школы при женском монастыре. Естественно, с фамилией удалось бы продвинуться гораздо дальше или быстрее. Например, установить дату и место рождения Марии Терезы и ее брата, а уже затем узнать, где и когда родился их ребенок, выяснить, жив он или нет. Не исключено, что, сверившись с иммиграционными списками, удалось бы протянуть эту нить во Францию, мы могли бы узнать, где же они жили после того, как покинули Новый Орлеан. Таким образом появился бы ключ к отгадке тайны, где и как Лазар сумел впервые подзаработать деньжат. Вероятно даже, мы смогли бы узнать, когда именно они взяли себе новые имена. Впрочем, такое расследование может продлиться целую вечность, но так ни к чему и не привести. К тому же, как ты сама сказала, это информация второго плана, а потому и должна там оставаться.

Линдсей молчала. Ей неожиданно пришло в голову, что есть способ гораздо более быстрый и надежный узнать прежнюю фамилию Марии Казарес и ее брата. Однако она предпочла пока не делиться своими соображениями с Роулендом.

Линдсей вдруг почувствовала, что Роуленд опять ушел в себя.

— Извини. — Он поймал на себе ее настороженный взгляд. — Я просто зациклился на этой истории. Такое со мной часто происходит. К тому же есть в этом деле одна вещь, которая особенно меня беспокоит.

— В том, что я тебе рассказала?

— Тут все гораздо сложнее... Понимаешь, Линдсей, сейчас я не могу тебе объяснить. Вот распутаем этот клубок, тогда и выложу все.

— А Джини знает? Ведь вы вместе будете распутывать это дело со Старом.

— Во всяком случае, предполагаем.

— Значит, это имеет какое-то отношение к смерти Кассандры? Связано каким-то образом с Амстердамом?

— Прошу тебя, Линдсей, не надо. — Роуленд поднялся из-за стола. — Лучше не спрашивай... Гляди-ка, уже один-

надцатый час. Мне нужно позвонить Джини, я обещал ей. Сегодня она хотела встретиться с Сьюзан Лэндис, а также кое с кем из друзей Кассандры и Майны. Думаю, ей уже удалось что-нибудь узнать. Я пойду позвоню, а потом вызову тебе такси, ладно? Это займет не более пяти минут.

Пять минут растянулись в пятнадцать. Роуленд вернулся еще более задумчивым.

— Такси уже едет, — сообщил он.

Линдсей попыталась изобразить на лице радость.

— Ну и как, есть прогресс?

— К сожалению, нет. Джини удалось поговорить с несколькими девочками из челтенхэмской школы. Одна подтвердила, что Кассандра в разговорах несколько раз упоминала имя Стара. Этим все и ограничилось. Никто из них не смог больше сообщить ничего интересного. От Майны попрежнему ни слуху ни духу. Если бы она объявилась, то наверняка мы бы об этом уже знали — был бы звонок от Макса или из редакции. Завтра в газете будет материал о смерти Кассандры и исчезновении Майны. С фотографиями обеих. Может, хоть это что-нибудь даст. А пока Джини отправляется в Амстердам, ты — в Париж...

Его слова прервал звонок в дверь.

— Ну вот и твое такси. Подожди секундочку, я сейчас разыщу книги, которые обещал Тому.

Пять минут спустя Линдсей сидела на заднем сиденье малолитражки. Дорога домой оказалась долгой. Водитель все время путался и не столько ехал вперед, сколько разворачивался и возвращался назад. Линдсей сидела нахохлившись и сердито молчала. Конечно, Роуленд был к ней внимателен, но Линдсей не покидало чувство, что, получив всю информацию, он отмахнулся от нее, как от назойливой мухи.

В самом деле, чего ей удалось достичь за сегодняшний вечер? Снабдила Роуленда информацией — интригующей, захватывающей. Жаль только, проку от этой информации мало... А Роуленд даже не соизволил хотя бы в двух словах поведать о сути материала, над которым начал работать. Работать вместе с Джини. А она, Линдсей, получается, недостойна его высокого доверия. Ну и черт с ним!

А Роуленд в это время лежал в постели и заново обдумывал то, о чем рассказала ему Линдсей. Сначала он думал о ней, потом о Джини, потом о Кассандре, которой уже не было в живых, потом о Майне, которая все еще не нашлась,

и в конце концов о темноволосом молодом человеке лет двадцати, со странным именем Стар.

Уже под утро Роуленд забылся беспокойным сном.

Он проснулся внезапно, будто от толчка, и теперь лежал, пытаясь справиться с чувством безотчетной тревоги.

Роуленд первым делом позвонил Джини. Она торопилась на самолет, который улетал в Амстердам в пол-одиннадцатого. Там она собиралась разыскать родителей голландской подружки Стара — Аннеки, которые, возможно, могли располагать какими-то сведениями о Старе.

— Спроси, не может ли он быть американцем, — проинструктировал ее Роуленд, — и нет ли у него каких-нибудь американских связей.

— К чему все это, Роуленд? Не думаю, что они вообще что-нибудь знают о нем.

— Все равно спроси.

Положив трубку, он почувствовал приступ раздражения. Роуленд злился на самого себя. Нарушая свои собственные заповеди, он занимался делом, которое считал самым презренным на свете. Он видел улики там, где их не было.

* * *

— Не указывает ли что-нибудь на то, что этот Стар может быть американцем? — повторила свой вопрос Джини. — Или, возможно, у него есть какие-либо американские связи? Ваша дочь никогда вам не говорила, что у нее появились американские друзья?

Эрика ван дер Лейден, сидевшая напротив Джини на низком диване, отрицательно покачала головой:

— Нет. Если не считать записки, которую она оставила, Аннека никогда не упоминала об этом человеке. Не припоминаю, чтобы среди ее друзей были американцы. Мы живем тихо, неприметно. Аннека все дни проводила в школе, а приходя домой, садилась за уроки. Если и уходила куда-нибудь, то только с друзьями, которых я хорошо знаю. Мы с мужем никогда не позволяли ей разгуливать по Амстердаму одной, шляться по кафе и прочим местам такого сорта. Наша Аннека была воспитана в строгих правилах. Мы с мужем люди старомодные, возможно, даже излишне.

— Понятно, — вежливо промямлила Джини, не уверенная, стоит ли продолжать расспросы. Она уже целый час сидела в этой уютной, тихой, со вкусом обставленной комнате. Эрика ван дер Лейден была под стать своему дому. Эта женщина лет тридцати пяти отлично говорила по-английски. Ее

стиль был безупречен и традиционен: дорогие мягкой кожи туфли на низком каблуке, классическая юбка из серой шерсти, свитер и жакет одного тона, нить жемчуга.

Лишь ее руки выдавали боль и отчаяние. Эти руки не знали покоя. Каждый раз, произнося имя погибшей дочери, она стискивала пальцы. Джини ясно видела, что Эрика ван дер Лейден изо всех сил пытается сохранить самообладание, и это ей удавалось. Однако складывалось впечатление, что зыбкое спокойствие этого дома висит на волоске, который того и гляди оборвется.

Единственным элементом, нарушавшим гармонию голландского жилища, была девушка-подросток, сидевшая в кресле. В ходе беседы она была представлена в качестве старшей сестры Аннеки. Ей было шестнадцать лет, и звали ее Фрике. Она не слишком располагала к себе, однако у Джини было чувство, что девушка знает что-то и ей не терпится поделиться информацией.

Фрике, страдавшая излишней полнотой, многозначительно смотрела сквозь очки с толстыми линзами. Светлые волосы, длинные и сальные, обрамляли ее лицо. Одета она была в джинсы и свитер со свободным воротом. Судя по тем немногочисленным резковатым репликам, которые ей удалось вставить в разговор, девчонка тоже прекрасно владела английским. Мать уже дважды пыталась заставить ее уйти из комнаты, однако, несмотря на всю строгость обращения, обе попытки госпожи Лейден не возымели успеха. Поднявшись со стула, Эрика ван дер Лейден в третий раз пошла на приступ твердыни:

— Фрике, у тебя еще не сделаны уроки...

— Уже выучила.

— В таком случае прошу тебя, просто оставь нас ненадолго вдвоем. Ты же видишь, твое присутствие стесняет и меня, и мисс Джини... — Она запнулась, а затем добавила что-то резкое по-голландски. Фрике бросила на мать еще один угрюмый взгляд исподлобья, однако даже не шевельнулась.

— С чего бы это мне уходить? Аннека моя сестра. Или вам даже в голову не приходит, что мне, может быть, тоже есть что сказать?

Девчонка хамила с нескрываемым удовольствием. Более того, хамила по-английски, чтобы Джини тоже могла насладиться ее грубостью. Щеки Эрики ван дер Лейден предательски побагровели, и Джини поспешила вмешаться, чтобы разрядить обстановку:

— Ах, нет-нет, что вы! Пусть Фрике остается. Если это

из-за меня, то, право, не стоит волноваться. Ее присутствие меня вовсе не смущает. Честное слово. Она может что-нибудь припомнить — то, что, возможно, упускаем из виду мы, считая несущественным.

Фрике скорчила гримасу, которая одновременно могла выражать удовлетворение и презрение. Ее мать, воздев руки в знак смирения, посмотрела на Джини несчастным, затравленным взглядом. Еще минута, и об интервью можно будет забыть.

— Скажите, миссис ван дер Лейден, а не могли бы вы на словах описать мне Аннеку — какая она была? Знаю, как вам сейчас нелегко, но в сложившихся обстоятельствах...

— Конечно. — Руки на коленях женщины снова судорожно сжались. — Еще одна девочка мертва, третья пропала. Господи, да разве кто-нибудь поймет лучше меня, что сейчас на душе у их родителей? У меня самой сердце разрывается от боли. Ах, если бы я хоть чем-то могла помочь им! Вы приехали издалека, и я пообещала, что поговорю с вами. Знаете, мне хотелось бы показать вам фотографию Аннеки. Я сейчас принесу ее вам.

Она вышла из комнаты. Наступило тягостное молчание. Джини опустилась на стул и взяла в руки бумажку, которую ей уже показывала мать Аннеки. Это была прощальная записка девочки, датированная вторым апреля прошлого года. К ней был приложен листок, на котором другим почерком — ровным и аккуратным — был написан перевод для Джини. Записка гласила:

«Дорогие мама и папа. Вчера я познакомилась с новым другом, его зовут Стар. Это прекрасный человек, очень добрый. Мы с ним уезжаем на несколько дней в Англию. Вернусь в пятницу. Из Англии позвоню. Не волнуйтесь за меня. Крепко целую. Ваша Аннека».

С момента, когда была написана эта записка, прошло девять месяцев. Родителям не суждено было увидеть дочь живой. Для любого человека, у которого есть ребенок, не могло быть кошмара страшнее, чем этот — воплощенный в небрежно оторванном клочке бумаги с торопливыми каракулями. Наивность и беспечность записки были настолько кричащими, что у Джини мороз пробежал по коже.

— А ведь она всерьез верит во все это.

Никак нс ожидая услышать голос Фрике, Джини вздрогнула.

— Прости, не поняла...

— Я это о мамаше. Не вздумайте верить всем ее россказням об Аннеке. — Фрике лениво выползла из кресла. — Она

свято верит во всю эту чепуху. Переписка с друзьями, уроки балета... — Она смерила журналистку взглядом с головы до ног.

Джини ответила ей столь же холодным взором.

— Твоя мать по-настоящему хочет помочь мне. Может быть, конечно, она в чем-то и заблуждается, но...

— В чем-то? Мягко сказано! Мой папаша тоже, как ты выразилась, заблуждается. Они никогда не понимали Аннеку. И не знали ее совсем.

— Послушай, у тебя есть что сказать мне?

— Очень может быть.

— Так не лучше ли, вместо того чтобы тянуть время, перейти прямо к делу?

Девчонка зарделась, но затем, пожав плечами, отвернулась с наигранным равнодушием. Джини терпеливо ждала. Чутье подсказывало ей: не надо ни давить, ни умолять. Первое слово было за Фрике, а это значило, что вскоре будет и второе.

— Здесь не место говорить об этом... — Девочка явно еще колебалась. — Знаешь Лейдсеплейн? Большая такая площадь возле Вондель-парка.

— Знаю, в Амстердаме я не в первый раз.

— Там на углу есть кафе. Называется «Рембрандт». В нем через полчаса и встретимся. У меня как раз на это время назначен урок скрипки, но я сбегу.

— Но, Фрике...

Однако девушка уже направлялась к выходу. На прощание она бросила на Джини насмешливый взгляд.

— Хочешь — приходи, не хочешь — не надо. Все вы, журналисты, хороши — дерьмо собачье. Когда Аннека исчезла, от вашей братии поначалу отбою не было — на пороге толклись, звонили каждую секунду. А теперь, когда известно, что она умерла, ни одной собаке до нее дела нет. Разбежались все ищейки в стороны — новые ужасы вынюхивать.

Последние слова Фрике произнесла особенно отчетливо. Но Джини никак не отреагировала на них. Девчонка, видимо, несколько разочарованная ее непробиваемостью, выскочила за дверь. Вскоре ушла и Джини.

Прощание с миссис ван дер Лейден было недолгим. Итак, удалось узнать, что Аннека вела дневник и имела записную книжку с адресами, однако и то, и другое она увезла с собой в Англию, а там ни дневника, ни книжки не нашли. Полиция уже несколько раз перерыла все ее личные бумаги, но никакой новой информации не откопала. К тому же сейчас эти бумаги были недоступны. Нет, со стороны Аннеки не

было даже намека на какие-то несчастья или глубокие переживания. Она была из другой категории людей — обеспеченная, всем довольная девочка с прекрасными друзьями из хороших семей.

И все же что-то в этом образе казалось Джини не слишком правдоподобным. Можно было догадаться, что и мать Аннеки не очень-то верит тому портрету дочери, который сама же нарисовала. Не потому ли она рисовала его так прилежно, заботясь о каждой, даже несущественной детали? Она делала все, чтобы ей поверили, и поэтому, провожая Джини, все говорила и говорила о своей погибшей дочери.

— Конечно, время от времени на нее находило что-то такое — то ли тоска, то ли раздражение, — медленно произнесла Эрика ван дер Лейден, когда Джини была уже в дверях. Видно было, как нелегко далось ей это признание. — Но ведь ни один подросток не застрахован от этого. Вот и с Фрике такое иной раз случается. Но это ничего, это проходит. Процесс взросления, знаете ли. Главное, она знала, как сильно все мы ее любим. И отвечала такой же любовью всей семье. Возьмите ее фотографию. Вот, пожалуйста. Пусть она будет вашей. — Эрика ван дер Лейден торопливо сунула фото в руку Джини, и лицо ее сморщилось, исказилось от боли. Я любила ее, — проговорила она с внезапной горячностью. — Господи, как я ее любила! Если у вас нет детей, вам не понять этого. Я люблю своего мужа. Конечно, как не любить человека, замужем за которым столько лет... Но я никогда не скажу ему того, что скажу вам. Моя любовь к нему ничто — вы слышите? — ничто по сравнению с моей любовью к девочкам. И если бы мне пришлось пожертвовать им ради детей, я не дрогнув пошла бы на это. Он, я, этот дом, все, чем мы владеем, — прах, мусор. Я прямо сейчас отдала бы все это, я пошла бы на убийство, лишь бы вернуть ее.

— Пожалуйста, миссис... — начала было Джини, но ей не удалось закончить фразу.

— Вот что такое быть матерью. Ни один мужчина на свете не способен на такое чувство. На эту безумную любовь. О боже правый, милосердный...

Ее била дрожь. Женщина закрыла ладонями лицо.

Выйдя из дома, Джини быстро пошла в сторону канала. Остановившись на мосту, она крепко вцепилась обеими руками в перила ограждения. Сила чувств Эрики ван дер Лейден по-настоящему потрясла ее. Эмоции, обуревавшие мать Аннеки, казалось, передались и ей. Джини в смятении ощущала, как из глубины души навстречу этим чувствам поднимается нечто мощное, непонятное, ее собственное. Этот

день, этот мост, эта секунда — всему этому суждено было навсегда остаться в ее памяти. То, что с нею произошло, имело, в общем-то, простое объяснение: Джини в полной мере ощутила себя женщиной. Кто бы мог подумать, что это таинство свершится именно здесь — в этом незнакомом городе, в прихожей респектабельного буржуазного дома, а роль жрицы будет исполнять женщина, которую она ни разу в жизни до этого не видела?

Так вот что такое быть матерью! Вот она, суть материнства с его уязвимостью и силой. Джини ощутила в себе новые мощные токи женской природы, о существовании которых раньше лишь смутно догадывалась. Она неожиданно почувствовала прилив благодарности к женщине, которая, потеряв ребенка, вместе с тем дала ей, Джини, нечто очень значительное. Что заключал в себе этот дар — любовь, вечную тревогу? Должно быть, и то, и другое. Придя к такому выводу, Джини ускорила шаг, направляясь к площади Лейдсеплейн, манящей к себе огнями рекламы.

Найти кафе под вывеской «Рембрандт» не составило большого труда. В летние месяцы оно наверняка кишело студентами, голоногими туристами в шортах и прочими представителями всемирного молодежного братства. Теперь, в январе, зал кафе был почти пуст. За столиками чинно сидели несколько пожилых пар, с виду — все иностранцы. Должно быть, путешествующие пенсионеры, привлеченные зимними скидками.

Джини села за столик у окна, на самое видное место, и заказала себе кофе. Чтобы справиться с волнением, она попыталась заставить себя думать о работе. Отныне все, что бы она ни делала, обретало новый смысл. Ее работа превращалась в борьбу — ожесточенную, с четко определенной целью. И напоминанием об этой цели для нее всегда будет лицо Эрики ван дер Лейден, застывшее в скорби. Две совсем юные девушки нашли смерть, но она не позволит, чтобы Майна Лэндис стала третьей. Она не даст этому случиться. И это были не пустые слова. О нет, теперь Джини не была безоружна, она чувствовала, что действительно в силах предотвратить новое злодеяние.

Однако и ей самой нужна была помощь. Срочно требовалась новая нить. Если Фрике сейчас этой нити не даст, то поездка окажется, увы, не слишком результативной. Джини требовалось нечто вроде дорожного указателя, чтобы знать, каким путем идти дальше.

Джини уже встречалась с полицейским инспектором, ко-орый вел дело Аннеки. Он тоже говорил на прекрасном анг-ийском и горел желанием помочь. Однако девятимесячное асследование, судя по всему, не принесло практически ни-аких реальных результатов.

— Вашей полиции повезло больше, чем нам, — сетовал нспектор. — У нее есть хотя бы описание. Сказать по прав-е, я даже удивлен, что такой человек существует на самом еле. Поначалу я был уверен, что Аннека ван дер Лейден росто придумала это имя — Стар. От девчонок ее возраста ожно ожидать чего угодно.

«Поговорю с Фрике, проанализирую всю ситуацию и по-воню Роуленду, когда вернусь в отель, — решила Джини. — I Паскалю». А пока оставалось только еще раз посмотреть а часы. Стрелки уже приближались к четырем. Фрике за-аздывала.

* * *

Расстегнув сумку, Джини вынула фотографию Аннеки. Io словам матери, этот снимок был сделан в фотостудии, огда девочке исполнилось четырнадцать лет. Это был пос-едний день рождения, который Аннека успела отметить. тех пор и до гибели Аннеки не прошло и года.

Хорошенькая девочка с ангельским личиком смотрела прямо на Джини. Льняные волосы короткие, как у матери. Іелочка аккуратно подстрижена. На ней было строгое пла-ье, в котором Аннека выглядела моложе своих лет. Как и Лайна, Аннека вполне могла сойти за двенадцатилетнюю: оненькая, плоскогрудая, улыбается натянуто, словно стес-яется объектива камеры.

— Она ненавидела этот портрет, — внезапно раздалось зади. — Просто терпеть не могла.

Подняв голову, Джини увидела рядом с собой Фрике. 3 руках у нее был футляр для скрипки. Состроив презритель-ую гримасу, юное создание уселось за стол. Фрике налила ебе кофе и тут же, уставившись на Джини, закурила сигарету.

— Совсем на нее не похоже. Нарядили, как куклу. — Джини снова почувствовала, как по ней пополз медленный, зучающий взгляд Фрике. — Такие вот дела. Как, говоришь, овут девчонку, которая пропала на этот раз, Майна, что ли? / тебя есть с собой ее фотография?

— Сейчас нет.

— А волосы у нее случаем не темные?

— Нет, рыжая. А что?

— Потому что ему нравятся темненькие. Аннека мне го
ворила. Даже сама в черный перекрасилась ради него. Рад
Стара своего. А ты не знала?

— Нет.

— Ну вот, теперь знаешь. Он обкорнал ее почти нагол
Прическа получилась совсем короткая, под корень, пример
но как у тебя. А потом она покрасилась в черный — лишь б
ему угодить. Ей, в общем-то, и самой понравилось. Класс
ный видок получился. Она сама мне говорила.

— Ясно. — Джини ответила ей таким же оценивающи
взглядом. — Значит, это ты и хотела мне сказать? Что вы
Аннекой общались уже после того, как она ушла? А родите
ли, получается, об этом не ведали?

— Никто не знал. — Фрике зло посмотрела на Джини
откинула назад длинные волосы. — Можешь им сказат
если хочешь. Мне на это наплевать.

— Я не сорока, чужих слов на хвосте не ношу. — Джин
на секунду замолкла, пытаясь найти верный тон. — Но поче
му ты рассказала об этом именно мне?

— Так ведь ты из самой Англии к нам притащилась. –
Выпустив густое облако дыма, Фрике неопределенно пожал
плечами. — Кто знает, может быть, меня это тронул
А может, мне кажется, что мозгов у тебя в голове побольш
чем у всей этой сраной швали, которая наперебой лезла к ма
тери за интервью. Я наблюдала за тобой и видела, что ты кое
что просекаешь. Хотя, с другой стороны... Может, мне про
сто захотелось поговорить с тобой. Все равно Аннеку тепер
не вернешь.

— А разве в этом есть какая-нибудь сложность? Ты что
обещала ей держать язык за зубами?

— Ага. Она дважды звонила мне, когда родителей н
было дома. В первый раз дня через три после того, как уеха
ла. Во второй — примерно через две недели. Она заставил
меня поклясться, что я никому не скажу ни слова. Хотя,
общем-то, и рассказывать нечего. Она не сообщила мне ни
чего сногсшибательного. Так, просто потрепаться хотелос
Аннека не сказала, где находится. Сказала только, что обяза
тельно вернется. А я, дура, поверила. Думала, она правду го
ворит...

Фрике заплакала — так же неожиданно, как и ее мат
Слезы капали с кончика ее носа, очки запотели. Она снял
их, начала яросто протирать бумажной салфеткой. Джин
внимательно наблюдала за ней. Теперь, без очков, без это
вызывающей бесшабашности на лице, Фрике выглядела тро
гательно юной. И испуганной.

— Так вот в чем дело, Фрике? — мягко осведомилась Джини, когда девочка чуть-чуть успокоилась. — Значит, ты чувствуешь собственную вину?

Это был неверный ход.

— Еще чего! — вспылила девчонка. — С чего это мне чувствовать себя виноватой? Говорю же тебе, ни хрена она мне не сказала! Ни звука из того, что хоть как-то помогло бы разыскать ее. И вообще, пошла ты...

— Хорошо, — успокаивающе произнесла Джини, решая, с какой стороны зайти на сей раз. Было очевидно, что простое человеческое сочувствие только еще больше злит девчонку. — В таком случае давай проясним некоторые факты. Начнем хотя бы с тебя. Ведь твой английский совсем не похож на тот, который учат в школе. Ты прекрасно овладела всеми этими словечками, которыми крутые парни пересыпают свою речь. Скажи, кто научил тебя изъясняться на сленге? Какой-нибудь американец? Или англичанин? Без учителя тут явно не обошлось.

— Городишь чепуху. Любой голландец хорошо говорит по-английски. Я, например, язык с шести лет учу.

— Послушай, Фрике, только мне эти сказки не рассказывай! В школе таким словечкам не учат. А ты их ворачиваешь всегда к месту, даже не задумываясь.

— Ну и что из этого? По-твоему, что, преступление водить дружбу с англичанами или американцами? — Девчонка снова облила Джини презрением. — Да Амстердам круглый год иностранцами набит! И среди них полно моих ровесников. Ясное дело, я разговариваю с ними, встречаюсь то там, то сям...

— Где же это — «то там, то сям»?

— Да где угодно! В кафе, например. В выставочных залах. Здесь, на Лейдсеплейн...

— Ну-ну, будет тебе, Фрике, перестань. Хватит бросаться на меня. Думаешь, я не понимаю. Ты же обеспечивала Аннеке прикрытие. Так или нет? Все то время, пока твоя мать твердила мне, как она Аннеку сторожила да как за ней следила, как хорошо всегда знала, где та находится, я пыталась сообразить, как Аннеке удавалось обходить все запреты. И ты знаешь, я все поняла! Причем для этого даже особой сообразительности не потребовалось. Ведь вы проделывали все это вместе, не так ли? Покрывали друг друга.

— Может, и так. Ну и что из этого? Все так делают. И если удавалось разок-другой вырваться из тюрьмы...

— Ну конечно, ведь это так естественно. Как не понять? Разве что сестра твоя в итоге погибла — только и всего. Кто

познакомил ее со Старом, Фрике? Кто-нибудь из твоих американских или английских друзей?

— Нет! Нет! Ни хрена ты не знаешь! Я никогда его не видела. Ни разу в жизни... — Ее голос теперь звенел от возбуждения. — Ты все напутала. Ты ни черта не понимаешь — совсем как мои родители. Тоже думаешь, что наша Аннека, моя младшая сестренка, была ангелочком! А знаешь ли ты, что она с двенадцати лет жила на противозачаточных пилюлях? Знаешь, что за ней ребята вечно таскались? И наша маленькая миленькая Аннека давала всем направо-налево. Аннека, а не я! И вот в январе прошлого года парень, от которого она по-настоящему тащилась, бросил ее как собаку. Она едва ума не лишилась от горя. Мать думает, что Аннека была счастлива в семье. Хрен-то! Она только и делала, что ревела. Каждую ночь приходила ко мне в спальню, и мы подолгу болтали. А потом снова ревела... Вот она и пошла к Стару. Потому что он понимал ее!

— Что? — непонимающе переспросила Джини. В глубине души она сознавала, что, стоит ей хотя бы чуть-чуть еще надавить на Фрике, и та вильнет в сторону. Однако этот вопрос сам сорвался с ее языка. И произошло именно то, что должно было произойти. Фрике смотрела на Джини отсутствующим взглядом. — Значит, она ушла к Стару? Сбежала не с ним, а к нему?

— Подумаешь, оговорилась.

— Нет, Фрике, вряд ли. Ты слишком хорошо говоришь по-английски, чтобы оговориться. Не правда ли, Аннека к тому времени уже неплохо знала Стара? И встретилась с ним вовсе не за день до того, как уехать? Она написала в записке неправду. Она заранее планировала побег. — Джини вздохнула. — Послушай, Фрике, тебе уже шестнадцать, ты далеко не глупа. Как ты думаешь, почему я вытягиваю из тебя слово за словом? Потому что сестра твоя убита. Другая девочка в Англии тоже мертва. В руках Стара находится Майна, и ей грозит гибель. Я хочу, чтобы этого Стара нашли как можно скорее, чтобы остановили его. И ты того же хочешь, разве не так? Так какого же черта ты мне не доверяешь? Почему не хочешь помочь?

Воцарилось долгое молчание. Джини не была уверена, что ее призыв услышан. Ни увещевания, ни враждебные выпады, ни сочувствие, ничто не брало Фрике. Девчонка казалась непробиваемой как танк. Она набычившись смотрела на журналистку, словно давая понять, что та находится по другую сторону стены, незримо отделяющей мир юных от мира взрослых.

Судя по всему, Фрике решила больше ни на йоту не уступать своих позиций. Джини почувствовала, что зашла в тупик. Смертельная усталость и апатия внезапно навалились на нее. Она подала официанту знак рукой, чтобы тот принес еще кофе. Разговор не клеился, причем ситуация складывалась прямо-таки парадоксальная: получалось, что правда нужнее ей, чем родной сестре погибшей. Джини задумалась: интересно, поверит ли ей Фрике, если она сейчас заговорит о том, насколько близки ей стали эти девочки — Аннека, Майна?

Джини повернулась к Фрике и, не дрогнув, встретила ее холодный, враждебный взгляд. Девчонка докуривала уже третью сигарету.

— И все-таки кое-что я способна понять, Фрике, — снова заговорила Джини.

— Неужто? — Девочка криво усмехнулась.

Эта самоуверенность, читавшаяся на юном невыразительном лице, едва не вывела Джини из себя. Однако она тут же вспомнила все это о себе: то же слепое высокомерие, та же подростковая уверенность в том, что никому больше не дано испытать столь глубокие и противоречивые чувства.

Молчание тянулось уже минут пять. Фрике, с унылым видом вертя в пальцах сигарету, устремила отсутствующий взор куда-то вдаль. Для Джини было очевидно, что мысли Фрике текли в совершенно ином направлении. Будто очнувшись, Фрике отбросила прямые волосы назад и взглянула на собеседницу.

— То, что ты сказала сегодня моей матери... — Девочка на мгновение замялась. — Это правда? Это правда, что именно Стар посадил Аннеку на иглу?

— Да. Я беседовала с одним человеком в Англии — мужчиной, который довольно часто встречался со Старом. Он дважды видел с ним твою сестру. Тогда она уже полностью зависела от героина, и именно Стар снабжал ее этой дрянью. Он же обычно помогал ей колоться.

— Но ты не говорила этого моей матери.

— Верно, — вздохнула Джини. — И ты, наверное, сама догадываешься почему.

— Догадываюсь...

Джини отвела глаза в сторону. Она словно наяву слышала голос Митчелла. Если верить ему, Стар брал за Аннеку по двадцать фунтов за один раз. Это было, когда Митчелл впервые с ней познакомился. Через несколько месяцев, когда он увидел девушку в следующий раз, цена упала вдвое. А значит, для того, чтобы наскрести денег на очередную порцию,

ей приходилось принимать вдвое больше мужчин. Стар утверждал, что таким образом преподает Аннеке закон спроса и предложения. Экономика, выпускной курс.

— Нет, ты прикинь, — говорил Митчелл в приливе праведного гнева, — в первый раз она удовлетворила меня на все сто. А во второй — хрен с маслом! Грязная, вонючая, вшивая... Наркоманка, ясно тебе? И глаза мертвые, какие только у наркоты бывают. Потому что на уме у этих свихнувшихся только одно — как бы ширнуться. Зомби, да и только. А Стару нравилось — прямо-таки угорал от этого. Нашел себе развлечение...

Этого говорить было нельзя, ни в коем случае, даже намеками. Джини снова повернулась к Фрике, и они посмотрели друг на друга. Должно быть, по ее лицу девочка догадалась о чем-то и внезапно заговорила.

— Она познакомилась с ним во Франции, — выдавила из себя сестра Аннеки, — во время той самой школьной поездки, о которой говорила мать. Это было в феврале прошлого года, месяца за два до того, как она с ним сбежала. Они встретились в Париже, не знаю, где именно. Парень оказался шустрым — быстренько все обстряпал, потому что во время этих школьных экскурсий не очень-то разгуляешься: постоянные переклички, как в концлагере, учителя повсюду шпионят. На то, чтобы познакомиться, у него всего-то и было минут пятнадцать-двадцать — до следующей проверки. Но ему и этого хватило. Он дал ей свой адрес. Аннека ему потом писала. Она сама мне призналась: познакомилась, мол, с крутым парнем и теперь пишет ему, а он ей отвечает.

— Она посылала письма во Францию?

— Не знаю. Аннека говорила, что он все время переезжает с места на место. Она и сама стала таиться ото всех, с тех пор как с ним познакомилась. Почти совсем перестала откровенничать, в основном намеками изъяснялась... Но Аннека даже слова не обронила насчет того, что они с ним что-то там замышляют, что она собирается с ним сбежать или еще что-нибудь. Если бы я знала, то, конечно уж, сделала бы что-нибудь. Не такая я дура. Может быть, даже отца предупредила бы...

Она снова замялась, нерешительно глядя на Джини. А затем, окончательно решившись, полезла в свой школьный рюкзак и достала оттуда пачку разнокалиберных листков, скрепленных одним зажимом.

— Вот, — пихнула Фрике импровизированную тетрадку через стол. — Записная книжка Аннеки. Это из-за нее она

мне позвонила в первый раз. Она была перепугана до смерти — из-за книжки этой.

Джини смотрела на девочку, лицо которой стало красным, как помидор. Она осторожно коснулась потрепанных страниц, испещренных именами, телефонными номерами и адресами.

— Где ты нашла это, Фрике?

— В тайнике. У нас в чулане одна половица поднимается. Под ней Аннека хранила свой дневник. Там же она прятала противозачаточные пилюли, иногда «травку». Письма Стара и дневник она захватила с собой, а книжку забыла. Ты хочешь взять ее? Признайся, ведь хочешь — я по твоему лицу вижу...

— Да, хочу.

— Ну и бери. Держи. Покажи полиции. Мне теперь на все наплевать. Аннека так боялась, что ее записную книжку найдут, если после ее побега в доме будет обыск. И я спрятала эту книжку ото всех. Но когда я поняла, что Аннека не вернется, я прочитала ее записи. Я эту книжку, наверное, раз сто перечитывала.

— Думаешь, его адрес здесь? Она именно поэтому так волновалась, когда звонила тебе? Поэтому просила тебя спрятать книжку?

— Да, — прерывисто вздохнула Фрике, закуривая очередную сигарету. — Только нет его здесь. Или просто я не могу найти. В этой книжке вообще нет ни одной записи, где упоминался бы Стар. Здесь куча разных имен и адресов. Все ее друзья по переписке — из Франции, Германии, Италии, Англии, Бельгии, Америки, Африки... Она с девяти лет этим увлекалась, и каждую неделю ей приходило по семь-восемь писем. Ищи его, если хочешь. Но говорю тебе: пустое это занятие.

Джини неторопливо переворачивала листки. Это была типичная записная книжка девочки-подростка — засаленная, с какими-то рисунками, исчерканная вкривь и вкось.

— Послушай, Фрике. Спасибо тебе, конечно. Но ты знаешь, я ни слова не могу разобрать по-голландски.

— А тут и разбирать нечего. Ведь он не голландец, в Нидерландах не жил. Ты иностранные адреса смотри. Тут все легко. Вот этот адрес, например, во Франции, а этот — в Сан-Франциско. Может, и найдешь чего. Ты же журналистка. Я так надеюсь...

Фрике, несколько минут назад олицетворявшая собой враждебность, теперь смотрела на нее умоляющим взглядом — так, будто Джини, наделенная сверхъестественными

способностями, была ее последней надеждой. Однако Джини, не питавшая в отношении собственных возможностей особых иллюзий, не хотела чрезмерно обнадеживать девочку.

— Я попытаюсь, Фрике, обещаю тебе. Сегодня вечером я как следует просмотрю записную книжку. При необходимости ее изучат в здешней полиции. — На секунду она замолчала. — Но я думаю, ты понимаешь, что должна рассказать все своим родителям. Это крайне важно и для них, и для тебя самой.

— Понимаю, — опустила глаза Фрике, крутя в пальцах дымящуюся сигарету. — А они не убьют меня?

— Мне кажется, они тебя поймут. Они очень любят тебя, Фрике.

— Знаю. Ох, чтоб мне пусто было...

Фрике опять заплакала. Джини молча дожидалась, пока иссякнет и этот поток слез. Воспользовавшись паузой, она достала свой «журналистский инструмент» — диктофон и блокнот. Как и ожидалось, вид этих предметов придал девчонке уверенность.

— Ты хочешь взять у меня интервью? Ты в самом деле думаешь, что я могу чем-то помочь? Я же говорила тебе, Аннека рассказывала очень мало.

— Но это не означает, что ничего не можешь рассказать ты. Постарайся припомнить все, что она говорила тебе, Фрике. Пусть даже самые мелкие детали, какими бы незначительными или не относящимися к делу они тебе ни казались. Такие подробности зачастую оказываются самыми важными.

— У меня хорошая память, я все помню.

В течение следующих десяти минут Джини с помощью девочки скрупулезно проследила всю последовательность событий: первая встреча в Париже, переписка, прибытие Стара в Амстердам, их отъезд вдвоем, два телефонных звонка от Аннеки, наступившее после них долгое молчание, месяцы тщетного ожидания и наконец известие о ее гибели. Слушая Фрике, Джини чувствовала, как каждое слово девочки странным эхом отзывается в глубине ее собственной души. Школьные поездки — что-то с ними было связано. Кажется, кто-то где-то недавно упоминал нечто подобное. Но Джини никак не могла вспомнить, кто именно и где.

— Так ты полагаешь, что Стар приехал в Амстердам специально, чтобы забрать ее?

— Да. Я уверена, что он не бывал здесь прежде. Она сказала мне, что ждет его приезда. И очень волновалась, когда говорила о предстоящей встрече. Это было за день до того, как они уехали.

— По всей видимости, он имел на нее большое влияние, если ему удалось подбить ее на такой рискованный шаг.

— Очень большое. Это выглядело так, будто он призвал ее к себе. Приехал забрать то, что как бы принадлежало ему по праву. Он говорил ей, что искал ее всю жизнь и узнал в ту же секунду, как только впервые увидел. Вроде того, что это судьба, рок...

— И она верила. Но почему? Не потому ли, что ей было всего лишь четырнадцать и хотелось чувствовать себя особенной, единственной, отмеченной свыше?

— Наверное. Во время телефонного разговора она упомянула, что этот человек очень сильный. Она постоянно твердила это. Он гадал ей на картах Таро. Говорил, что может раскрыть ей ее собственную суть.

— Понятно. — Джини заглянула в собственный блокнот. Ее снова посетило странное чувство родства с Аннекой. Ей тоже было ведомо то пьянящее ощущение, когда как бы заново открываешь саму себя. Впервые Джини испытала его. — Продолжай, Фрике, — попросила она, оторвав глаза от блокнота. — Все, что ты рассказываешь, очень важно. Это может помочь и Майне. Наверное, ты успела задать Аннеке немало вопросов. Ты разговаривала с ней по телефону. О чем? Ведь каждая ваша беседа длилась минут десять, а то и дольше. Подумай, Фрике.

— Она говорила, что он много спрашивал ее о нас. Заставлял описывать меня, наших родителей. Ему хотелось знать — как бы это сказать? — о самых обыденных вещах. О семейном быте. Как мы справляем Рождество, куда ездим в отпуск, как познакомились родители...

— А о своей собственной семье он не говорил? Не рассказывал, откуда родом?

— Нет, никогда. Аннека говорила, что он ненавидит тех женщин, которые задают вопросы. И она хорошо усвоила это. Стоило только спросить его о чем-нибудь, и он тут же начинал беситься, причем беситься по-настоящему. Ей казалось, что в детстве с ним произошло что-то ужасное. Может быть, его истязали, может, отдали чужим людям или в детский дом — ну что-то в этом роде. Но все это только догадки. Он никогда не говорил о том, кто его родители или где он вырос.

— Она так и сказала — беситься?

— Так и сказала, когда звонила в первый раз. Она говорила, что к нему очень трудно приноровиться: только что был тихим и ласковым — и вдруг ни с того ни с сего прямо звереет. Шизанутый какой-то.

— Внезапные перепады настроения?

— Знаю, о чем ты думаешь. — Фрике посмотрела ей прямо в глаза. — Когда после первого раза она долго не звонила, я себе места не находила от беспокойства. Я была уверена, что он что-нибудь колет себе или нюхает. Но Аннека сказала мне, что он чист как стекло. По ее словам, она научилась управлять его настроением, причем никому, кроме нее, этого не удавалось. Он говорил, что у нее дар умиротворения — именно так и говорил. Он заставлял ее ложиться рядом и как-то по-особенному гладить ему лоб. И она, дурочка, гордилась этим.

Джини никак не прокомментировала услышанное. Словно сигнал тревоги прозвенел у нее где-то внутри. Наркоман или кое-что посерьезнее? Из темных теней, в которых прятался Стар, складывалось, все явственнее вырисовываясь, определение — человеконенавистник.

— Что-нибудь еще, Фрике? Чем они занимались вместе? Путешествовали, но Аннека не сказала, где именно... — Джини перелистывала собственные записи. — Слушали музыку, курили «травку»... Что еще?

В этом списке отсутствовал еще один вид человеческой деятельности, и Джини отдавала себе отчет в том, что чуть позже обязательно спросит о нем. А пока она ждала. Фрике задумчиво морщила лоб.

— Имелся у него один пунктик — быть всегда чистым, — выговорила она наконец, немало удивив Джини. — Ты не ослышалась. Помню, Аннека еще смеялась над этой его особенностью. Говорила, когда они путешествовали, он запросто общался со всеми, а как останется один — тут же мыться. И моется, моется, словно кожу с себя содрать хочет. Прямо фанатик какой-то. Принимал ванну по три, а то и четыре раза в день. Помоется вечером под душем — и в постель, а потом проснется среди ночи — и под душ... Она сама мне это говорила. Что еще? Читать любил. Читал много.

— А какие книги, не говорила?

— Говорила. Ему особенно книги про войну нравились. Об оружии...

— Об оружии?! — Джини невольно вздрогнула. — Подумай, Фрике, а ты не ошибаешься? Карты Таро и оружие. Что-то тут не вяжется.

— Не знаю, но так говорила она. Еще хвасталась, какой у нее дружок умный. Если ей верить, память у него была просто феноменальная. У них даже такая игра была: он брал книгу, в которой было полным-полно картинок разных пистолетов, что-то вроде каталога, а она должна была его прове-

рять. Она закрывала ладонью подписи и пояснения, а он по рисунку должен был определить сам пистолет и все его детали. Все до единой. И он в точности угадывал.

— Технические характеристики?

— Вот-вот. Размеры, тип патронов, скорострельность. Обо всем рассказать мог, без запинки.

Сигнал тревоги зазвучал снова, на сей раз громче. Джини склонилась над своим блокнотом, чтобы Фрике не определила этого по ее лицу.

— Но у него самого не было пистолета? Он просто любил разглядывать картинки, так?

— Да нет, пистолета у него вроде не было. Это было так, одно развлечение.

— Ты очень мне помогла, Фрике. То, что ты рассказала, дает мне представление о происшедшем. К тому же теперь я знаю, что Аннека познакомилась с ним в Париже, а это уже крепкая нить. У меня есть ее записная книжка. Одно только не совсем ясно. Когда он приехал сюда за ней и Аннека должна была с ним встретиться, не говорила ли она тебе, где намечена эта встреча?

— Нет.

— Представь себе, что место встречи должна была назвать она. Как ты думаешь, что она могла бы выбрать?

Фрике размышляла несколько минут.

— «Антику», — наконец произнесла она. — Так называется одно кафе, где продают «травку», — легально, по лицензии. Аннека туда когда-то захаживала с парнем, который ее после бросил. Классное местечко — атмосфера что надо. Так что она вполне могла предложить своему приятелю встретиться именно там. А может, они встретились просто где-нибудь на улице.

— Эту «Антику» нетрудно найти?

— Какое там трудно! Это неподалеку от канала Сингель. «Антику» здесь каждая собака знает. Можешь и там, конечно, народ поспрашивать. Только вряд ли поможет — полиция там уже тысячу раз фотографию Аннеки всем в нос совала.

— Ничего, иногда тысяча первый приносит удачу, — улыбнулась Джини.

Впервые за все время Фрике ответила ей улыбкой. И тут же посмотрела на часы:

— Мне пора. А то мать волнуется: стоит мне задержаться, и она звонит моему преподавателю скрипки.

— Последний вопрос, Фрике. Думаю, ты догадываешься, о чем он.

Девочка, которая, встав из-за стола, направилась было к выходу, остановилась и вздохнула:

— Как не догадаться... Говорила ли Аннека что-нибудь о сексе? Ты это хочешь знать?

— Спала ли она с ним, Фрике? Мне говорили, что да, но я не вполне уверена... Что-то в этом человеке явно не так. В нем есть какая-то загадка. Секс ему не очень подходит.

— Для меня самой это загадка, — спокойно встретила Фрике взгляд Джини. — Я знаю Аннеку — она из таких вещей секрета не делала: если трахалась с каким-нибудь парнем, то так мне прямо и говорила. Для нее в этом не было ничего особенного. Говорит иной раз: «Хорошо вчера вечером у нас с ним получилось». Или: «Сегодня что-то не очень». Но со Старом... Она никогда не упоминала о сексе. Ни разу. Хотя, в общем-то, я предполагала, что именно этим они в основном и занимаются. Музыку слушают. «Травку» курят. Ну и, конечно, любовь. Куда без нее? Она была без ума от него. Он для нее был просто наваждением. Я не могла понять... И когда она позвонила во второй раз, я не удержалась. Я спросила ее: «Как жизнь половая?»

— И что же она ответила?

— Ничего она не ответила. — Лицо Фрике горестно исказилось. — Заплакала. А потом трубку положила.

12

Когда Фрике ушла, Джини разузнала, как добраться до кафе «Антика». Такси доставило ее в мгновение ока.

Кафе располагалось в старой части Амстердама, на узкой улочке, изобилующей букинистическими магазинчиками и антикварными лавками. Заведение состояло из одного большого и довольно уютного помещения, разделенного старинными деревянными панелями на кабинки, в которых располагались столики. Космополитичная и богемная обстановка живо напомнила Джини старые кафе Гринич-Виллиджа в Нью-Йорке. Единственное отличие заключалось в том, что в воздухе здесь висел тяжелый запах марихуаны — «травка» продавалась в баре наряду со спиртным и сигаретами.

Взяв в руки «Интернэшнл геральд трибюн», Джини устроилась у стойки бара и заказала себе кофе. Спешить было некуда. В газетном номере она сразу нашла сообщение об исчезновении Майны и смерти Кассандры. Весь материал занимал крохотное оконце на третьей полосе, что вовсе не удивило Джини. Исчезновения девочек — тема неблагодар-

ная. Если пропавшей девочке больше десяти лет, то редактор чуть ли не автоматически приходит к заключению: сбежала. А из сбежавших лишь единицы достойны того, чтобы делать из их побега сенсацию. Пройдут дни, быть может, недели, прежде чем история Майны переместится на первые полосы.

Сложив газету, Джини оглянулась. Было пять часов дня, в кафе царило предвечернее затишье. Зал был заполнен меньше чем наполовину. Она внимательно рассматривала барменов, решая, к кому из них первому обратиться с расспросами.

В баре, судя по всему, работали в несколько смен. Вскоре после ее прихода два бармена, как она поняла из их реплик, голландец и австралиец, ушли. На их место заступили двое американцев: один — высокий светловолосый молодой человек лет двадцати с небольшим, другая — девушка чуть постарше с темными волосами и приветливой улыбкой. Оба были одеты в одинаковую униформу: белая рубашка, красный фрак и черные брюки. Они общались с клиентами на умопомрачительной смеси языков: фразы голландские, итальянские, французские так и сыпались из их уст. Поймав на себе любопытный взгляд Джини, девушка улыбнулась:

— Еще кофе?

— Спасибо. Не могу не восхищаться тем, как легко вы говорите на иностранных языках. Просто поразительно... Да, кстати, и еще сигареты.

— Вам точно сигареты?

— Ага. — Джини старалась говорить, не меняя собственного акцента. — У вас есть «Житан»?

— О да, конечно. А что касается языков... То на вашем месте я не стала бы так уж восхищаться. «Мужской туалет — прямо по коридору и направо», — эту фразу я знаю чуть ли не на десяти языках. Ну и еще кое-что. Ассортимент не слишком богатый, не так ли? — Облокотившись на стойку, она внимательно оглядела Джини. — А вы тут в первый раз. Не припомню, чтобы раньше вас видела. Вы в Амстердаме впервые?

— Да, впервые. Я и города-то толком не знаю.

— Городок что надо. Что, Лэнс, верно я говорю? — улыбнулась барменша напарнику. — Лэнс у нас любитель виндсерфинга. Из Лос-Анджелеса, без морских волн жить не может. Но даже ему здесь нравится.

— А что тут делать серферу? — удивилась Джини.

— Деньжонок сшибить. Мир посмотреть. И я здесь за тем же. А ты?

— Не всем везет, как тебе. Я уже поработала официанткой в Лондоне — на днях за дверь выставили. Приехала сюда

повидаться с другом, а его-то и нет. Наверное, разминулись. Ну и черт с ним. Достаточно поколесила я по Европе. Пора бы и домой.

— Знакомое чувство. Иной раз так припрет, что кажется, все бы бросила и подалась куда глаза глядят. Я сама несколько недель пороги обивала, прежде чем эту работу нашла.

— В самом деле? И сколько ты уже здесь?

— Приехала в прошлом году, в конце осени. А Лэнс у нас рекордсмен — он тут уже полгода.

— Ого! Так, может, кто-нибудь из вас поможет мне? Дело в том, что дружок, которого я ищу, говорил мне, что иногда наведывается сюда. Может, его здесь знают? Вдруг кто подскажет, где его искать? Высокий такой, волосы темные, длинные, красивый...

— Интересно... Что еще о нем можешь сказать?

— Лет двадцать пять. Отзывается на имя Стар.

— Как, просто Стар? — Барменша нахмурилась, потом покачала головой. — Не-а. Никаких ассоциаций. Эй, Лэнс, не знаешь случаем парня, который сюда иногда заходит, по кличке Стар? Видный из себя, темноволосый. Похоже, это мужчина моей мечты.

Лэнс, ухмыляясь, приблизился к ним. На ходу он протирал бокалы.

— Стар? Тот, что кокаинчиком балуется? Как не знать! Заглядывает время от времени. Только что-то давненько я его не видел. Неделю, а то и больше. Только учти, Сандра, ты о таких мужиках вряд ли мечтаешь. Его все больше серьезные материи интересуют, возвышенное... — Бармен закатил глаза и прикоснулся пальцами к вискам, однако тут же перестал кривляться. — В общем, вынужден разочаровать тебя, Сандра. Парень явно не в твоем вкусе. Совсем не в твоем.

— Кокаин? — обескураженно переспросила Джини.

Пожав плечами, Лэнс отчалил, чтобы обслужить клиента. А Сандра рассмеялась:

— Не обращай внимания. Наш Лэнс на здоровом образе жизни свихнулся совсем. Стоит тебе выпить таблетку от головной боли, и он уже заносит тебя в разряд наркоманов. Извини, но тебе, кажется, опять не везет.

— Всю жизнь так. Сколько с меня?

Расплатившись, Джини подождала, пока Сандра уйдет к столикам, и попыталась еще раз расспросить Лэнса, однако ничего нового не узнала. Лэнс сказал, что Стар заходит сюда примерно раз в месяц, был не так давно, однако где искать его, не знает, как не знает и никого из друзей Стара.

— А от кокаиниста подальше держись. Авось еще увидимся, — добавил он на прощание.

* * *

Помахав на прощание Сандре, Джини вышла на улицу. Она вернулась в свой отель — огромный и безликий.

Едва закрыв за собой дверь, она почти физически ощутила, как ее со всех сторон обступило одиночество. Было полседьмого вечера. Джини попыталась дозвониться до Роуленда — но безуспешно.

Джини попробовала позвонить Паскалю, однако этот вечер оказался невезучим. Она набирала один и тот же номер десятки раз, но никак не могла прозвониться. А ведь у Паскаля есть ее номер, вспомнила Джини. Захочет, может сам позвонить. А может быть, и лучше, что сейчас она не может ему дозвониться. В последнее время, когда они разговаривали по телефону, ей с каждым разом все труднее становилось удержаться от того, чтобы взмолиться: «Паскаль, милый, приезжай скорее».

Джини позвонила в отдел обслуживания номеров и заказала себе ужин. Потом взяла записную книжку Аннеки и устроилась за туалетным столиком, возле которого стояла самая яркая лампа в комнате. Она читала записи с величайшим вниманием — строчка за строчкой.

Это оказалось задачей не из легких. Почерк у Аннеки был очень мелкий. На каждой странице что-то было дописано, что-то зачеркнуто, стрелочки вели от одной записи к другой, многие телефонные номера были перечеркнуты, другие — переправлены, сбоку пририсованы сердечки, цветочки и какие-то лица. Поначалу у Джини зародилась догадка, что Аннека отмечала этими сердечками мальчиков, которые ей больше всего нравились, но потом стало понятно, что значки в записной книжке были нарисованы просто так, произвольно. Джини представила себе, как Аннека с карандашом в руке ведет по телефону бесконечные девчоночьи разговоры, бездумно рисуя что-то в лежащей перед ней записной книжке. От этой «росписи» у нее уже рябило в глазах.

Терпения копаться в неряшливо исписанных листках хватило ровно на час. Устав, Джини принялась за доставленный в номер ужин. Прихлебывая кофе, она предалась соблазнительным мечтам о горячей ванне, безмозглом фильме по телевизору и мягкой постели. Однако, вспомнив данное Фрике обещание, Джини, устыдившись собственной слабости, вновь принялась за работу. Она уже проработала странички с французскими адресами и теперь переписывала некоторые в собственный блокнот. Всего таких адресов набралось восемнадцать. Из них семь было парижских. Джини задумчиво рассматривала список. По всем семи значились девочки, должно быть, подруги Аннеки по переписке: Лизетта, Шанталь, Сюзанна, Мари, Кристина, Люсиль.

Ничего не говорящие имена. И все же где-то здесь должна быть зарыта ключевая информация, может быть, видоизмененная, зашифрованная. Иначе с чего бы Аннеке так трястись над собственной записной книжкой? Зачем просить Фрике спрятать ее? С другой стороны, хотя Аннека и познакомилась со Старом в Париже, вовсе не обязательно, что именно туда она направляла ему свои письма. Фрике говорила, что он часто переезжал с места на место. Не исключено, что Париж был просто ложным следом, но ведь там был брошен «БМВ» Митчелла. Джини еще раз пробежала глазами список юных француженок, и ее осенило.

«Французский связной!» — подумала она. А что, если след вовсе не ложный? Ведь не только Аннека, но и Кассандра ездила со школой в Париж. Сьюзан Лэндис как-то вскользь упомянула об этом в тот вечер у Макса. Поговорив с друзьями Кассандры, Джини первоначально предположила, что она повстречалась со Старом где-то в Англии — в Глэстонбери или на какой-нибудь тусовке. А что, если она, как и Аннека, встретила его в Париже? Это означало бы, что все три девушки, общавшиеся со Старом до Майны, каким-то образом связаны с Францией. Если верить Митчеллу, первая девчонка — та, лицо которой Стар искромсал бритвой, — была француженкой. А они с Роулендом не обратили на эту девушку никакого внимания, сосредоточившись на тех двух, которые были убиты. Джини только сейчас поняла совершенную ошибку. Ведь та француженка в ряду симпатий Стара шла непосредственно перед Аннекой, если, конечно, слово «симпатия» здесь вообще употребимо. Может быть, именно на адрес этой парижанки Аннека писала свои письма для передачи Стару, который постоянно переезжал с одной квартиры на другую?

Но как ее звали? Джини не могла припомнить имени. «Не исключено, что я спрашивала об этом Митчелла, — мелькнуло у нее в голове, и рука моментально нырнула в сумку за кассетой, на которой было записано интервью. — Но спрашивала ли?» Перематывая пленку, она волновалась: а что, если этот вопрос не был задан? Интервью было очень трудным: Митчелл постоянно отвлекался, уводил разговор в сторону.

Пленка остановилась. Вот он — этот короткий кусочек: Митчелл здесь говорил по делу, прежде чем переключиться на какой-то посторонний предмет. Оказалось, что самый

важный из вопросов задала не она — его задал Роуленд Мак-гуайр. Тогда он вмешался в разговор, и сейчас его голос, внезапно прозвучавший в тиши гостиничного номера, заставил Джини вздрогнуть. Она дважды воспроизвела этот отрывок разговора:

«— А та французская девочка, которую он порезал бритвой, — что стало с ней?

— Одному богу известно. Может, домой подалась, а может, куда-нибудь умотала... Слушай, налей-ка еще.

— Обойдешься. Напряги лучше мозги. Может, припомнишь ее имя? Или еще какие-нибудь детали? Ты вдумайся только — он же ей лицо бритвой располосовал! Чуть ли не надвое! А сам-то ты что тогда делал — стоял и смотрел? Не мог этого скота остановить?

— Да нет, ты не подумай чего... Но только это случилось так быстро — я обалдел. Сам-то я не зверь...

— Может, и не зверь, но подонок — это точно.

— Ну ладно, хватит на меня бочку катить. Только скандала мне тут еще недоставало. Послушай, Джини, да что это с ним? Я вам помочь пытаюсь, а он...

— Возмутился. С людьми такое иногда случается.

— Ну и пусть со своим возмущением катится на хрен. Пусть только пальцем меня тронет — я тут же в полицию заявлю! Все расскажу в участке...

— А ты уверен, что сможешь это сделать? Запомни, Митчелл, когда я с тобой разберусь, ты вряд ли будешь в состоянии дойти до участка. И говорить тоже вряд ли сможешь. Ухмыльнись еще раз, и я тебе все зубы выбью.

— Ну ладно, ладно, остынь. Это у меня от нервов. Я всегда, когда нервничаю, улыбаюсь. Говорю же тебе: на душе у меня совсем хреново. К тому же я думаю. Вспоминаю. Я ее помню — хорошая девчонка была. Думаю, она его довольно давно знала. А вот как ее звали? Дай подумать. Кажется, что Сесиль? Клер? Вспомнил! Шанталь — вот как ее звали![1] Волосы каштановые, глаза карие. Лет восемнадцать. Точно она!..»

Все больше волнуясь, Джини опять взяла записную книжку Аннеки. Перелистала страницы, нашла запись, начинающуюся с имени Шанталь, и тут внезапно в глаза ей бросился знак — тот самый, который она так долго искала. Для непосвященного он был почти неразличим.

Зазвонил телефон. Джини нехотя приподнялась, не в силах отвести взгляда от книжки. Там, на открытой страни-

[1] По-французски все три имени — Cecile, Claire, Chantal — пишутся с одной буквы.

це, был адрес Шанталь. И рядом — крохотная звездочка какой обычно помечают слово, нуждающееся в пояснении Эта звездочка была знаком надежды, символом имени ново го друга Аннеки — Стара[1]. Телефон звонил не переставая Джини сняла трубку.

Звонил Роуленд Макгуайр — она сразу же узнала его хотя он не потрудился представиться. Голос его срывался о бешенства.

— По барам, по кафе ходишь? Ну и как, много обошла пока до «Антики» не добралась? — прорычал он. — А пото дальше гулять отправилась? Может, еще объявления на забо рах расклеишь, по телевидению объявление зачитаешь? Ищу мол, человека... Какого черта ты там делаешь? Ты же мн слово дала...

Он продолжил разгневанную речь. Поначалу она почув ствовала недоумение, потом обиду и в конце концов — силь нейшую досаду. Сейчас, когда Роуленд был в таком возбуж дении, не имело смысла даже пытаться прервать это слово извержение. Оставалось только одно — усиленно соображать что же произошло, откуда ему стало все о ней известно.

Кто-то, должно быть, позвонил ему прямо из «Антики» сразу же после того, как она ушла. Это мог быть только оди из тех двоих. До сих пор ей казалось, что источником Роу ленда в Амстердаме должен быть мужчина. И Роуленд, суд по всему, неизменно старался укрепить ее в этой дурацко уверенности. Вполне возможно, что он намеренно вводил е в заблуждение. Кто бы из этой пары ни был в действитель ности агентом, оба эти человека вполне были достойны та кой роли.

— Сандра? — спросила Джини, когда он впервые остано вился, чтобы перевести дух. — Или твой контакт — все-так Лэнс?

Задавая этот вопрос, она не надеялась услышать ответ Так и вышло.

— Не твое дело. Тебе и раньше не следовало совать в нег свой нос, а теперь и подавно. Я тебе не раз пытался вбить эт в голову. Ты дала мне слово, и я поверил тебе. Слышишь Поверил! Мало того, что ты мне соврала, — ты повела себ совершенно непрофессионально.

— Послушай, Роуленд, я все тебе объясню...

— Объяснишь, милая, объяснишь. В Лондоне! А пок могу тебя порадовать: я снимаю тебя с этого материала. Мо

---

[1] С т а р (star) — звезда (*англ.*).

жешь считать себя официально отстраненной от работы час назад! Ну как, теперь все ясно?

— Да послушай же, Роуленд! Я только в «Антике» и была. Никуда больше не заходила.

— И ты хочешь, чтобы я поверил тебе? В Амстердаме этих баров и кафе — чертова прорва, а ты, значит, совершенно случайно заявляешься именно туда, где можно наломать больше всего дров. Ну все, хватит мне вкручивать! Чтобы завтра первым утренним рейсом выметалась оттуда. Чтобы духу твоего там не было! А еще лучше, если вылетишь сегодня вечером.

— Я пошла туда, потому что там часто бывала Аннека! — Терпение Джини лопнуло. — И на хрен мне нужны были все твои контакты! Ты хочешь знать, что произошло? А то, что у меня появилась нить! И я последовала за ней. И в конце концов, тебе этот материал нужен или уже нет?

— Нужен. Больше, чем ты можешь представить...

— Вот и прекрасно! Мне тоже нужен. Мне нужно разыскать этого Стара. Разыскать Майну. И я сделаю это гораздо быстрее, если ты не будешь постоянно дышать мне в затылок.

— Но это щекотливое дело. Крайне щекотливое. И если у тебя появилась зацепка, ты могла бы позвонить мне. Но нет! Тебе обязательно нужно сразу же начать суетиться, вынюхивать что-то. Ты хоть понимаешь, что ты наделала? Ты скомпрометировала меня! Ты послала к черту все мои инструкции, хотя я растолковал тебе все до последнего слова. Ты поставила под угрозу человека, с которым я знаком. И вот блестящий результат: на грани срыва не только этот материал, но и другие...

— Черта с два! — Джини перешла на крик. — Не знаю, что тебе наплел твой драгоценный источник, но в Лондон я не вернусь, — отрезала Джини. — Я продолжу расследовать эту историю. Своим умом, своими способами. А пока, Роуленд, у тебя есть время подумать над тем, как ты будешь передо мной извиняться.

— Что-что ты сказала?

— Что слышал. И пошел ты... Вообще, кто ты такой — господь бог? «Делай то... Этого не делай... Звони каждые пять секунд...» Так ни один дурак в мире работать не согласится.

В трубке наступило молчание. Когда Роуленд заговорил снова, его голос звучал холодно и вежливо.

— Нет, все-таки, наверное, придется попытаться еще раз. Не знаю, в чем проблема, но до тебя мои слова почему-то до-

ходят с сильным опозданием. Ты снята с материала. Это тебе ясно? И, учитывая сложившиеся обстоятельства, я очень сомневаюсь, что ты когда-либо еще будешь работать на меня. У меня и раньше были на этот счет сомнения, а теперь, видя, как ты орудуешь...

— Что? — Что-то едва уловимое в его тоне заставило Джини застыть в напряжении. — Я — орудую?

— Я думал, что хорошо разбираюсь в людях. Но теперь-то я вижу... — Его голос снова наливался звенящей злобой. — Я вижу: все эти твои извинения, вся эта сопливая история, рассказанная мне в машине, об утраченной уверенности в собственных силах — все это туфта! Ты использовала меня, чтобы этот материал был поручен именно тебе. Точно так же ты использовала Паскаля Ламартина, чтобы попасть в Боснию. Но зачем ты это сделала? В этом не было необходимости.

— Что ты сказал? — Джини медленно превращалась в глыбу льда. — Я использовала Паскаля? Как ты смеешь? Как смеешь говорить мне подобное?

— А разве это не так? Прекрасно. Значит, я ошибся. Послушай, мне тут некогда. В общем, как мы договорились, ты садишься на самолет, отправляешься...

— Нет уж, подожди и не вздумай бросать трубку. Сейчас ты все мне объяснишь. И нечего изображать из себя большого начальника. Все-таки права была Линдсей. Говорила мне, что ты хам. Да что ты знаешь о моей поездке в Боснию? Узнал бы, прежде чем говорить. Хоть Макса спросил бы...

— Уже спросил. Ты же знала, что он ни за что не согласится отправить тебя в Боснию, не так ли? Чего ты только не испробовала, даже с «Таймс» его стравить пыталась, и когда все это не помогло, послала своего дружка, чтобы он заключил сделку к твоей выгоде...

— Что я сделала? Неправда это! — Джини с трудом удерживалась от того, чтобы не завопить во все горло. — Ты питаешься сплетнями, гнусной ложью...

— Это не сплетни. — Он тоже повысил голос. — Я никогда не слушаю бабьих пересудов. Я точно знаю: Ламартин заключил с Максом сделку. Максу позарез нужны были от Ламартина фотографии, и когда Ламартин выразил согласие работать на нас при одном условии, что там же будешь и ты, Макс сдался. Он мне сам говорил, что в противном случае ни в жизнь не послал бы тебя туда. И был бы абсолютно прав, судя по тому, что ты вытворяешь сейчас.

— Паскаль не мог пойти на это! Как ты смеешь! Ты же совсем меня не знаешь. И Паскаля не знаешь. Паскаль ни за

что не стал бы ставить подобного условия. Он настоящий профессионал — в отличие от тебя.

— Совершенно верно. Как верно и то, что ты настоящая актриса. Тебе отлично удалось одурачить его, заставив сделать то, что нужно было тебе. Ты и меня одурачила. Так что прими искренние поздравления, Джини, ты поистине великая актриса.

— А ты — сволочь! Лживая сволочь и ханжа вдобавок! Я... — Она осеклась на полуслове. Из трубки доносились гудки. Макгуайру хватило и пары ее ругательств.

* * *

Джини положила трубку. Дрожь все еще била ее. «Неправда, все это неправда, — попыталась она убедить себя. — Паскаль не мог пойти на это».

Однако уже в следующее мгновение в ее сознание пробралась беспощадная мысль о том, что не так уж это невероятно, как может показаться на первый взгляд.

Ее квалификация, ее опыт, годы борьбы за то лишь, чтобы получить подобное редакционное задание, оказались пылью. Ее направили туда всего лишь как подружку Паскаля, в качестве платы за его услуги. Столь глубокого унижения она не испытывала еще ни разу в жизни. Интересно, многие ли посвящены в эту тайну? Не может ли оказаться, что до сих пор это оставалось тайной только для нее, в то время как остальные — репортеры, редакторы отдела обозревателей, отдела новостей, их помощники и секретарши — давно уже в курсе дела? И презирают ее точно так же, как Макгуайр... Шушукаются, хихикают за ее спиной.

Может, он и в самом деле думает, размышляла Джини, что она откажется от материала и, поджав хвост, помчится в Лондон? Не дождется. Все важные зацепки в этом расследовании, за исключением Митчелла, найдены ею. К тому же именно ей удалось разговорить Митчелла, именно ей удалось завоевать доверие Фрике, и именно она напала на парижский след. Джини думала об Эрике ван дер Лейден. Разговор с этой женщиной был для Джини самым важным доводом в пользу продолжения работы — важнее всего, что мог сказать ей Роуленд Макгуайр. Не могло быть и речи о том, чтобы отказаться от расследования в этот важный момент.

Не колеблясь ни секунды, Джини позвонила в гостиничную службу и попросила заказать билет на ближайший авиарейс в Париж. Оказалось, что самолет вылетает через сорок

пять минут, и если она поторопится, то может еще на него успеть. Гостиничная компания, которой принадлежал отель, Джини вычитала это в рекламном проспекте у себя в номере, имела филиал и в Париже.

— Не могли бы вы направить туда факс, чтобы мне был забронирован номер? — попросила она служащего.

И здесь вышла первая загвоздка.

— К сожалению, невозможно, — ответил клерк. Как выяснилось, им постоянно приходится сталкиваться с такой проблемой. Не только их отель, но и все другие большие гостиницы в Париже были забиты.

— Видите ли, — вкрадчиво объяснил служащий, — все это из-за показов коллекций мод.

— Понимаю, — сказала Джини. — Не беспокойтесь, я сама все улажу.

Она набрала номер парижского отеля «Сен-Режи», где, насколько ей было известно, на период показов в нескольких номерах и апартаментах должны были разместиться Линдсей и остальная команда. Линдсей на месте не оказалось — наверное, носилась где-нибудь. Джини перебрасывали с телефона на телефон, однако ее подруга оставалась неуловимой. Впору было бросить трубку, и тут ей неожиданно дали помощницу Линдсей — Пикси.

Пикси, которая обычно отличалась кипучей энергией и деловитостью, на сей раз казалась растерянной и усталой. Джини явственно слышала, как где-то рядом с Пикси надрываются телефоны, озабоченно галдят и шаркают ногами люди. Джини начала было распространяться о своих трудностях, но после нескольких слов запнулась, поняв, что Пикси плачет.

— Попробую, — всхлипнула Пикси. — Сделаю все, что в моих силах, но не обещаю... Пусть подождет, уже иду... Извини, Джини, по другому телефону Макс звонит. Я пытаюсь разыскать Линдсей, она где-то с Марковым ходит. И ничего еще не знает. Об этом только что агентства сообщили, сейчас тут ад кромешный. Сама не понимаю, что это со мной творится. Ведь я ее не знала, а кажется, будто это с моей знакомой случилось...

— Что случилось, Пикси?

— Так ты тоже не знаешь? А я думала, ты из-за этого звонишь...

— Что случилось?

— Мария Казарес... Она умерла.

* * *

Не теряя времени, Джини помчалась в аэропорт. Она вскочила в самолет за пять минут до взлета и, только когда уже находилась в воздухе, смогла хоть немного собраться с мыслями. Где и отчего умерла Казарес? Ничего этого Пикси не знала. Ей было известно лишь, что смерть наступила сегодня и вследствие естественных причин. Таковы были официальные сообщения.

— О номере я похлопочу, не беспокойся, — пообещала Пикси напоследок. — Господи, Джини, ты себе не представляешь, что здесь творится!

Джини как раз отлично представляла себе это. Она представляла, что могло послужить причиной этой внезапной смерти. Могла предположить и ближайшие последствия. В самом скором будущем весь Париж превратится в гигантскую цирковую арену, куда отовсюду устремятся звезды первой величины и шуты рангом помельче — из Америки, из Великобритании, со всей Европы. Когда умирает лев, шакалы не медлят.

Каждые десять минут Джини поглядывала на часы. Полчаса до посадки, двадцать минут... У нее была с собой только ручная кладь, а значит, если повезет и удастся быстро поймать такси, то уже через тридцать минут после таможни она сможет быть в отеле. Однако стоило ей только все рассчитать, как начались проблемы. Аэропорт имени Шарля де Голля не давал посадки, и авиалайнер минут тридцать наматывал круги. Когда же Джини добралась до стоянки такси, то увидела там длиннющую очередь. Путешествие из аэропорта оказалось сущим мучением — центр Парижа был забит машинами. Взбежав по ступенькам отеля «Сен-Режи», она ворвалась в вестибюль. И остановилась как вкопанная.

Судя по всему, Роуленд Макгуайр, добираясь сюда, не испытал и десятой доли тех трудностей, которые выпали на долю Джини. При ее появлении он быстро встал с дивана. Она попыталась проскочить мимо него. Однако Роуленд, загородив дорогу, поймал ее за руку.

— Что так задержалась? — бесстрастным тоном осведомился он.

Бросив на него горящий бешенством взгляд, Джини попыталась вырвать руку из его цепких пальцев.

— Не прикасайся ко мне, — прошипела она.

— Послушай, давай-ка не будем тратить времени попусту. — Он стиснул пальцы еще сильнее и поволок ее к лифту. — Предлагаю подняться в наш номер...

— Как ты сказал?

— В наш номер. Три телефона, два факса. По сути дела, это апартаменты. Одна кровать, один диван. Будучи джентльменом, я выбираю диван...

— Выпусти руку, черт бы тебя побрал...

— Впрочем, сомневаюсь, что нам удастся выспаться. Французская пресса уже взяла старт, и я не намерен отставать. Нажми кнопку «восемь». Это наш этаж.

— Пошел к черту!

— Прямо по коридору первая дверь направо... Вот здесь. Ну как, нравится? Это был последний номер такого класса в Париже, мы еле успели снять его. «Корреспондент» заплатил за него шесть тысяч франков сверх официальной цены. А теперь... — Он закрыл за собой дверь. — Я хотел бы, чтобы ты выслушала меня.

— Выпусти меня отсюда. — Джини двинулась на него с лицом, исказившимся от гнева и испуга. — И ты в самом деле думаешь, что я теперь соглашусь работать с тобой? Пошел прочь! Я не то что работать, в одной комнате с тобой находиться не хочу. Ты подлец!

И Джини изо всех сил отвесила ему пощечину. От возбуждения она даже встала на цыпочки, и удар получился хлестким — на щеке Роуленда запылали следы ее пальцев. Одновременно из глаз Джини брызнули слезы. Она отступила, стараясь унять дрожь в голосе.

— Прошу тебя, Роуленд, уйди. Мне больше нечего сказать тебе. Выпусти меня отсюда.

— Нет, — холодно прозвучало в ответ. — Я не сделаю этого. — Он выдержал короткую паузу. — Не уверен, что смог бы, если бы даже захотел.

— Что? — протянула Джини и осеклась. Внезапно Макгуайр будто заново открылся перед ней. Она увидела его по-настоящему, словно сквозь объектив, который, мгновенно изменив фокус, вдруг выхватил лицо этого мужчины крупным планом. То, что какую-нибудь минуту было длинной размытой тенью, стоящей между нею и дверью, превратилось в конкретного человека. На нем был плащ, старый твидовый костюм — один из его любимых, повседневных, белая рубашка с расстегнутым воротником и небрежно завязанный зеленый галстук. Когда он тащил ее в лифт, в нем была какая-то мрачная веселость. Теперь он был никакой — ни весел, ни зол. Его, по-видимому, не волновала даже полученная оплеуха.

Джини видела отпечаток собственной ладони на скуле Роуленда. Это красное пятно только подчеркивало его блед-

ность. И решимость в его лице. Сейчас он с величайшей серьезностью рассматривал ее. Его зеленые глаза глядели твердо и прямо. Роуленд казался спокойным и собранным. Потупившись, Джини попыталась оценить собственные шансы на прорыв. Преодолеть такое препятствие представлялось задачей не из легких. Подняв голову, она встретила пристальный взгляд зеленых глаз и сразу же почувствовала реальную опасность.

Они стояли очень близко друг от друга. Он смотрел на нее, чуть опустив голову. Она смотрела вверх, на его лицо. И в этот напряженный момент вражды, беспокойства и бешенства, когда подобного меньше всего можно было ожидать, Джини почувствовала, как между ними образуется нечто вроде дуги электрического напряжения. Это не было похоже ни на одно из известных ей ощущений, во всяком случае, тех, которые только что владели ею. Это было приступом сексуального желания, настолько внезапным и острым, что она, не удержавшись, вздохнула глубоко и шумно.

Желание требовательно пульсировало в ней. По лицу Роуленда она видела, что он испытывает то же самое. Взгляд его глаз стал еще более пристальным, а затем удивленным, будто это чувство и его застало врасплох. Не сговариваясь, они отступили друг от друга.

Джини бросила взгляд на дверь, которая была прикрыта, но не заперта. Роуленд Макгуайр отошел в сторону. Убежать теперь не составило бы труда. Она сделала шаг по направлению к двери, однако в следующую секунду замерла в нерешительности. Роуленд положил руку ей на плечо и тут же отдернул, словно обжегшись. Джини с удивлением ощутила, что гнев в ее душе улегся.

— Откуда ты узнал, что я должна приехать?

— Позвонил тебе в отель в Амстердаме. Мне сказали, что ты вылетела в Париж. Как оказалось, каких-нибудь четверть часа назад. — Его глаза по-прежнему были устремлены на ее лицо. — Я звонил из машины по пути в аэропорт, уже направляясь сюда. Кому-то ведь надо все это освещать. Тебя я, по сути, уволил, вот и остался единственным, кто достаточно знаком с темой. Я собирался извиниться перед тобой, попросить тебя приехать сюда, ко мне. Я хотел... — Он ненадолго умолк. — В твоей гостинице мне дали понять, что тебе в Париже негде остановиться. Поняв, что ты попытаешься связаться с Линдсей, я позвонил сюда и поговорил с Пикси. Так что выследить тебя оказалось не таким уж трудным делом. Каким рейсом ты вылетела, я знал. Вот и приехал прямиком сюда. Нашел номер. Позвонил в несколько мест. И начал ждать.

— Когда ты узнал о смерти Марии Казарес?

— Через несколько минут после нашего разговора. А за час до этого слух о ее кончине передал мне один мой здешний приятель-репортер. Как только я положил трубку, поговорив с тобой, он позвонил мне снова. Не прошло и пяти минут, как эту весть отстучали информационные агентства.

— Значит, слух об этом дошел до тебя еще перед тем, как мы поговорили?

— Да. И еще у меня было два очень трудных разговора с моим источником в Амстердаме. Одно на другое наложилось. Но это, конечно, меня не оправдывает.

Между ними опять повисло молчание. В подчеркнуто спокойной и четкой речи Роуленда все же можно было уловить эмоции. Джини колебалась.

— С чего это вдруг тебе захотелось извиниться?

— От осознания всей мерзости своего поведения. Я хочу, чтобы ты знала: мне очень стыдно за то, что я так напустился на тебя.

— То, что ты говорил, было неправдой, — решилась наконец Джини. — Насчет «Антики». Насчет Паскаля.

По тому, как сжался в жесткую линию рот Макгуайра, было видно, что и он понял это. Джини произнесла имя Паскаля, которое в сложившейся обстановке должно было служить гарантией ее безопасности.

Но на деле все получилось совершенно иначе. Вместо того чтобы обрести силу, Джини вдруг вконец раскисла. Неуверенность и горечь овладели ею. Джини ни до чего больше не было дела. Ей нестерпимо хотелось почувствовать прикосновение мужских рук.

— Не надо, — забормотала Джини, когда Роуленд начал приближаться к ней. «Только бы не притронулся, — испуганно повторяла она в душе словно заклинание, — только бы не притронулся, и тогда я спасена». — Нет-нет, это ничего. Это во мне оскорбленное самолюбие говорит, но это обязательно пройдет...

Роуленд не стал опровергать эту очевидную ложь. Он вообще ни о чем не говорил. Он просто притянул ее к себе за руку. Посмотрев в лицо Джини, мокрое от слез, Роуленд Макгуайр заключил ее в объятия. После долгих недель воздержания прикосновение к мужскому телу подействовало на нее как удар молнии. Оглушенная, Джини блаженно уткнулась лицом в его грудь, слыша, как возбужденно стучит сердце мужчины. Вначале она почувствовала себя защищенной,

потом в ней заявила о себе потребность любить. Человеческое тело тоскует по любви не меньше, чем разум. И даже краткий миг в объятиях мужчины стал для Джини истинной отрадой. У нее было такое ощущение, словно она долгое время вела изнурительную борьбу сама с собой, а теперь обязанность сражаться неожиданно отпала. Наконец-то она была свободна!

Затем в мозг Джини исподволь начало проникать осознание того, что ее обнимает не просто какой-то мужчина. Этот мужчина имел вполне осязаемые отличия — сильный, немного выше Паскаля. Мужчина, у которого все — тело, жесты, прикосновения — было так ново для нее, так необычно. Она с ясностью ощутила, как напряглась и затвердела его плоть от ее прикосновений, как осторожно легла на ее поясницу рука, не решающаяся еще продемонстрировать свою силу.

Неожиданный телефонный звонок вернул Джини к реальности. Телефон звонил где-то в сумраке, за ее спиной. Ни Джини, ни Роуленд не сдвинулись с места. После пятишести звонков телефон замолк, но потом затрещал вновь.

Вздохнув, Роуленд провел ладонью по ее шее, а затем приподнял лицо Джини за подбородок. Она бесстрашно встретила твердый взгляд зеленых глаз. Это были глаза мужчины, способного быть смелым до безрассудства, готового идти на риск в любой момент, когда того требуют обстоятельства. Джини почувствовала, как он нетерпеливо потерся о нее, и ответный трепет охватил ее собственное тело. Но даже сейчас, когда им обоим, казалось бы, уже не было дела до последствий, когда от безумной страсти мысли путались в голове, он благородно оставлял за ней право выбора.

— Настоящие события только начинают разворачиваться, — произнес Роуленд. — Кто-то может звонить со срочным сообщением. Хочешь ответить?

— Нет, не хочу, — честно ответила она.

— И я не хочу, — откликнулся Роуленд.

Итак, главные слова были сказаны. Теперь от былой нерешительности в нем не осталось и следа. С неожиданной горячностью он прижал ее к себе. Под звонки телефона Роуленд начал исступленно целовать ее волосы, глаза и наконец — губы. Желание было слишком сильным, а потому все произошло с молниеносной быстротой: Джини раскрыла рот навстречу его жарким поцелуям, вскрикнула, когда его ладони прикоснулись к ее грудям... Потом перестал звонить телефон, а Роуленд наконец запер дверь.

* * *

Прошло немало времени, прежде чем Джини выскользнула из кровати.

«Секс чем-то похож на боль, — пришла ей в голову мысль. — Нет его — и забываешь, какую страшную силу он может обрести над тобой». Джини тихонько проскользнула в ванную и замерла перед огромным зеркалом. Теперь в зеркале были видны все последствия этой «страшной силы»: ее отпечаток хранили распухшие губы, раскрасневшаяся кожа, все тело Джини — там, где его обнимали, трогали, стискивали руки Роуленда. Она нежилась в болезненной истоме, еще не прошедшей после недавней плотской близости. Бедра ее до сих пор были влажны. Она пахла сексом, источала секс, с наслаждением ощущала внутри себя последствия восхитительного землетрясения, имя которому — секс. Эти остаточные толчки внутри ее возникали при воспоминании о том, как Роуленд умело и ловко проделывал с ней сначала одно, потом другое.

Сначала одно, потом другое... Не в этом ли выражалась ее скрытая суть? Не это ли мера ее предательства? Вопреки непреклонной уверенности в собственной добродетели, вопреки всем обетам верности она тем не менее оказалась здесь, в ситуации, которая не могла ей привидеться даже в кошмарном сне. Да скажи ей кто-нибудь раньше о том, что такое возможно, она в лучшем случае подняла бы такого человека на смех. Но вот теперь она сама сделала этот выбор и, что самое страшное, получила величайшее наслаждение. Что только усугубляло степень ее падения.

И откуда только раньше бралась у нее эта наивная убежденность в том, что подобное может дать ей только Паскаль? Почему она была так уверена, что любовь изменяет саму природу полового акта, придавая ему силу и остроту, которых люди, занимающиеся сексом без настоящей любви, якобы просто не способны почувствовать? Ей подумалось, что с ее стороны это было чисто женской ошибкой, чисто женским заблуждением. Потому что ни один мужчина на свете не признается, что когда-либо думал так же, как раньше думала она. Однако все ее нынешние рассуждения отчего-то повисали в воздухе. А объяснялось все просто: то, что на первый взгляд казалось весомым доказательством, оказывалось на самом деле попыткой обелить себя. Джини не могла не видеть лживости собственных мыслей, глядя в зеркало на свое лицо. Она чувствовала свою неправоту нутром, еще хранящим остатки наслаждения от недавнего пиршества плоти. Предав любимого человека, Джини узнала себя с совершенно новой стороны — на редкость неприглядной.

Набрав воды, она забралась в ванну, а затем вернулась в спальню. Сквозь задернутые шторы в комнату проникал слабый свет. Роуленд Макгуайр лежал на спине, расставив локти и положив ладони под затылок. При ее появлении он повернул голову. Подойдя к кровати, Джини опустилась рядом с ним. Обнаженным он выглядел просто потрясающе. Его рельефное тело еще блестело от пота. Она потерлась щекой о твердое плечо Роуленда, прикоснулась губами к его коже, ощутив соленый привкус. Осторожно обняв Джини одной рукой, он притянул ее к себе. Его ладонь легла на ее бедро.

Близость в сочетании с безмятежностью и покоем — это ощущение тоже казалось новым. Джини было хорошо с Роулендом. Воспоминания о его страстных поцелуях и объятиях теплыми волнами омывали ее. И все же именно она решилась разрушить эту идиллию.

— Такое в жизни случается только раз, — проговорила Джини. — Так и должно быть — только один раз, не больше. Ничего подобного не случалось со мной в прошлом, не должно произойти и в будущем. Это было просто совпадение обстоятельств, случайность...

— Ошибка?

— Нет. — Она смотрела ему прямо в глаза. — Я так не сказала. Ни один из нас не стремился к этому намеренно, вероятно даже, вовсе не желал, чтобы это произошло. Но это случилось. И если мы никогда больше не будем вспоминать, говорить об этом... Лучше...

— Относиться к этому, как к какому-нибудь небесному явлению — затмению, например, или кратковременной аберрации?

— Не знаю... — Джини избегала прямого ответа. — Может быть. Аберрация... Как бы ты сам истолковал это слово? У него есть точное определение?

— Могу дать тебе словарное толкование: отход от правильного пути, отклонение от нормы.

— Вот-вот, — ухватилась она за подсказку. — То, чего ни один из нас не позволил бы себе, о чем даже не подумал бы в нормальных обстоятельствах.

— А разве обстоятельства были такими уж ненормальными? — Убрав руку, Роуленд сел в постели.

— Думаю, что да.

— Гостиничный номер. Мужчина и женщина. Неожиданный порыв. Что же здесь ненормально?

— Во всяком случае, так мне кажется. — Она отвела взгляд в сторону. — Я люблю Паскаля, Роуленд, и то, что произошло между нами, ничего не меняет.

Макгуайр бросил на нее острый, пытливый взгляд, но ничего не сказал. Взяв со стула свои вещи, он начал одеваться. Джини сидела, наблюдая за ним и нервно комкая в пальцах край простыни. Ее волновал вопрос, какой она сейчас предстала в его глазах: излишне наивной или неискренней? Очевидно, он счел ее склонной к обману. Эта мысль вызвала в ее памяти одну картину из прошлого, которую ей вовсе не хотелось бы вспоминать.

— Однажды меня уже предупреждали об этом, — взволнованно проговорила она. Роуленд, застегивавший ремень, обернулся. В глазах его было любопытство. — Меня предупреждал один мужчина. Как его звали, не имеет значения, тем более что его уже нет в живых. Он говорил мне: такие вещи случаются, и ничто тебя от них не спасет — ни чувство долга, ни моральные принципы, ни клятвы. Даже любовь. По его словам, люди еще не придумали защиты от...

— От чего?

— От всего этого, — удрученно обвела Джини рукою кровать. — От плотского желания. От влечения. От того, что тебя иногда так тянет к другому человеку, что напрочь забываешь об осторожности. Он предупреждал, как сильны бывают иногда такие порывы. Помню, я разозлилась на него. Сказала ему, что он заблуждается. — Она поднялась. — Это было год назад. Через несколько дней после нашего разговора его убили. А теперь я вижу, насколько он был прав.

— Что ж, пусть будет по-твоему, — сказал Роуленд неожиданно. — Итак, ничего этого не было. Всего лишь сон. Отступление от сценария. Фантазия.

— Именно так я и объясню все Паскалю, ладно? — пробормотала Джини, опасаясь посмотреть ему в лицо.

— А разве ты рассказываешь Паскалю о своих снах, грезах, фантазиях?

— Нет. Конечно, нет.

— Тогда и об этом лучше не надо.

— Значит, мне солгать?

— Да, солгать. Скорее, умолчать о правде.

Джини наконец осмелилась взглянуть на него. Но он стоял к ней спиной, лица его не было видно.

— А ты лжешь, Роуленд? Ты хорошо умеешь лгать?

— Просто отлично. Когда это необходимо.

— И мне солжешь?

— Естественно. Без малейших колебаний. Так, что ты

и не заподозришь ничего. — Он снова оглянулся на Джини и, к ее удивлению, вплотную подошел к ней. Забрав у нее блузку, которую она все еще растерянно держала в руках, Роуленд обнял ее за плечи. — Говорю тебе это только сейчас, больше ты от меня этого никогда не услышишь, — тихо произнес он, прижимая ее к своей груди и поглаживая по волосам. — Даю тебе слово: я никогда и никому не расскажу о том, что произошло сегодня вечером. Я никогда не буду говорить об этом, ни при каких обстоятельствах, ни с кем — ни с мужчиной, ни с женщиной. Обещаю тебе: никаких последствий. С нынешнего момента я буду относиться к тебе точно так же, как относился раньше, до нынешней ночи. И ты будешь так же относиться ко мне.

— Ты в самом деле сможешь?

— Да. Я хорошо умею скрывать свои чувства. Еще в детстве научился. И с тех пор совершенствовался.

— Чувства тут совершенно ни при чем. — Джини отстранилась от него. — Это только секс...

— Тем лучше. О сексе я забываю еще быстрее.

Отойдя от нее, он принялся собирать с пола предметы, оброненные ранее в горячке: бумажник, ключи... Его завидное самообладание, а также тон его реплик не могли не уязвить Джини, и она презирала себя за это. Ее теперешняя обида казалась ей красноречивым примером так называемой женской логики: начинать дуться, когда мужчина безропотно выполнил все твои условия. Стараясь не поддаваться этому постыдному чувству, она начала медленно одеваться.

Роуленд в это время уже стоял у одного из факс-аппаратов, читая накопившиеся послания. Джини не имела представления, когда пришла вся эта информация: до, во время, после?

— Все представительства фирмы Казарес закрыты на ночь. Ну естественно. — Он поднял глаза от глянцевого листка. — Может быть, они и не отвечают на телефонные звонки, но то, что работают, — это точно. Готовят официальную версию кончины Марии Казарес, которую надлежит огласить завтра. Лазар проводит пресс-конференцию. Здесь написано: вторник, одиннадцать часов дня.

Преодолевая неловкость, Джини постаралась попасть в тон:

— Значит, об обстоятельствах ее смерти ни слова?

— Нет. Сердечный приступ, внезапная остановка сердца — таковы были первые слухи. И с тех пор к ним не добавилось ничего нового. Никто так и не сказал определенно, когда и где она умерла. Но, уж во всяком случае, не в одном

из собственных особняков, как поначалу болтали, — тут сомневаться не приходится. Я успел навести кое-какие справки. Ее увезли на машине «Скорой помощи» в частную католическую больницу — клинику «Сент-Этьен». Марию Казарес и раньше там лечили. Хорошо бы теперь узнать, когда и откуда ее забрала «Скорая помощь».

— Если наши предположения верны, то она принимала «белую голубку». Но сколько — два дня, три?

— Думаю, что все-таки три. Однако это по-прежнему домыслы, которые, боюсь, домыслами и останутся. На разговорчивость врачей и прочих представителей клиники рассчитывать не приходится.

— А результаты вскрытия? Неужели они в конце концов не станут известны?

— Не знаю. Полагаю, здесь все зависит от Лазара, вернее, от степени его влияния. Слишком уж быстро опустилась завеса секретности.

— А показ коллекции? Она должна была лично появиться на нем в среду. Неужто отменят?

— Похоже на то. В любом случае узнаем завтра на пресс-конференции. Посмотрим, удастся ли что-нибудь разнюхать Линдсей. Я распорядился, чтобы ей передали, как только она объявится. Прохлаждается, наверное, где-нибудь вместе со своим Марковым. Должны бы сидеть сейчас в «Гран-Вефуре», но, видно, выбрали местечко поинтереснее. Не исключено, что Линдсей до сих пор ни о чем не знает. Хотя, если подумать... — Он обернулся в тот момент, когда Джини надевала жакет. — Ну что, может, попытаем счастья с твоей Шанталь? Есть основания надеяться, что у нее может находиться Стар. Да и Майна тоже. Улица Сен-Северин, говоришь?

— Да, это там, где церковь Святого Северина, что в Латинском квартале. Примерно в четверти часа езды отсюда. — Джини посмотрела на свои часы. — Но, Роуленд, сейчас пятнадцать минут двенадцатого...

— Понимаю, для визита поздновато. — Он пожал плечами. — Вместе с тем внезапность дает нам существенное преимущество.

— Скорее всего это ложный след. Разыскивая этого Стара, иной раз невозможно удержаться от мысли, что гоняешься за призраком. Кажется, уже приблизилась к нему, но всякий раз он растворяется как дым.

Сейчас они вдвоем стояли у двери. Роуленд нажал на дверную ручку, и Джини с чувством внезапной обреченности

подумала, что не сможет долго прожить в обстановке притворства.

Интересно, чувствует ли он то же самое? По его виду не скажешь... Но, прежде чем открыть дверь, Роуленд замешкался и медленно повернулся к Джини лицом. Теперь было отчетливо видно, как оно напряжено. Остановив взгляд на ее губах, он явно хотел ей что-то сказать, но не решался.

— Я хочу еще раз поцеловать тебя, — наконец с трудом выговорил он. — Понимаешь?

— Роуленд, не надо. Мы должны прекратить это, причем прекратить немедленно. Ты сам говорил...

— Да, говорил, — снова замялся он, а затем медленно поднял руку и полуобнял женщину, которую словно только что заново открыл для себя. — Ты мне только одно скажи, прежде чем мы уйдем отсюда. — Роуленд наморщил лоб. — Твоя прическа... Ты что, сама так постриглась? Зачем? И когда?

— Когда вернулась из Сараева. Мне было очень плохо. Хотелось что-то изменить в себе. И я избрала самый легкий путь, чисто женский: ничего не меняя внутри, изменила только внешность. Взяла маникюрные ножницы и откромсала себе волосы. Раньше они у меня длинные были. — Она подняла на него вопрошающий взгляд. — Что, ужасно выгляжу?

— Нет. Ты мне нравишься такая. Я почувствовал это еще в Англии, после встречи с Митчеллом. Именно тогда... Но это уже не важно. Нам пора.

На самом деле это было важно. Джини понимала это. Она знала, что понимает это и Роуленд.

— Ты мне тоже нравишься, — произнесла Джини. — И хочу, чтобы ты знал это.

— Надо поторопиться. Итак, улица Сен-Северин. Нам следовало быть там уже два часа назад. И на что только ушли эти два часа?

— Всего лишь небольшая заминка, причудливый выверт сюжета. Мы пренебрегли своими служебными обязанностями, — ответила Джини, когда они уже входили в кабину лифта. — Надо наверстывать упущенное.

Гостиничный вестибюль гудел от репортеров, как улей. Роуленд тут же нырнул в кучку знакомых англичан. Сперва он внимательно слушал, потом заговорил. Его голос был тих и спокоен, жесты уверенны.

— Что ты там делал среди них? — поинтересовалась Джини, когда он, выскочив из стеклянных дверей отеля, садился следом за ней в только что пойманное такси.

— Собирал информацию. Распространял дезинформа-

цию. Одним словом, вновь входил в образ. — Он задорн улыбнулся. — А ну-ка, Джини, напомни мне первое правил журналистики.

— А-а, знаю. Мне отец не раз о нем говорил. Именно о этом правиле ты недавно забыл. Узнай, проверь, перепрс верь.

— Это правило номер два, — метнул Роуленд в ее сторон острый взгляд. — А о первом мы забыли оба.

— Как же оно звучит?

— Всегда быть впереди стаи.

* * *

Улица Сен-Северин и так была коротенькой и узенькой но еще короче и у́же казалась оттого, что над ней нависал громада церкви. Тяжеловесные украшения церковных сте возвышавшихся над тротуаром, подавляли своим мрачны величием. Каменные химеры будто норовили просунуть гс ловы в окна домов на противоположной стороне улочки, гд тесно лепились друг к другу алжирские и марокканские рес торанчики, наперебой предлагавшие прохожим кускус и ке баб. Где-то в вышине, под шпилем, переливчато пробили ку ранты. Именно в этот момент Стар затащил Майну под тем ные своды храма. Внутри царили тишина и сумрак.

— Полдвенадцатого, — вполголоса объявил он. — Подо жди здесь. Без меня — ни шагу. Через десять минут вернусь самое большее — через пятнадцать.

— Можно мне с тобой, Стар?

— Нельзя. Косынку не снимай, держись в тени. — Стис нув обеими руками ладони девушки, Стар пронзил ее гипно тическим взглядом. — Ты очень нужна мне, Майна. Обеща же, что будешь ждать меня здесь.

Перебежав на другую сторону улицы, он исчез в непри метной двери, зажатой между двумя ресторанчиками. Майн глядела на дом, в который вошел ее спутник. Судя по всему над ресторанами размещались жилые комнатки. До их око от входа в церковь было рукой подать — не более пяти мет ров. Оконца, в которых горел свет, были задернуты тюлевы ми занавесками. В одном вспыхивали отсветы телевизора, другом двигался чей-то неясный силуэт. Больше ничего.

Девушка боязливо выглянула на улицу. В этих рестора нах должен быть телефон-автомат. Если Стар и в самом дел вернется только через пятнадцать минут, то можно дозво ниться до Англии. Денег у нее не было, однако можно был попробовать перевести стоимость звонка на счет того, ком

звонишь, хотя она и не знала точно, как это делается во Франции. Однако страх оказался сильнее. Нет! Стар непременно вернется, чтобы застукать ее как раз в тот момент, когда она направляется к телефону. Уж лучше подождать.

Она посмотрела на часы. Со времени его ухода прошло лишь две минуты. Весь вчерашний день и сегодня с утра он обещал, что позволит ей позвонить, но едва доходило до дела, как выяснялось, что что-то опять не так. То он просто говорит «нет», то ему надо дождаться какую-то подругу, то им вдвоем обязательно нужно идти куда-то на встречу с кем-то. Но куда и с кем, неизменно оставалось секретом. Ну вот сейчас, например, с кем он встречается? А днем? Какая-то старая карга, вся в черном, которая все время шаркала ногами и бормотала что-то себе под нос. И эта странная квартира — огромная, с затхлым воздухом, безумным количеством побрякушек и распятий на стенах.

Майна тихо сидела в углу, пока Стар и эта ужасная старуха переговаривались о чем-то вполголоса по-французски. И та во время разговора все поглаживала его по руке, заглядывала ему в глаза, готова была чуть ли не на колени перед ним встать, точно он для нее был каким-то божеством. При этом старая развалина постоянно твердила что-то о Марии. Это было единственное слово из их разговора, которое Майне удалось разобрать. Мария то, Мария се... Прежде чем отправиться на квартиру к старухе, Стар дал Майне покурить «травки». «Косяк» оказался крепким, однако на сей раз она не «улетела». Напротив, ей стало дурно.

В конце концов под странный воркующий говорок старухи Майна начала сползать со стула, точно зная, что в следующую секунду или потеряет сознание, или ее прямо здесь же стошнит. Подхватив подружку под руки, Стар, не скрывая раздражения, отволок ее в ванную. В этот момент он был зол как дьявол. Причина этого раздражения заключалась в старухе: все, что та говорила ему, вызывало у него бешеную злобу. Несмотря на головокружение, Майна сразу же поняла это.

— Старая глупая сука, — прошипел Стар, когда они вышли. — Вчера от завтра отличить не может. Все планы мне спутала. Завтра опять сюда переться.

— Но почему, Стар? — удивилась Майна, тут же испугавшись собственной смелости.

Однако на сей раз, проявив редкую снисходительность, он ответил:

— Потому что мне надо здесь кое с кем встретиться. С подружкой одной. Она должна была ждать меня здесь, но

ничего не получилось, поскольку эта старая кочерыжка вечно путает понедельник со вторником. Ну ничего, у меня еще есть время. — Стар внезапно остановился. — Вон ту аптеку видишь? Пойди купи там краску для волос. Вот, возьми. — Он сунул ей в руку деньги. — Да пошевеливайся, не тяни. Сам я не могу. Мужчина — и вдруг покупает краску, которой пользуются женщины. Меня там сразу запомнят. Лучше ты. Ну давай, живее.

Майна взяла деньги. В ее душе теплилась надежда, что в аптеке есть телефон. Но его там, как назло, не оказалось. Отыскав пакетик с нужной краской, она расплатилась в кассе. В голове ее возник вопрос, не была ли подругой Стара, с которой он должен был встретиться, женщина, виденная ею в аэропорту, — та, которую он назвал Марией Казарес. Выйдя из ванной в старухиной квартире, Майна из любопытства заглянула в спальню. Эта спальня была похожа больше на святилище — там стояла огромная кровать, покрытая розовым шелковым одеялом на пуху, и повсюду были фотографии Марии Казарес. Этих фотографий были десятки, и торчали они везде — на столах, комодах, стенах комнаты.

«Хотя нет, — мысленно поправила себя Майна. — Мария Казарес не друг Стару. Она его враг. Он сам говорил».

Стоять на пороге церкви было зябко. Стара не было уже пять минут. Девушка бочком выскользнула наружу и крадучись пошла через улицу, готовая в любой момент шмыгнуть обратно. Запахи жареного мяса и пряностей пьянили ее. Прильнув к витрине ресторана, она только сейчас осознала, что умирает с голоду. Стар никогда не хотел есть. По крайней мере не говорил об этом. Прошло уже несколько часов, с тех пор как они ели в последний раз. В зеркале рядом с дверью ресторана, очень близко от себя, Майна увидела странную девицу и вздрогнула. До нее не сразу дошло, что эта девушка, вид которой так потряс ее, — она сама. Майна ошеломленно глазела на собственное отражение. Слезы готовы были брызнуть из ее глаз. Стар собственноручно постриг ее, а потом она покрасила себе волосы. Когда краска высохла, он позволил ей всего секунду поглядеться в ручное зеркальце, а потом несколько минут приговаривал, какой она стала красавицей. Он казался очень довольным.

«Хороша красавица», — с горечью подумала Майна. Наоборот, сейчас она выглядела настоящей уродиной. Краска взялась не очень хорошо, и волосы Майны приняли вульгарный оттенок ржавчины. Они пучками сухой, обгоревшей травы торчали на голове во все стороны. Майна была похожа на беженку, изгоя... Отшатнувшись от зеркала, она броси-

лась обратно, плотнее укутывая голову косынкой. Что, если сейчас кто-то обратил на нее внимание? Их и так видели сегодня днем, через пять минут после того, как они вышли от той старухи. К счастью, это был не policier[1]. От блюстителей порядка Стар всегда предпочитал держаться подальше — едва завидев человека в форме, он старался бесследно исчезнуть. Их видел мужчина в обычном костюме, в обычном «Ситроене» без каких-либо опознавательных знаков. Притормозив, мужчина позвонил по мобильному телефону и, продолжая разговаривать, вылез из машины.

Однако они уже неслись прочь, не чуя под собой ног. Огибали углы, ныряли в подворотни, забегали в какие-то лавочки, таились, потом опять выскакивали наружу, путая след в лабиринте узких улочек... Когда они наконец остановились, Майна задыхалась. Стар был бледен как смерть, даже губы посинели.

— Видела его? — вцепился он ей в предплечье. — От них тут спасу нет! Полиция, сыщики. Он видел твои волосы. Я заметил, как он смотрел на тебя. Нужно снова что-то делать. — Стар крепко обнял ее. — Майна, ты знаешь, что они сделают со мной, если поймают нас вдвоем? Они посадят меня в тюрьму!

Майна попыталась уверить его, что не позволит им сделать этого. Она объяснит им, что добровольно пошла за ним. Но Стар не слушал ее. Он спешно притащил ее обратно на чердак со знакомой кроватью под лоскутным покрывалом и заставил немедленно перекраситься. Пока Майна красила волосы, Стар напряженно сидел за столом в углу. Он даже не позволил ей воспользоваться ванной — а вдруг кто-нибудь из соседей заметит следы краски и заподозрит неладное! Поэтому ей пришлось красить волосы над тазиком, в то время как Стар восседал на стуле, осыпанный рыжими локонами и завитками, которые сам состриг с ее головы. Они были повсюду — на столе, на полу. Но он, казалось, не видел их. Он читал Таро, раскладывая карты: крепость, влюбленные, повешенный, дама денариев, король кубков. Его прекрасное лицо потемнело. По этому лицу Майна смогла безошибочно определить: карта — дрянь. И то, что произойдет следом, она тоже знала: Стар в ярости смахнет карты на пол и с размаху запустит стулом в противоположную стену... Стул с оглушительным треском развалился на части.

— Поторапливайся! — Стар рухнул на кровать и уставил-

[1] Полицейский в форме (*фр.*).

ся в потолок, сжимая и разжимая пальцы. — Иди сюда. Поговори со мной. Погладь мне лоб.

Майна сделала все, как он велел. Она робко подползла к нему и погладила его волосы, лицо.

— Что-то не так? Может, скажешь мне, Стар?

— Карта была плохая. — Он поймал ее руку. — Не понравилось, как легла. Ты, главное, не останавливайся, Майна. Только ты умеешь так гладить меня. Ты обладаешь настоящим даром умиротворения. Погладь меня нежно-нежно. Вот так. Вот так...

Майна продолжала гладить его лоб. Ее душу наполняла гордость, к которой все же примешивался страх: сейчас от Стара можно было ожидать чего угодно. Ей было холодно — волосы еще не высохли, тоненькие ручейки текли с них на плечи и на рубашку. Прошло немало времени, прежде чем это произошло: она почувствовала, как Стар вдруг напрягся, и снова она определенно знала, что последует теперь. Обхватив ее за талию, Стар открыл глаза и уперся в нее долгим немигающим взглядом. Казалось, он смотрит ей прямо в душу, видит ее насквозь. Его лицо застыло словно маска, ни один мускул не выдавал движения жизни. Потом Стар отвел ее руку от своего лица и положил себе на грудь, опуская все ниже, пока не прижал к паху.

Майна поняла, чего он от нее хочет. Накануне он уже показывал ей, что нужно делать в таком случае. Ей надлежало гладить бедра и пах Стара, снова и снова шепча его имя. Его глаза закрылись. Это был знак: пора расстегнуть на нем джинсы и высвободить пенис. Стар называл эту часть тела более коротким термином, который заставлял Майну краснеть от стыда, потому что, кроме Стара и Кассандры, среди ее знакомых не было никого, кто столь открыто и бесстыдно употреблял бы это словечко. К счастью, самой ей не приходилось произносить его вслух — ее задачей было только бережно массировать то, что это слово обозначало. И еще постоянно произносить имя Стара, шепча его легко, с придыханием. Лежать надо было тихо и спокойно в ожидании, когда он скажет: хватит.

Когда он в первый раз просил, даже уговаривал ее сделать это, Майна подумала, что таким, наверное, бывает иногда начало сексуальной близости. Сама она полагала, что это начинается с поцелуев, но, по-видимому, некоторым мужчинам нравилась иная прелюдия. Тогда Майна попыталась уверить себя в том, что знает, каким будет следующий шаг. Все должно было произойти так, как о том рассказывала Кас-

сандра. К тому же в школе эта тема была буквально разложена по полочкам.

Но ни учебники, ни рисунки ничего не стоят, когда от теории переходишь к практике. Должно быть, она перевозбудилась и слишком нервничала, а потому допустила какую-то техническую ошибку. Как бы то ни было, когда Майна расстегнула джинсы Стара и взяла в руку его плоть, даже когда начала нежный массаж, ничего не произошло. Стар по-прежнему лежал с закрытыми глазами, и она понемногу осмелела.

Сначала Майна гладила его поджарый живот, потом запустила пальцы в темные лобковые волосы. Ее указательный палец робко коснулся члена, который поразил ее своими размерами и нежной кожей. Взяв его в руку, она испытала восторг — ей захотелось даже нагнуться и поцеловать его, потому что любовь к Стару, к тайнам его тела переполняла ее. Однако она не решилась на это. Майна продолжила массаж и, кажется, в какой-то момент была даже близка к успеху: мягкая плоть как будто встрепенулась, однако слабый проблеск жизни тут же угас, и все осталось по-прежнему. Ею начинало овладевать отчаяние.

— Он у них встает, — поучала когда-то ее Кассандра. — Встает, как риф из моря. Люблю смотреть на это. Смотришь и чувствуешь свою силу. Поверь, Майна, это просто класс.

Так в чем же она ошиблась? Майна тихонько заплакала, стараясь не показывать слез. Она наконец поняла, в чем было дело. Стар не любил ее, он даже не испытывал к ней ни малейшего влечения. А она оказалась просто неуклюжей дурой — не смогла пробудить в нем желания.

— Стар, — прошептала Майна, когда эта пытка стала невыносимой. — Скажи, Стар, что-нибудь не так? Ты не этого хочешь?

Стремительно поднявшись, Стар сел в постели. Его движения были быстрыми и плавными, как у кошки. Отведя руку, он с размаху ударил Майну по лицу изо всех сил. Удар получился настолько мощным, что она слетела с постели и ударилась о стену.

Майна скрючилась на полу, боясь плакать. Стар рывком заставил ее подняться. Он весь трясся от ярости, в глазах его мерцал огонь, вселявший в нее ужас.

— Все так, — сказал Стар, с силой встряхнув ее. — Все в полном порядке, ты поняла меня? Ты думала, мне секс нужен? — встряхнул он ее еще раз. — Думала, мне трахнуться с тобой охота? Так знай же: ничего этого мне не надо. Это только ничтожествам нужно.

И тогда Майна дала волю слезам. Слезы душили ее, голова болела от удара, но больнее всего было оттого, что он не понял ее и не хотел понимать.

— Но я же люблю тебя, Стар, — прошептала она сквозь всхлипывания. — Люблю так сильно. Вот и подумала, что ты, наверное, хочешь моей любви. Если бы ты только захотел, то я не задумываясь...

— А ты это делала когда-нибудь? Хоть однажды? — Стар встряхнул ее в третий раз. И когда Майна, заливаясь слезами, пробормотала «нет», он обнял ее и начал покачиваться вместе с нею взад-вперед.

— Вот и хорошо, — нежно бормотал он. — Очень хорошо, Майна. Ты должна понять: мы не такие, как все. Мы — особые. И то, что между нами, — особое, не такое, как у обычных людей. Мы общаемся, Майна. Именно общаемся, а не трахаемся! Мы общаемся глазами, разумом, душой. Вот какая связь существует между нами, Майна. Вот чего я хочу.

От удивления Майна перестала плакать и уставилась на него. Его лицо в самом деле было необычным, оно буквально излучало убежденность. После этого и слова его показались ей необычными — самыми странными и прекрасными из всего, что было сказано на земле за всю историю человечества. Однако тут же в душе Майны пропищал тонкий предательский голосок сомнения: а не говорил ли он того же кому-нибудь еще, до нее?

Впрочем, не прожив и секунды, это подозрение бесследно исчезло. Стар снова был сама доброта и мягкость. Заключив Майну в объятия, он осыпал поцелуями ее лицо, утверждая, что она самая замечательная и прекрасная из всех, кого ему приходилось встречать на жизненном пути. И Майна верила, верила всей душой огню в его глазах и взволнованной дрожи в голосе. С тех пор вспышек бешенства больше не повторялось — только намеки на недовольство, вроде рокота еще не пробудившегося вулкана. Однако и этих намеков было достаточно, чтобы понять, какая страшная, яростная сила скрывается внутри этого человека.

«Ему больно, — сочувственно размышляла Майна, торопливо ныряя обратно в сумрак храма. — Так больно, что эту боль ничем не уймешь — никакими поглаживаниями, никаким шепотом». В последнее время не помогала даже игра с оружейным каталогом, которую он когда-то так любил. А ведь раньше, стоило ему блеснуть познаниями в этой области, и настроение у него сразу же поднималось — как минимум на час.

Майна поднесла часы вплотную к глазам. С момента

ухода Стара прошло уже почти двадцать минут. Ей внезапно стало страшно, что он не вернется, что она надоела ему и он решил ее здесь бросить. Она подняла глаза на освещенное окно, но там по-прежнему никого не было видно. В конце улочки только что притормозило такси. Майна слилась с тенью — сейчас она была пленницей любви и страха, мучительных переживаний и неопределенности. Сочетание этих обстоятельств — самое мощное оружие в руках мужчины, когда он хочет добиться от женщины покорности. Но Майна не знала этого.

К счастью, менее чем через минуту муки ожидания закончились. Из груди девушки вырвался вздох облегчения: на противоположной стороне улицы застыл, появившись из двери, Стар. Майна устремилась ему навстречу, туда, где на мостовую падал свет из ресторанных витрин, но остановилась, завидев двух человек, вышедших из такси. Эти двое — мужчина и женщина — уже шли в ее направлении. Они разглядывали номера на дверях домов и переговаривались по-английски.

Стар, обычно такой осторожный, казалось, не видел их. Он остановился, только когда подошел к ней, но и после этого смотрел на нее так, словно она была сделана из стекла. Можно было подумать, что он рассматривает сквозь нее стену церкви. По его лицу струились слезы.

— Стар, слушай, вон те люди — англичане, — прошептала Майна, схватив его за руку. — Давай отойдем в сторонку, а то тут слишком светло.

Однако он не сдвинулся с места. Казалось, он не слышал ее. Мужчина и женщина были уже совсем близко, метрах в десяти. Перепуганная насмерть Майна попятилась обратно к церкви, таща за собой Стара. Он издал какой-то звук — страшный, похожий на низкий стон. Майна никак не могла нащупать дверную ручку, но наконец нашла ее и открыла дверь.

— Не надо, Стар, миленький. Не надо, — снова горячо зашептала она, прикрывая его рот своей ладонью. Сама трясясь от страха, Майна буквально втолкнула его внутрь и захлопнула за собой дверь. Церковь была пуста. Лишь несколько свечей, мерцающих в глубине, освещали ее. Стар обессиленно привалился спиной к двери и сполз вниз. Майна стояла, затаив дыхание. Ее внимание было сосредоточено на звуке доносившихся с улицы шагов и на Старе, сидевшем на корточках, уткнувшемся лицом в ладони. Звук шагов неожиданно смолк.

— Вот он, этот дом, — проговорил мужчина. Сейчас его

слова отчетливо доносились до слуха Майны. — А вон и те окна — с тюлевыми занавесками. Кто-то там есть: свет горит и телевизор работает.

Майна замерла, прижавшись ухом к двери.

— Ну как, постучимся? — Теперь это был голос женщины. — Поздновато уже. Не надо бы их тревожить...

— Попытайся сперва ты. Женщин меньше боятся. Только смотри не сболтни чего лишнего. Если она там, то подойду и я. А пока постою здесь, у двери.

Женщина, кажется, колебалась:

— Что-то не так, Роуленд?

— Нет-нет. Ничего. Иди...

Майна услышала удаляющиеся шаги женщины. Мужчина остался на месте. Только дверь церкви отделяла сейчас его от Майны, которая была ни жива ни мертва от страха. И тут, к ее удивлению, незнакомец дал волю чувствам, что было совсем уж необъяснимо. Насколько можно было судить, он сделал резкое движение, наверное, стукнул кулаком в стену рядом с дверью и довольно громко чертыхнулся, потом еще раз, уже потише. С противоположной стороны улицы раздался дробный стук, затем наступила тишина. Некоторое время спустя раздались голоса двух женщин, в том числе той, которая только что у церковной двери беседовала со своим спутником. Обе быстро говорили по-французски.

Разговор получился непродолжительным, дверь вскоре захлопнулась. Приблизились шаги.

— Ну и что — никакой Шанталь нет и в помине?

— Говорит, что нет. Уже несколько месяцев, как не живет здесь, а где теперь, никто не знает. И вообще, нечего незнакомым людям в двери стучать в такое время.

— Может, врала?

— Может быть. Но как проверишь? Она захлопнула дверь перед моим носом.

— Черт бы ее побрал! Что же нам теперь делать? Может, поедем обратно в отель?

— Выспаться тебе надо. На тебе лица нет...

— Я в полном порядке, — не слишком вежливо осадил женщину ее спутник. — Пропади все пропадом! У нас нет ни малейшего шанса... Руки связаны, напролом не попрешь, так что придется передать нашу информацию полиции. Ты же понимаешь, что вопреки всему, что она тебе наплела, Шанталь вполне может здесь находиться. А значит, и Стар. И Майна тоже.

— Понимаю, Роуленд. Ты прав, мы поступили опрометчиво. Не надо нам было заявляться сюда вот так. Если они

находятся здесь или поддерживают связь с этой женщиной, то можно считать, мы их спугнули.

— Согласен. Похоже, ты права. Ну что ж, нам, пожалуй, ничего другого не остается, как вернуться. Поехали в «Сен-Режи»...

Голоса заглушил звук удаляющихся шагов. Наконец-то Майна смогла перевести дыхание. Она посмотрела вниз, на Стара. Ей показалось, что он ничего не слышит. Стар все так же сидел у ее ног на корточках, закрыв руками лицо.

Майна присела рядом с ним и обняла его за плечи. Его лицо было мокрым от слез. Она зашептала ему на ухо ласковые слова, уговаривая посмотреть на нее.

— Стар, — тихо произнесла Майна, — прошу тебя, не надо так. Что случилось? Что-то плохое? Только не плачь. У меня самой сердце разрывается, когда ты плачешь. Ну посмотри же на меня, Стар. Мы не можем оставаться здесь. Меня ищут. Они говорили о полиции. Нам нужно быстрее уходить отсюда.

— Она умерла. — Он поднял лицо от ладоней. — Мария Казарес умерла. Сегодня днем. Ближе к вечеру. Я услышал об этом по телевизору. Ее уже несколько часов нет в живых, а я до сих пор не знал об этом. И не чувствовал... — Из его горла раздался леденящий душу хрип, как будто его кто-то душил. — А карты врали. Карты, которые должны были предупредить меня. Я хотел ее смерти. Хотел. Но не такой. Не такой!.. — Неожиданно Стар яростно взмахнул рукой, отчего Майна отлетела в сторону. — А все ты виновата! Ты и эта старая сука! Если бы тебя не развезло, я бы остался ждать. И дождался бы! Я знал, что нужно остаться. Знал, что она придет, — и она пришла! Через час-другой после того, как ушли мы с тобой. Из-за тебя ушли, из-за того, что ты, дура долбаная, скулила и жаловалась не переставая: и жарко тебе, и душно тебе, и плохо тебе...

Он рывком поднял ее на ноги, яростно встряхнул и притянул к себе, так что ее лицо оказалось перед его глазами. В их сине-черной глубине появился знакомый зловещий блеск.

— Я мог видеть, как она умирает. Ты хоть понимаешь это? Сбылась бы моя мечта: я стоял бы и смотрел, как она подыхает у моих ног! Ах, как бы я возликовал. Двадцать пять лет я ждал этого момента, но ты... ты... — Он запнулся, и лицо его исказилось до неузнаваемости. Майна, похолодев от ужаса, смотрела на него. Стар поднял руки и сомкнул пальцы вокруг ее горла. — Что же мне делать с тобой, Майна, — убить тебя? — спросил он. Голос его уже не срывался,

как прежде, и горящие яростным блеском глаза смотрели прямо ей в зрачки. — Я могу. Могу сломать тебе позвоночник, как какой-нибудь ящерице. Могу свернуть шею. И оставить тебя здесь, в церкви. Могу даже возложить твое тело на алтарь. Поставить свечи в изголовье, у ног... — Стар сделал глубокий вдох. — Так что же мне, убить тебя? Или, может, поцеловать? Как ты сама думаешь, Майна?

Майна не могла вымолвить ни слова. Она сделала попытку пошевелить губами — он сжал пальцы еще крепче, однако тут же ослабил хватку и, наклонившись, крепко поцеловал ее в оцепеневшие губы.

— Живи, — великодушно разрешил Стар. — Я милостив. И помни, ты нужна мне — сейчас даже больше, чем когда-либо. Придется внести кое-какие поправки в мои планы. Что ж, это в моих силах.

Как ни в чем не бывало он взял ее за руку и вывел на улицу. Довольно скоро оба были уже в своей каморке под крышей. На пути туда Майна, научившаяся чутко ощущать перепады его настроения, стала свидетельницей очередной перемены. Она видела, как Стар наполняется новой энергией. Это чувствовалось по всему — по его пружинящему шагу, по свету в глазах. Он выглядел бодрым, просветленным, будто испускал невидимые лучи своей всесильности.

— Милая... — произнес Стар уже в каморке, раскладывая карты Таро. К этому занятию он приступил, едва перешагнув порог комнаты, не сняв даже своего длинного пальто. Что же касается Майны, то она скрючившись лежала на кровати. — Милая, да это просто чудо, а не карты. Лучше не бывает. Я знал, что они лягут как надо. Все в порядке — можно смело браться за дело. У меня есть отличное средство, смотри.

И тогда он извлек пистолет. Майна очень мало знала о пистолетах, если не считать сведений, почерпнутых во время игр с оружейным каталогом. Это был небольшой блестящий пистолет. Стар швырнул его на лоскутное покрывало между ног Майны.

— Не бойся, не заряжен. Можешь подержать. Правда, красивый? Вот что я достал сегодня вечером!

Едва прикоснувшись к пистолету, Майна отдернула руку. Стар забрал у нее сверкающую «игрушку». Он ласково погладил пистолет, а потом приставил дуло к своему виску.

— Бах! — весело усмехнулся он. — Одна пуля в сердце, другая — в голову. Au revoir[1], мсье Жан Лазар! Не правда ли, просто? Пятнадцать патронов. И пульки все очень против-

[1] До свидания (*фр.*).

ные — продолжают вращаться после попадания, буравят тело, мозг. Шансов выжить — никаких. Тебя разрывает на куски, а это не слишком приятно. Поверь мне, Майна, я в таких вещах хорошо разбираюсь. Меня самого всю жизнь рвали на куски: вынули из моей груди сердце и искромсали на мелкие кусочки. Как-нибудь я еще расскажу тебе об этом.

Он безостановочно говорил, а Майна завороженно смотрела на него и его пистолет. Самой ей страшно было открыть рот, но страх не мешал думать. Стар нуждался в помощи — она теперь ясно это видела. Ему нужна была медицинская помощь, но он ни за что не согласится показаться врачу — это ей тоже было ясно.

— Это произойдет в среду утром, самое позднее еще через пару дней, — поделился он своими планами, ложась рядом с Майной, притихшей, как мышка.

Она напряженно соображала, как убежать из этой комнаты, из этой мышеловки. Дверь не запиралась на замок, но была другая проблема. Как ей удалось выяснить за эти три дня, Стар не дремал. В буквальном смысле слова. Он почти не спал.

13

— Линдсей, давай еще подождем, — проговорил Марков. — Куэст всегда приходит сюда, клянусь тебе. И всегда ужинает очень поздно... Поверь мне, она сразу выведет нас на верный путь. Понимаешь? С ее помощью мы, можно сказать, подключимся напрямую к главному компьютеру.

— В голове не укладывается, что Казарес больше нет. Поверить не могу.

— И что из этого?

— А то, что мне нужно еще раз позвонить в «Сен-Режи». Теперь уж Роуленд наверняка должен ответить.

— Ах, Линди, Линди! Не бегай ты за ним. Это до добра не доведет, сама прекрасно знаешь.

— Да не бегаю я ни за кем, — запротестовала было Линдсей. — Я с ним работаю. И мне нужно поговорить с ним о Марии Казарес. Вот и все. Точка.

— Тебе не обмануть меня, Линди. Ты не умеешь врать. Я все вижу: как горят твои глаза, как играет на щеках румянец.

— Хорошо, ты прав, — сдалась Линдсей, наморщив лоб. — Мне в самом деле нравится Роуленд. Может быть, даже больше, чем просто нравится. Как-то раз я побывала у него дома.

Мы просто разговаривали, и вдруг произошло нечто необъяснимое. Наверное, ты знаешь, что я имею в виду, Марков. Это было чем-то вроде бунта сердца, только не яростного, а, если можно так сказать, совсем тихого.

— И что же было дальше?

— Дальше? Ничего. До этого я думала, что полностью неуязвима — ведь такого со мной давно уже не было. С тех пор, когда со мной могло произойти нечто подобное, прошло так много лет, и вот теперь... Кто бы мог подумать? Я же не девочка и не дура какая-нибудь. Этим летом мне исполняется тридцать девять лет. Моему сыну уже семнадцать. У меня морщины, — заговорщически понизила она голос. — И я никогда ни с кем не ложусь в постель, пока не выключу всюду свет.

— Господь с тобой, Линди...

— Но это правда! Постоянно твержу себе: все это ерунда, должен же быть кто-нибудь, кому на все это наплевать. Кто-нибудь, кто не обращает внимания на все эти морщины и пятна на моем лице, потому что смотрит не на мое лицо, не на мои груди и не на задницу, а на меня. На личность, у которой есть мысли, душа... — Линдсей осеклась на полуслове. Она чувствовала, что черная безысходность овладевает ею, и презирала себя за это. А потому ограничилась только раздосадованным жестом: — Тебе незачем выслушивать все это. Еще немного — и я расплачусь от жалости к себе самой.

— Я хорошо понимаю тебя.

— Так вот, я не вижу их — в этом вся загвоздка. Если они и есть — эти загадочные настоящие мужчины, — то у меня еще не было случая познакомиться хотя бы с одним из них. Те же, которые мне попадаются, подразделяются на три безнадежные категории: женатые, вруны и зануды. Я была уверена в этом. Пока не встретила Роуленда Макгуайра. Но я для него остаюсь невидимкой. И вообще не подхожу ему.

— Но почему? Только, ради бога, не надо снова о морщинах.

— Потому что я слишком проста для него. Ему нужно что-то такое, чего не могу дать я.

— Ах, Линди, перестань. Ты даже саму себя в этом убедить не можешь. А меня и подавно. Я же вижу этот слабый лучик надежды в твоих глазах.

— Вряд ли ты вообще что-нибудь видишь сквозь свои дурацкие очки. Вот я сейчас тебя проверю. А ну-ка скажи, кто вошел сюда пару минут назад?

— Куэст, — тихо ответил Марков, хотя за время разговора ни разу не повернул головы. — А несравненная Надя

сидит сейчас за своим обычным столиком — стол номер пять, за моей спиной в углу. И только что официант, который обычно ее обслуживает, принес ей ее обычный графин vin ordinaire[1]. Продолжить? В данную секунду она закуривает первую из множества сигарет «Голуаз», которыми будет дымить на протяжении всего ужина. Извини, пора браться за работу.

* * *

Линдсей с любопытством наблюдала, как Марков встал и подошел к столику Куэст. В самом темном углу этого темного бистро. Линдсей не ожидала, что Куэст станет раскланиваться с ней, хотя они и знали друг друга. И оказалась права. Когда Марков встал, Куэст устремила в их сторону свой чудесный отсутствующий взгляд. И равнодушно отвернулась. Марков, которого трудно было чем-либо смутить, не дожидаясь приглашения, уселся напротив нее и — на это был способен только Марков — тут же отхлебнул ее вина и закурил одну из ее сигарет. Устало зевнув, Куэст прогудела утробно и проникновенно:

— Отвали, Марков.

Однако тот казался в высшей мере удовлетворенным подобным приемом. Подавшись вперед, он заговорил. Куэст отвечала, но что именно, слышно не было. Линдсей зачарованно смотрела на эту необычную девушку.

Ее настоящее имя было русским, но лишь немногим удавалось произнести его, не сломав при этом язык. Она родилась в Смоленске в семье рабочих. На Запад приехала четыре года назад. Рост у нее был выдающийся — под метр девяносто. Правда, для модели Куэст была слишком худа. Она была женщиной в стиле Греты Гарбо — длинноногая, узкобедрая, с большими руками и ступнями. А вот лицо у нее было просто необыкновенным — на Линдсей оно неизменно производило потрясающее впечатление: высокие, точеные скулы, четко очерченные брови, но в первую очередь глаза — огромные, гневные, темные настолько, что в фотостудиях, где она появлялась, неизменно возникали проблемы с освещением. Глаза Куэст были темно-карими, но на фотографиях они почти всегда получались черными и глубокими, как два колодца. Именно поэтому журналы не слишком охотно приглашали эту манекенщицу сниматься, несмотря на то, что

[1] Столового вина (*фр.*).

сам Лазар открыл ее, а Казарес сделала из нее звезду подиума.

Зато Марков в полной мере разглядел в ней богатые задатки. Куэст жила, не подчиняясь никаким правилам. Она была замкнутой, дерзкой, безразличной к деньгам, славе и даже, поговаривали, сексу. Если верить досужим разговорам, ее не интересовали ни мужчины, ни женщины. В ней не было пластичности, присущей наиболее преуспевающим моделям, однако она совершенно не пыталась подражать им или угождать кому бы то ни было. Она просто приходила на место, всегда точно в назначенное время и позволяла другим себя одевать, причесывать, напомаживать, подкрашивать, пудрить, сохраняя при этом полнейшее равнодушие, а потом вставала величественной колонной перед фотокамерой и впивалась своим пронзительным взором в центр объектива. Лицо ее имело только одно выражение — недоверия и царственной надменности.

Марков просто обожал ее. «И как только эта фемина выдоит из загнивающего Запада достаточно денег, — предрекал он, захлебываясь от восторга, — она рванет обратно к себе в Смоленск. Ей же ферма нужна — коровы, овцы... Ей-богу! Нет, это просто поразительно. Она точно знает, что собой представляет, что ей нужно и как этого добиться».

Это обожание было взаимным. Заявление Маркова о том, что Куэст будет разговаривать только с ним и ни с кем другим, не было пустой похвальбой. Линдсей не слышала, что именно говорит загадочная модель, но говорила она быстро, эмоционально.

Оставалось только надеяться, что эта информация принесет им хоть какую-то пользу и длительная погоня за Куэст, занявшая весь вечер, не окажется напрасной.

— Пошли, — коротко скомандовал Марков, вернувшись наконец к столику и потянув Линдсей за руку. — Ушам своим не поверишь. В машине расскажу.

* * *

— Ну не тяни же ты, говори, что она тебе сказала! — торопила Линдсей своего друга.

— А сказала она мне кое-что интересненькое. — Марков тронул машину с места. — Говорю это тебе, Линди, несмотря на то, что Куэст взяла с меня подписку о неразглашении. И знаю, что ты не будешь раззванивать об этом всем подряд. В крайнем случае — только Макгуайру. — Он выдержал многозначительную паузу. — Первое: показ коллекции Казарес не

отменен. Он состоится послезавтра, в среду, в одиннадцать часов дня, как и было запланировано. А завтра утром Лазар дает пресс-конференцию — как раз сейчас на нее рассылаются приглашения. Главная идея в том, что шоу, которое пройдет в среду, станет своего рода данью памяти почившего мастера. Потому что Мария Казарес, наверное, сама того пожелала бы. Трогательно, не правда ли?

— Трогательнее не бывает. И что же?

— А вот что: слабо́ угадать с трех раз, где проторчала Куэст всю эту ночь? В мастерских Казарес — вот где! Готовила там к показу три особых ансамбля, причем все три — новые.

— Как?! Сегодня вечером? Ведь до показа остается меньше двух дней. Нет, Марков, ты явно что-то путаешь. Все туалеты для показа должны были быть полностью готовы как минимум неделю назад. Лазар всегда настаивает на этом. Самое большее, что они могут сейчас сделать, — это внести последние мелкие изменения.

— Абсолютно верно. Но повторяю тебе: наряды-то — особые! Это последняя работа Марии Казарес, ее последний проект. Нарисовано ее собственной рукой в конце прошлой недели. А теперешняя идея принадлежит Лазару. Пойми, Линди, он лично присутствовал в мастерских. Сегодня вечером! У всех там от страха до сих пор поджилки трясутся. И часа не прошло с того момента, как врач засвидетельствовал факт смерти Казарес, а гонцы уже побежали разыскивать Куэст.

— Невероятно!

— Думаешь, это все? Ты еще об одном подумай, Линди. Когда я впервые услышал, что Мария Казарес мертва? Около восьми. Так? А когда ты позвонила Пикси, что она сказала тебе насчет того, когда эту новость отстучали информагентства?

— По ее словам, где-то без пятнадцати восемь.

— Именно. Вот и прикинь, сколько времени потребовалось Лазару, чтобы сделать эту новость достоянием гласности. Куэст вызвали туда в пять. Если Казарес умерла за час до этого, то время наступления смерти — примерно четыре часа, не так ли? На что же в таком случае ушли следующие три часа и сорок пять минут?

— Не знаю. — По коже Линдсей пробежал легкий озноб. — Должно быть, отдавали распоряжения охране, подмазывали прессу, чтобы каждый написал нужную статью в нужном духе...

— Полностью разделяю твое мнение. Не может быть ни-

какого сомнения в том, что именно этим и занимались раз
ные придворные и «шестерки». Но только не сам Лазар
Представь себе, Линди, Казарес только час как умерла, е
тело еще не остыло, а он уже там, в мастерских, ставит все
на уши. Они прямо на манекенщице раскраивают материа
для платьев, потому что нет ни минуты времени для того
чтобы возиться с лекалами. Во всяком случае, так мне опи
сывала это Куэст. При этом должна быть идеально подогна
на каждая мельчайшая деталь. И они тычут в Куэст булавки
чуть ли не отхватывают от нее лоскуты кожи, потому что
закройщиков от страха ножницы валятся из рук. А в центр
этой преисподней царит сам Лазар. Люди носятся туда-сюд
как угорелые, но ему не угодишь: пятнадцатая, шестнадца
тая, семнадцатая проба материала — все забракованы. Он за
ставляет подчиненных рыскать по складам в поисках подхо
дящего товара, мобилизует всех вышивальщиц. Он говорит
«Нет, эти пуговицы не годятся — они на три миллиметр
больше, чем нужно...» И все время, Линдсей, все это врем
он держится с величием императора. Иными словами, н
слез, ни визитеров с соболезнованиями — только белое за
стывшее лицо и голос, от которого кровь стынет в жилах.

— И это через час после ее смерти? Не верится что-то
Марков. Ведь он любил ее. Я абсолютно уверена в том, чт
любил. Она была единственным человеком, что-то значив
шим для него на этом свете.

— Да уж. — Марков притормозил перед поворотом,
потом снова нажал на газ. — Видела бы ты их в аэропорту
Линди. У меня до сих пор при воспоминании о тех минута
волосы дыбом встают и мурашки по спине бегут от затылк
до задницы. Стою за пальмой в кадке и жалею, что это не на
стоящая пальма, потому что, если вдруг Лазар меня застука
ет, деваться мне некуда. Тогда все. Конец. При виде этого че
ловека, Линди, жалеешь, что при тебе нет распятия. От таки
только одно спасение — вязанку чеснока на шею и молись д
потери сознания. Трясусь за этой чертовой пальмой и думаю
«Скорее бы третьи петухи прокукарекали...»

— Брось, Марков, это уж ты загнул. Лазар — мужчин
бодрый, энергичный, подтянутый, загорелый...

— Но только не в ту ночь. Он был весь белый, Линди
Лицо совершенно белое, а в нем — жажда. Понимаешь
Жажда! Вылитый вампир. И когда она заговорила о детях
младенцах...

— А ты уверен, что она говорила именно о них, Марков
Ты не ослышался?

— Я говорю по-французски, Линди. Я знаю, как по

французски будет «младенец». И как «ребенок», знаю. И как «сын» — тоже. Она все время об этом твердила: мол, хочу вернуть своего малыша, хочу моего сына. А он только одного хотел — заткнуть ей рот, утихомирить ее... — Марков замялся ненадолго, и голос его зазвучал чуть мягче. — Он поцеловал ее, Линди. Поцеловал... Было видно: он любит ее, более того, хочет ее. По его виду можно было сказать, что он готов умереть за нее. А может быть, знает, что скоро умрет она.

— Марков, ты не можешь знать этого, — произнесла Линдсей, когда они, еще раз завернув за угол, остановились у «Сен-Режи».

— Поосторожней с Макгуайром! — сказал Марков Линдсей на прощание. — Следи за тем, что говоришь ему. Встречаемся завтра днем у Шанель.

* * *

Линдсей в нерешительности остановилась в вестибюле, где до сих пор было полно народу. Ей не терпелось рассказать все услышанное Роуленду, отчаянно хотелось увидеть его, однако было уже почти два часа ночи. Посмотрев в раздумье на телефон, она все-таки набрала внутренний номер его апартаментов. После второго гудка он снял трубку.

— Нет-нет, о чем разговор! Приходи, конечно, — прервал Макгуайр ее извинения. — Я не сплю, работаю. И Джини со мной. Она только что из Амстердама. Наш номер — 810.

Для Линдсей это было сюрпризом, хотя и не очень большим. Очевидно, Джини была не так уж недоступна, как полагал Макс. Скорее всего Роуленду в конце концов все же удалось отловить ее. Она застала Роуленда у факс-аппарата, а Джини — у телефона. Подруга быстро тараторила что-то по-французски. Оба выглядели чуть взвинченными.

Роуленд подвел Линдсей к дивану в дальнем углу комнаты. Линдсей села, он остался стоять. Она начала пересказывать то, что услышала от Маркова. Роуленд внимательно слушал. Один или два раза он оглянулся на Джини, потом задал какой-то вопрос. Линдсей с энтузиазмом продолжила рассказ и вдруг ощутила, что что-то здесь не так.

У нее появилось чувство, будто она находится среди театральных декораций. Внешне все было пристойно, даже слишком. Поодаль виднелась дверь, судя по всему, в спальню. Она была закрыта. За внешним порядком и деловитостью здесь крылось какое-то напряжение. Линдсей подняла изумленный взгляд на Роуленда. В его облике и манере держаться не было ничего необычного. Тогда она искоса взглянула на

Джини, которая разговаривала, нервно теребя провод трубки. С языка Линдсей едва не посыпались вопросы к подруге. На каком этаже находится ее номер? А может, она остановилась не здесь, а в каком-нибудь другом отеле? Однако Линдсей вовремя поняла, что подобное любопытство лучше оставить при себе. Тема была явно не для обсуждения.

Джини наконец завершила разговор и положила трубку. Она посмотрела на Роуленда, потом отвела глаза в сторону и начала рассказывать. Майну Лэндис видели в Париже. Ее личность не была установлена точно, но не вызывало никаких сомнений то, что девушка, подходящая под описание, и молодой человек, внешне напоминающий Стара, замечены переодетым полицейским в Восьмом округе. Вытащив карту Парижа, Джини разложила ее на столе.

— Вот, — ткнула она пальцем. — Их видели на этой улице, в районе Сен-Жерменского предместья... — Джини нахмурилась. — Я знаю этот район. Они находились всего в нескольких кварталах от того места, где умерла Мария Казарес. Странно, однако.

Роуленд подошел к столу и склонился над картой.

— А разве известно, где она умерла? — поинтересовалась Линдсей.

— Что? — непонимающе посмотрел на нее Роуленд. — А-а... Да-да, уже известно. Об этом говорили в ночных выпусках новостей. Она навещала какую-то свою старую служанку, которая уже на пенсии. Попили вместе чаю, и Мария Казарес внезапно потеряла сознание. Судя по первым сообщениям, к тому времени, когда туда прибыла «Скорая помощь», надежд уже не было никаких.

— Ого, много же они рассказали, — удивленно протянула Линдсей.

— Думаю, у них просто не было выбора. Эту бригаду «Скорой помощи» некоторые французские журналисты начали осыпать стофранковыми бумажками уже через полчаса после того, как распространился слух о кончине Казарес. А уж когда об этом объявили официально, тут такое началось... По больнице, куда доставили ее труп, папарацци расползлись как тараканы — ничем не выкуришь. Об этом тоже в теленовостях говорили.

Роуленд, поправив настольную лампу, еще ниже склонился над картой. Джини, которая за время разговора ни разу не подняла глаз, по-прежнему разглядывала план парижских улиц. Чертя правой рукой на карте какой-то маршрут, Роуленд положил левую на спинку стула Джини, однако, словно спохватившись, убрал ее.

— Ты верно подметила, — вымолвил он. — Совсем близко.

Линдсей увидела, что их ладони теперь лежали на карте совсем рядом, в каких-нибудь нескольких сантиметрах друг от друга. Джини пробормотала, что район этот дорогой — в таком служанки-пенсионерки обычно не селятся. Роуленд и с этим согласился. Посмотрев на часы, он выпрямился — ничем не примечательный жест. Кто-то, возможно, не обратил бы на него никакого внимания. Линдсей поднялась с дивана, озабоченная лишь тем, как скрыть недоумение и горечь.

Пришлось притвориться, что она не замечает неукротимого желания Роуленда заключить Джини в объятия, хотя воображение услужливо нарисовало ей эту сцену в мельчайших подробностях. Она встала с дивана, лениво потянулась и объявила, что валится с ног от усталости, а потому отправляется спать. Джини понимающе кивнула, бросив в ее сторону затуманенный взгляд.

Роуленд, который, казалось, тоже с трудом ориентировался в пространстве, проводил Линдсей до двери.

— Доброй ночи, Линдсей, — попрощался он, распахивая перед ней дверь. Стоило ей перешагнуть порог, как дверь тут же захлопнулась за ее спиной. Не в силах идти дальше, Линдсей на секунду остановилась в коридоре. Ее всю трясло. Она прижала ладони к пылающему лицу. «Неправда, — лихорадочно стучало в ее мозгу. — Это не может быть правдой. Роуленд — тот может. Но Джини? Неужели и Джини тоже?»

Сзади раздалось лязганье. Менее чем в метре от нее, по другую сторону двери, Роуленд повернул замок на два оборота и набросил на дверь цепочку.

Вернувшись в свой номер, Линдсей долго ходила из угла в угол. Про сон она и не вспоминала. Так что же было сказано за той запертой дверью, после того как она ушла? Нет, лучше об этом не думать.

* * *

А сказано было не так уж много. После того как дверь закрылась, Джини с удвоенным вниманием принялась изучать карту. Она не смела поднять глаз. До ее слуха донеслось лязганье дверного замка.

Для Роуленда расстояние было последним барьером. На протяжении всего этого вечера — в такси, на улице Сен-Северин, здесь, в этой комнате, пока она разговаривала по телефону, а он отправлял сообщения по факсу, — эта женщина

не шла у него из головы. Мысленно он продолжал прикасаться к ней, целовать ее, проникать в ее тело.

«А она, наверное, не чувствует ничего», — подумалось ему.

Роуленд по-прежнему стоял примерно в метре от письменного стола. Он смотрел на склоненную голову Джини, на ее шею, ее простую белую рубашку, на черную юбку. Она была необычайно тонка — он запросто мог сомкнуть свои ладони вокруг ее талии. Выругавшись вполголоса, Роуленд окинул комнату невидящим взглядом и попытался отвернуться, но в следующую секунду решительно шагнул к столу.

Теперь он стоял вплотную к Джини. Противиться страстному желанию больше не было сил, и руки его сами собой легли на плечи Джини. Ее тело напряглось.

Но даже в тот момент, думал Роуленд позже, даже тогда он мог еще сохранить самообладание. Однако Джини запрокинула голову назад, и их взгляды встретились. Ему не оставалось ничего иного, как склониться и поцеловать ее. В эту секунду он больше не был волен над собой. Схватив его ладони, Джини потянула их вниз, в вырез своей блузки, и Роуленд ощутил знакомую округлость и тяжесть ее грудей. Их соски уже были твердыми. Из горла ее вырвался стон, который в равной степени мог означать и желание, и отчаяние. В следующую секунду она оказалась в его объятиях.

Желание и безысходность безошибочно угадывались в ее глазах. Сейчас у него уже не было сомнений, что она, так же как и он, страстно хочет довести до конца то, что было начато прежде.

Он начал расстегивать ее блузку, в то время как она, дрожа от нетерпения, возилась с пуговицами его рубашки, а затем с пряжкой ремня. И когда он прижал ее к себе, когда ее обнаженные груди соприкоснулись с его грудью, Джини тихо вскрикнула, судорожно содрогнувшись.

Ее ладонь заскользила по бедру Роуленда к паху. Ее губы со слабым стоном искали его рот. А он хотел только одного — снова войти в нее. Шепча ее имя, Роуленд потянул ее вниз, и она легла на спину среди разбросанных бумаг и вещей. Руки Роуленда оказались в сладком, влажном плену. Его пальцы легко проникли внутрь, и она изогнулась в остром приступе наслаждения.

Изнывая от безумной жажды, Джини разомкнула ноги. Роуленд вошел в нее рывком, глубоко, зная, что она испытает оргазм почти в ту же секунду, стоит ему только шевельнуться. Он целовал ее обнаженные груди, потом губы. Рот ее становился все более податливым — и вдруг спина Джини

изогнулась дугой в новой судороге, еще более сильной. Роуленд ощутил, как мощный спазм внутри ее сковал его плоть. Приподнявшись на руках, он жадно вглядывался в эти удивительные глаза, в это самозабвенно-прекрасное лицо. Выждав немного, он вышел из нее и начал все сначала, только движения его стали теперь более размеренными и осторожными. Роуленд и Джини еще не познали друг друга достаточно хорошо, и ему хотелось дать ей время приспособиться к его ритму. Это произошло не сразу. Поначалу у него сложилось впечатление, что она противится ему, намеренно задерживая реакцию на его движения. Роуленду казалось, что он знает причину этого, и он через равные промежутки начал делать паузы, хотя это и было не слишком легко — момент сладостной вспышки неумолимо приближался. Он применил все свое умение, и необъяснимое на первый взгляд сопротивление женщины начало ослабевать. Ее глаза широко открылись и впились в его лицо. Он снова склонил голову и прильнул ртом к ее грудям, одновременно глубоко входя в нее.

— Любимая, я не могу больше... Пожалуйста, не отталкивай меня, — взмолился Роуленд, и в ту же секунду твердыня пала. Она начала двигаться в такт, два человека словно слились воедино. Так хорошо Роуленду не было еще никогда в жизни. На долю секунды ее лицо стало абсолютно непроницаемым. Роуленд уже научился распознавать этот момент: Джини была на грани. Однако долго любоваться ее лицом он не смог — слишком острым было желание. Они кончили одновременно. Сжав Джини в объятиях, Роуленд простонал ее имя. Ему еще многое хотелось сказать, и он чуть было не сказал ей всего этого, но заставил себя промолчать. Сжав ее руку, Роуленд решил, что их тела уже сказали друг другу все без слов.

* * *

Позже, когда они лежали рядом в постели, а сквозь щель в занавесках пробивался слабый отсвет городских фонарей, Джини повернулась к Роуленду. На ее губах играла ленивая улыбка наслаждения, глаза были подернуты дымкой усталости от любви. Проведя ладонью по его животу, она запустила пальцы в заросли волос. Реакция последовала незамедлительно.

Ее собственное тело ощутило ответный толчок изнутри. Она низко склонилась над Роулендом, так что ее груди слегка задели возбужденный столб. В следующее мгновение

Джини прильнула к нему ртом. От прикосновения ее губ и языка Роуленд конвульсивно вздрогнул.

— Мы упиваемся друг другом. — Она подняла голову и поцеловала его в губы. — Друг другом, сексом. Но не слишком ли? Мы же договаривались: только один раз. Вернее, это говорила я...

— Когда ты сказала это, было уже поздно. — Он поймал ее ладонь, и их пальцы переплелись. — Один раз. Пять раз. Шесть. Какая разница?

— Может быть, ты и прав. Я по-прежнему безумно хочу тебя. И вижу, как ты хочешь меня. Кажется, и на улице Сен-Северин хотел?

— Да, — улыбнулся Роуленд. — И возле церкви.

— А в такси?

— В такси мне пришлось особенно туго. А здесь стало просто невыносимо. Пока ты висела на телефоне, я изо всех сил пытался слушать, что говорила мне Линдсей, но ничего не слышал.

— А я не слышала, что говорит мне полицейский. Я способна была слышать только тебя. Чувствовать тебя. Твои руки. И это.

Она приподнялась, направляя в себя возбужденную плоть Роуленда, и, глядя ему прямо в глаза, медленно опустилась на него. На ее ресницах блеснули слезы. Притянув к себе голову Джини, Роуленд принялся осушать их поцелуями. Неукротимое желание и необыкновенная нежность соседствовали в его душе.

— Ты грустишь? — забормотал он, не отрываясь от ее губ. — Не надо. Я все понимаю. Хорошо, пусть будет только один раз. Только эта ночь...

— Да-да. Одна ночь. Ночь вне времени...

Она не смогла продолжить — ее начала бить сильная дрожь. Роуленд разрядился, но к радости свершения на сей раз примешивалась печаль, даже душевная боль. После этого Джини, свернувшись клубочком, заснула на его руке, а Роуленд лежал с открытыми глазами, бережно прижимая ее к себе и прислушиваясь к ее размеренному дыханию.

Несколько раз за ночь принимался звонить телефон, и каждый раз отвечать на звонки приходилось дежурному администратору. В полседьмого утра, когда серый свет забрезжил в щелке между шторами, Роуленд осторожно встал и прошел в гостиную. В этом отеле было заведено утром просовывать под дверь номера конверт с информацией о том, кто звонил постояльцу в течение ночи. Все звонки оказались адресованными Джини. Их было много — намного больше, чем ему

поначалу казалось. Конверт выглядел угрожающе раздутым. Роуленд положил его на письменный стол Джини, подобрал с пола кое-какие бумаги и бросил взгляд на карту города, которую они вместе столь дотошно изучали минувшей ночью.

Он в раздражении смотрел на разложенную карту, пытаясь унять в душе смутную тревогу. Перед его глазами лежал весь город: улицы, дороги, магистрали, река, берег левый, берег правый. Зазвонил телефон. Роуленд схватил трубку.

Из нее донеслось потрескивание. Молчание, потом снова какие-то помехи, и в конце концов низкий гул.

— Да? — буркнул Роуленд. — Кто звонит?

— Паскаль Ламартин, — проговорил издалека голос спокойно, но с напором. — Нельзя ли попросить Женевьеву Хантер?

Роуленду показалось, что он замешкался на долю секунды дольше, чем следовало, обдумывая, что ответить. Однако когда он заговорил, понял, что выбрал правильный тон.

— Боюсь, вас соединили не с тем номером, — сказал он. — Надо бы мне разобраться с администратором.

— Это номер 810?

— Да, и Женевьева Хантер действительно проживала здесь вчера, но ее перевели в другой номер, когда приехал я. Я ее редактор. Кажется, ее поселили где-то на шестом этаже, поближе к Линдсей Драммонд. Вы Линдсей знаете?

— Да. Но дежурный сказал...

— А-а, от этих дежурных никакого проку, — добродушно протянул Роуленд. — Бестолочь. Никогда от них не добьешься помощи, когда нужно кого-нибудь найти. К тому же отель забит под завязку, только наш «Корреспондент» чуть ли не в двадцати номерах разместился. Пусть проверят получше. Скорее всего она на шестом. Хотя кое-кто из наших есть и на двенадцатом. Если только, конечно, она не переехала в другой отель...

— Что ж, видно, придется позвонить дежурному администратору еще раз.

— Тут такое дело... — торопливо заговорил Роуленд. — Вряд ли вы ее сейчас найдете. Она мне говорила, что собирается сегодня куда-то спозаранку. Какое-то интервью или еще что-то в этом роде...

— В такую рань? — В мужском голосе зазвучали металлические нотки. — Еще и семи нет.

— Но вы еще можете застать ее. Возможно, я ошибаюсь. Если хотите, я могу позже ей сказать, что вы звонили. Что-нибудь передать ей? Мы около одиннадцати должны с ней

встретиться на одной пресс-конференции. У нее есть ваш телефон? Может, она перезвонит?

— Нет. Не надо ничего передавать. Черт... — Ламартин, судя по всему, задыхался от возмущения. На линии послышался треск. — Ко мне сюда не дозвониться. Мне пора. Послушайте, если вы ее увидите, не можете ли передать, что я буду звонить ей сегодня снова, во второй половине дня? Часа в три-четыре.

— Хорошо. Постараюсь передать ей... — проговорил Роуленд.

От этой лжи стало еще хуже. Сперва он почувствовал отвращение к самому себе, потом беспокойство. Где сейчас Ламартин — в Сараеве или еще где-нибудь в Боснии? Не означает ли этот звонок, что он собирается вернуться?

В спальне Джини сидела на кровати. Лицо ее было белым, глаза — круглыми и черными.

— Это был Паскаль?

— Да, — неохотно промямлил Роуленд. — Он что, знал, что ты едешь сюда?

— Нет. — Ее опять начинало трясти. — Наверное, позвонил в отель в Амстердаме. А может, Максу. Узнал, что я улетела в Париж, вот и решил, что я остановлюсь в том же отеле, что и Линдсей. Он... Я не смогла ему дозвониться из Амстердама.

— Не надо так, Джини. — Роуленд нежно обнял ее за плечи. Теперь она уже не в силах была справиться с ознобом, который бил ее все сильнее. — Джини, послушай меня. Тебе не о чем волноваться. Разве ты не слышала, что я ему сказал? Мне пришлось соврать...

— Я слышала. Ты врал очень умело.

— Джини, пойми, он мне поверил. Принял все, что я ему сказал. Он позвонит снова часа в три-четыре. Уже через час тебя переведут в другой номер, обещаю тебе. Все будет в порядке, у нас в запасе еще есть время. Сейчас я позвоню администратору, спрошу его насчет свободных номеров, закажу кофе...

Роуленд потянулся к телефону. Джини наблюдала за ним глазами, расширившимися от тревоги. Ее колотило так, что она не могла ни двигаться, ни говорить.

— Ну вот, — произнес он, кладя трубку. — Кофе будет через пару минут. Говорят, что постараются подыскать номер побыстрее. У них кто-то вроде уезжает раньше времени. Они перезвонят насчет этого. Ну же, Джини, вставай, прими душ, оденься. К тому времени, когда он позвонит снова, мы... — Роуленд замолк.

Она сидела на кровати, прикрывая грудь руками, не в илах поднять на него глаза. Он осторожно взял ее за руку.

— Перестань, Джини, — продолжил Роуленд уговоры. — Ине ведь тоже тяжело. И если ты заплачешь, я тоже раскис-у. Если бы нам удалось снова взяться за работу. Ведь ты по-режнему хочешь этого, правда?

— Наверное, наверное... — Она тихонько заплакала и вы-ернула руку. — Я больше не знаю, чего хочу.

Джини уткнулась лицом в ладони. Какое-то время Роу-енд сдерживал себя, но в конце концов все-таки решился ысказать то, что вертелось у него на языке последние несколь-о часов. В его словах звучали досада и злость на Ламартина, опившиеся в течение нескольких дней и прорвавшиеся на-онец наружу.

— Джини, — начал он с расстановкой, — я никогда не плю с замужними женщинами. Не знаю, хорошо ли, плохо и, но я взял это себе за правило. Ты не замужем. У тебя есть ыбор.

— Неправда! — резко вскинула она голову, устремив на его открытый взгляд. — Я замужем! Я чувствую себя замуж-ей. В подтверждение этого вовсе не обязательно носить об-учальное кольцо. Не нужно ни бумажек со штампами, ни видетелей — ничего этого не нужно!

— Понимаю.

— Я знаю, ты думал, что все кончено. Знаю, так же дума-и и Макс, и Линдсей, и Шарлотта. Но все вы глубоко оши-аетесь. Это не прошло! И не могло пройти, потому что в Iаскале — вся моя жизнь.

Роуленд отшатнулся от нее, будто получил пощечину. Iоднявшись с края кровати, он несколько долгих секунд мотрел на нее сверху. В дверь номера постучали. Роуленд не братил на стук внимания. Его зеленые глаза неподвижно становились на лице Джини.

— Ты уверена в этом?

— Да. Нет. Ни в чем я не уверена. Если бы была уверена, о ни за что не пошла бы на это...

— Вот и я так думаю. — Зеленые глаза превратились в ку-очки льда. Роуленд повел плечом. — Должно быть, кофе ринесли. Я открою. А ты вставай, одевайся. И тогда...

— Мы сделаем то, о чем говорили? Роуленд, мы погрязли о лжи. Ты уже солгал, и сейчас — моя очередь. Господи, до его же отвратительно!

— Мы сами ввязались в это, а теперь должны сами выпу-аться. — Он уже выходил из спальни. — И главное теперь — вести ущерб до минимума, не так ли?

Натягивая на ходу халат, Роуленд направился к входной двери. Хорошо бы еще знать размеры этого ущерба, напомнил он себе.

— Спасибо, сейчас возьму, — заговорил Роуленд, открывая дверь, и осекся.

На пороге стоял высокий темноволосый мужчина в черных джинсах и черной кожаной куртке. По выражению его лица Роуленд сразу же понял, что это за гость.

— Чем могу? — вежливо осведомился хозяин номера, цепко держась за дверную ручку.

Мужчина окинул его холодным взглядом серых глаз.

— Хотелось бы поговорить с Джини, — выдавил он из себя. — Надеюсь, она уже проснулась? Может, известите ее о моем приходе?

Роуленд ответил непонимающим взглядом, лихорадочно соображая, что же теперь делать. В голове вертелось только одно: влип. Ламартин оказался обманщиком не менее искусным, чем он сам.

— Джини? Вы имеете в виду Женевьеву? Извините, это не с вами я недавно разговаривал по телефону? Я сразу же узнал вас по акценту...

— Да, мы с вами уже говорили.

— А я-то думал... А-а, дьявол... Не обращайте внимания. Я еще не до конца проснулся. Разве я вам не объяснил? С номерами творится черт знает что, путаница жуткая. Меня засунули сюда вчера вечером, Женевьеву — куда-то в другой номер. «Корреспондент» занимает несколько номеров на шестом этаже. Вы там ее искать не пробовали?

— Может, прекратим этот театр? — Глаза гостя недобро сверкнули. — И чем скорее, тем лучше. Я не затем ехал сюда двое суток, чтобы участвовать в фарсе. Не будете ли так добры впустить меня?

Несмотря на внешнюю вежливость, в его голосе таилась угроза.

— Послушайте, мне очень жаль, — проговорил Роуленд медовым голосом, — но это мой номер. Извините, но мне надо принять душ...

— Я только что слышал, как зашумел ваш душ, — ответил Ламартин гораздо менее учтиво. — Интересно, как вам удалось включить его отсюда?

— А разве я говорил вам, что принимаю душ один? — Роуленд чуть замялся, а потом, понизив голос, с виноватой улыбкой добавил: — Знаете, мне, конечно, не очень удобно, но буду вам очень признателен, если вы ничего не скажете об этом Женевьеве. Разговоры на работе пойдут, то да се... Каюсь,

Париж подействовал. Здесь со мной моя секретарша, а я человек семейный, женатый. Я уверен, вы понимаете...

На мгновение ему показалось, что его уловка сработала. На напряженном лице Ламартина отразилось вначале сомнение, потом надежда и наконец — презрение. У Роуленда, наблюдавшего за этими переменами, внезапно возникло ощущение, что он смотрит на самого себя. Он испытывал к этому человеку враждебность, одновременно ощущая с ним странное родство. «Мы так похожи», — подумал он и в то же мгновение весь подобрался. Ламартин явно готовился нанести ему удар.

Заметив угрожающее движение, Роуленд сгруппировался, готовясь дать отпор. Однако удара не последовало. Вместо этого Ламартин окончательно переменился в лице. Его черты выражали теперь величайшую любовь и нестерпимую боль — переживания, которые мог вызвать у него лишь один человек на свете. Опустив руки, Роуленд покорно отошел в сторону.

Позади стояла Джини — в халате и босая. Она остановилась метрах в пяти от двери, вперив неподвижный взгляд в лицо Ламартина.

— Хватит лгать, Роуленд, — проговорила она еле слышно. — Я запрещаю тебе. Потому что так нельзя.

Вслед за этим воцарилась звенящая тишина. Паскаль Ламартин вошел в гостиничный номер, даже не взглянув на Роуленда, и замер перед Джини. Он не дотронулся до нее, даже не повысил голоса. Заговорив по-французски, он попросил Джини одеться и выйти.

Роуленд не мог не оценить того, что даже в столь дикой ситуации этот парень не потерял рассудка. Выходя из номера, Ламартин задержался и смерил соперника испытующим взглядом.

— Вы в самом деле женаты? — резко спросил он.

— Нет, — ответил Роуленд, глядя в спину уходящему.

Ламартин знал, о чем спросить.

14

— Говорить будешь позже, — предупредил Паскаль, затаскивая ее за собой в кабину лифта. Восемь этажей вниз они проехали без единого слова, без единого прикосновения, будто были совершенно незнакомы друг другу. Чужие среди чужих. И все же те, кто ехал с ними в лифте, не могли не уловить эмоций, владевших этой странной парой. Джини дога-

дывалась об этом, видя, как другие осторожно поглядывают на них, тут же отводя глаза в сторону, стоило лишь встретиться с ними взглядом. Почти ничего не видя перед собой и спотыкаясь, она пробралась к выходу сквозь толпу журналистов в вестибюле. Холодный, влажный воздух несколько оживил ее, и Джини начала что-то бессвязно бормотать, однако Паскаль ничего не хотел слышать. Он упрямо тащил ее за руку сперва через дорогу, а потом по мосту, перекинутому над медленными серыми водами Сены.

Должно быть, Паскаль был по-настоящему оглушен происшедшим. Джини не могла разглядеть его лица — слезы застилали ее глаза. Словно ничего не видя и не слыша, он шел вперед. Даже машины, которые резко тормозили, едва не налетая на них, не волновали его. Когда они перешли на левый берег реки, Паскаль повел Джини вдоль набережной, а потом свернул на узенькую улочку под названием Сен-Жюльен-ле-Повр. И тогда она поняла, куда они направляются. На этой улице располагалась небольшая гостиница, в которой они дважды останавливались в минувшем году. Здесь же, наверное, Паскаль остановился и на этот раз. Джини было уперлась, но он, не обращая внимания на ее болезненный вскрик, только сильнее стиснул ее ладонь. Войдя в старинное здание, они по неширокой лестнице поднялись в комнату, из которой открывался вид на реку и собор Парижской Богоматери.

Это была та самая комната, где их селили во время двух предыдущих визитов, еще до Боснии, когда Паскаль и Джини приезжали в Париж навестить дочь Паскаля Марианну. На этой кровати они занимались любовью, из этого окна смотрели вместе, чтобы поглазеть на улицу. Все это было прошлой весной, когда им обоим было легко и радостно, а мир казался наполненным добротой и светом. Сейчас же, войдя в гостиничный номер, Джини испытала такое чувство, будто столкнулась с призраками той счастливой парочки. Паскаль с грохотом захлопнул дверь.

— А вот сейчас можно... — Каждое слово давалось ему с трудом. — Рассказывай, сколько это продолжается. Рассказывай, черт бы тебя побрал, сколько времени ты врешь мне, Джини. С тех пор, как уехала из Боснии? А может, еще раньше начала?

— Нет-нет, уверяю тебя, Паскаль, — с умоляющим видом бросилась она к нему, — все произошло только этой ночью. Одна эта ночь — никогда раньше...

— И ты думаешь, я поверю тебе? — отшатнулся он от нее как от прокаженной. — Твоему лживому лицу? Твоим глазам? Да я смотреть на тебя не могу! Ты обрезала волосы. Ты

смердишь этим мужчиной. Ты незнакома мне. Всевышним заклинаю, не подходи! А ведь я на собственную голову поспорить был готов, что ты не способна на это. Кто угодно, но только не ты...

— Паскаль...

— Ни слова больше. Молчи! Только, ради бога, не вздумай ко мне прикасаться. Я был близок к тому, чтобы убить тебя. И его тоже. Постой. Мне нужно подумать. Душно, воздуху не хватает...

Сжав кулаки, Паскаль заметался по комнате. Прорычав сквозь зубы что-то нечленораздельное, он настежь распахнул окно и высунул голову под мелкий дождь. Шторы словно флаги заколыхались на ветру, со стола на пол слетел клочок бумаги. На нем почерком Паскаля были нацарапаны названия десяти крупных парижских отелей с телефонными номерами. «Сен-Режи» был в этом списке последним. Глядя на эти каракули, Джини не смогла удержать слез.

— Так вот как ты нашел меня? А я-то думала, что ты говорил с Максом...

— С Максом? Нет. — Резко обернувшись, он уперся в нее невидящим взором. — У меня нет больше сил. Две ночи подряд я провел в дороге, не спал, летел к тебе как на крыльях. Сначала помчался в Амстердам — думал встретить тебя там. Вот, думаю, сюрприз для нее будет! Но тебя там уже нет, говорят — уехала. И я лечу сюда, добираюсь только к двум часам ночи. Здесь главное событие — показы мод, и я понимаю, что тебя нужно искать в отеле, где остановилась Линдсей. Нашел. Но было поздно, твой номер не отвечал. Я решил дождаться утра и... — Он не смог больше говорить. Его лицо потемнело. Паскаль закрыл окно. — Хотя какое, в сущности, это имеет значение? Я оглох, ослеп, лишился способности думать. Единственное, что я вижу, — это мужчина, загораживающий мне вход. Я сразу понял, что он врет. Я видел это по его лицу, я видел твой плащ на стуле. Но и тогда, даже тогда я думал: «Нет, этого не может быть. Что-то здесь не так». Я отказывался верить очевидному вопреки тому, что уже знал. Я узнал это утром, едва он поднял трубку. Было что-то в его голосе... — От волнения у Паскаля перехватило горло. — Странноватое. Вряд ли я забуду, что это такое — стоять в гостиничном коридоре, терзаясь от боли...

— Паскаль, прошу тебя... — Она, забыв о его предупреждении, невольно подалась ему навстречу. — Мне невыносимо видеть тебя таким. Умоляю тебя, не надо! Выслушай же меня, позволь мне объяснить...

Однако ей удалось сделать только один шаг. В его лице было нечто такое, что заставило ее остановиться.

— Объяснить?! — Паскаль снова попятился от нее. — Вот уж никогда не думал, что окажусь в подобной ситуации. Ты вдумайся только: что мы говорим друг другу? Избитые актерские фразы, словно против собственной воли играем в какой-то дурацкой пьесе. И все же, несмотря на это, я до сих пор чувствую: я люблю тебя, Джини! Наверное, я был глупцом, веря, что и ты любишь меня.

— Но я действительно люблю тебя...

— А вот этого не надо! — вскинул он руку, словно защищаясь. — Это уж слишком! Ты была в постели с другим и... Зачем ты это сделала? Какой дьявол толкнул тебя туда? Ведь еще в воскресенье вечером я разговаривал с тобой. Почему же ты тогда ничего мне не сказала?

— Тогда мне нечего было говорить тебе, Паскаль. Я не лгала тебе и ничего не скрывала.

— Твои письма... — Кажется, Паскаль по-прежнему не желал слушать ее. Теперь он полез в карман куртки и, вытащив оттуда толстую связку писем, небрежно бросил ее на кровать. — Каждое из этих писем я знаю наизусть, до последнего слова. Знаешь ли ты, как часто я их читал, сколько раз перечитывал? Там чуть ли не в каждой строчке встречается слово «всегда». Я не просил тебя употреблять его — ты сама так решила, это был твой свободный выбор. Как ты могла, Джини? Я так верил тебе. Наверное, ты думаешь сейчас, что и я мог бы за эти два месяца наплевать на все и завалиться в постель с какой-нибудь другой женщиной. В том-то и дело, что не мог! Я всегда хотел только ту женщину, которую люблю.

— Дай мне рассказать тебе все! — вырвалось у нее. — Может быть, тебе это безразлично, но я хочу, чтобы ты верил мне. Никто не вел дело к этому — не было никаких ухаживаний, никакого флирта. Меня никто не соблазнял, никуда не тащил — ничего этого не было и в помине! И я не могу допустить, чтобы у тебя сложилось впечатление о каком-то заговоре, — это было бы несправедливо по отношению к Роуленду. Он совершенно не предвидел, что между нами произойдет. Точно так же, как не предвидела этого и я. Я с ним только недавно познакомилась, я едва его знаю. Мы работаем вместе — я тебе уже говорила. Вчера вечером, как только я приехала сюда, мы жутко с ним разругались, а потом... Потом не помню точно. Кажется, он взял меня за руку. Тогда все и произошло. Я допустила слабость, в этом моя вина.

Я... Я очень по тебе скучала. Мне было грустно и очень одиноко. Понимаю, это не может служить оправданием, но...

Она замолчала. Лицо Паскаля наконец четко проступило сквозь пелену слез.

— Так ты только что познакомилась с ним?

— Да разве это имеет хоть какое-нибудь значение? Паскаль, прошу тебя...

— Нет, ты все-таки ответь. Когда?

— В прошлую пятницу.

— В пятницу? — От потрясения его лицо побледнело еще больше.

— Да.

— Ясно. — Лицо Паскаля было пепельно-серым. — Быстро же он, однако... Ушам своим не верю. Не могу поверить, что ты позволила этому случиться! — Он резко повернулся к ней. — Давай называть вещи своими именами. Ты не хуже меня знаешь, что в такой ситуации всегда бывает момент, когда ты можешь сделать выбор, когда у тебя еще есть время повернуть назад. Пока двое не поцеловались, пока не сказали друг другу заветных слов, пока не посмотрели друг на друга особым взглядом, один из них может выбирать. А посему, Джини, избавь меня от этой жалкой лжи. И не пытайся пудрить мне мозги разговорами о том, что можно любить одного, одновременно служа подстилкой другому. Все это бредни. И ни тебе, ни мне они не нужны.

— Ничего я не знаю! — В ее голосе зазвучали истерические нотки. — Не все так просто в жизни, Паскаль. Ты не можешь быть абсолютно...

— Могу! — сверкнул он глазами. — Мои чувства к тебе абсолютны. Как были и твои ко мне. Когда-то.

* * *

Джини поверила ему. Когда-то эти слова были ее собственным кредо. Мысль о том, что Паскаль намерен продолжать допрос с пристрастием и ей придется слово за словом признать всю степень собственной неверности, приводила ее в ужас. Она ожидала нескончаемой череды вопросов: как? когда? где? почему? как часто? Джини знала, что без колебаний сама принялась бы выпытывать у него всю эту пакость, если бы им немыслимым образом пришлось поменяться ролями. Какой бы мерзкой и горькой ни была правда, она всегда лучше недомолвок и сомнений.

К ее изумлению, Паскаль начал описывать обстоятельства своего долгого путешествия в Париж. Поначалу ей каза-

лось, что ему просто невыносимо говорить о том, что имеет более прямое отношение к сложившейся ситуации. Однако потом Джини поняла: таким образом он искал ее, искал ту, которую знал когда-то, а теперь не видел, хотя она была прямо перед ним. То, что они оба испытали в Боснии, стало в свое время пробным камнем, позволившим им испытать силу своих чувств. И теперь Паскаль косвенным образом спрашивал ее, помнит ли еще она об этом.

Когда он впервые за время монолога повернулся к ней, Джини увидела на его лице знакомое напряженное выражение. Паскаль был неподвижен; свет, падавший из окна, еще больше заострил его черты. Его серые глаза смотрели на нее. А может быть, он новыми глазами видел ее после событий нынешнего утра. В душе женщины шевельнулся неподдельный ужас: Паскаль ненавидел компромиссы, а потому мог сейчас молча повернуться и навсегда уйти из этой комнаты.

Джини невольно застонала — болезненно, протестующе. Выражение его лица изменилось. Подойдя к ней, он впервые не схватил, а мягко взял ее за руку.

— Посмотри мне в глаза. — Паскаль заставил ее поднять голову. — Джини, нам надо постараться преодолеть это. Сейчас я не могу. Я совершенно оглох, ослеп, разучился думать. Но я чувствую: случилось что-то ужасное. Ты так исхудала, любимая. Твои волосы, твое лицо... — Его голос дрогнул, и он наконец привлек ее к себе. — Ты все время что-то от меня скрывала, не договаривала — в телефонных разговорах, в письмах. Я не о том мужчине — не о нем речь. Что с тобой, Джини? Что случилось с тех пор, как ты уехала от меня? Мне казалось, у нас нет друг от друга секретов... — Паскаль на секунду умолк, обескураженно всматриваясь в ее лицо. Не дождавшись ответа, он крепко сжал ладони Джини и заставил ее посмотреть на себя: — Вот что мы сейчас сделаем: мы уедем. Немедленно. Хорошо? Вылетаем из Парижа вместе, первым же рейсом. Возвращаемся в Лондон, в нашу квартиру, или едем еще куда-нибудь. В спокойное место, где никто не помешает нам как следует все обсудить. Еще не все потеряно. Любимая, посмотри же на меня. Ну скажи хоть слово. Скажи «да».

Джини колебалась. Ее ответом было молчание.

Поняв это молчание, он отпустил ее руки и отстранился от нее:

— Так ты не согласна?

— Паскаль, дай мне только день-два, и я соглашусь на все. Да, я хочу быть с тобой. Я хочу этого больше всего на свете. Но не могу уехать с тобой прямо сейчас. Умоляю тебя,

не сегодня. Мне нужно довести до конца важное дело. Я уже говорила тебе: исчезла совсем еще молоденькая девушка. Я должна найти ее. Я должна найти человека, с которым она сейчас вместе. На этом человеке — две смерти. И я не могу просто взять и в одну секунду все бросить.

— Понятно, — смерил он ее долгим взглядом. — Одно только уточни, какое именно дело ты не можешь бросить: свою работу над статьей или того мужчину? Какое из этих двух дел для тебя важнее, Джини?

— Работа, — коротко ответила Джини. — Роуленд Макгуайр тут совершенно ни при чем. Я уверена, что если попрошу его, то он уедет, вернется в Лондон...

— Ты в самом деле так думаешь? Не вполне разделяю твою уверенность. Не очень верится, что этот человек просто так согласится с тобой расстаться. Сомневаюсь, чтобы он безропотно возвратился в Лондон.

— Перестань, Паскаль, ты же ничего не знаешь. Он наверняка раскаивается в том, что произошло, и попытается загладить...

— Милая, ты что, за полного идиота меня принимаешь? Ты думаешь, я не знаю, как ведет себя мужчина, действительно чувствующий за собой вину? Говори что хочешь — об одном только прошу: не лги. Ты же всю ночь напролет занималась с ним любовью — я это определил с первого взгляда, едва он открыл дверь. Это было ясно как божий день, когда он благородно и вдохновенно врал, выгораживая тебя. И ты, черт бы тебя побрал, позволяла ему это делать! — Он взмахнул рукой так яростно, что Джини отшатнулась. — Никуда он не уйдет. Скорее наоборот. Он недвусмысленно намекнул на это, когда я уходил из вашего проклятого номера.

— Да нет же, Паскаль. Ведь он тогда сказал тебе всего одно слово.

— И одного слова бывает достаточно. К тому же не важно, что он сказал. Я все по его лицу понял! Даже если бы он врезал мне с размаху, то и тогда вряд ли смог бы выразиться более красноречиво. Ты же в глаза мне смотреть не можешь. Одно из двух: ты или мне лжешь, или себе самой. Ведь вы не просто быстренько перепихнулись, после чего сразу же пожалели о содеянном. Или именно так все и было? Что скажешь, Джини?

— На этот вопрос я отвечать не стану.

— Уже ответила. Не пытайся сделать так, чтобы решение за тебя принял он. Ты должна решить все сама. — Он выдержал паузу. — Хорошенько подумай, потому что это решение будет окончательным — его уже не изменишь ни завтра, ни

через неделю. — Его взгляд, исполненный гнева и горечи, пронзил ее сердце. — Выбирай, Джини. Можешь назвать это выбором между мною и историей, над которой ты сейчас трудишься. Самолет вылетает через час, и я улечу на нем. С тобой или без тебя. Ах, чтоб вас всех!.. — Нервы у него окончательно сдали, и он изо всех сил грохнул в стену кулаком. — Думаешь, я на колени перед тобой встану? Думаешь, напоминать буду, какими мы с тобой были, какие слова друг другу говорили? Ничего этого не будет. Ни хрена! Если любишь, поедешь со мной. Если нет, значит, весь минувший год, большой кусок моей жизни, — ошибка. Так выбирай же, Джини, не тяни. Я не буду долго ждать.

— Как ты можешь говорить так? Как можешь так поступать? Разве я когда-нибудь ставила тебя перед таким выбором? — Она открыто посмотрела ему в лицо, перейдя в наступление. Теперь она не оправдывалась, а обвиняла. — Целых девять недель тебя не было со мной. Ты говорил, что уедешь всего на три недели, самое большее на четыре. Но их было девять. А разве я тебе сказала хоть слово? Говорила тебе: «Паскаль, если любишь меня, первым же рейсом из Сараева лети ко мне»? Говорила или нет?!

— И ты еще сравниваешь обстоятельства, в которых мы находились? Боже правый, да в своем ли ты уме? Я что, путался там с другой женщиной? Нет, не путался. Я был верен тебе, потому что не мог иначе. И тебе это было прекрасно известно. Я никогда не давал тебе повода усомниться в моих чувствах к тебе — ни когда разговаривал с тобой по телефону, ни когда писал тебе письма. И сейчас я не прошу тебя выбирать между мною и твоей работой. Я всего лишь прошу тебя определиться, кто тебе дороже — я или тот мужчина.

— Мне нужно несколько дней. Паскаль, я не могу сейчас объяснить тебе всего. Но в Амстердаме я поклялась себе, что доведу это дело до конца...

— Ты много в чем клялась, — махнул он рукой в сторону писем, валявшихся на кровати. — Может, напомнить тебе те клятвы, которые ты давала мне?

— Неправда, Паскаль. Я не пытаюсь ни в чем оправдываться. Ты просто должен понять: пока ты был в Сараеве, жизнь не стояла на месте. Я была совсем одна, и так неделя за неделей. То, что я увидела в Боснии, все во мне перевернуло. Но я не могла сказать тебе об этом. Не могла сказать, какая черная меланхолия, какое отчаяние, какое бешенство охватывают меня порой. Я хотела, чтобы ты не был ничем связан, чтобы спокойно работал, и молчала, даже когда мне хотелось во весь голос завопить о том, как мне тебя не хвата-

ет. Недели шли, но я была уверена, что ты вернешься хотя бы к Рождеству. Я верила в это. И каждый день представляла себе наше первое совместное Рождество. В нашей квартире. Под наряженной елкой. Да, я купила елку и звезды для нее. Купила тебе подарки, так старалась упаковать... красиво. А ты не приехал...

— Джини... — Он потянулся к ней. — Милая, о чем ты? Ты же никогда ничего подобного мне не говорила. Ведь на Рождество ты сама мне сказала, что все ерунда. Что, мол, устроим Рождество, когда я вернусь...

— Да, сказала... — Слезы безудержно катились по ее щекам. — Я только говорила так. А думала, чувствовала совсем другое. Я так надеялась, так верила, что ты поймешь. Я думала: «Не навек же Паскаль там остался. Он наверняка по мне скучает, рвется ко мне душой». И именно в то время я увиделась с твоей бывшей женой. Я с ней как-то раз обедала, и она сказала мне...

Паскаль вплотную приблизился к Джини и застыл на месте словно громом сраженный.

— Как? Ты виделась с Элен? Когда? Ты ничего не говорила мне об этом.

— Накануне Рождества. Я видела: она считает меня дурочкой, потому что знает тебя лучше, чем я. Она была абсолютно уверена, что ты не приедешь ни на Рождество, ни на Новый год. Она рассказала мне, как это у вас бывало, когда она была за тобой замужем. Как никогда не могла поймать тебя, когда ты был в разъездах. Как приходилось ей одной возиться с Марианной. И я подумала: «Да, так и есть. Паскаль — очень целеустремленный человек, и именно за это я люблю его. Беда вот только...» — Она запнулась на полуслове. Глаза Паскаля потемнели от ярости, и он схватил ее за руку.

— Договаривай, — велел он. — В чем беда?

— В том, что при этом гибну я. Оттого, что никогда не знаю, где ты, жив ты или нет. Оттого, что не могу рассказать тебе, что у меня на душе. А именно это угнетало меня больше всего. И когда Элен сказала, как все было у вас с ней, я подумала: «Так же и со мной было бы, если бы у меня был ребенок от Паскаля. Я превратилась бы во вторую Элен. А ребенок стал бы второй Марианной. И ты был бы приходящим папой». Именно так говорила о тебе она.

— Боже правый, не смей говорить так! — Больно схватив Джини за плечи, он с силой встряхнул ее. — Да ты на себя сперва посмотри... — Он обеими ладонями резко повернул ее лицо к себе. — На твоем горле я вижу отпечатки лап этого

мужика. Я вижу следы его поцелуев. От тебя за версту разит его духом, и ты еще смеешь говорить мне о моих жене и ребенке? Ты, которая отлично знает, что это был за брак, каким адом был для меня! Да если бы не дочь...

— О да, я знаю: Марианну ты любишь... — Джини дернулась, попытавшись вырваться из его цепких пальцев. — Интересно, с какой целью ты сейчас в Париже, а? Скажи, Паскаль, только не лги мне. Не говори, что внезапно захотелось увидеть меня. Я знаю, что заставило тебя наконец объявиться. Причина вовсе не во мне. Ты приехал, потому что на следующей неделе — день рождения Марианны...

И тогда он ее ударил — так сильно, что Джини рухнула на пол. Стукнувшись о ножку кровати, она скрючилась, закрывая от побоев лицо. Прежде Паскаль никогда не бил ее, и это оказалось столь неожиданно и больно, что у нее потемнело в глазах. Паскаль рывком поднял ее с пола.

— Как у тебя язык повернулся? Как?! — исступленно тряс он. — Выходит, все, что я тебе говорил, — вранье? Значит, нет больше мне веры? Легко же ее оказалось разрушить — стоило один лишь раз поболтать с моей бывшей женой. Нечего сказать, хорошее оправдание для того, чтобы залезть в кровать к мужику, которого знаешь всего три дня, и кувыркаться с ним всю ночь до зари. — Он с отвращением оттолкнул ее от себя. — Только не говори ничего. А главное — ни слова о Марианне. Да, ты права, я люблю свою дочь и потому не желаю, чтобы твои уста произносили ее имя.

— Что ты хочешь этим сказать?

— Сама прекрасно знаешь. Мы оба знаем. — Паскаль сделал глубокий вдох, чтобы хоть немного успокоиться. — Извини, что ударил. Не хотелось, чтобы именно этим все завершилось. Но так уж получилось. Я, пожалуй, пойду. А то, если останусь, не дай бог ударю еще раз. Я... — Он обвел комнату пустым взором слепца. — Был у меня в Боснии один момент, когда я подумал... Хотя, впрочем, какое имеет значение, что я думал... А о Марианне — больше ни слова. У тебя нет детей, тебе этого не понять. Не понять этой радости и этого чувства вины, когда из кожи вон лезешь и все равно чувствуешь, что делаешь недостаточно. Вот я и пахал как вол... — В его взгляде мелькнула боль. — Похоже, Элен забыла об этой части уравнения. Но как бы то ни было, мне приходилось содержать ребенка и жену. Мой хлеб — фотография. Я фотографирую войну. А это не та работа, на которой протирают штаны с девяти утра до пяти вечера. С этой работы не приходят каждый раз в одно и то же время, чтобы съесть свой ужин в кругу семьи. Она знала об этом, когда вы-

ходила за меня замуж. Когда родилась Марианна, мы составляли планы: куда я поеду и когда вернусь, как распределю свое время, чтобы хватило на возню с дочкой. Если верить Элен, все окончилось полным крахом и, конечно же, по моей вине. Я понадеялся... — Паскаль на секунду замялся. — Я надеялся, что ты увидишь все по-иному. Но это уже в прошлом. Ты выслушала мою бывшую жену и вынесла свое суждение. Теперь я понимаю, что произошло минувшей ночью. Я ухожу. Не вижу смысла продолжать. От этого только больнее нам обоим.

— Но я хотела от тебя ребенка! — выкрикнула Джини и сделала движение навстречу ему, однако сдержалась. — Ах, Паскаль, неужели ты ничего так и не заметил? Неужели не догадался? Это началось в Боснии. Быть может, в Мостаре. Потому что я так сильно любила тебя, и мы видели так много смертей. — Ее голос сел от волнения, лицо болезненно скривилось. — Я знала, что это неосмотрительно. Видела, что ты не хочешь этого. Но это было сильнее меня, я не могла отделаться от этого желания. Я хотела от тебя ребенка настолько, что больше ни о чем не могла думать.

Наступило молчание. Паскаль выслушивал ее сбивчивое признание внимательно, с лицом, похожим на застывшую белую маску. Когда Джини замолчала, он только сокрушенно развел руками, будто отказываясь от того, что когда-то было ему очень дорого.

— Понимаю. — Его лицо оставалось по-прежнему непроницаемым. — Понимаю, что ты чувствовала. Почему же ты так и не собралась рассказать мне об этом?

— Почему? Потому что у меня есть чувство собственного достоинства, есть гордость, черт возьми. Потому что не хотела, чтобы мне пришлось упрашивать тебя. Потому что такие решения принимаются двумя людьми, а не одним человеком, и принимаются с радостью!

Джини растерянно замолкла. Паскаль некоторое время продолжал смотреть на нее, а потом вздохнул.

— Хотелось бы верить, что ты сейчас говоришь действительно то, что думаешь. — Его глаза поначалу беспокойно забегали, однако вскоре снова остановились на ее лице. — Но мне больше нечего сказать тебе. Жаль, что ты не сказала всего этого вовремя. Кто знает, может быть, я отреагировал бы на твои слова совсем не так, как ты это себе представляла. А теперь... Наверное, после разговора с Элен тебе окончательно расхотелось обсуждать со мной эту тему. Должно быть, она открыла тебе глаза на то, каким никудышным отцом я буду для твоего ребенка.

От этих холодных слов кровь бросилась Джини в лицо.

— Нет, все было не так, — возразила она. — Я ужасно боялась. Ведь у тебя уже есть ребенок. Возможно, тебе не захотелось бы иметь второго — от меня.

Паскаль поднял с пола сумку с аппаратурой.

— Сейчас об этом в любом случае говорить уже поздно. У тебя составлен детальный список требований к будущему отцу твоего ребенка. Я этим условиям не соответствую. Ты ясно дала мне это понять.

— Паскаль, я знаю, что ты хочешь сейчас мне сказать. Умоляю тебя, не надо. Ведь я хорошо знаю тебя: ты никогда не берешь своих слов назад...

— Понимаю, как тебе больно, и все же не сказать тебе этого я не вправе. — Посмотрев на нее ясным взглядом, Паскаль продолжал: — Да, у меня есть ребенок, и я прекрасно знаю, как много обязательств это налагает. Но скажи, Джини, когда ты составляла требования к отцу твоего будущего ребенка, тебе не приходило в голову, что и у меня могут быть определенные требования? А ведь я достаточно четко представляю, чего хочу от своей будущей жены, матери детей, которые у нас могут появиться. — Он ненадолго замялся. — В данном случае мне бы хотелось быть полностью уверенным в том, что наша любовь взаимна. Что это именно та любовь, которая не знает компромиссов, не проходит со временем. Что этой любви сопутствуют ответственность, верность. Ну и все прочее... — В его голосе зазвучала горечь. — И наконец, как большинство нормальных мужчин, я хотел бы быть абсолютно уверен в том, что ребенок, которого родит мне жена, действительно мой. — Паскаль выдержал многозначительную паузу. — Я знаю, очень часто ты не видишь в целом мире никого, кроме себя. Но, даже несмотря на это, я верю, что уж такие-то вещи ты понять способна.

— Паскаль, подожди, не уходи. Да, я ужасно виновата, но я все равно люблю тебя, люблю по-прежнему. И то, что ты говоришь, невыносимо для меня. Это ужасно, ужасно... Я готова пойти на что угодно, лишь бы повернуть время вспять, уничтожить, вычеркнуть из жизни то, что произошло. Ты же верил мне, Паскаль, и сейчас я бы, кажется, все сделала, чтобы вернуть твое доверие. Умоляю тебя, давай попробуем преодолеть это вместе, оставить позади. Ты же сам говорил, что мы могли бы постепенно...

— Это было около часа назад. Как странно. — Он перевел поблекший взгляд с ее лица на свои часы. — Да, всего лишь час, а впечатление такое, будто целая жизнь. За этот час было многое сказано. Ты говорила мне, как страстно хотела от

меня ребенка. Ты говорила это с таким лицом... Наверное, именно таким оно и запомнится мне навсегда. — Он потупился. — И все же это желание не помешало тебе пойти в постель с почти незнакомым мужчиной, не так ли? А сама ты не помешала ему лгать мне в лицо, когда он выгораживал тебя... — Его голос дрогнул. — И ты называешь это любовью, Джини? Если да, то я такой любви не приемлю. Я, наверное, скорее умер бы, чем поступил с тобой так же. Я... Знаешь, лучше я, пожалуй, все-таки уйду. С меня хватит. Ты очень изменилась, Джини. — Паскаль взял ее за подбородок. — Ты всегда была такая... открытая, откровенная. Прямая. А сейчас юлишь. Сперва утверждаешь одно, через секунду — совсем другое. Кто виноват в этом? Война? Мое отсутствие? Мужчина, которого ты едва знаешь? Хоть раз скажи мне правду.

Джини посмотрела ему в лицо долгим взглядом.

— Все вместе, — тихо ответила она. Услышать ее признание было ему так же больно, как и ей произнести эти слова вслух. Его лицо исказилось.

— Во всяком случае, сказано без утайки. Что ж, и на том спасибо. — Паскаль подошел к двери и оглянулся. — А ведь я мог поцеловать тебя. Мне хотелось, очень хотелось. Ты заметила?

— Да.

— И все же лучше не расслабляться, — пожал он плечами. — Если уж на что-то решился, то нужно идти до конца. Сейчас я должен успеть на самолет. К тому времени, когда ты вернешься, моих вещей в квартире уже не будет. Прощай, Джини.

С этими словами Паскаль вышел. Именно так, как она и ожидала. Дверь за ним закрылась тихо, без стука. С лестницы донесся удаляющийся звук шагов. Джини бросилась сначала к двери, потом к окну и увидела, как он вышел из гостиницы, пересек узкую улочку, быстрым шагом прошел через сквер. Высокая, устремленная вперед фигура становилась все меньше. Вот он ловит такси, садится внутрь... Паскаль ушел, не оглянувшись.

Снова не видя ничего от слез, Джини медленно подошла к кровати. Подняв с покрывала свои письма, в разное время написанные ему, она исступленно прижала их к груди. Слова Паскаля в кровь изранили ей душу, и то, что эти письма, этот талисман, который так долго хранил его, он бросил здесь, делало боль еще острее. «Почему я не побежала за ним?» — мелькнуло в голове. Но тут же в ее душе поднялась новая мощная волна сопротивления, чуть ли не бунт.

Ей почти тридцать. И она хочет ребенка. Понял ли Пас-

каль по-настоящему, о чем она ему говорила? — спрашивала она себя, ходя по комнате из угла в угол. Какая-то очень важная мысль ускользала от нее. И тут ей пришло в голову, что она могла забеременеть. Да, вполне возможно, что внутри ее сейчас зарождается новая жизнь.

Мысль о такой возможности привела Джини в ужас. Замерев на месте, она с предельной ясностью осознала, что, каким бы ни было ее решение о том, как жить дальше, тело ее уже приняло самостоятельное решение — решение окончательное и бесповоротное. Ужас углублялся, и по жилам женщины разлилось какое-то нездоровое возбуждение, почти истерическая радость. Она попыталась представить себе, что такое быть матерью, причем не вообще матерью, а именно в сложившихся обстоятельствах. Последствия подобной жизненной перемены казались столь огромными, что сознание просто отказывалось их воспринимать. Ей не оставалось ничего иного, как найти прибежище в заурядном фатализме. Это было типично женской реакцией на вызов судьбы: а-а, будь что будет...

«Погоди, — сдержала себя Джини. — Так решения не принимаются». Прежде всего следовало уяснить себе, что ни Паскаль, ни Роуленд к этому никакого отношения иметь не будут. Она смутно чувствовала, что поступается чем-то очень важным. Теперь же не было никаких сомнений относительно того, что она теряет.

Однако осознание беспощадной истины, заключающейся в том, что она, по сути, остается в одиночестве, вернуло ей уверенность в себе, позволило почувствовать почву под ногами. Все еще прижимая письма к груди, Джини снова подошла к окну. Перед ее глазами привычно возникли короткая полоска Сены и кусок базилики Нотр-Дам, напоминающий нос гигантского корабля.

Она вспомнила мать Аннеки и обещание, данное себе самой. «Работать», — приказала себе Джини, спеша обратно в «Сен-Режи». Номер оказался пуст. Роуленд Макгуайр уже ушел. В строгом соответствии с распорядком дня.

15

«MORTE D'UNE LEGENDE»[1] — извещал крупный заголовок на первой полосе газеты, свежий номер которой был доставлен Линдсей рано утром, едва она встала с кровати. Под

[1] Смерть легенды (*фр.*).

аголовком была помещена известная фотография, принад-
ежащая Битон, на которой была изображена смеющаяся
олодая женщина с короткими волосами, прикрывающая
ицо обеими ладонями. Линдсей принялась переводить про-
транную статью.

Линдсей чувствовала себя взвинченной. День только еще
ачинался, но достаточно было одного взгляда на хмурое
ебо, чтобы не осталось ни малейшего сомнения в том, что
енек будет так себе. Ветер быстро гнал низкие облака, без-
алостно гнул ветви деревьев и поднимал мелкую рябь на
ерой, ленивой поверхности Сены. И воздух был таким же
ерым и влажным, предвещая только одно — дождь. Не пой-
ешь, как это и назвать: то ли свет, то ли мгла, то ли воздух,
о ли туман.

Стены гостиничного номера начинали давить на нее.
Чтобы убить время, Линдсей после некоторых колебаний
искнула набрать номер Роуленда. Было уже девять утра, а
отому можно было не опасаться возникновения щекотли-
ой ситуации, если трубку вдруг поднимет Джини.

Длинные гудки следовали один за другим, а трубку все не
рали. Тогда, все еще изнывая от непонятного беспокойства,
на направилась в апартаменты, которые газета «Корреспон-
ент» облюбовала под походный штаб. Пикси, одетая в вяза-
ое платье, больше похожее на рыболовную сеть, была уже
а месте. Линдсей, забрав свой пропуск на пресс-конферен-
ию, которую устраивал утром Дом Казарес, и осведомив-
ись насчет каких-то несущественных деталей, собралась
же было уйти, но вдруг задержалась в дверях:

— А насчет пропусков для Роуленда и Джини ты позабо-
илась?

Пикси, не слишком сдержанная на язык и в душе искренне
е понимавшая, как вообще можно хранить секреты долее
яти минут, незамедлительно отрапортовала с многозначи-
ельной улыбочкой:

— Ясное дело. Еще вчера вечером им в номер отправи-
а. — За этим последовала деликатная пауза. — И как это
Макгуайру удалось отхватить этот номер? Уж я, кажется, чего
олько не делала, чтобы он мне достался, — и плакала перед
ачальством, и в припадке билась, и телом торговать была
отова. Ан нет — фигушки!

Нашла чему удивляться. Роуленд все же персона по-
ажнее, чем ты, человек влиятельный, — равнодушно произ-
есла Линдсей.

Улыбка на лице Пикси стала еще шире. Это было верным
ризнаком того, что в следующую секунду из ее уст польется

поток сплетен, домыслов и вполне достоверных подробностей редакционных интриг.

— Да уж, пожалуй, — согласилась Пикси. — Он у нас та-акой мужчина. Просто невозможно отказать...

— Что ты этим хочешь сказать?

— То, что это все равно показалось мне странным. Она с ним в одном номере — и это всего через несколько часов после того, как он же сам ее уволил...

— Что?! Роуленд ее уволил? — Линдсей, не веря своим ушам, потрясла головой. — Нет, Пикси, что-то ты напутала. Я их обоих вчера вечером видела.

— Да их все вчера вечером вместе видели, — небрежно процедила Пикси. — Отель нашим братом битком набит — никуда не скроешься. Все видели, как они вместе куда-то уходили на ночь глядя, а потом вместе возвратились. Только на лицо ее посмотрела бы, и сразу бы тебе все ясно стало: от души погуляли.

— Что за чушь! — вспылила Линдсей. — Позже я была с ними. До глубокой ночи. Они работали.

— Работали? И надолго их хватило?

— Слушай, Пикси, я целых два часа провела вместе с ними в одном номере, а то и больше. И мы работали. Все трое. Понимаешь? А тебе не мешало бы взяться за работу прямо сейчас. Все какая-то польза. — Она направилась к двери, надеясь в душе, что ее ложь поможет сдержать поток сплетен, но опять задержалась в последний момент. — А откуда ты, собственно, взяла, что Роуленд уволил Джини?

— Ниоткуда ничего я не взяла. Я сама точно знаю. Мне вчера вечером Тони из Лондона позвонил. Макгуайр незадолго до этого в своем кабинете по телефону разговаривал. Дверь была закрыта, но Тони все слышал. Вернее, не мог не слышать, потому что, по его словам, Макгуайр орал так, что его, наверное, на самой Пиккадилли слышно было.

Линдсей тяжело вздохнула. Тони можно было верить. Он был последним увлечением Пикси, причем не просто увлечением, а самым настоящим влюбленным, готовым ради своей пассии на все что угодно. Этот парень работал мелким клерком в отделе обозревателей, и через коридор от его рабочего места располагался кабинет Роуленда Макгуайра.

— Извини, Пикси, — непреклонно проговорила она, — но на сей раз твой Тони ослышался. Говорю же тебе: я была с ними. И никто Джини не увольнял.

— Значит, уже успели восстановить, — быстро стрельнула в ее сторону глазами Пикси. — В вестибюле все так и решили. Но раньше он ей точно объявил об увольнении, а он

слов на ветер не бросает. Тони мне рассказал, что она здорово обделалась в Амстердаме, ну наш Макгуайр и взбеленился. Наговорил ей всякого, еще и Паскаля Ламартина приплел. Тони говорит, что его самого, наверное, кондрашка хватила бы, если бы на него начальство так наехало. Уж если Макгуайр из себя вышел, добра не жди — это всем известно. Так разносить пойдет, что только держись. Самое лучшее в подобном случае — заползти в щель под плинтусом и тихо там скончаться. Но уж такого, если верить Тони, от него еще никто не выслушивал. Он, до того как шмякнуть трубку, ей раз семь проорал, что она уволена. А потом вылетел из своего кабинета как ошпаренный — глазищи зеленые, как у кота горят. Но, прежде чем уйти, все-таки отмяк немножко, успокоился... — Пикси снова томно вздохнула. — Жаль, я сама не видела. Нет, это просто чудо, а не мужчина. Ты можешь себе представить, что это за чудо, когда он в бешенстве? Обожаю страстных мужчин. Обожаю...

— Пикси, ради всего святого...

— Обожаю — и точка. Покажи мне хоть одну женщину, которой темпераментные мужики не нравятся. Если даже такая и сыщется, значит, все врет, подлая. А я тебе честно говорю. При одной мысли о том, каков Макгуайр в ярости, у меня соски дыбом встают...

— Довольно, Пикси, избавь меня...

— Одни глаза его чего стоят. — По спине Пикси пробежала сладострастная дрожь. Теперь, когда она вошла в раж, остановить ее было не так-то просто. — А волосы черные! А голос! А мускулы! А высокий рост! К тому же, я слышала, в постели он — само совершенство. Причем до такой степени совершенство, что на следующий день едва ноги волочишь. Хотя, спрашивается, зачем их волочить-то? Скажу тебе по правде, я бы так и осталась бы лежать в постели, мечтая о новых чудесных мгновениях...

— Пикси, прекрати немедленно! Меня вовсе не интересуют твои сексуальные фантазии.

— Какие еще фантазии? Это чистая правда. Есть у меня одна девчонка знакомая...

— Пикси...

— Так вот, она всем мужикам выставляет баллы, понятно? Высшая оценка — двадцать пять баллов. Здесь все учитывается — изобретательность, выносливость, проницательность, нежность, забота о партнерше, физические данные, «выход готовой продукции»...

— Какая еще проницательность? Что это за девица?

— И ты знаешь, какую оценку она выставила Макгуайру?

Сто баллов! Все рекорды побил. И ее на обе лопатки уложил. К тому же учти, оценка эта — результат серьезного исследования. Она провела опрос, и оказалось, что многие другие тоже находятся под глубоким впечатлением. У него есть особые правила.

— Правила? — переспросила Линдсей голосом умирающей.

— Да, — доверительно понизила голос собеседница. — Он всегда заранее — понимаешь, заранее! — договаривается с женщиной, чтобы в дальнейшем между ними не возникло никаких недоразумений. Все с самого начала должно быть ясно как божий день: только секс! Ну, может быть, в дальнейшем дружба, но не более того. Никаких серьезных отношений, никаких обязательств. Таковы его условия, и он неизменно придерживается их. Никаких тебе телячьих нежностей, никаких «дорогих-любимых», личных откровений. Мне моя знакомая говорила, что, завершая с ним роман, знала о нем не больше, чем когда у них это только наклевывалось. Она от злости на себе волосы готова была рвать. — Пикси уставилась на Линдсей долгим многозначительным взглядом.

— Пикси, прекрати сию же секунду!

— Почему же это?

— Вряд ли ты это поймешь. Прежде всего потому, что речь идет о человеке, которого мы обе знаем и к которому обе хорошо относимся. Но тем не менее вторгаемся в его личную жизнь, суем нос не в свое дело...

— Хорошо относимся?.. А мне-то казалось, что ты Макгуайра на дух не переносишь. Сама же говорила, что он высокомерный хам и все такое...

— Забудь об этом. Хорошо, нехорошо — какая разница? Подобные сплетни всегда в конце концов причиняют кому-то неприятности и боль. Больше слышать от тебя ничего не хочу! И не хочу, чтобы ты как сорока разносила эти нелепые сплетни повсюду.

— Значит, мне и о Джини даже словечка сказать нельзя? И о номере на двоих?

— Вот именно, нельзя. Во-первых, это не твоего ума дело. А во-вторых, это всего лишь лживые слухи.

— Ну раз ты так говоришь, — обескураженно пожала Пикси плечами, — буду молчать в тряпочку.

— Учти, Пикси, я тебя серьезно предупреждаю. Держи свои вымыслы при себе и не вздумай других баламутить. К тому же сдается мне, что у тебя непочатый край работы. Потому что если ты сидишь без дела, значит, что-то тут очень не в порядке.

Пикси подняла на нее изумленный взгляд:

— Так ведь все под контролем, Линдсей.

— В таком случае, чтобы сегодня к девяти вечера у меня уже были приглашения на показы Шанель и Готье. И о приглашениях для Маркова позаботься. Смотри у меня, Пикси, хоть раз споткнешься, хоть раз облажаешься — и можешь считать, что ты уже на улице.

У Пикси тоже запылали щеки.

— Я с работой справляюсь, — начала оправдываться она. — Все будет тикать как часики...

— То-то же, — назидательно произнесла Линдсей, выходя в коридор и едва удерживаясь от того, чтобы хлопнуть дверью. Пикси наверняка скорчила ей в спину рожу — и вполне права. Лицо все еще горело. Линдсей выскочила из отеля на улицу и жадно вдохнула влажный воздух, напитанный туманом и моросью.

Сейчас она была, как никогда, зла на саму себя. Как могла она отчитывать Пикси за сплетни, когда сама слушает эти сплетни с открытым ртом? Мало того, начала еще к ее работе придираться — это к Пикси-то, которая любому другому работнику сто очков вперед даст. А что толку-то? Даже если ей и удалось приглушить шушуканье насчет Роуленда и Джини, то вряд ли надолго. Она обернулась и посмотрела сквозь стеклянные двери «Сен-Режи». В вестибюле, как и прежде, яблоку негде было упасть от суетящихся репортеров и съемочных групп. В этой душной теплице слухи множились быстрее, чем бактерии.

Помимо отвращения Линдсей испытывала сейчас и чувство тревоги. За Роуленда можно было не тревожиться: он уже имел устойчивую репутацию бабника.

Зато Джини — страстная, импульсивная и зачастую наивная идеалистка Джини — давала серьезный повод для беспокойства. Во-первых, Джини никогда не понимала и почти не замечала того, какое впечатление производит на мужчин. Во-вторых, из множества окружавших ее представителей сильного пола ей нравились лишь единицы. Она была не из тех женщин, которые падки на случайные приключения. Но уж если такая, как Джини, влюбляется, то непременно по уши.

Задумавшись, Линдсей остановилась на набережной и, облокотившись на каменную балюстраду, посмотрела вниз, на Сену. До разговора с Пикси она пыталась убедить себя, что прошлой ночью интуиция подвела ее. Теперь же сомнения одолевали ее еще больше, чем прежде. Очень настораживал один момент в рассказе Пикси — насчет того, что Роу-

ленд уволил Джини, в особенности то, в какой манере это было сделано.

Линдсей знала, как болезненно относится Джини к критике в свой адрес со стороны тех, кого искренне любит и ценит.

Тяжело вздохнув, Линдсей принялась разгуливать вдоль набережной, чувствуя, как внутри ее растет возбуждение. «Чтобы любить по-настоящему, — думала она, — Джини, как и многим другим женщинам, недостаточно просто восхищаться объектом своей страсти. Ей также непременно нужно чувствовать, что она может у него чему-то научиться». Джини испытывала непреодолимую потребность благоговеть перед любимым, преклоняться перед его талантом, силой его личности, его умом, моральными качествами, будучи при этом полностью убежденной в том, что по всем этим статьям она уступает ему. Только так — и никак иначе.

Для Макгуайра это могло означать просто очередную интрижку — месяца на два, быть может, на три.

Линдсей почувствовала, как негодование в ее душе перерастает в самую настоящую ярость. В подобных ситуациях ее симпатии всегда были на стороне женщины, тем более что из всех подруг Джини являлась для нее самой близкой. Злость на Макгуайра росла, пока Линдсей шла в Дом Казарес, где в скором времени должна была начаться пресс-конференция Лазара.

К тому времени, когда она добралась до места, Линдсей успела убедить себя в том, что больше не просто не испытывает никакого влечения к Макгуайру, но даже не чувствует ничего, хотя бы отдаленно напоминающего простое женское любопытство. Торопливые слова Пикси до сих пор звучали в ее голове, и она пришла к окончательному выводу, что Роуленд Макгуайр не кто иной, как бездушный манипулятор, для которого женщина лишь средство удовлетворения похоти. И тут в толпе Линдсей заметила его. Достаточно было ей лишь мельком увидеть это прекрасное лицо, чтобы в ту же секунду забыть все, о чем она только что думала.

* * *

Линдсей не сразу увидела его. Когда она подошла к Дому Казарес, до пресс-конференции оставалось еще полчаса, однако у входа в здание уже бушевал людской прибой. Улица и площадка перед домом были сплошь забиты микроавтобусами, повсюду как грибы торчали белые тарелки спутниковой связи, тянулся телевизионный кабель. Громоздкое оборудо-

вание телевизионщиков мешало всем, однако ни капли не стесняло их самих. Линдсей в буквальном смысле слова попала в вавилонское столпотворение — люди стояли плотной стеной, со всех сторон звучала разноязыкая речь. Однако в вестибюле давка оказалась еще больше. Абсолютно все — и с пропусками, и без оных — норовили как можно скорее прорваться в конференц-зал, чтобы занять места поудобнее. Подобная толчея с элементами потасовки частенько возникала во время показов коллекций, но на сей раз здесь творилось нечто невообразимое. Линдсей физически ощущала какой-то особый, острый запах истерии, исходивший от толпы. Людьми владело не просто желание протиснуться в зал и поскорее занять место, но и другие, более сильные эмоции. Нездоровый ажиотаж на грани исступления был своего рода данью памяти почившей знаменитости. Многие здесь как личную драму переживали внезапную кончину Марии Казарес: некоторые дамы еще до начала пресс-конференции начали обливаться слезами.

По пути к дверям конференц-зала Линдсей молила в душе бога, чтобы ее не затоптали. Ей наступали на ноги, ее пихали, швыряли из стороны в сторону — оставалось только надеяться, что не повалят на пол, что означало бы верную гибель. Сотрудники фирмы Казарес, облаченные в строгие черные костюмы, пытались хоть как-то утихомирить толпу. Но их было слишком мало — бурлящий людской поток грозил смести и разметать и их. О том, чтобы заставить каждого показать на входе пригласительный билет, не могло быть и речи. Перестав сопротивляться, она позволила толпе нести себя вперед. Перед ее глазами открылся зал, залитый слепящим светом. Вдали виднелась черная сцена, похожая на эстраду, на ней — пюпитр, микрофоны, камеры, а над всем этим — гигантская фотография Марии Казарес, всем известный битоновский портрет, увеличенный до невероятных размеров. Набравшая силу волна вплеснула Линдсей внутрь зала. Тогда-то она и увидела Роуленда Макгуайра.

Он находился буквально в паре метров от нее, чуть в стороне от эпицентра давки. Высокий рост позволял ему видеть всех, кто входил, вернее вваливался, в эту дверь. Как подметила Линдсей, одет Роуленд был в черный плащ и черный костюм. Довершал этот ансамбль черный галстук. Своим строгим одеянием он заметно выделялся на фоне пестрого многолюдья. Его лицо было бледным и сосредоточенным, взгляд не отрывался от дверей. У Линдсей не было и тени сомнения, кого именно он высматривал в этом муравейнике.

Должно быть, Роуленд Макгуайр сразу заметил Линдсей,

хотя поначалу не подал вида. Но, выбрав удобный момент, он неожиданно сделал резкое движение вперед. Крепкие пальцы стиснули локоть Линдсей и вырвали ее из тисков толпы. Все это Роуленд проделал молниеносно, ни на мгновение не сводя глаз со входа.

— Видишь вон того распорядителя? — мотнул он головой в сторону одного из служащих Дома Казарес. — Он держит для нас три места — центральный сектор, четвертый ряд. Иди к нему прямо сейчас и попроси, чтобы он тебя усадил. А я задержусь тут на минутку.

— Целых три места? Да еще стерегут для нас? Черт возьми, Роуленд, как это тебе удается?

— Умение распоряжаться финансами, — натянуто ухмыльнулся он. — Иди, Линдсей, не задерживайся.

Линдсей повиновалась. Распорядитель проявил такую любезность, словно перед ним был сам главный редактор американского издания «Вог». Ошеломленно оглядевшись, она поняла, что мыслила в правильном направлении: в том же ряду важно восседали издатели крупнейших журналов, освещавших новости моды и светской жизни. Из американских здесь был представлен не только «Вог», но и «Харперс базар», а из французских — тот же «Вог», только парижское издание, и «Пари-матч». В представительной компании примостился и издатель «Хелло!». Приход Линдсей был встречен взглядами нескольких пар глаз, округленных в приятном изумлении. Кое-кто даже послал ей воздушный поцелуй. Через пять минут появился и Роуленд. Сев рядом с ней, он осведомился:

— Ты сегодня утром Джини случайно не видела?

— Нет, не видела.

— Ей нужно было подобрать кое-какой материал. — Он обернулся, рискуя свернуть себе шею, и снова уставился на распахнутые двери. — Наверное, что-то ее задержало. По моим расчетам, она должна быть уже здесь.

Линдсей промолчала. Роуленд Макгуайр буквально излучал напряжение: его повернутое лицо было бледным, подбородок вызывающе выпячен, сильные, чуткие руки готовы сжаться в кулаки. С ним явно творилось что-то неладное. Случилось нечто чрезвычайное, выходящее за рамки сценария, который Линдсей уже успела составить в воображении. Ей стало стыдно за пошлость собственных мыслей.

Если Джини в самом деле намеревалась присутствовать на пресс-конференции, то сильно запаздывала. Двери зала уже закрывались. У подножия сцены выстроилась в полной боеготовности шеренга телевизионщиков и фоторепортеров.

Линдсей тихо поинтересовалась:

— Скажи, Роуленд, ты всегда в таких случаях надеваешь черное?

— Что? — Он непонимающе взглянул на нее и отвел глаза в сторону.

— Я это к тому, что большинству людей в наше время все равно, что и когда надеть. Почти никто не заботится больше о формальностях. Даже на похоронах...

— Как тебе сказать... Я и сам как-то не очень задумывался над тем, что надеть. — Роуленд снова повернул голову к входу. — Привычка, наверное. Воспитание сказывается. Когда я жил в Ирландии, еще мальчишкой, люди, помню, всегда одевались особо, когда кто-нибудь умирал. В знак уважения к покойному. А почему это вдруг тебя так заинтересовало?

— Сама не знаю. — В душе Линдсей была тронута его ответом. — Просто мне нравится, как ты выглядишь — немного старомодно, но в этом чувствуется что-то правильное.

Однако Роуленд уже не слушал ее. Встав с места, он небрежно сбросил с себя плащ. Несмотря на минорную обстановку, от Линдсей не укрылось, как несколько женских голов тут же повернулись в его сторону. Она тоже подняла глаза. Непокорные темные волосы падали Роуленду на лоб. Черный костюм и белая рубашка подчеркивали его высокий рост и мужскую стать. Линдсей услышала, как в их ряду прошелестел чей-то шепот с резким американским акцентом:

— Милая, ты не знаешь, кто этот божественно сложенный красавчик?

Но чужие слова, как видно, не достигали его слуха.

— Черт... — вполголоса выругался он, садясь на место, в то время как на сцену выходила группа служителей в черном. — Черт, поздно уже. А мне так надо было с ней поговорить.

— У тебя есть какая-то зацепка? — спросила Линдсей, стараясь, чтобы ее голос звучал как можно равнодушнее. Возможно, речь и в самом деле шла о новой нити в расследовании, которое Роуленд вел вместе с Джини. Однако при виде того, как он беспокоится, в душу закрадывалось подозрение, что речь здесь вовсе не о журналистских находках.

— Что? Да. Есть. А теперь приходится ждать... — Он посмотрел на помост, где уже скорбно застыла группа людей в черных одеяниях. Линдсей тоже переключила внимание на сцену, невольно восхищаясь тем, как умело обставлено это мероприятие. В следующую секунду она сосредоточилась до предела. К пюпитру с микрофоном быстрым шагом приближался Лазар. В зале воцарилась мертвая тишина.

Траурная речь оказалась краткой. Он зачитал ее четырежды: сперва по-французски, потом по-английски, по-испански и, наконец, по-немецки. Никто за это время не издал ни звука — только телекамеры тихо стрекотали в тишине. И лишь когда Лазар закончил говорить, черный помост озарили десятки вспышек фотоаппаратов.

Линдсей смогла разобрать кое-что, но далеко не все, когда он произносил речь на французском. Должно быть, Роуленд преуспел в этом больше. Он весь обратился в слух. Только раз или два озадаченно нахмурился. Когда Лазар перешел на английский, Роуленд, казалось, продолжал слушать его с не меньшим вниманием, однако Линдсей почему-то не была уверена в том, что он действительно слушает. Она жадно ловила каждое произнесенное слово, но даже предельно сконцентрировав внимание на выступавшем, не могла не почувствовать, что Роуленд, глядя на Лазара, сейчас никого и ничего не видит перед собой.

— Вчера днем, — торжественно произнес Лазар, — да будет вам известно, с Марией Казарес случился сердечный приступ. В это время она находилась в доме своей бывшей служанки, к которой была очень привязана. И есть доля утешения в том, что, когда беда столь неожиданно застигла ее, она оказалась не одна, а с другом. Хотелось бы воспользоваться возможностью, чтобы выразить искреннюю признательность врачам клиники «Сент-Этьен» за их самоотверженные попытки вновь вдохнуть в нее жизнь, за то, что они оказали ей всю помощь, какую только могли. К сожалению, эти усилия не увенчались успехом. Мадемуазель Казарес скончалась вскоре после того, как была доставлена в больницу. И в ту, последнюю, минуту ее жизни я был рядом с ней. — Выдержав паузу, Лазар продолжил: — Хочу объявить, что, как наверняка пожелала бы того сама Мария Казарес, ее коллекция от кутюр будет показана завтра, как и было запланировано. В числе прочих будут представлены три проекта — ее последние, набросанные ее рукой за день до кончины. Мария Казарес была рождена художником и оставалась художником до конца. Завтра утром в Доме Казарес будет царить не печаль, а радость. — Он снова выдержал паузу, отчего его сообщение приняло повелительный тон. — Это будет наша дань признания одной из самых удивительных женщин современности — и, уж во всяком случае, самой удивительной, талантливой и проницательной женщине из всех, кого я знал в своей жизни. Она была кутюрье от бога, талант ее представлял собой сплетение ума, оригинальности и страсти.

Эта женщина как-то раз сама сказала, что постигла не только искусство, но и науку создания одежды...

При этих словах Линдсей метнула пронзительный взгляд в сторону Роуленда.

— Слышу, слышу, — успокоил он ее полушепотом. — Лучше слушай внимательно, что дальше будет.

Окинув царственным взором притихший зал, смотревший на него сотнями внимательных глаз, Лазар заговорил вновь. Его голос со странным резким акцентом звучал на редкость ровно, бесстрастно и сдержанно.

— Не мне составлять некрологи о ней. Пусть это делают другие. Но вот что хотелось бы сказать: я знал Марию Казарес и долгие годы рука об руку работал с ней. И все это время я видел, сколь беззаветна ее верность профессиональному долгу. Я никогда не знал ее другой. Подобная преданность от любой женщины требует немалых жертв. Мария Казарес никогда не была замужем, у нее не было детей. Люди, плохо знавшие ее, утверждали, что сделать такой выбор было для нее не столь уж сложно. Однако они были не правы. Нет, ее служение делу не обошлось без борьбы и жертв. Она умела... — Лазар ненадолго умолк, — вселять радость в сердца людей. В личной жизни ей были присущи искренность, внимание к другим, понимание их забот, смелость, милосердие и великодушие. Мария Казарес навсегда сохранила в себе детскую прямоту и непосредственность. За все эти годы слава не вскружила ей голову. Что же касается профессиональной деятельности, — его голос вновь обрел твердость, — то здесь она была поистине редким человеком — женщиной, создающей моду для женщин. Она вторглась в ту область искусства, где почти все главные роли по традиции распределены между мужчинами. Мария Казарес создала новый взгляд на то, какими современные женщины желают показать себя миру. Помогая женщинам изменить облик, она, вероятно, помогала им заново осмыслить самих себя. Насколько справедливо это утверждение, пусть решают другие. От себя же скажу: для меня, как мужчины, работа с ней была великолепной школой, и я безмерно благодарен ей за то, что она открыла передо мной волшебный мир, где инстинкты тела и сердца столь же ценны, как и плоды глубоких размышлений. Этот мир имеет короткое и емкое название: мир женщин.

Лазар опустил голову, хотя и говорил не по бумажке, а потом снова вгляделся в зал.

— Отдавая покойной последнюю дань уважения, хочу сказать еще одно. Для всего мира Мария Казарес была ху-

дожником. Для меня же она была и навсегда останется моей amie de coeur[1].

Он замолчал. Его темные глаза по-прежнему неподвижно глядели в зал. Линдсей почувствовала, как жалость и сочувствие сжимают ее сердце. «Чего же это ему стоит, — мелькнула у нее мысль, — говорить, без единого шва соединяя правду и заведомую ложь, так что никто не видит между ними ни малейшего различия?»

Лазар между тем, не выказывая никаких эмоций, произносил свою речь по-испански, а затем перешел на немецкий. Завершив выступление, он тут же повернулся и покинул помост.

Роуленд был уже на ногах. Схватив Линдсей за руку, он стремительно потащил ее по проходу между креслами. Толпа медленно зашевелилась, зал разноголосо загудел: люди начинали обмениваться впечатлениями. Линдсей поначалу была удивлена тем, что Роуленд так спешит, но быстро поняла, в чем дело. В дверях стояла Джини.

Линдсей сразу же заметила, насколько бледно лицо ее подруги. Бросив на Джини тревожно-испытующий взгляд, Роуленд быстро повел обеих женщин в вестибюль, потом на улицу.

Лишь через несколько минут, когда все трое, пройдя изрядное расстояние, свернули за угол, он остановился. Они стояли на тихой узкой улочке, на одной стороне которой высились жилые дома, а вдоль другой тянулась какая-то глухая стена.

— Ну что, слышала? — спросил Роуленд. Линдсей сразу поняла, что вопрос адресован не ей. Он обращался к Джини так, будто беседовал с ней наедине, а Линдсей оказалась в их компании лишь по какому-то недоразумению.

— Да, — ответила Джини и, прислонившись к стене, заговорила быстро и сбивчиво: — Они впустили меня как раз в тот момент, когда он заканчивал говорить по-французски. Но выдержка-то, выдержка какова! Как он только может? Как может так говорить — четко, бесстрастно, не заглядывая в бумажку? Я... — Она запнулась и впервые взглянула на Линдсей. — Роуленд пересказал мне то, что ты выяснила насчет Нового Орлеана. И пока выступал Лазар, эта история звучала в моих ушах. Я словно заново слышала ее в его словах, мне становился доступен их тайный смысл.

Линдсей не нашла, что на это сказать. Ее взор был прикован к лицу Джини, на котором четко отпечатался след

[1] Сердечной подругой (*фр.*).

удара. Удар этот, судя по всему, был нанесен тяжелой рукой. На скуле подруги темнел кровоподтек.

Джини все время поворачивалась левым боком к стене, пытаясь скрыть свой синяк от собеседников. Однако подобная тактика оказалась не слишком успешной. Роуленд тоже увидел кровоподтек. Линдсей заметила, как изменилось его лицо. Он как-то нерешительно дернулся, словно собирался предпринять что-то, но сдержался. Заметив его пристальный взгляд, Джини загородилась было ладонью, но в следующую секунду безвольно опустила руку. Наступило молчание. Молчание, которое, как показалось Линдсей, было наполнено каким-то низким гулом, звуком неспадающего напряжения. Джини заговорила вновь, полагая, очевидно, что таким образом сможет устранить возникшую неловкость. «Бедняжка», — жалостливо подумала Линдсей.

— Вдумайтесь хотя бы в то, как он расписывал ее личные достоинства, — произнесла Джини.

— Если ему верить, она была само совершенство.

— Но он полностью обошел вопрос о времени, не сказав ни слова о том, как давно знает ее.

— Много-много лет, — произнес Роуленд. — Время не властно над чувствами — он явно намекнул на это в заключение своей речи. И ее смерть ничего здесь не изменила.

— Интересно, они раздадут текст? — нетерпеливо перебила его Джини. — Я ничего не записала.

— Раздадут. Уже раздают, наверное. Но нам он не потребуется. Самое важное осталось у меня в памяти.

Джини тихо вздохнула, судорожно сжимая и разжимая пальцы. Линдсей посмотрела сперва на нее, потом на Роуленда и тихонько попятилась от них. Третий — лишний... Надо было уходить — быстренько и под благовидным предлогом. Она сказала, что у нее назначена встреча с Марковым.

Линдсей быстро пошла прочь. На углу она обернулась. Джини теперь стояла спиной к стене, низко опустив голову. Роуленд стоял перед ней. Его ладони упирались в стену по обе стороны от ее головы. Он о чем-то с жаром говорил.

Как раз в тот момент, когда Линдсей обернулась, он завершил тираду, и Джини медленно подняла голову, посмотрев ему прямо в глаза. У Линдсей не было никакого желания шпионить за ними. Завернув за угол, она начала пробираться сквозь толпу, все еще выливавшуюся из Дома Казарес. Во второй раз за день разноязыкое вавилонское столпотворение поглотило ее, и ей пришлось как следует поработать локтями, чтобы вырваться на свободу.

Сейчас ей срочно нужен был Марков. Ей как лекарство,

как воздух требовалась доза его спокойной мудрости. Линдсей не представляла себе, как без этого допинга проживет остаток нескончаемого дня. Фотограф способен был не только ободрить ее, но и дать ей чувство перспективы, жизненной цели. Сегодня щемящая боль поселилась в ее сердце.

* * *

«Сколько же времени прошло с тех пор, как исчезла Линдсей? — задумалась Джини. — Десять минут? Пятнадцать?» Время, взбунтовавшись, отказывалось течь обычным порядком. Она посмотрела на Роуленда, который стоял рядом, спиной к стене.

Дыхание его было учащенным, как после бега. Можно было на расстоянии почувствовать владевшие им злость и возбуждение.

— Я хочу просто работать, Роуленд, — повернулась она к нему лицом и прикоснулась к его руке. — Пожалуйста, не будем о другом... Может, я и в самом деле больше ни на что не годна, но поверь, работать я умею. Я хочу полностью сосредоточиться на этом материале, хочу собрать все кусочки воедино, но прежде всего хочу разыскать Майну. Ты же соглашался на это, Роуленд. Ты сам говорил, что это возможно.

— Говорил...

Он поднял глаза. Ее лицо белым пятном маячило перед ним. Но этот кровоподтек... Смотреть на него было выше его сил. И глаза... В них читалась отчаянная мольба. Когда она так смотрела на него, не было ничего на свете, в чем он мог бы ей отказать. У него было такое ощущение, будто Джини видит его насквозь со всеми его слабостями. Да, пожалуй, она все-таки понимает, какую власть имеет над ним.

— Прошу тебя, Роуленд, — продолжила Джини. — Я не могу сказать тебе многого. Это будет против правил. Твое дело — сторона. Со всем должна разобраться я сама. Сама справлюсь — как сумею и когда сумею. Вряд ли я смогу сейчас тебе что-нибудь объяснить, даже если бы очень захотела. Слишком много всего произошло за такое короткое время. Теперь понимаешь, почему мне так хочется полностью заняться работой? Взяться за что-то достаточно простое и ясное. За то, что требует последовательных шагов: сначала одно интервью, потом другое... Прошу тебя, Роуленд, помоги мне. Понимаю, мне следовало бы бороться самой, но я не могу. Во всяком случае, не сегодня, не сейчас.

Какую-нибудь минуту назад Роуленд мог поклясться, что эта женщина никогда в жизни не признается в собственной

слабости. А потому это признание не могло не тронуть его до глубины души. Ему захотелось сжать ее в объятиях, однако он понимал, что это в нынешней ситуации было бы неправильно, нечестно. Она сама косвенно давала ему это понять.

— Прекрасно. — Роуленд на полшага отступил от нее, лицо его стало замкнутым.

С тревогой наблюдая за ним, Джини обреченно подумала: «Отстраняется. Я ему не нужна...»

— После твоего ухода я работал, — снова заговорил он, глядя мимо нее, на дорогу. — Поскольку ты запретила мне быть с тобой, пойти за тобой...

— Роуленд, прошу тебя, не надо об этом.

— ...Мне не оставалось ничего иного, как взяться за работу. По обыкновению. Поговорил с французской полицией, сделал еще несколько звонков. Внезапно я осознал нечто очень важное — то, что вчера вечером мы с тобой упустили из виду. Вещь простая, вполне очевидная. Но тем не менее нами почему-то не замеченная. — Он на секунду прервался, чтобы посмотреть на часы. — Итак, могу сообщить тебе, что у нас есть выбор. В расследовании наметились два перспективных направления. Можно попытаться побеседовать с той служанкой, которую вчера навещала Казарес, хотя я и уверен, что Лазар уже фактически взял ее под стражу, надежно оградив от прессы. Или же... — Роуленд пытливо посмотрел на нее. — Или мы можем поговорить с той девицей — Шанталь. Сейчас она в полиции, и если мы поторопимся, то еще можем ее там застать.

Джини ошеломленно уставилась на него:

— Это ты вывел их на нее? Когда? Сегодня утром?

— Да. — Взгляд его зеленых глаз оставался непроницаем. — В неблагоприятных условиях мне всегда работается особенно хорошо.

— Вот оно что... Надо бы у тебя поучиться. — На лицо Джини набежала тень, но, словно отгоняя черные мысли, она бодро взмахнула рукой. — Ты прав, это будет нашим следующим шагом. Поехали к Шанталь...

* * *

Шанталь оказалась маленькой, щуплой и злой бабенкой с короткими, под мальчика, каштановыми волосами и бойкими карими глазами-бусинками — тоже как у уличного мальчишки. Роуленд и Джини увидели ее сквозь пыльное стеклянное оконце в двери, ведущей в кабинет для допросов. Инспектор в гражданском по фамилии Мартиньи сопровождал их. Это был коренастый темноволосый француз с острым взглядом и вежливыми манерами. Стоя у входа в комнату для допросов, он продолжал знакомить их с «послужным списком» Шанталь, излагать который начал еще в собственном кабинете. Ее биография в сухом полицейском изложении показалась Роуленду довольно типичной.

Шанталь, которой к настоящему времени исполнилось двадцать два года, была дочерью франко-канадки и американца. Родителей своих она практически не знала. Ее мамаша прижила на стороне еще двоих детей, с которыми девочку разлучили в восьмилетнем возрасте, когда впервые определили в приют.

Ее детство, если это прозябание вообще можно было назвать детством, представляло собой нескончаемую череду переездов из одного детского дома в другой. И за каждым таким переездом с удручающим постоянством следовал побег. В четырнадцать лет она получила за магазинную кражу свой первый срок, который отбывала в тюрьме для малолеток в Квебеке. В шестнадцать лет в Детройте арестована за угон машины, а в семнадцать в Нью-Йорке — за проституцию и хранение наркотиков. Учиться было некогда, а потому в двадцать с лишним лет грамоты хватало лишь на то, чтобы, шевеля губами, прочесть вывеску магазина да пересчитать сдачу. На протяжении последних трех лет обретается во Франции. Состоит на учете как героиновая наркоманка. Одно время ее пытались лечить с помощью метадона, но без особого успеха — вскоре ее имя было вычеркнуто из списка участников реабилитационной программы. За истекший год Шанталь дважды обвиняли в занятии проституцией и торговле наркотиками, однако оба обвинения были сняты за недостатком улик. В настоящее время — под угрозой депортации, поскольку ни один из ее документов не оформлен надлежащим образом. К откровенности с полицией не склонна, что, в общем-то, неудивительно.

В течение двух последних часов, по словам Мартиньи, Шанталь непрерывно допрашивали два самых лучших его сотрудника — мужчина и женщина. Однако формально обвинить ее было не в чем, а потому в самом скором времени предстояло освободить. Чем ей только не грозили, а она знай твердит свое: не знаю я никакого Стара и даже имени такого не слышала. И как ее собственные имя и адрес оказались в записной книжке какой-то мертвой голландской девчонки, тоже не ведает. С иностранцами якшалась — это правда, тут она не отпирается, благо их в Париже пруд пруди. Ну и что? Комнатка у нее хорошая, а кому-то иной раз заноче-

ать негде — так отчего бы не пустить к себе хорошего чело-
зка? Жалко, что ли! Но никакой Аннеки она знать не знает.
вообще, с каких пор это стало преступлением дать свой ад-
зсок другой девчонке?

Мартиньи остановился, чтобы перевести дух. Перед ним
гояли двое журналистов, которые, если верить его британ-
кому коллеге, немало помогли Скотленд-Ярду. Да что-то
чень уж странно оба выглядят. У мужчины такой вид, будто
е спал неделю. А у женщины под глазом фонарь красует-
я — видно, недавно по физиономии съездили. И что-то на-
ряженное между ними чувствуется — то ли профессиональ-
ое, то ли эмоциональное, но не исключено, что и сексуаль-
ое. Насколько успел заметить Мартиньи, женщина, если не
читать синяка, очень недурна собой. И лицо у нее необыч-
ое. Одухотворенное лицо.

Чтобы отделаться от ненужных размышлений, Мартиньи
стряхнулся, дернув плечами. Шанталь одинаково хорошо
оворит и по-английски, и по-французски, продолжил он.
ак что можно попытаться разговорить ее на любом из двух
зыков. На беседу — двадцать минут. Впрочем, с ней хоть
есь день напролет беседуй — все равно ничего из нее не вы-
янешь.

Инспектор ушел. Вместе с ними, чтобы наблюдать за
одом беседы, осталась женщина-полицейский. Она словно
татуя застыла у выхода. Роуленд и Джини сели за стол, по-
ерхность которого была испещрена многочисленными тем-
ыми отметинами. Видно, на него постоянно роняли тлею-
щий сигаретный пепел. Шанталь сидела напротив. Она ку-
ила одну сигарету за другой, грызла ногти, рассеянно
лазела по сторонам, демонстративно зевала, барабанила то-
цими пальцами по столу и лишь изредка зыркала своими ка-
ими глазками в сторону пришедших. В ее взоре читались
еприкрытые презрение и ненависть.

Лицо ее было обезображено багровым шрамом. Более от-
алкивающего шрама Джини не видела — он начинался у
раешка левого глаза и доходил до угла рта. Видно было, что
ана заживала плохо — кожа вдоль дугообразного рубца
морщилась и воспалилась.

Этот шрам навязчиво лез в глаза, мешая вглядеться в
ицо Шанталь. Порой казалось, что перед ними сидит не
дна женщина, а две, разделенные кривой багровой линией.
Несомненно, Шанталь была когда-то красивой. Остатки
той красоты можно было заметить и сейчас, когда она пово-
ачивалась к ним другой стороной лица — без шрама. Что же
асается своего страшного «украшения», то она, казалось,

воспринимала его сама и демонстрировала другим с каким-то вызовом и бесшабашностью. Всякий раз, когда Роуленд задавал ей вопрос — а он говорил спокойно и на отличном французском, — Шанталь непременно поворачивалась к нему обезображенной стороной лица. Джини сразу же подметила это. Девица явно нервничала. «Вероятно, ей нужен наркотик», — догадалась журналистка.

Сама же Джини чувствовала себя на удивление спокойно, будто находилась на необитаемом острове посреди тихого безбрежного моря, вдали от бурь и тревог несовершенного мира. Это позволяло ей наблюдать за девушкой внимательно и бесстрастно, мгновенно и точно подмечая каждое малейшее изменение в ее поведении. Ей даже показалось, что достаточно просто смотреть на Шанталь, и вскоре все раскроется само собой, без долгих расспросов.

Вместе с тем, судя по всему, молчание — а Джини с того момента, как переступила порог этой комнаты, не произнесла ни слова — действовало Шанталь на нервы больше, чем докучливые расспросы любого следователя. Поначалу девица делала вид, что в упор не замечает журналистку, нагло рассматривая красивое лицо Роуленда и отвечая на его вопросы грубовато, но вместе с тем достаточно прямо. «Наверное, именно так она привыкла держаться с клиентами, которым продает себя, — подумала Джини. — Заигрывание, смешанное с презрением». По всей видимости, Шанталь силилась дать понять Роуленду, что его место — в той же категории, к которой она мысленно относит всю сильную половину рода человеческого. На ее физиономии было словно написано: знаю я вас, мужиков, — сперва в душу лезете, а чуть расслабишься, так сразу лапами под подол. Все терпеливые расспросы Роуленда словно натыкались на непробиваемую стену. Карие глазки снова настороженно посмотрели на Джини. Зевнув, Шанталь закурила очередную сигарету и внезапно заговорила по-английски.

— А эта чего здесь делает? — ткнула она сигаретой в сторону Джини. — Язык, что ли, проглотила?

— Мы работаем вместе, я уже говорил, — все так же терпеливо пояснил Роуленд. Джини отметила про себя, что девушка говорит по-английски с каким-то странным акцентом. Выговор Шанталь выдавал ее «гибридное» происхождение — ни канадский, ни американский, ни британский, ни европейский, а нечто среднее. По лицу Роуленда было видно, что этот факт не укрылся и от его внимания.

— А с рожей у тебя что? — уставилась Шанталь в лицо Джини. — Дверью кто случайно приложил? Или кулаком? —

Нахально ухмыльнувшись, она небрежно указала на Роуленда большим пальцем. — Он небось?

— Скажи лучше, что с твоим лицом, Шанталь, — ни капли не смутившись, произнесла Джини и сразу же почувствовала, как рядом напрягся Роуленд, словно опасаясь неверного шага, который может стать роковым. В глазах Шанталь зажглись огоньки бешенства. Она смерила Джини взглядом, вложив в него все презрение, которое имелось у нее в запасе.

— Да пошла ты!.. — Она глубоко затянулась сигаретой. — Не твое собачье дело, ясно? — Поджав губы, девица снова обратилась к Роуленду. На сей раз взгляд ее маслянистых глазок был откровенно сексуален. — Может, скажешь ей, чтобы катилась отсюда на хрен? — попросила она, будто Роуленд был здесь главным начальником. — И эта узкожопая, что у двери топчется, — тоже. Вдвоем побеседуем малость, а там я, глядишь, и подобрею. Может, открою тебе кое-что...

При этом «обольстительница» призывно облизнула губы и вся подалась вперед, чтобы заношенный свитер получше обтянул ее маленькие грудки. Вероятно, этот опробованный прием был нацелен на то, чтобы поставить Роуленда в неловкое положение, сбить его с толку. Однако, убедившись, что ее усилия не принесли ни малейшего результата, Шанталь оказалась сбитой с толку сама. Глаза ее забегали, а сама она съежилась, став еще меньше. Зябко подняв свои острые плечики, девушка скрестила руки на груди. Этот невольный жест был очень красноречив: самоуверенность куда-то исчезла — теперь Шанталь выглядела полностью беззащитной. Попытка соблазнения провалилась, и это повергло ее в смятение. Джини увидела возможность нового подхода и тут же решила испробовать ее.

— Вообще-то, я знаю, откуда у тебя этот шрам, — доверительно наклонилась она вперед. — Твое лицо рассек бритвой человек по имени Стар. В Англии, в прошлом году. У меня такое ощущение, будто я этого Стара уже тысячу лет знаю. Этот парень не вполне в себе. Права я или нет? Кокаином балуется, частые перепады настроения — и очень быстрые. Когда с ним такое творится, он запросто может схватиться за бритву и изуродовать женщину. Или хуже того. Но отчего, Шанталь? Он что, вообще женщин ненавидит? Может, у него с ними проблемы? — Она ненадолго замолчала.

Шанталь словно онемела. Низко опустив голову, она ковыряла ногти. Джини искоса взглянула на Роуленда, и тот ответил еле заметным кивком.

— Мне даже кажется, я знаю, что он говорил тебе, Шанталь. — Джини пристально смотрела на опущенную голову

девушки. — Хочешь, напомню? Он говорил, что ты наделена даром умиротворения. Кажется, именно это он говорит женщинам? Во всяком случае, Аннеке говорил. И Майне Лэндис, должно быть, сейчас говорит. А она, наверное, верит ему, глупая. Ведь ей всего лишь пятнадцать. И она намного доверчивее, чем ты, потому что в отличие от тебя росла не на улице, а дома, как у Христа за пазухой. Но даже ты поверила ему, Шанталь, разве нет? Ведь ты почти сразу поверила, что сможешь держать его в узде. И верила до тех пор, пока он не располосовал тебе бритвой лицо.

Шанталь рывком вскинула голову и впилась в лицо Джини ядовитым взглядом:

— Специально для тебя повторяю, ты, сучка долбаная, не знаю я никакого Стара! Сколько можно талдычить об этом!

— Знаешь, Шанталь, знаешь, — вздохнула Джини. — И еще знаешь о том, как он умеет лгать. Не сказал же он тебе правды о других девочках. Скажи, ты знала, что Майна находится сейчас здесь, в Париже, вместе с ним? Если нет, то знай: он держит ее при себе. Вчера их видели вместе. Тебе он в этом признался? Думаю, что нет. Скорее что-нибудь другое вкручивал: насчет того, что Майна, как Аннека и прочие сопливые девчонки, — это лишь балласт, от которого в любой момент избавиться можно. А сама ты, получается, вечно будешь в его жизни... Не это ли он говорил тебе, Шанталь?

Это была инстинктивная догадка — пасьянс, разложенный по наитию. И все же, едва высказав ее, Джини уже знала, что попала в точку. Лицо Шанталь мертвенно побледнело, рука ее предательски дрогнула, но она умело скрыла это. Девица преувеличенно небрежным жестом сунула окурок в переполненную пепельницу и закурила последнюю сигарету.

— Да пошла ты в задницу! Меня уже тошнит от тебя. В последний раз говорю: не знаю я никакого Стара. И не знала никогда. Все эти твои описания ничего мне не говорят. Ничего! Так что сделай милость, отстань от меня и проваливай отсюда к чертям собачьим.

— Но прежде я покажу тебе их фотографии.

Джини полезла в свою сумку. Достав оттуда фотографии Майны и Аннеки, она передала их Роуленду, который молча протянул снимки девушке.

— Посмотри на них, Шанталь, — мягко попросила ее Джини. — Вряд ли ты когда-нибудь встречалась хоть с одной из них. Но об их существовании знала, не так ли? Ты знала о них, может быть, даже хотела увидеть, как они выглядят. Думала, чего такого нашел в них Стар, когда у него есть ты. —

Она выдержала паузу. — Так посмотри же на них, и ты увидишь. Две совершенно разных девочки, и все же одно их объединяет — обе выглядят младше своих лет. Обе с виду совсем дети... Вспомни, Шанталь, не тогда ли у тебя перестало с ним ладиться? Не тогда ли, когда ты стала походить больше на женщину, чем на девочку? Вспомни.

Джини замолчала. Роуленд незаметно накрыл ее ладонь своей — это было предупреждение об опасности. Шанталь низко склонилась над двумя фотографиями. Лоб у нее стал серо-белый, как у покойницы. Ее начинало трясти.

— Сколько лет тебе было, когда ты выглядела такой же невинной? Скажи, Шанталь. Восемь? Девять? Десять?

— Ах ты дырка грязная... — Пошатываясь, Шанталь встала со стула. — Эй, ты! — крутанулась она на месте, обращаясь к полицейской. — Выведи ее отсюда. Меня выведи! Ты не можешь держать меня здесь. Ни хрена не можешь! У меня права есть...

Теперь она тряслась всем телом. Роуленд тихо прокомментировал:

— Джини, ей нужно уколоться.

— Знаю. Я увидела это, как только мы сюда вошли. Покажи мне свои руки, Шанталь.

Джини спокойно встала. Ни Роуленд, ни полицейская не шевельнулись. В полном безмолвии Шанталь, к изумлению Роуленда, позволила Джини взять себя за руку. Джини осторожно потянула вверх протертый на локте рукав свитера девушки. Потом то же самое проделала с другой ее рукой. Обе кисти с внутренней стороны от запястья до сгиба были сплошь истыканы иглой. Вдоль вен тянулся страшный след, как от колючей проволоки.

Так же осторожно Джини опустила рукава свитера. Руки Шанталь упали как плети. Ее лоб покрылся испариной, дрожь в конечностях становилась все сильнее. Джини взглянула на Роуленда. Одного взгляда было достаточно — он сразу понял намек.

Обогнув стол, Роуленд подошел к девушке:

— А что, если мы отвезем тебя домой? Хочешь?

Воровато оглянувшись на полицейскую, которая все это время успешно притворялась оглохшей, Шанталь утвердительно кивнула.

Поддерживая девушку за плечи, Роуленд медленно повел ее к двери, успокоительно бормоча:

— Мы позаботимся о тебе. Полиции ты больше не нужна. Сейчас поймаем такси. Так у нас быстрее получится, верно?

Уже за пределами полицейского участка Джини еще раз

посмотрела на Шанталь: в лице — ни кровинки, лоб липкий от пота.

— Срок пропустила? — осведомилась она. — Намного опоздала?

— Больше чем на час. Почти на два. Эти свиньи знали, что делали...

Джини стало по-настоящему жалко это несчастное существо. За какие-нибудь несколько минут Шанталь словно подменили. И куда только подевались недавние лихость и бравада? Глаза уже не повиновались ей — незряче таращились, будто перед ними открывалась черная бездна. В них отражалось лишь животное желание как можно скорее получить очередную дозу. Именно о таких глазах рассказывал когда-то Митчелл.

Шанталь покачнулась, чуть не рухнув на асфальт. Роуленду наконец удалось поймать такси. Джини и Шанталь наблюдали, как Роуленд объясняется с шофером. Выйдя на мгновение из ступора, девушка бросила на Джини острый взгляд:

— Ты и он... Вернее, он тебя...

— Да.

— Я так и подумала. Я такое сразу замечаю. Он хочет тебя так же, как я хочу ширнуться. — Она снова качнулась. — Почти так же. Секс — это такое же... — Ее всю передернуло. — О господи!.. Доведите меня до комнаты. Только до моей комнаты...

В следующую секунду Шанталь бессильно рухнула на заднее сиденье подъехавшего такси и откинулась назад, закатив глаза. Дрожь переходила в судороги. Продолжая держать Шанталь за руку, Джини отвернулась. Сейчас ее волновал вопрос, не слишком ли она полагается на свое чутье. И так ли уж много знает Шанталь, как им кажется? Глядя на сумрачное лицо Роуленда, впору было усомниться в этом. Вскоре они были на улице Сен-Северин. Теперь уже Роуленду пришлось вести девушку по тротуару и вверх по лестнице. Джини медленно шла за ними. Шанталь еле передвигала ноги.

* * *

Комната была больше похожа на берлогу. В эту клетушку площадью примерно пятнадцать квадратных метров обитатели ухитрились впихнуть двуспальную кровать, стол со стульями, несколько шкафов и устрашающих размеров телевизор. В дополнение к этому там и сям валялись кипы грязной одежды. В комнате царил дух нищеты, если можно было назвать так приторные запахи восточной кухни, просачиваю-

щиеся снизу, из ресторана. Видно было, что из этой клетушки кто-то пытался сделать нечто, похожее на человеческое жилье, не имея на то средств.

— Помоги мне, — исступленно бормотала Шанталь. — Вот видишь, разлила... Рука трясется. О боже! Я обожглась.

Шанталь приготовила раствор для инъекции. Джини увидела небольшой пластиковый пакет с белым порошком, голубой огонек газовой горелки, маленький квадратик алюминиевой фольги. Шанталь пыталась справиться со шприцем, но дрожащие пальцы не слушались ее, и она его выронила. Покатившись по полу, шприц остановился у корытца, в котором кот справлял нужду. Джини брезгливо зажмурилась.

Она слышала, как Роуленд подобрал шприц с пола. Затем послышалось тихое шипение — в шприц набирали жидкость.

— Зеркало... — деловито забормотала Шанталь. — Мне нужно зеркало. Иначе промахнусь. Сейчас, сейчас...

— Господи Иисусе...

Джини испуганно обернулась. Шанталь стояла перед зеркалом, держа шприц на уровне лица. До сознания Джини не сразу дошло, что та делает, но потом она поняла. Шанталь вводила героиновый раствор в глаз. Одной рукой она оттягивала вниз нижнее веко, а другой втыкала в него иглу. Прозрачная жидкость в шприце окрасилась в розовый цвет. Джини отвернулась, закрыв лицо руками, и ощутила, как ее саму начинает мелко трясти. К ней приблизился Роуленд — она почувствовала его руки на своих плечах. Отняв от лица ладони, она увидела перед собой его мрачное бледное лицо.

— И такое бывает, — тихо вымолвил он. — Они довольно часто так делают, когда на венах уже нет живого места. Ничего, через минуту ей будет хорошо. А потом она скорее всего уснет.

— Хорошо? — непонимающе уставилась на него Джини. — Что в этом хорошего? Еще несколько часов, и ей потребуется новая доза. Как ты можешь, Роуленд...

— А ты на что надеялась — что мы излечим ее? Прямо здесь и прямо сейчас? Если бы мы не привезли ее сюда, она придумала бы что-нибудь другое.

Он замолчал. Шанталь блаженно вздохнула. Джини, отважившись снова взглянуть на нее, увидела, что руки девушки больше не дрожат, лицо слегка порозовело. Шанталь заговорила — слабым голосом и обращаясь только к Роуленду, словно в комнате не было никого, кроме них двоих.

— Я посплю чуть-чуть, ладно? Ты не беспокойся, со мною будет все в порядке. Скоро вернется моя подруга Жанна.

А колоться я брошу — когда-нибудь брошу обязательно. Она помогает мне. К тому же я берегусь — всегда смотрю, что покупаю. Иголок своих никому не даю и чужих не беру. Когда Жанна придет, все уже будет хорошо... — Опершись ладонями на раковину, она закрыла глаза. — Ты был добр со мной, а я это ценить умею. И потому скажу тебе. Стар... Я его полжизни знаю. Он вроде меня — смешанных кровей. Слишком много всего в нас намешано: кровей, рас, стран, семей, колотушек, издевательств — вот и получается, что и я не в себе, и он не в себе.

Шприц снова вывалился из ее пальцев. Ни Роуленд, ни Джини не издали ни звука.

— А вот где он, не знаю. Поклясться могу, что где-то здесь, в Париже. Но где?.. Вчера вечером с ним виделась. Сказал мне, что один. Врет небось, как всегда. Если та девчонка с ним, то он определенно ее где-то прячет. Он всегда их прячет. Но вы особо не беспокойтесь. С ней почти наверняка все о'кей. «Травки» покурить ей даст, может, таблеточек каких. Побеседует с ней о вечном. Насчет таблеток не беспокойтесь — он дряни не держит, все только высшего качества. А чтобы трахнуть ее или изнасиловать, то тут и подавно беспокоиться не о чем... — Шанталь утробно хохотнула, но внезапно умолкла и широко открыла глаза. Теперь зрачки у нее сузились. Она поднесла руку к изуродованной щеке. — Одного только бойтесь. Того, о чем она сказала. — Шанталь показала пальцем на Джини. — Твоя правда, если уж он взбесится по-настоящему, значит, худо дело. А беситься он умеет — его аж колотит всего. Такое иногда случается, когда от ЛСД протащит. К тому же вчера вечером я достала ему пистолет. Давно он этого пистолета дожидался — несколько месяцев. Деньги у него водились, а у меня полезных знакомых хоть отбавляй, вот я и организовала ему это дело с «пушкой». Он пистолет прямо вчера вечером и забрал — как раз перед тем, как ты постучалась. Ведь это ты была, не так ли?

— Да, я. — Джини чувствовала, что Роуленд, как и она, буквально окаменел от напряжения. — А что это за пистолет, Шанталь?

— А черт его знает. Просто пистолет. Он мне сказал: пистолет нужен. Вот я ему и достала. Картинку мне показал, даже название заставил на бумажке записать...

— Так это точно пистолет? Не дробовик?

— Пистолет. Небольшой такой. Еще патроны к нему нужны какие-то особые. Внешне выглядит не очень. Бумажка с названием тут валялась, только выбросила я ее.

— А зачем ему пистолет? — Роуленд приблизился к ней на шаг.

Глаза Шанталь неумолимо закрывались.

— Не знаю. Любит он их — пистолеты эти. Всегда любил. Он от них торчит просто. Стоит только на картинку взглянуть — и все на свете забывает. Дорого ему этот пистолетик обошелся — вот это я точно сказать могу. Почти четыре тысячи франков... Вещь серьезная. Он сам так сказал. Серьезный, говорит, пистолет. Только потом... — Ее сильно качнуло. — Только потом что-то с ним случилось — сама даже не знаю что. Пока мы разговаривали, в углу телевизор работал. И вдруг с ним что-то неладное твориться стало. Лицо у него стало такое... Опасное лицо. В глазах огонь нехороший зажегся. Точно такой же, как в тот день, когда он меня разукрасил. — Она машинально дотронулась до шрама на щеке. — Так что, может быть, вашей девочке несладко сейчас. Не знаю. А теперь извините, я прилягу.

Еле доковыляв до постели, она повалилась на скомканное одеяло. Ее веки были плотно сомкнуты. Роуленд обернулся к Джини, потом склонился над кроватью.

— Шанталь, потерпи еще чуть-чуть, не засыпай. Слышишь? А другое имя у него есть? Или только Стар? Как его звали, когда ты впервые с ним познакомилась?

Замолчав, он отступил от кровати. С лестницы послышался торопливый стук каблуков, и в следующее мгновение дверь распахнулась настежь. В комнату вошла женщина, с которой вчера вечером разговаривала Джини. Лицо женщины было бледным от страха. Замерев на пороге, она окинула беспокойным взглядом двоих незнакомцев и в следующее мгновение рухнула на колени у постели.

Нежно обняв Шанталь, она принялась гладить ее по волосам и бормотать ей на ухо что-то тихое, ласковое, успокаивающее.

— Сколько ее там продержали? Эти скоты — они над людьми измываться мастера.

Она говорила по-французски, и Роуленд ответил ей:

— Около часа, может, чуть дольше.

Женщина разразилась потоком ругательств. Досталось всем: и непрошеным гостям, и полиции, и правительству, и всему миру.

— Жанна, постой... — Шанталь предприняла попытку сесть, но снова бессильно повалилась на спину. — Он хороший. Он мне помог. Говорить мне трудно. А им надо знать про Стара. Скажи им его имя, объясни... Объясни...

Она снова закрыла глаза и погрузилась в состояние,

близкое ко сну. Женщина, которую звали Жанна, поднялась с колен. Говоря по-английски с ужасающим акцентом, она пустилась в объяснения.

Во всем, что сейчас происходит, сообщила Жанна, виноват Стар. Именно он приучил Шанталь к героину, он располосовал ей лицо. Но Стар — только одно из имен этого человека: недавно себе такую кличку подобрал, и уж очень она ему по сердцу пришлась — больше всех остальных. А фамилий у него — пропасть. Можно и перечислить, добавила женщина с неприязнью в голосе: Ламон, Паркер, Ньюман, д'Амико, Ривьер, Адамс, Дюма — сами выбирайте, какая больше нравится.

Что же касается первых имен, то тут придется выбирать только из двух. Иногда он использует английский вариант своего имени, но чаще предпочитает французский. За последний год у него не раз в разговоре проскальзывало, что это его настоящее имя — то, что значится в свидетельстве о рождении. Он утверждает, что его настоящее имя — Кристоф.

16

Они вышли на сырую, промозглую улицу. Стоя у входа в собор, под химерами, хищно вытянувшими свои каменные шеи, Роуленд произнес:

— Мне надо чего-нибудь выпить. Тебе тоже. И поесть не мешало бы. Только не спорь. Я знаю одно место.

Он повел ее по направлению к Сорбонне. С бульвара Сен-Мишель они свернули на какую-то тихую улочку и через минуту оказались в небольшом старомодном бистро, где в это время почти не было посетителей. Им отвели столик в кабинке с высокими стенами, и было такое впечатление, будто они находятся в небольшой и уютной каюте парохода. Стол под скатертью в красно-белую клетку был покрыт еще белым бумажным листом по диагонали, на котором лежали два ножа и две вилки, а также стояли два простых бокала для вина. Роуленд заказал бренди и почти насильно заставил Джини выпить. Он смотрел на нее спокойно и задумчиво. Впервые за день напряжение немного отпустило ее. Джини почувствовала, как тепло постепенно приливает к щекам.

Лицо ее казалось Роуленду таким милым и близким, что он, чтобы не размякнуть окончательно, был вынужден с чрезмерной серьезностью углубиться в изучение меню, а потом дотошно обсуждать выбор блюд с Джини и пухлым коротышкой — владельцем ресторана и официантом по со-

вместительству. И все это лишь затем, чтобы не смотреть на ее рот, на этот лиловый синяк на ее скуле, на ее глаза — эти продолговатые, искрящиеся, выразительные, самые красивые на свете глаза, в которых, казалось, таился какой-то вечный вопрос.

Наконец заказ был сделан.

«Работа, — думал Роуленд. — Нужно все время говорить о работе». Он заговорил. И одновременно с ним заговорила Джини.

Роуленд с улыбкой откинулся на спинку стула:

— Ты что-то хотела сказать?

— Да так, ничего особенного. Только то, что ты очень хорошо, почти нежно обошелся с Шанталь. И очень ей понравился — настолько, насколько этой девушке вообще могут нравиться мужчины. Ты это заметил?

— Нет, — неуверенно пожал плечами Роуленд. — Мне до последнего момента казалось, что из нее и слова не вытянешь.

— И ошибся. Ты был спокоен, терпелив, вежлив, и она отблагодарила тебя за это.

Роуленд наклонился к ней через стол:

— Хочешь, скажу тебе, что заставило ее разговориться? Дело здесь отнюдь не во мне и не в том, что сказал ей я. И даже не в том, что ей срочно требовалось уколоться. Я внимательно за ней следил и сразу же угадал, когда она приняла решение заговорить...

— Когда мы показали ей фотографии?

— Нет. — Роуленд смотрел на нее, в глубине души растроганный ее непониманием. — Нет. Ты произнесла одну очень важную фразу, которая задела в ее душе чувствительную струну. Может быть, ты даже повторила слова, сказанные ей когда-то Старом. — Он выдержал паузу. — Ты спросила ее, действительно ли она верит в то, что вечно будет в его жизни. В любом интервью всегда наступает момент, когда задающий вопросы прорывается сквозь невидимую преграду. То же самое произошло и сегодня. Интересно, что натолкнуло тебя на эту фразу?

— Не знаю даже. Как-то сама пришла в голову. Шанталь не такая, как другие девушки. Во-первых, старше. К тому же, если верить Митчеллу, она знает Стара уже довольно давно. Вот я и задумалась: а какой она видит свою роль в его жизни? Для женщины это очень важно.

— Неужели?

— Конечно. — Она отвела взгляд в сторону. — Женщины обычно сами стараются находить оправдание поведению

своего мужчины, когда тот совершает прогулки на стороне. — Она внезапно замолчала, продемонстрировав скрытность, которую Роуленд и ранее замечал за ней. — Как бы то ни было, — Джини отпила маленький глоток бренди, — в одном я уверена на сто процентов...

— В том, что Аннека писала Стару, не пользуясь посредничеством Шанталь? Целиком с тобой согласен.

— Что заставляет нас начать сначала. И еще у Стара есть пистолет, что только осложняет дело. Но мы не знаем, зачем Стару оружие. А также не имеем ни малейшего представления о том, где он сам.

— Не совсем с тобою согласен. Нам известно гораздо больше. Причем среди известных нам фактов есть очень интересные. Мы знаем больше, чем может показаться на первый взгляд. То, о чем мы начинаем догадываться только сейчас, вчера было у нас прямо под носом. Подумай: Мария Казарес умерла вчера днем в доме своей бывшей служанки. Верно?

— Верно. Квартира неподалеку от Сен-Жерменского предместья. Я это место неплохо знаю, даже улицу себе представить могу...

— В самом деле?

— Да. — Она замялась, видимо, испытывая неловкость. — На той улице живет сейчас бывшая жена Паскаля Ламартина. В квартире своего нового мужа. В прошлом году я туда дважды ходила — забирать Марианну, дочку Паскаля. Райончик, что и говорить, неплохой. Из разряда престижных.

Помолчав чуть-чуть, Джини снова принялась за еду. «Должно быть, решила испытать себя, — подумал Роуленд. — Сможет ли спокойно, глазом не моргнув, произнести имя Ламартина? Что ж, ей это удалось. Почти». Он решил не продолжать эту тему. Лучше промолчать. Хотя тот факт, что бывшая супруга Ламартина уже успела снова выскочить замуж, а сам Ламартин до сих пор повторно не женился, не остался им не замеченным.

— Еще нам известно, — опять заговорил Роуленд Макгуайр, — что совсем недалеко от того дома вчера были замечены Майна Лэндис и Стар.

— Да, около двух часов дня. Мы и об этом говорили.

— Однако не говорили о том, простое это совпадение или что-то более важное. Мы бы, конечно, обсудили данный факт подробнее. Но нас... отвлекли.

— Роуленд...

— Хорошо, хорошо, не будем вспоминать... Но мы действительно еще не обсуждали возможной связи между этими

двумя событиями. — Взгляд Роуленда теперь был вполне серьезен. — Кстати, в срочных выпусках теленовостей имя служанки названо не было. А вот в сегодняшних газетах оно появилось. Ее зовут Матильда Дюваль. Ну как, говорит тебе это имя что-нибудь? Теперь доходит?

— О боже... — Джини выронила вилку, которая слабо звякнула о край тарелки, и ошеломленно уставилась на коллегу. — Записная книжка Аннеки. Я выписала из нее имена семи девушек. Среди них действительно есть какая-то Матильда.

— Совершенно верно. Некая Матильда Дюваль, причем адрес ее полностью совпадает с адресом той квартиры, в которой вчера скончалась Мария Казарес. Сдается мне, именно на этот адрес Аннека и писала свои письма Стару, и услуги Шанталь тут ей вовсе не требовались. У меня есть подозрение, что он мог дать Аннеке адрес Шанталь в качестве запасного варианта, но одно не вызывает никаких сомнений: между Старом и Матильдой Дюваль есть какая-то связь.

— Вот вам и Матильда из записной книжки. Которая оказывается вовсе не девочкой, а женщиной весьма почтенного возраста. Черт, какая же я дура!

— Разговор с Шанталь только укрепил меня в подозрении насчет этой связи. Я прихватил с собой записную книжку Аннеки. Вот, полюбуйся...

Вытащив самодельный блокнот из кармана плаща, он подтолкнул его к собеседнице через стол. Джини нашла страницу, где было записано имя Матильды Дюваль. Вся эта страница была испещрена какими-то иероглифами и закорючками. Рядом с именем Матильды стоял крохотный, еле заметный крестик-распятие.

— Кристофер, — со значением произнес Роуленд. — Или Кристоф. Что значит несущий Христа. Аннеке было известно другое имя Стара, которое вполне может быть подлинным. Вот она и пометила особым знаком адрес, на который ему отправляла свои письма. Отныне у меня нет никаких сомнений, Джини. Надеюсь, ты тоже все теперь видишь?

— Ты хочешь сказать, что, зная служанку Марии Казарес, Стар мог знать и саму Марию? Ты в самом деле так думаешь, Роуленд?

Да, думаю. Я думаю, что именно к этой служанке он вчера заходил. Тогда-то его и засекли вместе с Майной. Судя по всему, они уже уходили от Матильды. А часа через два после их ухода к ней наведалась Мария Казарес. Ты понимаешь, Джини? Есть какая-то нить между Старом и Марией Казарес, между Старом и Жаном Лазаром. Во-первых, Стар

получает «белую голубку» из того же источника, что и Лазар. Во-вторых, для него важно быть в Париже — там же, где живут Казарес с Лазаром. В-третьих, он поддерживает отношения со служанкой, которую, в силу особой привязанности, навещает и Казарес. Причем учти, Джини, что связь между ними длится уже довольно долгое время. Если наше предположение верно и Аннека действительно отправляла Стару письма через Матильду, то мы можем даже достоверно определить время, когда начала действовать эта «почта». Думаю, что не позже, чем с марта прошлого года. Иначе просто быть не могло. — Он перевел дыхание. — Конечно, все это может быть всего лишь серией простых совпадений. Но мне почему-то так не кажется.

— Скажи, Роуленд, а тебе не кажется...

— Что Стар и есть тот самый исчезнувший ребенок из новоорлеанской истории? К собственному стыду вынужден признаться, что такая мысль действительно пришла мне в голову. Почти сразу же после того, как эту историю поведала мне Линдсей. И тем не менее даже такую фантастическую версию имеет смысл проверить. А потому вчера я связался со стрингером[1] «Корреспондента» в Майами, и он полетел в Новый Орлеан наводить справки. Кстати, именно поэтому я и тебя просил узнать у матери Аннеки, не может ли Стар быть американцем или иметь американские связи.

— Ну и накопал что-нибудь твой стрингер?

— Пока нет. Он главным образом занят выяснением фамилий наших героев. Собирался покопаться в монастыре, разузнать побольше о Лафитт-Грантах. Но прошло уже почти тридцать лет, так что я особого оптимизма насчет этих поисков не питаю.

— Ты сказал «к собственному стыду». Но ведь какая-то связь есть — ты сам признаешь это, Роуленд. Возраст у Стара подходящий. Он брюнет, как Казарес и Лазар. К тому же его биография отлично ложится в канву истории — сиротские дома, приюты.

— Я прекрасно помню, что она говорила. Действительно, по многим параметрам Стар более или менее подходит на эту роль — точно так же, как и тысячи других мужчин. Нет уж, Джини, давай-ка не будем излишне увлекаться.

— Но многие невыдуманные истории изобилуют кажущимися натяжками. Такое случается сплошь и рядом. Не веришь? Открой любую газету за любой день недели — там

[1] Внештатный корреспондент, который зачастую поставляет изданию «сырую» информацию.

этих «за уши притянутых историй» сколько угодно. К тому же подумай, так ли уж невероятно то, что само собой приходит на ум? Предположим, Стар в самом деле их ребенок, который вскоре после рождения был отдан в какую-нибудь семью или детский дом. По достижении определенного возраста он получает право взять себе фамилию своих настоящих родителей. Он мог пытаться разыскать их... — Джини задумалась и покачала головой. — Нет, все-таки, пожалуй, прав ты. Не клеится что-то. Да и как ему их выследить? Лазар и Казарес наверняка сделали все, чтобы замести следы.

— Вот и я о том же, — пожал плечами Роуленд. — Но, даже принимая во внимание все «против», я подумал, что все равно не мешает проверить эту версию до конца. Хотя, повторяю, я в глубине души не верю, что между Казарес и Лазаром, с одной стороны, и Старом — с другой, существует какая-то связь. Наверное, я вообще не стал бы всерьез рассматривать такую возможность, но у меня выдались две бессонные ночи. Отчего-то я все время думал о Кассандре, вспоминал, как нашел ее, как она выглядела... Я так устал, Джини!

— Почему это?

— Работа. Постоянное напряжение. Я все еще не освоился до конца с новым рабочим местом. И с другими переменами в моей жизни тоже не освоился. Переменами, которым пытаюсь сопротивляться.

— Значит, по-твоему, люди склонны сопротивляться переменам. Ты в самом деле так думаешь? Но почему, Роуленд? Боятся или...

— Наверное, в самом деле из страха перед будущим. Ведь перемены могут быть как к лучшему, так и к худшему, — высказал он свое мнение. — Вот люди и льнут к уже известному. Боятся оступиться и сорваться в пропасть.

— Как ты думаешь, в ком люди опасаются перемен больше — в других или в самих себе?

Он видел, что этот вопрос крайне важен для нее.

— Думаю, и то, и другое, — тихо проговорил Роуленд. — Ах, Джини, на то существуют тысячи причин. Первая — это непредсказуемость перемен. Перемены воспринимаются некоторыми как предательство, измена самому себе — прежнему... — Его голос осекся, и Джини поняла, что Роуленду вспомнился какой-то случай из собственного прошлого. — Противиться переменам бессмысленно, — негромко продолжил он после паузы. — Предначертанное судьбой случается обязательно. К тому же... — Роуленд отвел глаза в сторону. — К тому же перемены бывают настолько стремительны, что иной раз и опомниться не успеваешь, как все вокруг оказывается совсем другим и ничего уже не поделаешь.

— Но настолько ли все безнадежно? Так ли уж часто возникают ситуации, когда ничто, буквально ничто не поддается исправлению? — Джини подалась к нему. Ее глаза горели, требуя ответа.

Роуленд вздохнул.

— Боюсь, что да, — горестно выдавил он из себя. — Понимаешь, Джини, это такие часы, стрелки которых никому не дано перевести назад.

Он почувствовал, как в тот же момент между ними пронесся прохладный ветерок отчуждения. Джини отклонилась назад и потянулась за шарфом и пальто. Роуленд поднял руку, давая официанту знак, что хочет расплатиться. Джини между тем уже стряхнула с себя задумчивость и пыталась принять деловой вид. Роуленд искоса наблюдал, как решительно его спутница обматывает ярко-зеленым шарфом шею. Когда Джини закончила возиться с шарфом, он потянулся к ней через стол и быстро пожал ее руку.

— Ну и что теперь, Джини? Хочешь продолжить? Или остановиться? Передохнуть?

— Продолжить. — Она цепко схватила свою сумку. — Теперь — к Матильде. Идет?

— Отлично! Кстати, если ты хочешь вернуться в отель, то там тебя уже ждет отдельный номер. Подыскали наконец. А я бы мог отправиться к Матильде один. В самом деле, что-то неважно ты выглядишь, Джини...

— Нет. Я уже говорила тебе, что хочу работать, Роуленд. Нам нельзя останавливаться на полпути, тем более теперь, когда в нашей работе наметился прогресс. А у Стара есть пистолет, который он может в любую секунду пустить в дело. Мне во что бы то ни стало надо разыскать Майну. — Ее серьезное лицо стало еще более сосредоточенным. — И я найду ее. Когда я разговаривала с матерью Аннеки, то поклялась себе сделать это. Такие вот дела... — Она встала из-за стола. — К Матильде пойдем вместе и, если потребуется, прорвемся сквозь охрану, которую выставил вокруг нее Лазар.

Роуленду не оставалось ничего другого, как послушно последовать за нею из ресторана. На улице Джини, задрав голову, вгляделась в небо.

— Стало совсем темно, — произнесла Джини едва слышно.

* * *

Роуленду не приходилось бывать здесь раньше. Рю-де-Ренн показалась ему скучным воплощением буржуазности. Одна из цитаделей богачей, какие можно встретить в любом

ольшом городе. Парижский эквивалент лондонского Мэй-
ера или нью-йоркской Парк-авеню: широкий бульвар, об-
аженный деревьями и зажатый между двух рядов десятиэтаж-
ых домов с затейливыми фасадами, построенных на рубеже
вух столетий. Стройные ряды окон, сияющие огнями, ред-
ие прохожие на улице... Джини, шедшая рядом, неожидан-
о остановилась как вкопанная:

— Вот он — тот дом, на противоположной стороне ули-
ы. Следующий за тем, в котором живет Элен.

— Элен?

— Ну да, Элен Ламартин. В этих домах такие огромные
вартиры, Роуленд... Нам не имеет смысла идти внутрь вдвоем.

— Ты хочешь, чтобы пошел я?

— Пожалуй, в самом деле лучше будет, если пойдешь ты.
твоем распоряжении десять минут. Я подожду тебя на углу.
ам за углом есть кафе. В общем, мимо не пройдешь.

— Договорились. Вряд ли тебе придется ждать меня слиш-
ом долго. Лазар наверняка принял все меры предосторож-
ости, так что, думаю, и десяти минут не пройдет, как мы
нова увидимся.

Пару минут Джини стояла, поеживаясь от холода и воз-
уждения, а потом, подняв воротник, начала медленно хо-
ить взад-вперед. Она старательно разглядывала тротуар, де-
евья, портики зданий, фиксируя все детали и не позволяя
ебе думать о недавнем прошлом. Роуленд не обманул.
Іинут через шесть он появился из-за угла.

— Все обстоит именно так, как мы и думали. Вход в дом
горожит проклятая баба из пресс-службы Казарес. Дала мне
вою карточку и велела позвонить к ним в контору завтра,
сли у меня еще останутся какие-то вопросы. Не женщина, а
амо очарование. Жаль только, дверь перед носом захлопнула.

— В самом деле? — чуть недоверчиво взглянула на него
жини. — И сколько же ей, интересно, лет?

— Лет? А бог ее знает. На вид сорок — сорок пять. Какая
азница?

— Разница могла бы быть существенной. — Ее голос был
а редкость бесстрастен. — У тебя, Роуленд, есть масса пре-
муществ, которые ты почему-то склонен недооценивать...

— Какие еще преимущества? — Он был уже готов уйти. —
чем ты?

Джини задумчивым взглядом окинула его высокую фигу-
у. У него были потрясающие глаза, прекрасные густые во-
осы. Она просунула руку ему под локоть.

— А за следующим углом, — наставительно произнесла
жини, — около кафе, о котором я тебе говорила, есть цве-

точный магазин, один из лучших в Париже, который д
самой крыши набит изумительными цветами.

— Ну и что из этого?

— Ты работаешь в очень уважаемой газете, Роуленд,
очень хорошо работаешь. Но даже тебе не мешает научитьс
еще кое-чему в жизни. Пойдем, — обаятельно улыбнулас
она. — Помнишь, что ты сказал мне по телефону, когда
была в Амстердаме? «Сейчас я обучу тебя некоторым прием
чикам желтой прессы».

* * *

Матильда Дюваль всегда ложилась спать рано, вот и те
перь она уже готовилась ко сну. Назначенная лично Жано
Лазаром ее охранницей и защитницей Жюльет де Нервал
наблюдала за этим процессом, испытывая в душе к подопеч
ной сочувствие, жалость и в то же время некоторую брезгли
вость.

Она не знала точного возраста Матильды, но, во всяко
случае, старуха выглядела лет на восемьдесят, не меньше
Правда, бабка была крестьянских кровей, а крестьянки,
особенности с юга, стареют быстро, так что Матильда Дю
валь вполне могла выглядеть старше своих лет. Но сколько
бы лет ей ни было, Матильда представляла собой воплоще
ние всего того, чего Жюльет опасалась больше всего в жизни
«Пусть случится все, что угодно, — размышляла она, гляд
на старуху, — но чтобы закончить свои дни вот так? Нет, н
за что! Такого со мной не будет никогда».

Роста в Матильде было от силы метра полтора, а скрю
ченная спина делала ее похожей на ведьму. Старуха и не ду
мала молодиться: облачена в черные крестьянские одежды
головы до ног, жидкие волосы гладко зачесаны назад, н
подбородке — жесткая щетина, а уж о морщинах разгово
особый: они не только глубокими бороздами лежали под гла
зами и вокруг рта, но покрывали густой сетью все ее лицо
Руки изуродованы артритом, ноги распухли... В довершени
ко всему Матильда была еще практически слепа — по это
огромной гулкой квартире она передвигалась черепашьи
шагом, беспрестанно перебирая четки, прикасаясь к много
численным иконкам и бормоча что-то себе под нос.

В квартире было жарко, не меньше тридцати градусов
Старуха была довольно чистоплотна: она то и дело смахивал
с комодов пыль, подметала пол, согнувшись в три погибели
но это не помогало — воздух был пропитан затхлым, ниче
не истребимым запахом.

У Жюльет к вечеру нестерпимо разболелась голова. Спертый воздух, тяжелые запахи старческой немощи вызывали у нее дурноту. Но, как назло, ни одно из окон здесь не открывалось. Хотелось немедленно уйти отсюда. Или увидеть хотя бы какого-нибудь нормального человека. Например, того английского журналиста. Англичанин был на редкость хорош собой. Ах, если бы он вернулся... Жюльет была готова на все, лишь бы не торчать здесь в одиночестве. Но ничего, недолго терпеть осталось — час, даже меньше. И тогда можно будет отправиться домой и принять ванну. Жюльет проработала в доме мод почти десять лет, но полгода назад с удивлением поняла, что ей больше не нравится ее работа. Нынешняя должность не приносила ни радости, ни удовлетворения. Дело заключалось в том, что из фирмы мало-помалу выветрился волшебный дух Казарес, причем выветрился уже довольно давно, лет пять назад, однако Жюльет заметила это далеко не сразу. И тут нужно отдать должное Лазару — ему до поры прекрасно удавалось скрывать масштабы разрушительных перемен. Развив поистине кипучую деятельность, которая, должно быть, в конце концов и подточила его силы, он продолжал погонять их всех, не отступая от своих жестких стандартов и оставаясь глухим ко всем стенаниям и претензиям. Он знал, что великое дело лишилось своего сердца, знал, что пытается вдохнуть жизнь в хладный труп, однако его твердый отказ признать свершившееся позволял фирме продолжать работать. И никто не отваживался усомниться в том, разумно ли поступает Лазар.

Жюльет беспокойно заходила по комнате. Ей пришло в голову, что в этой самой комнате, должно быть, умерла Мария Казарес. При этой мысли у нее едва не отнялись ноги. Где же, интересно? На этом диване? Или в том кресле, где Матильда, по ее утверждению, не позволяла сидеть никому, кроме ее любимицы? Или на ковре, прямо перед камином? Жюльет торопливо отступила с ковра и закурила сигарету.

Врать, врать постоянно, каждый день, каждую минуту — вот во что превратилась твоя работа, Жюльет де Нерваль. Ей платили солидное жалованье главным образом за то, что она распространяла сведения, не соответствующие истине. «Ах, что вы, какое недомогание?! Мария Казарес абсолютно здорова... Нет-нет, ей вовсе не требуются помощники для проектирования моделей одежды. Каждую вещь — и для показа, и на продажу — она создает сама. От начала до конца...» А сегодняшняя речь Лазара, повергшая многих в слезы? Почти все сказанное им на пресс-конференции было или бесстыдной ложью, или изящным умолчанием истины.

Начать хотя бы с того, что Мария Казарес умерла вовсе не в клинике «Сент-Этьен». Она, Жюльет, лично разговаривала с сотрудниками «Скорой помощи», с врачом, который оформлял бумаги, и все они в один голос утверждали: Казарес скорее всего была уже мертва к тому времени, когда трясущаяся от ужаса, полубезумная Матильда наконец сообразила позвонить им по телефону. Во всяком случае пациентка не дышала, когда в квартиру вбежали санитары. Все их попытки воскресить ее были тщетны — шансов на успех не было никаких. Так что все эти россказни, что она умерла в больнице на руках у Жана Лазара, — откровенное вранье. Неизвестно только, зачем ему потребовалось лгать. Разве что самому очень захотелось поверить в собственную ложь.

Всю предыдущую ночь Жюльет работала над сочинением версии, в которой бы хоть как-то сходились концы с концами. Необходимо было добиться, чтобы и она сама, и остальные сотрудники преподносили прессе происшедшее именно так, как того хотелось Лазару. Каждый должен был знать, что и когда говорить.

И сегодня, пока Жюльет сидела в этой мышеловке, оберегая Матильду от непрошеных гостей, ее коллеги, повинуясь личным указаниям Лазара, разрабатывали план дальнейшей кампании по введению в заблуждение мировой прессы, плотно взявшей в осаду Дом Казарес. В этом деле Жану Лазару поистине не было равных.

Его излюбленным приемом было пускать репортеровищеек по ложному следу. А это означало, что сослуживцы Жюльет день-деньской морочили пишущей и снимающей братии голову, намекая на возможность допуска в один из домов, где какое-то время жила Мария Казарес, вселяя в журналистов заведомо несбыточную надежду на то, что уж теперь-то будет рассказано хоть что-то о ее молодых годах, в частности о том, где именно в Испании она родилась, и т. д.

Доктор из клиники «Сент-Этьен», к этому времени уже должным образом проинструктированный, «подмазанный» и натасканный, был готов раздавать интервью направо-налево. «Ну и ловкач этот Лазар», — подумала Жюльет, испытывая к боссу одновременно неприязнь и восхищение. Лазар, как никто иной, знал, каким образом скармливать информацию прессе, чтобы ни у кого из прожженных асов пера даже тени догадки не возникло, сколь многое от них утаивает этот верный оруженосец Марии Казарес. И главным из того, что он утаивал от чужих ушей и глаз сейчас, была, конечно же, Матильда, хотя Жюльет никак не могла взять в толк, зачем ему понадобилась подобная таинственность. Вряд ли эта выжившая из ума, бессвязно бормочущая себе под нос старуха могла поведать журналистам что-либо скандальное или просто представляющее хоть какой-то интерес. Единственная ее ценность заключалась в том, что она была верной собакой Марии, ее преданной служанкой.

Как бы то ни было, день уже прошел, причем совершенно бездарно. Смешно вспомнить, чем она занималась. С утра дала от ворот поворот нескольким французским репортерам, занюханному фотокору из какой-то британской бульварной газетенки и гораздо более изящному и обходительному итальянскому папарацци. Итальянцу нужен был снимок комнаты, где Мария Казарес упала замертво. Впрочем, он, наверное, с самого начала не очень надеялся на то, что его впустят, а потому ни капли не расстроился, получив категорический отказ. После этого не произошло ровным счетом ничего, если не считать недавнего прихода корреспондента весьма солидной английской газеты. Вот уж никогда не подумала бы, что издание с такой хорошей репутацией пожелает включиться в эту свистопляску.

За спиной Жюльет раздался тихий скрип. Прислушавшись, Жюльет поняла, что это открылась дверь ванной. Старуха закончила свой вечерний туалет. Слава богу, наконец-то... Теперь она шаркала по коридору, направляясь к своей кровати. Скрипнула половица, потом послышалось бормотание. «Молится, наверное, на сон грядущий», — подумала Жюльет и нетерпеливо взглянула на настенные часы. Последний час дежурства в этой квартире казался ей самым длинным в ее жизни.

Однако возня с Матильдой на этом не заканчивалась. Завтра утром, в половине одиннадцатого, предстояло выполнить еще одно поручение начальства: направить за мадам Дюваль лимузин, который должен был доставить ее в Дом Казарес. Там старуху пристроят за кулисами, откуда она будет наблюдать за демонстрацией моделей одежды. Такова была святая традиция, и ничто не могло заставить Лазара нарушить ее, даже смерть Марии Казарес. Матильда Дюваль непременно должна была присутствовать на показе — так было всегда на протяжении двадцати последних лет. В прошлом она приходила вместе с Марией и оставалась подле нее все время, пока продолжалось шоу. Она что-то нашептывала своей любимице, своей богине, успокаивала ее, заставляла поверить в себя. Почти все время они вместе находились в тесной каморке за кулисами, где Мария Казарес в ужасе ожидала приближения того неизбежного момента, когда ей придется выйти к публике, ослепнуть от фотовспышек, оглохнуть от аплодисментов.

Тот факт, что Марии больше нет, абсолютно ничего не менял. Лазар сам во всеуслышание заявил об этом. Мария наверняка захотела бы, чтобы Матильда присутствовала на показе, а значит, старая служанка будет там присутствовать. По спине Жюльет, в который уже раз, пробежал нервный озноб, и она нехотя приблизилась к двери, из-за которой попрежнему слышалось молитвенное бормотание. Дверь через коридор, напротив, была приоткрыта, и сквозь щель виднелась розовая стена этой ужасающей молельни. Жюльет, озадаченно нахмурившись, снова отступила в глубь гостиной. А вдруг тут в самом деле есть что скрывать? Прежде она видела во всех этих мерах предосторожности исключительно патологическую скрытность Лазара во всем, что касалось Марии. Но что, если за его желанием оградить Матильду от прессы кроется нечто серьезное? В самом деле, интересно, что именно он так тщательно оберегает от журналистов? Может, дело и не в Матильде вовсе, а в ее квартире со всем этим «антиквариатом»?

Отчего-то раньше такая мысль ни разу не приходила Жюльет в голову. Но стоило ей только задаться этим вопросом, как глаза ее сами начали пытливо ощупывать каждый уголок мрачной квартиры, каждый находящийся здесь предмет. Остановив взгляд на камине, она принялась внимательно изучать скопище уродливых вещиц, заботливо расставленных наверху на широкой полке. Потом подошла к столу, на котором были в беспорядке разбросаны фотографии Марии — в основном недавние. Протиснувшись между двумя низкими колченогими столиками, Жюльет оказалась в пыльном углу комнаты, который почти целиком был занят громоздким бюро. Поверхность бюро, уродливого, как почти все в этом странном жилище, тоже не пустовала — здесь было полным-полно всяких бумажек, мелких безделушек и прочей ерунды. Там и сям валялись перьевые ручки, обрывки шпагата, кусочки сургуча, ножницы, стояли пузырьки с чернилами. Немудрено, что старуха ненароком задела один из них: на одном из бумажных листов расплылось огромное чернильное пятно, уже высохшее. Кажется, Матильда предприняла серьезную попытку написать кому-то письмо. Жюльет склонилась над листком. Как и следовало ожидать, бабка писала как курица лапой. Можно было разобрать только вступление:

«Mon bien-aimé Christophe, Il faut que je te voie, c'est urgent... J'ai mal au coeur, tu me manque...»[1]

«Какой еще Кристоф? — удивилась Жюльет. — Может,

---

[1] «Мой милый Кристоф, мне нужно видеть тебя по срочному делу... Сердце мое изболелось, я так по тебе скучаю...» (*фр.*).

внук?» Нижняя часть письма, так и оставшегося незавершенным, была залита чернилами. Скорее всего, едва взявшись за составление своего послания, старуха нечаянно перевернула пузырек с чернилами и бросила это занятие.

Она начала перекладывать вещи, создавая на крышке бюро какое-то подобие порядка. Ей стало стыдно за собственное любопытство, однако внезапно под грудой бумаг Жюльет заметила три крохотные коробочки. Рядом с ними были разбросаны клочки разорванной обертки. Она тут же узнала эти обрывки — такую обертку использовал только Дом Казарес. Шелковая тесемка, золотистый шелк, белый шелк с монограммами... Очевидно, Мария принесла вчера старой служанке какие-то подарки и вручила их, прежде чем сесть за чай. А потом упала бездыханной. Как это все печально... Три маленькие коробочки были пусты. Что в них было? Наверное, какие-нибудь побрякушки. В знак внимания к спутнице многих лет жизни. Если это так, то Матильда скорее всего держит их при себе.

Жюльет пересекла комнату, приоткрыла дверь и выглянула в коридор. Бормотание прекратилось. Она на цыпочках подобралась к спальне старухи и заглянула внутрь. Та лежала на кровати, дыша спокойно и ровно; ее глаза были открыты и смотрели прямо в потолок. Можно было предположить, что Матильда ожидает кого-то или чего-то. Жюльет неслышно отошла от двери, кляня себя за то, что не может совладать с собственным воображением. И как раз в это время в дверь позвонили. От неожиданности Жюльет вздрогнула всем телом и закатила глаза. Нет, она не лишилась чувств, но была довольно близка к обмороку.

Женщина опасливо приблизилась к входной двери и посмотрела в глазок. Поначалу застыв в нерешительности, она через пару секунд почувствовала, как безотчетная радость наполняет ее душу: на пороге стоял тот самый красавчик — английский журналист.

Жюльет повозилась с замком и через пару секунд с видимым облегчением рывком открыла дверь. Роуленд Макгуайр — она уже знала, как зовут этого мужчину, потому что его визитная карточка лежала у нее в кармане, — смотрел на нее весело и чуть-чуть бесшабашно. Выражение его лица, взгляд его красивых глаз обезоруживали — Жюльет хватило доли секунды, чтобы понять и оценить это. А в руках его пенистой волной колыхался роскошный букет цветов, что понравилось Жюльет еще больше. Это был самый изысканный букет из всех, что ей доводилось видеть в своей жизни.

— Это вам, — просто сказал он. — Как видите, несмотря

на ваш холодный прием, я вернулся, и вот зачем. Хотел спросить вас только об одном: могу я пригласить вас в бар выпить чего-нибудь, когда ваше дежурство подойдет к концу?

У него были самые зеленые и самые сногсшибательные глаза в мире. Улыбка тоже была неотразимой. Не было никакой возможности не заметить этого.

Она заколебалась — было почти уже семь, — но все же решилась улыбнуться ему в ответ.

— Мне нравятся настойчивые люди, — произнесла Жюльет. — После такого дня, как этот, небольшой стаканчик мне не повредит. Подождите, мое время истекло, я только возьму пальто.

* * *

Из окна пентхауса, где жила Элен, вся улица, залитая светом фонарей, лежала перед Паскалем как на ладони. Стоя в полутемной комнате рядом с кроватью, в которой сейчас спала Марианна, он видел, как из соседнего дома вышел Роуленд Макгуайр и спустился из-под навеса по широким ступенькам парадной лестницы. Рядом с ним шла высокая элегантная женщина средних лет. Паскалю бросились в глаза ее туфли на высоком каблуке и светлые, почти белые волосы. Она зябко поежилась, видно, жалуясь спутнику на погоду. Проговорив что-то, женщина поплотнее запахнула на себе длинное меховое пальто. Макгуайр ответил на ее реплику и, кажется, был вознагражден благосклонной улыбкой спутницы. Оба рука об руку быстро пошли по улице и вскоре исчезли из виду.

Паскаль уперся лбом в холодное и темное стекло. За его спиной в своей теплой постельке мирно посапывала Марианна. Эта комната была наполнена покоем и мягкими игрушками, которые так нравились дочери. Рядом с кроватью лежала книжка, которую он читал ей на ночь, а на тумбочке стоял небольшой ночник в форме совы с опущенными крыльями, который Паскаль купил во время одной из своих поездок, памятуя о том, как Марианна боится темноты. Только вот где? В Лондоне? Нью-Йорке? Париже? Риме? Он уже не помнил. Его память была сейчас бессильна оживить этот эпизод из прошлого. И несколько минут назад он был бессилен вдуматься в то, что вслух читал дочери. Стоя у окна точно так же, еще до того, как начать читать сказку, Паскаль на противоположной стороне улицы видел того же мужчину и с другой женщиной. Он сразу узнал их — высокого мужчину и худощавую женщину, которая, разговаривая с ним, так старательно отворачивалась от окон дома, где находился Паскаль.

При виде той пары холод сковал его сердце. Он продолжал стоять у окна, не в силах шевельнуться. Он видел, как Макгуайр, оставив Джини одну, пересек улицу и вошел в соседний дом. И как раз в тот момент, когда Паскаль решился спуститься вниз, чтобы поговорить с Джини, вернулся Макгуайр. Они ушли. Паскаль заметил, как она взяла Макгуайра под руку. При виде этого жеста — такого обыденного, словно общались не любовники, а всего лишь сослуживцы, — Паскаль почувствовал, как сердце его разрывается от ревности и боли. Ну вот, теперь у него и это отняли: ему уже не суждено почувствовать прикосновения к своему локтю нежной руки любимой женщины.

Сейчас, отвернувшись от окна, Паскаль пытался внушить себе, что все сложилось как нельзя лучше. Ему повезло в том, что он не успел на самолет, что видел все это, что сумел превозмочь в себе желание спуститься на улицу и поговорить с Джини. Все указывало на то, что она как ни в чем не бывало продолжает работать вместе с Макгуайром, несмотря на утреннюю сцену, после которой он, Паскаль, все еще не мог опомниться. Да, он решил остаться в Париже, но это ничего не меняло в его планах. Все, что нужно, было уже сказано. Пути назад не было.

Глядя на спящую дочь, Паскаль ощутил, как боль отпускает его сердце, сменяясь безбрежной любовью. Склонившись, он осторожно поцеловал Марианну в лоб и тихо вышел из комнаты.

Паскаль оказался в пышной гостиной, где Элен, неподвижно сидя в кресле, читала.

— Долго же вы, однако... — С улыбкой вглядевшись в его лицо, Элен закрыла книгу. Паскаль взял с дивана свой плащ.

— Да... Ничего не поделаешь, хорошую сказку всегда приходится читать дважды. К тому же мы поболтали немного. Кажется, она сильно нервничает перед завтрашним походом к зубному. Ты же знаешь, какая она...

— Ах, выбрось это из головы. Все с ней будет в порядке. Подумаешь, небольшая пломбочка. Можешь сам сводить ее туда, если хочешь. С тобой для нее даже посещение дантиста в радость. — Элен поднялась из кресла.

Интересно, избавится ли она когда-нибудь от этой своей привычки вечно выворачивать все шиворот-навыворот, выискивать в хорошем пусть каплю, но плохого? Даже комплимент эта женщина умудрялась преподнести с подтекстом, звучащим насмешкой. С тех пор как Элен вышла замуж снова, отношения между ними заметно наладились, но и сейчас она не упускала возможности отпустить шпильку в адрес своего бывшего мужа.

— Выпей чего-нибудь. — Элен направилась к столику с напитками. — Расслабься, Паскаль, не надо быть таким зажатым. Ральф будет только через час, не раньше. Надеюсь, ты сможешь вытерпеть еще минут десять в моей компании? Я по тебе вижу: тебе просто необходимо пропустить стаканчик.

— Ладно, уговорила. Я и в самом деле не отказался бы от виски. Так что спасибо тебе. Только мне все равно нельзя у тебя задерживаться. Нельзя, нельзя... — Он начал бесцельно бродить по комнате из угла в угол, в то время как Элен доставала стаканы. Ему подумалось о том, что новый муж смог дать Элен все те материальные блага, которых не мог дать ей он, Паскаль. Теперь у нее было все, что она всегда хотела иметь. Глядя на эту комнату, обставленную дорогой мебелью, устланную коврами, обвешанную модными, но вполне заурядными картинами и тяжелыми гардинами, невозможно было отделаться от впечатления, что перед тобой декорации спектакля, действие которого происходит в благополучные тридцатые годы. Квартира была оформлена в соответствии с пожеланиями Элен одним из лучших парижских дизайнеров по интерьеру. У ее теперешнего супруга Ральфа, кажется, был более скромный вкус, но Элен, как и следовало ожидать, обратила его в свою веру.

На Элен было платье цвета красного вина, великолепно подчеркивающее достоинства ее фигуры. Ее темные волосы были подстрижены по-новому, и эта прическа действительно ей очень шла. Украшения она теперь носила дорогие, но неброские. «Отлично выглядит», — мысленно заключил Паскаль. Элен выглядела женой человека со средствами. В душе Паскаля шевельнулась смутная догадка о том, что именно так она, должно быть, хотела выглядеть всю жизнь, чуть ли не с рождения, только не делилась своими сокровенными мечтами с ним.

Как мог он быть женат на этой женщине целых пять лет, но так до конца и не узнать ее? Мысль о том, что он настолько просчитался в оценке ее человеческих качеств, окончательно испортила Паскалю настроение. Элен любила материальные ценности — в этом и заключалась вся ее суть. Все было предельно просто. Но Паскаль не сразу увидел это, потому что сам был другим.

А может быть, когда он впервые встретил ее, она тоже была иной? Паскаль и сейчас помнил, как взахлеб они разго-

варивали о политике, театре, книгах, фильмах. Он ни секунды не сомневался, что Элен искренне всем этим интересуется. Наверное, он ошибался. Точно так же он ошибся и с Джини.

«А ведь я фотограф, — сокрушенно размышлял Паскаль. — Моя работа, вся моя жизнь заключается в том, чтобы видеть, а выходит, что я слеп как крот». Опрокинув в рот одним махом виски и не обращая внимания на недовольную гримасу на лице Элен, он закурил сигарету.

Элен между тем не просто морщилась — она пристально наблюдала за ним.

— Что с тобой, Паскаль? Только не отпирайся. Я же вижу, что-то у тебя не в порядке. На тебе лица не было, когда ты сюда явился. Да и сейчас вон какой хмурый. — Она замолчала, отрешенно разглядывая лицо бывшего супруга. — С Джини поругался, что ли?

— Давай не будем об этом, Элен, а? Просто я устал как собака, и поверь, твой очередной допрос совершенно не доставляет мне сейчас удовольствия.

— Ну, как хочешь. — Она равнодушно пожала плечами. — Хотя все и так видно. Ты должен научиться обсуждать свои проблемы с другими, Паскаль. От того, что ты переевариваешь все в себе, тебе только хуже становится.

— О господи, да откуда ты взяла, что у меня есть какие-то проблемы? — Вскочив с дивана, Паскаль снова заметался по комнате, а потом, уставившись на Элен тяжелым взглядом, налил себе еще виски.

— Конечно, есть, — подтвердила она медовым голосом. — Когда у тебя проблемы, ты всегда сперва вспыхиваешь как порох, а потом начинаешь носиться из угла в угол. Кстати, учитывая твое нынешнее состояние, не советовала бы тебе пить еще.

— А почему не выпить? — усмехнулся Паскаль. — Может, мне хочется надраться хоть раз в жизни?

— Хочешь справить поминки по самому себе? Пей сколько хочешь, но только не здесь. — Она снова раздраженно вздернула плечи. — Ты в Париже надолго?

— До дня рождения Марианны. До следующего понедельника. Хотел бы навестить ее в этот день. Если, конечно, ты не возражаешь.

— Нет, Паскаль, я не возражаю. Я же говорила тебе, можешь прийти на праздничное чаепитие. Девочка будет рада. Теперь у нас нет никаких поводов для враждебности. Мы все можем быть друзьями: Ральф и ты, Джини и я. Мы же цивилизованные люди...

— Ну естественно. — Он опять окатил ее ледяным взгля-

дом. — Цивилизованные вполне могут посидеть за одним столом. Цивилизованно пообедать, например...

— А-а, теперь, кажется, дошло окончательно. — Элен с ходу поняла намек. — Вот, значит, в чем проблема? Что ж, каюсь, грешна. Осмелилась, негодная, просто пообедать с твоей женщиной. И, что самое страшное, поговорить с ней. Полностью признаю свою вину.

— Нет, милая, не просто с моей женщиной. С Джини! К тому же мне прекрасно известно, что ты ей наплела во время этого «просто обеда». Только и знаешь, что других баламутить.

— А вот тут ты не прав. — Она повернулась к нему, сияя торжествующей улыбкой. — Я предложила Джини пообедать вместе с единственной целью получше узнать ее. Полагаю, с моей стороны это можно считать вполне естественным шагом, учитывая то, что она тоже намеревается присматривать за моей дочерью в те дни, когда я вынуждена оставлять Марианну тебе.

— Ах, вот как? Потребовалось, значит, срочно с ней встретиться? Чтобы узнать получше? Но ты до этого уже два раза виделась с Джини. Прошу тебя, не надо лгать. Я слишком хорошо тебя знаю.

— Боже милосердный! Ну сколько можно повторять, мне просто захотелось с ней поближе познакомиться. И если хочешь знать, Паскаль, когда я ее увидела, то была просто в шоке.

— В шоке? С чего бы это? Кажется, понимаю: все дело в том, что твоя женская интуиция слишком долго работала на повышенных оборотах, а потому начинает давать сбои. Что ж, случается иногда.

— Никакой интуиции не требуется, когда перед тобой сидит больной человек — несчастный, глубоко подавленный. В таких случаях все невооруженным глазом видно. Говорю тебе, я просто ужаснулась, когда увидела, в каком она состоянии. — Элен умолкла, чтобы допить остатки спиртного, а затем снова повернулась к Паскалю. На сей раз ее лицо пылало от негодования. — А еще я была глубоко тронута ее преданностью тебе, ее старанием скрыть то, как ей одиноко и плохо. Это тоже случается, поверь, Паскаль. Так что нечего мне тут мораль читать. Господи, какой же ты слепец! Ведь это с ней не вчера началось и не неделю назад. С ней это уже несколько месяцев творится. Так почему же ты ничего не заметил, когда вы вместе были в Боснии? Почему, черт побери, ты, верный своей идиотской привычке, не вернулся к

сроку, который сам же назначил? А она так ждала тебя к Рождеству. Боже, я чуть сама не разревелась...

— Я не обязан отчитываться перед тобой в том, куда и когда езжу. Но если тебе это так интересно, Джини сама согласилась на то, чтобы я там задержался. У этой войны много аспектов, некоторые я не успел осветить. И Джини поняла меня. Поняла так, как никогда не понимала меня ты.

— Поняла, говоришь? — Рот Элен сжался в тонкую линию. — Боже правый, Паскаль, ты ни капельки не изменился. И я начинаю думать, что никогда уже не изменишься. Скажи, тебя еще не тошнит от всех этих твоих бесконечных войн? А я-то думала, ты хоть чему-то научился. Думала, понял наконец, что нельзя ставить работу сразу на первое, второе и третье место в жизни, отводя всему остальному жалкое четвертое. Ты так и не извлек никаких уроков из тех трех лет, в течение которых не фотографировал войну. Стоило тебе только попасть в Боснию, как ты сразу же взялся за старое.

— Конечно, такое у тебя в голове не укладывается. — Паскаль со стуком поставил пустой стакан на стеклянный столик. — Да и как тебе понять? Для тебя моя работа никогда ничего не значила. Вся ее ценность сводилась к тому, что она давала средства на жизнь. Не раз, наверное, жалела, что сразу не вышла за бизнесмена, который за хорошие деньги протирает штаны в конторе с девяти утра до пяти вечера и каждый день после работы со всех ног спешит домой, чтобы предстать перед тобой ровно в шесть.

— Если ты думаешь, что этого хочется мне, то глубоко ошибаешься. От этих разговоров ты всегда становишься необыкновенно злым, агрессивным и, если уж на то пошло, занудливым. Но согласись, Паскаль, вечный бой даже очень выносливого человека может начисто лишить сил. Я, например, от твоих крестовых походов устала до смерти. Смотри, как бы не устала и Джини. — Элен метнула в его сторону пристальный взгляд. — Так вы в самом деле с ней поссорились?

— Если честно, то между нами все кончено. — Его лицо потемнело. — Представляю, какая радость для тебя слышать это. Так что спеши воспользоваться возможностью — давай, лупи меня без пощады. Ты всегда отличалась прекрасной способностью добивать лежачего. Уж в этом-то тебе нет равных.

— Просто я всегда платила тебе той же монетой, — спокойно парировала она. — А сейчас не хочу. Неинтересно. Подумаешь, повздорил с Джини. Ничего, помиришься. И сейчас помиришься, и потом, и еще много-много раз.

Точно так же, как когда-то мирились мы с тобой. Разве что теперь тебе делать это еще легче, потому что любишь ты ее намного больше, чем любил меня. Даже теперь тебе с Джини лучше, чем было со мной за все время нашей совместной жизни. — Элен замолчала и позже, увидев, как его лицо исказилось от боли, не смогла удержаться от вздоха.

— Как ни старайся, Паскаль, а ссор вам не избежать. Ведь она молода — ей, кажется, нет еще тридцати. И к тому же безумно любит тебя. Пройдет еще немного времени, и Джини захочет детей. Ты когда-нибудь думал об этом?

— Что бы я ни думал, это тебя не касается. И то, что Джини думает, тоже. Так что не суй нос не в свое дело.

— Но эта женщина не для тебя, Паскаль! Как ты не понимаешь?

Она перебила его как раз в тот момент, когда он уже направлялся к выходу. «Всегда выберет самое подходящее время, — в ярости подумал Паскаль. — И что у нее за чутье такое особенное?»

— И ты всерьез полагаешь, что я интересуюсь твоим мнением о Джини? Можешь оставить его при себе.

— Это уж как ты пожелаешь. — Ее лицо внезапно словно окаменело. — Но кое-что я тебе все-таки скажу, и ты выслушаешь меня до конца — хотя бы раз, для разнообразия. Знаешь, кто тебе нужен? Тебе нужна очень старомодная личность, каких уже почти не осталось на свете. Тебе нужна жена, Паскаль, причем жена особая. Тебе нужна женщина, спокойная по натуре, но в то же время обладающая гигантской внутренней силой — такая, которая чувствовала бы себя вполне удовлетворенной, сидя дома с твоими детьми. Такая, которая смирялась бы с твоими бесконечными отъездами и приездами, которая не изводилась бы всю жизнь от мыслей о том, что ты, возможно, валяешься где-то, подстреленный снайпером, или сидишь в грузовике, который вот-вот подорвется на мине. А вот кто тебе не нужен, Паскаль, так это женщина ранимая, нервная, умная, способная буквально кожей чувствовать, что творится с тобой. Именно к таким относится Джини — ты сам этого не отрицаешь. — Элен строго посмотрела на него. — Раз уж пошла на откровенность, то выскажу все до конца: тебе нужна женщина постарше, не заинтересованная в собственной карьере — такая, которую ты сам никогда в жизни не полюбишь всем сердцем. Тебе ведь не любовь нужна, а покой и дружба. А все это способна дать тебе только жена непритязательная. Нетребовательная! Понимаешь? Потому что твоя собственная жизнь требует от окружающих постоянных жертв. Их требует твоя работа, твой характер. А когда подобных требований слишком много, то их спутником неизбежно становится вражда.

— Что ж, прекрасно. — Теперь в глазах Паскаля читалась откровенная неприязнь к бывшей жене. — Поступлю именно так, как ты мне советуешь: женюсь на какой-нибудь не слишком умной, не слишком интересной, короче говоря, на той, которую не слишком люблю. Великолепно! Об одном прошу, укажи мне сама на этот образчик серости. Просто не терпится посмотреть.

Его реплика заставила Элен рассмеяться. Нахохотавшись от души, она внезапно стала предельно серьезной.

— Я не говорила тебе, что ты не сможешь любить ее, Паскаль. Я лишь сказала, что отсутствие страстной любви в таком случае было бы тебе на пользу. — Поколебавшись, Элен добавила: — Думаешь, я без ума от своего Ральфа?

— Знаешь, как-то не размышлял над этим. А если честно, то мне на это вообще наплевать.

— Так вот, я вовсе не схожу от него с ума. Я люблю его тихой, мирной, спокойной любовью друга...

— О да, несомненно. Причем наверняка любила бы его не меньше, даже если бы он был далеко не столь богат, не правда ли?

Она вспыхнула, замялась на секунду, а затем, к удивлению Паскаля, как-то жалостливо посмотрела на него.

— Вполне возможно, что меньше. А может, и вовсе не любила бы. Я реалистка. У нас с тобой разные жизненные ценности, Паскаль. Мы с тобой всегда смотрели на жизнь с разных точек. Я вовсе не считаю смертным грехом желание хорошо одеваться, жить в хорошей квартире. Причем я желаю этого не для себя одной. Ральф в состоянии дать очень многое не только мне, но и Марианне. Прекрасный дом в Англии, конюшню с пони, образование в самых лучших школах. Если, конечно, ты не имеешь ничего против. Благодаря средствам Ральфа у нее будет спокойное, обеспеченное детство. Положа руку на сердце, признайся, смог ли бы ты когда-нибудь дать ей все это?

Наступило молчание. Оно длилось достаточно долго, чтобы Элен успела пожалеть, что избрала такой тон для разговора с бывшим мужем. Очевидно, с ее стороны это было стратегической ошибкой. Весь гнев Паскаля внезапно куда-то улетучился. В его глазах, пристально глядевших ей в лицо, оставались лишь горечь и сожаление.

— Я отдал ей свою любовь, — наконец проговорил он. — Из всех даров разве не этот самый ценный?

Он говорил очень тихо и спокойно. Огорченно всплеснув руками, Элен отвернулась.

— Ну да, естественно, — торопливо забормотала она, — ты, как всегда, прав. Кто станет спорить? Только прошу тебя, Паскаль, не пытайся меня унизить. — К его удивлению, на глаза Элен навернулись слезы. Она яростно вытерла ресницы ладонью и закашлялась. — Мне не следовало говорить о Марианне. А что касается Джини... — Она снова заколебалась. — Честное слово, я пытаюсь непредвзято относиться к ней. Она мне действительно симпатична, и я по-настоящему желаю счастья вам обоим. Поверь, мне очень не хочется, чтобы Джини стала такой же несчастной, какой была когда-то я. И не хочется, чтобы ты, вместо того чтобы стать счастливым, оказался в итоге озлобленным и одиноким. Понимаю, чудес на свете не бывает, но пусть хоть у вас все сложится, как в детской сказке со счастливым концом. Иногда я так страстно желаю этого. — Замолчав, она с несмелой улыбкой посмотрела ему в глаза: — Но признайся, из того, что я тебе тут наговорила, далеко не все было таким уж грубым преувеличением. Ведь правда, не все?

— Не все, — неуверенно пожал плечами Паскаль. — Во всяком случае, твой анализ моих недостатков был просто блестящим. Ладно, Элен, мне пора.

— Не забудь про завтрашний день. — Она пошла следом за ним. — Заберешь Марианну, побудешь с ней, а потом приведешь обратно. Хорошо? Ей нужна отцовская поддержка, а ты, когда захочешь, можешь быть просто великолепным отцом.

— Хорошо, — кивнул Паскаль. — Утром увидимся. Приду за Марианной примерно в половине десятого. Спокойной ночи.

* * *

Один из друзей одолжил ему на время свою пустующую квартиру на Монпарнасе. Паскаль снова стоял у окна, глядя на ночной Париж, и вспоминал слова Элен. Им овладевало отчаяние. Со скрежетом отвинтив пробку, он плеснул себе в низкий стакан виски и залпом выпил.

Ну и что теперь? Он застыл на месте, еще больше раздосадованный самим собой. Спиртное не брало его — Паскаль оставался трезв как стекло. Тем мучительнее было размышлять над собственными поступками, собственной жизнью.

С болезненной ясностью он сознавал, что если Джини совершила чудовищную ошибку, то и его ошибка была не

енее чудовищной. Нельзя было позволять себе так долго за-
ерживаться в Боснии. Конечно, гораздо удобнее было вре-
я от времени получать от Джини бодрые письма, разговари-
ать с ней по телефону и уверять себя, что для беспокойства
ет причин: раз уж Джини держится так хорошо, почему бы
е задержаться еще на недельку-другую? За работой Паскаль
очти не замечал времени.

Но помимо этого просчета был еще один — гораздо более
пасный и труднообъяснимый. Как мог он не задуматься о
ом, что Джини нужен ребенок?! На те события, очевидцами
оторых им вместе довелось стать, Джини прореагировала
исто по-женски. Да, он смутно ощущал эту реакцию, но
казался не способен как следует проанализировать ее. Ему
азалось, что Джини, как любая женщина вообще, сопере-
ивает тем, кто оказался в пекле. Ее переживания виделись
му какой-то водной стихией, вроде бьющего из-под земли
люча. Чувства Джини были для него подобны потоку —
вободному, неуправляемому. Его и раньше поражало то,
ак быстро рушатся все преграды, когда Джини тянется на-
стречу людям, оказавшимся в беде, например к тому маль-
ику в Мостаре. Однако Паскаль не понял того, что Джини,
бщаясь с этими людьми, впитывает в себя их дух, начинает
ыслить и чувствовать, как они.

Это была не его стихия. В прошлом он превыше всего
енил и стремился развивать в себе качества, которые считал
исто мужскими: обособленность от других, рациональ-
ость, отрицание эмоций как способ выживания. Когда фо-
ографируешь, нельзя плакать. Боль и негодование — плохие
омощники, когда нужно помнить сразу о фокусе, выдержке
чувствительности пленки, не говоря уже о выборе компо-
иции. Тем более когда работаешь под огнем. Он расставался
всеми человеческими слабостями, во всяком случае на
ремя командировки в «горячую точку», прекрасно отдавая
ебе отчет в своем вынужденном бездушии. Подобная стра-
егия в прошлом никогда его не подводила. Однако теперь
ыло впору усомниться в ее ценности.

«В итоге получается полная чушь», — решил Паскаль,
ачав ходить по комнате. Можно было дать тысячи объясне-
ий его собственным поступкам и поступкам Джини. Един-
твенное, чего он не мог себе объяснить, так это ее измены.
ряд ли и сама она могла это объяснить. Этот шаг был настолько невероятен, настолько не вписывался в рамки их от-
ошений, что Паскаль до сих пор метался, ничего не пони-
ая. Эта боль непонимания не покидала его.

Однако это вовсе не мешало ему по-прежнему любить

Джини, причем любить с не меньшей силой. Более того, муки сомнения в соответствии с каким-то нелепым законом делали эту любовь еще сильнее. Агонизируя, он бредил своей любимой. Перед ним вдруг словно забрезжил призрак будущего: он увидел себя вместе с Джини через много лет. Как и раньше, он тянулся к ней, и она тянулась к нему. На столь значительном расстоянии мимолетная неверность показалась ему не только малозначащей, но даже каким-то образом сблизившей их двоих, обогатившей их любовь.

Мгновенно воодушевившись и не в силах больше копаться в собственной жизни, Паскаль поднял телефонную трубку и позвонил в отель «Сен-Режи». Джини ответила после третьего гудка.

Разговор получился коротким: ни извинений, ни обвинений, ни вопросов. Паскаль боялся, что только испортит все многословием.

Он предложил ей встретиться. Она отказалась. Им обоим нужно время, чтобы лучше разобраться в самих себе. И после паузы добавила, что с утра будет слишком занята. Работа.

У Паскаля будто язык присох к небу. Онемев, он смотрел в глубокую пропасть, разверзшуюся в его жизни.

— Я люблю тебя, — вырвалось из его уст.

Он произнес эти слова сперва по-английски, потом на всякий случай повторил по-французски.

Отчего-то ему казалось, во всяком случае в душе его теплилась надежда, что перевод поможет ей лучше понять его. Не помогло. Издав короткий вздох, который можно было истолковать как угодно, Джини без единого слова положила трубку.

Наутро, отправляясь за Марианной, Паскаль, заставивший себя на этот раз как следует выспаться, строил планы на предстоящий день. После того как они с Марианной завершат все намеченные развлечения и он доставит ее домой, Паскаль решил сразу же отправиться в «Сен-Режи», чтобы разыскать или дождаться Джини. Сегодня же. Он просто не может допустить, чтобы и этот день прошел впустую.

Добравшись до Рю-де-Ренн, он опешил от изумления. Необходимость искать Джини отпала сама собой. Он увидел ее, едва завернул за угол. Джини стояла на тротуаре напротив дома, где жила Элен, — на том же самом месте, где он видел ее прошлым вечером. Заметив его, она тут же постаралась скрыться в подъезде. Но Паскаль твердым шагом направился следом за ней.

Сердце от волнения стучало так, будто хотело выпрыгнуть из груди. У него не было и тени сомнения в том, что Джини ждет его. Однако он ошибся.

Она принялась уверять его, что следит за какой-то квартирой, что в этом и заключается ее работа и вообще было бы лучше, если бы он исчез. Другой мужчина на его месте, наверное, стал бы спорить, однако Паскаль, понявший все по ее глазам, не стал этого делать.

Не говоря ни слова, он оставил Джини, поднялся к Элен, забрал у нее Марианну и решительно повел дочь за руку по улице. Из подъезда дома напротив Джини следила за удаляющимися фигурами высокого мужчины и маленькой девочки.

Перед ее глазами все поплыло, и она отступила в глубь подъезда, но, придя в себя, взглянула на часы.

Паскаль и Марианна исчезли за углом в девять тридцать пять. А без двадцати десять она увидела Стара.

Он подъехал на большом черном «Мерседесе» и запарковался под знаком, запрещающим остановку. Выйдя из машины, Стар внимательно посмотрел в оба конца улицы и, прежде чем войти в дом, где жила Матильда Дюваль, взглянул на часы.

17

В десять часов утра той среды Роуленд еще пребывал в твердой уверенности, что для того, чтобы распутать эту историю, потребуются недели, в лучшем случае — дни. Однако уже без четверти одиннадцать понял, насколько заблуждался. Отсчет времени шел уже полным ходом, с каждой секундой приближая неминуемую развязку. Едва осознав это, он спохватился: до начала показа коллекции Казарес оставалось всего пятнадцать минут. Как бы не опоздать!

В десять часов Роуленд Макгуайр висел на телефоне, отчаянно пытаясь разыскать Джини, которой не оказалось в ее гостиничном номере. Не было ее ни в ресторане, ни в вестибюле. Вызовы по пейджеру тоже оказались тщетными. Гостиничный портье промямлил, что не вполне уверен, но ему кажется, что он видел, как эта дама выходила из отеля.

— Когда? — рявкнул Роуленд. — В котором часу?

В голосе портье послышались испуганные нотки. Насколько ему помнилось, это было где-то в восемь — половине девятого. Роуленд в сердцах брякнул трубку на телефонный аппарат и уставился в стену. Не оставалось никаких сомнений в том, что только один человек был в состоянии

объяснить неожиданное исчезновение Джини, и звали этого человека Паскаль Ламартин. Этот уход не мог быть связан с работой. Если бы Джини уходила по делу, то наверняка поставила бы Роуленда в известность, куда и зачем. Значит, остается только Ламартин. Ну конечно же! Они, должно быть, договорились о встрече еще накануне вечером. Наверное, Ламартин позвонил ей, а то и заявился лично. Долгие часы, которые он провел в одиночестве со вчерашнего расставания с Джини, потекли перед его глазами в ускоренном темпе, обретая фантастические очертания. Час за часом, минута за минутой... Они наполняли душу тревогой и сомнениями.

Пока Роуленд изо всех сил очаровывал Жюльет де Нерваль, Джини, как и было условлено, вернулась сюда, в свой новый номер. Роуленд, придя в отель позже, заглянул к Джини и на пороге ее номера перебросился с ней буквально парой фраз. Он знал, что у него есть шанс войти в этот номер, и ему страстно этого хотелось. Глядя на ее бледное лицо, в ее широко открытые глаза, Роуленд понимал, что достаточно одного слова, одного прикосновения, и она уступит ему. И все же что-то неуловимое в ее глазах заставило его отказаться от этого намерения. С трудом укротив в душе желание остаться с Джини, Роуленд ушел.

Взяв блокнот, Роуленд Макгуайр подошел к телефону и, прежде чем поднять трубку, еще раз перечитал факс, присланный стрингером из Нового Орлеана. Послание это подтверждало, что на интуицию Роуленду жаловаться пока рановато. Во всяком случае, по части истории, которую распутывали они вместе с Джини, чутье его не подвело. Роуленд только набрал первую цифру телефона гостиничного номера Джини, как кто-то громко забарабанил в его дверь. Роуленд крутанулся на месте, уверенный, что это Джини.

Имя ее уже готово было сорваться с губ, когда он рывком распахнул дверь, однако, к глубочайшему разочарованию Роуленда, на пороге стояла Линдсей. Она сразу заметила, как вытянулось его лицо, однако притворилась, что не видит этого. У нее и так было достаточно поводов, чтобы нервничать: во-первых, этот листок, пришедший по факсу, который она держала в руке, во-вторых, она боялась опоздать на показ мод Дома Казарес и, наконец, ее просто не могла оставить равнодушной встреча с Роулендом Макгуайром. Впрочем, эту слабость она намеревалась со временем изжить вовсе.

Быстро войдя в номер, Линдсей деловито взглянула на часы и сунула листок Роуленду под нос. Ее объяснения отличались на сей раз предельной сжатостью. Вполне возможно, все эти подробности его уже не интересовали, но, как бы то

ни было, ей все же удалось узнать фамилию Марии Терезы и ее брата Жан-Поля.

— Каждый предмет одежды от кутюр снабжен специальным ярлыком, Роуленд, — пояснила она ему доходчиво, как ребенку. — Вообще-то таким образом помечается любая одежда, с той лишь разницей, что в мире высокой моды ярлык — это знак особого престижа, знак уникальности. Именно с такой одеждой имела дело Мария Тереза. А к подобным вещам она относилась с подлинным благоговением, изучая их досконально, до мельчайшей детали. Они были для нее учебником высокой моды. И я была на все сто процентов уверена, что когда она сшила платье для Летиции, то наверняка оставила на нем свою метку, как и полагается в таких случаях. Ведь это было первое настоящее платье, сшитое ее руками, и ей наверняка захотелось оставить на нем свою подпись — подпись художника на картине. И если это платье до сих пор существует, думала я, если его удастся найти, то наверняка на нем найдешь и именной ярлык. Так и вышло. По моей просьбе хранитель музея «Метрополитен» порылся в своем хозяйстве, и платье оказалось там! Летиция оставила им эту реликвию на вечное хранение. Как я и предполагала, на платье был ярлык — с вышитой вручную фамилией. Вот эта фамилия, Роуленд, — взгляни на факс.

Пока она говорила, Роуленд уже успел прочитать содержание факс-копии. Пробежав глазами листок еще раз, он нахмурился и недоверчиво встряхнул головой.

— В чем дело, Роуленд? — удивилась Линдсей. — Ну ладно, я пошла, а то на показ Казарес уже опаздываю... Тебе знакома эта фамилия?

— Что я могу сказать? Ты просто молодец, Линдсей. Спасибо тебе огромное. — Он улыбнулся. — Сам бы я ни в жизнь до такого не додумался.

— Так ты же мужчина. К тому же, как представляется, не из тех, кто особенно интересуется одежными метками... — Она запнулась, несколько раздосадованная его небрежной улыбкой. Роуленд улыбался собственным мыслям, задумчиво глядя перед собой, будто перед ним была не женщина, а кусок стекла. «Женщина-невидимка — вот кто я такая», — с горечью подумала Линдсей и, пробормотав что-то о начинающемся через несколько минут показе и ждущем ее Маркове, поспешно вышла из номера.

Роуленд опустил глаза на глянцевую страничку, оставшуюся в его пальцах. Фамилия Марии Терезы, с гордостью вышитая на маленьком ярлычке почти тридцать лет назад, была ему знакома. Ривьер — таков был один из псевдонимов

Стара. Роуленд видел, куда вела только что найденная нить: Стар в самом деле мог оказаться тем самым ребенком, который был брошен в Новом Орлеане. Но все равно он с трудом мог поверить в это.

Зазвонил телефон. Роуленд торопливо схватил трубку, однако это оказался всего лишь помощник управляющего отелем. При всей вежливости тона в голосе официального лица явственно проскальзывали нотки неудовольствия. Из весьма прохладного объяснения следовало, что некая юная особа женского пола учинила форменный дебош и отказывается покинуть гостиницу до тех пор, пока не поговорит с англичанином по имени Роуленд. Однако сложность состоит в том, что сия молодая особа одета столь необычно, что о том, чтобы пропустить ее внутрь, не может быть и речи. А уходить она отказывается наотрез — никакие уговоры на нее не действуют. Не поручит ли мсье Макгуайр охране заняться этой невоспитанной девицей или все-таки соблаговолит поговорить с гостьей сам? В данный момент она находится рядом, в офисе...

Помощник управляющего передал трубку той, кто стояла рядом с ним. Едва услышав девичий голос с акцентом, Роуленд понял все. Быстро спустившись вниз, он ворвался в кабинет помощника управляющего. Так впервые состоялась его встреча с Майной Лэндис. Захлебываясь слезами, она начала сбивчиво рассказывать о том, что с ней произошло, объяснила, как она узнала из случайно услышанного разговора у стен собора Святого Северина о нем самом. Ее рассказ изобиловал паузами, ненужными отступлениями и повторами. Где-то к середине повествования Роуленд с ужасом осознал, что счет времени идет не на недели, не на дни и даже не на часы. Показ коллекции Казарес начинался через пятнадцать минут.

«Стар! — вспыхнуло в его мозгу. — Звезда...» Ну как ему раньше в голову не пришло, что стоит за кличкой, которую этот человек сам для себя выбрал?

Помощник управляющего стоял перед ним онемевший, с лицом, белым как мел. Роуленд написал что-то на бумажке и протянул ему:

— Позвоните по этому номеру. Попросите Люка Мартиньи. Вызовите полицию.

* * *

Майне казалось, что эта ночь не кончится никогда. Надежда уже почти оставила ее, и все же заветный шанс представился. Несколько часов подряд Стар пребывал в сильней-

шем возбуждении: казалось, что дух его парит высоко над землей. Страшно было смотреть ему в глаза: словно острые иссиня-черные лучи исходили из его зрачков, крошечных, как точки, проколотые иглой.

Стар раза три перечитал Таро, дважды искупался в ванне и еще один раз ополоснулся под душем. Выходя, он всякий раз запирал ее в спальне. Когда он вылез из-под душа, было уже где-то около двух ночи. Более точного времени Майна не знала, потому что ее часы остановились. Она то и дело подносила их к уху, отчаянно трясла, пыталась получше завести, но стрелки не двигались с места.

Стар не замечал ее беспокойства. Он был занят тем, что доставал из шкафа и любовно раскладывал на кресле свой парадный наряд: черный костюм, новенькую, еще в упаковке, рубашку, галстук, черные туфли и черные носки. Начистив туфли до блеска, он поставил их рядом с креслом и картинно встал перед небольшим зеркалом на стене. Майне сразу бросилось в глаза, что держится он при этом точь-в-точь как женщина. Стар собрал свои длинные волосы в хвост, а затем распустил их по плечам, повернулся перед зеркалом сначала одним боком, потом другим. Он счастливо улыбался самому себе, и Майна нашла, что он еще никогда не выглядел столь прекрасным. И столь безумным. Стар томно опускал и поднимал свои роскошные ресницы, пристально рассматривал каждую черточку своего божественного лика. Этот безумец кокетничал с собственным отражением.

— А ведь я мог бы стать кинозвездой, — как бы невзначай обронил он. — Ты не находишь?

— Конечно, — еле слышно пролепетала Майна. — Я думаю, тебе и сейчас еще не поздно попытаться...

Стар резко повернулся к ней и нахмурился.

— О нет, — проговорил он почти миролюбиво. — Это не входит в мои планы. Я точно знаю свое будущее.

И Стар по порядку рассказал ей, что собирается сделать следующим утром. В этом плане действительно все было продумано до мелочей. Впрочем, он уже рассказывал ей это раньше, причем не раз. Майна вновь и вновь убеждалась, насколько расчетлив ее тюремщик. Но в его расчетах все равно оставалась одна величина, которую он, как ни старался, не мог учесть в полной мере: воля судьбы. Сработает ли его план? Сейчас на этот вопрос никто не мог дать ответа.

— Понимаешь, — увлеченно излагал он ей свой замысел, — показ коллекции Казарес будет длиться ровно час: начало — в одиннадцать, окончание — в двенадцать. И я буду там. Конечно, попасть на показ не так-то просто — вход ис-

ключительно по приглашениям, причем каждое — на учете. Просто человеку с улицы туда вход заказан. Охрана, мордовороты — на каждом углу. Но я легко обойду все эти заслоны. Прошлой осенью я уже устраивал репетицию — все прошло как по маслу. И теперь пройдет, уверяю тебя. Я точно знаю. И карты знают... — Он прикрыл глаза. — Большинство мест в зале зарезервированы за знаменитостями: кинозвезды, богачи всякие, солидные покупатели, редакторы разделов мод, репортеры, фотографы. Верно я говорю?

— Думаю, что да. Хотя сама я не очень хорошо во всем этом разбираюсь...

— Вот я тебе и говорю, чтобы ты разбиралась. — В его голосе зазвенело раздражение. — Конечно, я мог бы попытаться попасть туда с этой публикой. Но я сказал себе: «Не-ет». Мне вовсе не нужно торчать там на виду у всех. Верно я говорю? Мне нужно быть там невидимкой, понимаешь? Пока не наступит решающий момент. Уж тогда-то они меня заметят, можешь не сомневаться. Знаменитости эти, богатеи всякие. Операторы с телекамерами. Может быть, они даже снимут мой выход. А что, неплохо было бы. Я — на экранах всего мира! Каждая телестанция показывает меня. Нет, ты только представь себе, Майна. В лучшее время суток, когда в каждом доме все собираются у телевизора. Весь земной шар вздрогнет от моего выстрела!

Не переставая говорить, Стар прилег рядом с ней на постель. На прикроватном столике были рассыпаны какие-то маленькие таблетки и «травка». Стар говорил и раскладывал таблетки ровными рядами.

— И все-таки я не совсем понимаю, — несмело усомнилась Майна, — как ты попадешь туда, Стар.

— У меня есть приглашение, — искоса взглянул он на нее. — Все дома высокой моды, в том числе Казарес, рассылают небольшую часть приглашений студентам — тем, кто изучает историю костюма, прикладное искусство. Будущим гениям, так сказать. Такое приглашение дороже золота, Майна, дороже бриллиантов. Но у меня оно есть. И знаешь, от кого? От Марии Казарес лично! Я войду в зал вместе со студентами и буду вместе с ними сидеть, а может, и стоять. Их места — где-то на задворках, откуда все равно ни хрена не видно. — Он коротко хохотнул. — Но мне плевать. Я туда не нарядами любоваться иду — я иду туда только ради финала. Хорошо, что фоторепортеры в зале размещаются не очень далеко от студентов — в соседнем секторе, у самого края подиума. Вот этот самый край меня и интересует: именно туда выйдет в конце показа Жан Лазар, чтобы раскланяться перед

публикой. Что тогда с залом твориться будет, представить себе трудно. Зрители наверняка сумасшедший дом устроят — они всегда на этих сборищах с ума сходят, а теперь уж им сам бог велел, ведь этот показ особый, посмертное шоу Марии Казарес. Вот тогда-то и наступит мой черед. — Стар торжествующе улыбнулся. — Крики, овация... Думаешь, в этот момент на меня кто-нибудь оглянется? Нет, Майна. Я пойду вперед, и никто не остановит меня. Он будет мой: одна пуля в сердце, другая — в голову. Они даже пистолета не увидят, разве что кто-нибудь снимет случайно на видео. Может, и повезет кому. Будет просматривать свою запись с замиранием сердца: «Вот то самое место! Вот он!» — Стар как-то неестественно скорчился. — Я хочу выглядеть ангелом смерти.

Майна нежно взяла его за руку.

— Стар, — попыталась она говорить как можно естественнее, — а ты точно уверен, что у тебя получится? Ведь тебе не уйти оттуда. У тебя ни малейшего шанса нет. Толпа, охрана — они тебя тут же скрутят.

Внутренне Майна убеждала себя, что его план непременно сорвется. Такие замыслы, какими бы хитроумными ни были, обычно редко удаются, и это немного успокаивало. Однако, высказав свои сомнения вслух, она рисковала вызвать у Стара очередной приступ бешенства. Это могло произойти в любую секунду. Вот и теперь Майна почувствовала, как он весь напрягся.

— Нет. Ничего этого не случится. У меня есть план, как выпутаться. — Он поднес палец к губам. — Подробнее расскажу потом. Я вернусь прямиком сюда, к тебе. Тогда и переоденусь, а пока мне нужно побыть студентом, не так ли? Придется сперва прогуляться в старом пальто, грязных джинсах и красном шарфе. А вот когда вернусь, то сперва вымоюсь, если на мне вдруг окажется кровь, а потом оденусь в свежее. Надену вот этот костюм, эту рубашку. И тогда, Майна, мы пойдем с тобой куда-нибудь развеяться. Потому что я буду свободен. Свободен впервые в жизни.

После этого он внезапно замолчал. Все вопросы Майны не находили ответа. Ей не оставалось ничего, кроме как думать о времени, когда она сможет выползти из этой норы, убежать от этого человека без оглядки.

Стар достал две маленькие таблетки, и проглотил одну за другой. Одна была «белой голубкой», другая, по его словам, — амфетамином. Майна была ошеломлена и напугана. Если не считать «травки», Стар впервые употреблял наркотики у нее на глазах. Выпив несколько стаканов воды, он снова исчез в ванной, не забыв запереть Майну в спальне.

Когда Стар вернулся и привычно прилег рядом, она заметила, что он опять мылся. Правда, судя по всему, на сей раз мылся не слишком тщательно: вокруг ноздрей и на верхней губе у него остались подозрительные следы белого порошка.

Стар заявил, что сейчас даст ей «розовый камень». Майна насторожилась. Она догадывалась, зачем это ему понадобилось. Ему нужно было, чтобы дурман овладел ею именно сейчас — надежно, на несколько часов.

Майна взяла у него таблетку и сунула себе в рот. Надо было как-то отвлечь его внимание, а потому она попросила Стара еще раз показать ей пистолет. Уловка сработала. Ей нужна была всего одна секунда — ровно столько ему потребовалось, чтобы встать с кровати. Выплюнув таблетку в ладонь, Майна молниеносно пихнула ее под матрас. Стар ничего не заметил.

Внезапно ему захотелось покурить еще и «травки» — той самой, крепкой, от которой Майне становилось дурно. Самое худшее заключалось в том, что он и теперь заставил ее курить за компанию. Заметив, что она не затягивается, Стар угрожающе уставился на нее. Глаза его замерцали недобрым огнем, и он заставил девушку глубоко вдохнуть дым, заломив ей руку за спину. Майна повиновалась — боль была невыносимой. Он заставил ее выкурить целый «косяк», а она до этого не съела за весь день ни крошки. Голова закружилась, затаенные страхи начали выползать из всех уголков мозга и расти, расти, обретая формы гигантских физических объектов: какие-то огромные птицы пикировали на нее, норовя столкнуть в глубокую пропасть.

Майна беспомощно улеглась на кровать, пытаясь отогнать этих птиц. Лежавший рядом Стар тоже был занят делом — он делал то, чего ей не хотелось видеть. Словно сквозь вату она слышала, как Стар расстегивает «молнию» брюк. Затем задергались его руки, ритмично заходило все тело, участилось дыхание. Во всем этом ощущалась какая-то безысходность. В конце концов, когда большие птицы ненадолго улетели куда-то, Майна через силу приоткрыла глаза.

На сей раз ему удалось добиться эрекции. Кажется, он один знал, что требуется ему, чтобы по-настоящему возбудиться. Не размыкая до конца тяжелых век, она увидела, что Стар берет пистолет. Страх железной перчаткой сжал ее сердце. Однако оказалось, что пистолет предназначен все для того же. Сверкающим стволом Стар нежно водил по возбужденной плоти. Майна крепко зажмурилась. Последовало еще несколько ритмичных движений, и его тело содрогнулось словно в агонии.

— Господи, — прошептал он. — Господи...

Майна почувствовала, что ее вот-вот вырвет. Она дрожала от страха и отвращения, жалости и любви. «Выждать, — гудело у нее в голове. — Выждать». И вот перед самым рассветом ее час настал. Птичий гомон послышался с улицы, полоска между не до конца задернутыми гардинами из черной стала серой. Было примерно полвосьмого, самое большее около восьми. Глаза Стара были закрыты, он ровно дышал. Майна потихоньку поползла к краю постели и собиралась уже встать, как его рука цепко схватила ее за кисть.

— Стар, — жалобно прошептала она, — мне плохо.

Майна ожидала, что он отправится в ванную вместе с ней, однако он не думал вставать с кровати. Только повернулся на бок и впился в нее глазами. Казалось, он видит ее насквозь. «Он знает, — беспомощно подумала Майна, — знает, что я собираюсь предать его».

Но Стар, должно быть, не знал этого, потому что отпустил ее. Она зашлепала в маленькую ванную. Майна со вчерашнего дня оставалась одетой, только ноги были босыми. Она не отважилась прихватить с собой туфли — тогда бы он точно обо всем догадался.

В ванной Майна почувствовала, как волны тошноты подхватывают ее и несут куда-то, качая из стороны в сторону. Ее прошиб пот и охватил ужас при мысли, что прямо сейчас она может отключиться. Майну вырвало несколько раз. После этого стало чуть лучше. Воровато оглянувшись, она открыла все краны. Трубы, прокашлявшись, дружно загудели. Оставалось надеяться, что этот шум поможет ей неслышно унести отсюда ноги.

Майна спускалась по лестнице, каждую секунду ожидая услышать окрик Стара, почувствовать на своей шее железную хватку его пальцев. Ей пришлось немало повозиться с замками и задвижками входной двери, прежде чем удалось открыть ее. И когда путь перед ней был свободен, она едва не повалилась без чувств на мостовую. Однако девушка нашла в себе силы бежать, быстро, куда глаза глядят. Лишь окончательно затерявшись в лабиринте узких улочек, она чуть-чуть успокоилась, поняв, что теперь ему не догнать ее. Привалившись спиной к каменной стене и глотая слезы, Майна постаралась дышать глубже, но ей все равно не хватало воздуха. Ей было очень плохо. Она беспомощно разевала рот, холодный воздух обжигал ей легкие. Майна согнулась пополам, и ее снова вывернуло наизнанку. Как раз в это время мимо проходила какая-то женщина с крохотной собачкой на поводке. Громко фыркнув, дама брезгливо отвернулась в сторону.

Но Майна в эту минуту думала только о том, чтобы позвонить домой. Больше всего на свете ей сейчас хотелось услышать голос отца. Однако когда она в конце концов отыскала на улице телефон и попыталась сделать заказ, телефонистка не смогла понять ни слова. Майна вновь и вновь пыталась втолковать этой дуре, как срочно нужно ей позвонить в Англию, но тщетно. Тогда ей в голову пришла другая мысль. Вернее, эта мысль давно уже пряталась в темном закоулке ее мозга и оказалась теперь как нельзя кстати. Она вспомнила о мужчине и женщине, которые разговаривали на улице Сен-Северин, у собора. Она помнила, как зовут мужчину — женщина назвала тогда его по имени, было известно и название отеля — «Сен-Режи». К тому же не оставалось сомнений в том, кем были эти двое. После долгих раздумий Майна пришла минувшей ночью к однозначному выводу: ну конечно же, это частные детективы! Наверняка их нанял отец. Он и сам мог находиться сейчас в Париже вместе с этими людьми. Он волнуется, наверное, с ног сбился, разыскивая ее.

Майна не имела ни малейшего представления о том, где она находится и в каком конце города расположен «Сен-Режи». Узнать это оказалось не так-то легко. Она останавливала прохожих и на смеси английского и плохого французского пыталась спросить их, в какую сторону ей идти, но те, при виде ее грязной одежды, босых ног и как попало выкрашенных волос, заметив слезы на ее глазах и почуяв запах рвоты, шарахались от нее как от зачумленной.

Конечно, она могла обратиться к полицейскому. Она видела двух людей в форме, когда, спотыкаясь, брела по бульвару Сен-Мишель. Блюстители порядка зорко наблюдали за плотным автомобильным потоком. Майна остановилась, решая для себя, обратиться ли к полицейским. «Нет, — подумала она, — только не в полицию». Ей не хотелось, чтобы Стара арестовали. Нельзя было допустить, чтобы ему причинили боль, обиду. Ей всего лишь нужно было, чтобы его вовремя остановили. Чтобы оказали ему помощь, показали врачу, поместили в тихую больничную палату, где он смог бы прийти в себя, хоть немного успокоиться. Но только не в полицию. Дорога проходила по набережной, и Майна, внезапно обретя силы, бросилась наперерез отчаянно сигналящим машинам к мосту, аркой поднимавшемуся над рекой. Но и взбежав на мост, она не смогла понять, где находится. Пожилая женщина, к которой Майна обратилась с вопросом, оказалась добрее других. Остановившись, она ткнула пальцем куда-то вдаль.

— Mais, il est la, — произнесла женщина. — En face, vous voyez[1].

Увидев, что Майна по-прежнему непонимающе хлопает глазами, она развернула грязную девчонку за плечи и слегка подтолкнула вперед. И тогда Майна увидела то, что искала: огромный серый за́мок, возвышавшийся неподалеку, на самом деле оказался отелем «Сен-Режи».

И Майна побежала к этим вратам из последних сил, но перед ней выросло новое препятствие, теперь в виде швейцара. Расставив руки, он не хотел ее впускать. С неизвестно откуда взявшейся ловкостью ей удалось прошмыгнуть мимо привратника, но ее все равно остановили. Эти люди наотрез отказывались выслушать и понять ее. Объяснение безнадежно затянулось, и казалось, все идет прахом. Но в конце концов появился тот самый мужчина, которого звали Роуленд. В отличие от других он был внимателен и добр. Этот человек разговаривал с ней на удивление мягким тоном, пытался успокоить ее, делая все, чтобы она перестала дрожать, задыхаться и плакать. Но даже он не мог до конца понять ее. Как видно, Майна сама еще не осознала, что с ней произошло. Все смешалось в ее голове, рассказ получался невнятным.

И все же наступил момент, когда смысл ее слов наконец дошел до него. Майна сразу увидела это по его лицу. Помог оружейный каталог, про который она очень кстати вспомнила. Эту тонкую брошюрку она скатала в трубку и сунула за пазуху, когда вчера вечером Стар стоял под душем. Поняв, что каталог убедит мужчину лучше всяких слов, Майна достала измятую брошюру и дрожащим пальцем указала на рисунок пистолета, который купил себе Стар.

— Он войдет туда под видом студента, — объяснила она, — и будет сидеть в заднем ряду, дожидаясь окончания. А когда после показа перед публикой появится Лазар, он хочеть пустить эту штуку в дело. — Майна яростно ткнула пальцем в глянцевую картинку. Лицо мужчины посерьезнело, глаза обеспокоенно уперлись в раскрытый каталог. — Но он не сделает этого, я уверена, что не сделает, — поспешно залепетала девушка. — Все это — только в его больном воображении. Так-то он хороший, он меня ни разу пальцем не тронул. Вы понимаете, о чем я говорю? А против Жана Лазара и Марии Казарес у него вообще ничего нст. Кстати, он плакал, когда она умерла. Пожалуй, он даже любит их обоих, только не признается в этом никому, даже самому себе. Вот и купил эту вещь, чтобы убедить себя...

[1] Да вон же, прямо перед вами (*фр.*).

Роуленд во все глаза глядел на изображение пистолета, в которое девушка в горячке продолжала тыкать пальцем. Он словно наяву слышал, как тикают часы, отсчитывая секунды. Из разрозненных кусочков мозаики получалась целостная картина: сценарий, придуманный Старом, вырисовывался все отчетливее. Пистолет, на который указывала Майна, имел название «беретта-93R». Патроны — девятимиллиметровые, пятнадцать штук в обойме, огонь можно вести очередями по три выстрела. Дальность стрельбы на поражение — семьдесят пять метров. О боеприпасах к пистолету в каталоге было сказано особо. Внутри каждой синей девятимиллиметровой пули был пластиковый сердечник, который после выстрела смещался, и, попадая в цель, она начинала двигаться по хаотичной траектории. Тот, кто конструировал это оружие, как следует позаботился о том, чтобы максимально уменьшить шансы жертвы на выживание. Пуля со смещенным центром крайне редко проходила человеческое тело навылет, и это считалось главным ее достоинством, с точки зрения специалистов.

Роуленд поднял глаза. Майну по-прежнему трясло, как в лихорадке. Казалось, она близка к обмороку. Учитывая ее состояние, в расспросах необходима была предельная осмотрительность. Каждый вопрос, каким бы важным он ни был, приходилось задавать ровным голосом, мягко и с величайшим тактом.

— Майна, — обратился он к ней, — посмотри внимательно. Видишь, здесь нарисованы обоймы? Не помнишь, сколько их купил Стар?

— Обоймы? Это такие штучки, которые вставляют в рукоятку? — Она несколько замялась, ее глаза беспокойно забегали по сторонам. — У него их было пять. Точно: пять. Он разложил их все на кровати...

В этот момент Роуленду стало очевидно, что с обходительностью пора кончать. Повернувшись к помощнику управляющего, он попросил его набрать номер полиции и вызвать Мартиньи. Полицейский телефон долго не отвечал. Мужчины застыли в ожидании. А Майна опять разрыдалась, умоляя Роуленда не делать этого. Но Роуленд не слушал ее, думая о том, что может произойти в ближайшее время. Он был погружен в расчеты.

Опытный стрелок с близкого расстояния не промахнется — такой обойдется одним выстрелом. Человеку, менее привычному к оружию, чтобы расправиться с ближним, придется выпустить очередь, от силы две.

Стар отправлялся на дело, запасшись пятью обоймами, по пятнадцать патронов в каждой. Правда, чтобы сделать

столько выстрелов, ему придется несколько раз перезарядить пистолет.

Перед глазами Роуленда предстал призрак кровавой бойни. «Только ли Жан Лазар, — подумал он. — Но кто еще?»

* * *

Стар прикатил на «Мерседесе» — очень дорогом, «шестисотом». Джини с любопытством заглянула в окно автомобиля. В глаза бросилась кожаная обивка нежно-кремового цвета. Машина скорее всего была угнана. Прижимаясь к стене здания, так, чтобы ее не было видно из окон верхних этажей, Джини, запомнив номер, отошла чуть в сторону.

Поначалу, когда из резко затормозившего «Мерседеса» вышел элегантный молодой человек, она даже не подумала, что это Стар. На парне, вылезшем из-за руля, были черный костюм и белая рубашка с галстуком. Да, у него были длинные черные волосы, но они не обрамляли его лицо, а были стянуты на затылке в хвост. Своим обликом он напоминал преуспевающего молодого бизнесмена. Однако когда он, захлопнув дверцу, на секунду повернулся к ней лицом, сомнений не осталось. Молодой человек вполне соответствовал описанию, данному бродягами: вылитый голливудский герой-любовник.

Это определенно был Стар. Джини давно его поджидала, твердо зная, что если он в прошлом регулярно наведывался к Матильде Дюваль, то рано или поздно появится здесь снова. Она оказалась права, однако момент, выбранный им для посещения, не мог ее не удивить. Жюльет де Нерваль ранее по секрету поведала Роуленду, что за мадам Дюваль в пол-одиннадцатого утра приедет лимузин, который отвезет ее на показ коллекции Казарес, а потом доставит обратно домой. До половины одиннадцатого оставалось совсем немного времени.

Квартира Матильды Дюваль — об этом ей опять-таки было известно со слов Роуленда — располагалась на самом верху. Джини задрала голову и окинула быстрым взором ровный ряд окон, а потом снова перевела обеспокоенный взгляд на «Мерседес». То, что Стар столь спокойно бросил машину под запрещающим знаком, могло означать только одно: он не намеревался здесь надолго задерживаться. В душе шевельнулась тревога: мадам Дюваль, больная и старая женщина, жила одна. Потоптавшись немного в нерешительности, Джини в конце концов все же взбежала вверх по широким ступенькам.

Путь ей преградили массивные двери. Вглядевшись вни-

мательно сквозь дверные стеклянные панели, она увидела обширный пустой вестибюль, облицованный мраморной плиткой, и клетку лифта. Как и в доме, где жила Элен, здесь не было никаких признаков того, что подъезд находится под охраной консьержки. Джини пришла в голову мысль, что в этом доме тоже проживают главным образом те, кому по карману содержать сразу несколько роскошных квартир. Значит, и тут, как в доме Элен, основная часть жилья пустует иногда по нескольку месяцев подряд. Она прижалась носом к стеклу. Сквозь красиво переплетенные прутья лифтовой клетки можно было различить толстые провода и противовесы. Значит, кабина находилась где-то на другом этаже. «На десятом», — сделала вывод Джини.

Она оглядела несколько рядов кнопок домофона на стене рядом с дверью и позвонила в две другие квартиры десятого этажа, однако ни из одной ответа не последовало. Джини решила проверить квартиры на нижних этажах. Шестая попытка оказалась удачной. Голос женщины, ответившей на звонок, звучал нетерпеливо. Усилив американский акцент и немилосердно коверкая свой французский, Джини объяснила, что остановилась здесь у друзей. Но вот беда, они дали ей ключи только от квартиры, а ключ от двери подъезда дать забыли.

— Oh, quelle betise — ces idiots...[1] — В нескольких емких выражениях женщина излила досаду по поводу дурацкой ситуации, в которую ее втягивают в среднем по четыре раза в неделю. И все же, вняв слезным мольбам Джини, она сделала то, чего ни за что на свете не сделал бы ни один обитатель американского дома: нажала кнопку, открыв замок входной двери. Джини быстро проскользнула внутрь.

Подойдя к лифту, она, ощущая в душе неприятный холодок, посмотрела вверх. Стрелка индикатора, сообщавшего, на каком этаже находится кабина лифта, указывала на цифру «десять».

В этой ситуации у Джини было несколько вариантов действий: или просто ждать, или стучаться во все квартиры подряд, пока кто-нибудь не позволит ей воспользоваться телефоном, или тихо подняться на десятый этаж по лестнице.

Ей представилась старая беспомощная женщина — одна в своей квартире. Представился и Стар, недавно купивший с помощью Шанталь «серьезный» пистолет. Джини подошла к лестнице, но замерла, не успев поставить ногу на ступень-

[1] О, какая глупость — вот ведь идиоты... (*фр.*).

у. Лифт ожил: провода и противовесы пришли в движение. тар спускался вниз.

«Ждать, — решила она. — Прикинусь здешней. Житель-ица дома стоит внизу, дожидаясь лифта. Что может быть ес-эственнее?» Ждать надо было, чтобы увидеть, спустится ли н один.

Стар был не один. Рядом с ним, опираясь на его руку, тояла женщина, которую ни с кем нельзя было спутать. Это ыла Матильда Дюваль. Едва увидев старуху сквозь решетку летки лифта, Джини почувствовала, как у нее защемило ердце от жалости и страха за это беспомощное существо. Іатильда оказалась крохотной и еле стояла на ногах. Одета на была подчеркнуто аккуратно — в черный костюмчик, ко-орый вышел из моды, должно быть, лет сорок назад. Старчес-ие руки в новых черных перчатках заметно дрожали. Джини е могла сказать наверняка, что является причиной этой дро-и — дряхлость или страх. В то время как Стар открывал дверь ифта, старуха подняла голову. Джини поняла, что у Матиль-ы Дюваль катаракта в тяжелой форме: ее мутно-голубые глаза ыли словно подернуты молочной пленкой.

— Bonjour, madame, monsieur[1], — поздоровалась Джини, ак только распахнулась дверь лифта. Она вежливо поклони-ась старухе. Матильда Дюваль не ответила на приветствие, на даже не повернула головы. «Совсем слепая, — заключила жини. — И глухая вдобавок».

Зато глаза Стара с первой же секунды настороженно впи-ись в нее. Душу Джини терзали сомнения: говорить или олчать? Вмешаться сейчас или выждать?

Матильда Дюваль сама сделала вмешательство необходи-ым. Выходя из лифта, она споткнулась и едва не упала. Іальцы Стара цепко удержали ее за локоть. Он помог старой енщине обрести шаткое равновесие и постарался побы-трее вывести ее на улицу.

Сделав несколько шажков, старуха остановилась и при-ала ладонь к груди.

— Un moment, Christophe, — услышала Джини ее шепот. — u marche trop vite pour moi... Souviens-toi, je suis vieille main-enant[2]...

Однако Стар остался безучастным к старческой жалобе. ертыхнувшись сквозь зубы, Стар действительно потащил емощную женщину за руку. Джини вступилась за нее.

[1] Добрый день, мадам, мсье (*фр.*).

[2] Секундочку, Кристоф. Я за тобой не поспеваю... Не забывай, ведь уже не молоденькая... (*фр.*).

— Мадам Дюваль? — участливо склонилась она над старухой. — Vous etes malade? Je peux vous aider? Un moment monsieur[1]...

Губы у Матильды Дюваль стали синими, ей было трудно дышать. Подняв глаза, Джини встретила немигающий взгляд Стара. Подавив в себе страх, она снова захлопотала вокруг больной старухи: тут, в подъезде, есть скамеечка; может, мадам Дюваль присядет ненадолго, отдышится?.. После недолгих размышлений Стар согласился. Он тоже заметил, как посинели губы Матильды, и вместе с Джини подвел ее к скамье. Джини опустилась на скамейку рядом со старухой, Стар отступил чуть в сторону.

Взяв холодные ладони мадам Дюваль в свои руки, Джини принялась сыпать предложениями о помощи. Она, как могла, тянула время. Может, доктора вызвать?

С помощью этих вопросов ей удалось выиграть ровно тридцать секунд. Стар по-прежнему не сводил глаз с ее лица.

— А ведь вы не француженка. Американка, правильно я угадал? — Он медленно полез в карман и вытащил небольшую коробочку с таблетками.

— А-а... Да-да, верно. — Джини бросила на него растерянный взгляд. — Я сначала не поняла, в чем дело, а тут вижу: ей же плохо совсем, губы посинели и...

— Вы живете здесь? — Вынимая из коробочки пилюлю, Стар не отрываясь смотрел ей в глаза. Его голос был странно тих. Голос довольно приятный, но вместе с тем совершенно бесцветный — именно таким описывали его те, кто встречал этого человека до нее.

— Что? Ах, да-да, здесь...

Подобный ответ представлялся ей наиболее безопасным. Не станешь ведь говорить, что пришла к кому-то в гости, но тут же узнала мадам Дюваль. Стар, казалось, поверил ей. У нее отлегло от сердца.

— У нее ангина, — обыденно сообщил он. — Уж восемьдесят пять старушке. Но ничего, выпьет таблеточку, и все будет в порядке. Она кладет их под язык — просто чудо, а не лекарство. Вот увидите, через пару минут все будет в полном порядке.

С этими словами Стар протолкнул крохотную пилюльку в рот мадам Дюваль. На старческих губах появилась слабая улыбка благодарности. Матильда уставилась молочно-голубыми глазами куда-то вдаль, глядя мимо своего провожатого. Стар выпрямился.

[1] Вы больны? Вам помочь? Одну секундочку, мсье... (*фр.*).

— Покажите мне свой ключ, — потребовал он.

— Простите, не поняла... — Джини в смятении смотрела на него. Его лицо оставалось бесстрастным.

— Ключ, говорю. Если вы здесь живете, у вас должен быть ключ от квартиры, верно я говорю?

— Боже правый... — Джини поднялась со скамьи. — Да что же это такое? Естественно, у меня есть ключ. Я живу на шестом этаже. Да о чем мы вообще говорим? Нам нужно врача вызывать, срочно.

— Согласен, — ухмыльнулся молодой человек. — Так давайте же поднимемся в вашу квартиру и позвоним в «Скорую». Я вас провожу. Идет?

Джини почувствовала, как ею начинает овладевать панический страх. Хуже всего было то, что страх отражался на ее лице. Она сама чувствовала это.

Зато Стар окончательно восстановил уверенность в себе. С озабоченным видом он запустил руку в карман своего черного пиджака.

— Вот ведь дьявол, — мягко пожаловался он, — говорили мне карты: ожидай неожиданного. Так и сказали: сегодня утром. Не соврали на этот раз.

Стар был не от мира сего, и голос его звучал отстраненно, будто откуда-то издали. Пожав со вздохом плечами, он извлек из кармана пистолет. С выражением легкого неудовольствия он направил дуло на молодую женщину. Джини смотрела в черное отверстие, застывшее напротив ее груди на расстоянии метра.

— Пожалуйста, поймите... — пробормотала она. — Я всего лишь хотела помочь мадам Дюваль...

Но Стар не слушал ее. Он морщил лоб, как видно, обдумывая следующий шаг.

— Машину водить умеешь? — не слишком учтиво поинтересовался он.

— Да, умею, но послушайте...

Джини запнулась на полуслове, сообразив, какую глупость только что сморозила, и Стар мгновенно заметил это по ее лицу.

— Да не бойся ты, — произнес он почти ласково. — Ты все правильно ответила. Вот если бы сказала, что не умеешь, пришлось бы пристрелить тебя прямо здесь. А мне это сейчас ни к чему. Грохот, грязь, суета... Это может нарушить мои планы. Вот видишь, буквально все приходится учитывать. Постоянно исхитряться надо, мозгами шевелить. Правильно я говорю? Но мне это не в тягость — я таким родился, все умею. А теперь пойдем. На улице стоит «Мерседес». Не

заперт. Сядешь за руль, а я с мадам Дюваль — на заднее сиденье.

Помедлив, Стар снова слегка наморщил лоб. В эту секунду он выглядел совершенно нормальным человеком, который, строя обычные планы на предстоящий день, неожиданно увидел какую-то мелкую помеху.

— Надеюсь, ты достаточно умна? — спросил он, снимая пистолет с предохранителя. Раздался сухой щелчок. Джини, не отрывая глаз от черного дула, с трудом проглотила вставший в горле комок.

— Во всяком случае, не безрассудна, если ты именно это имеешь в виду.

— То-то же. Смотри у меня, без глупостей. Поняла? Чтобы не вздумала заорать или смыться. Сейчас я дам тебе ключи, а ты заведешь машину и поедешь. Хорошо поедешь, без фокусов. В противном случае стреляю без промедления. И тогда мадам Дюваль больше не будет мучить хроническая ангина.

Старуха, кажется, расслышала собственное имя. Матильда безмятежно улыбнулась. Джини помогла ей встать, и старуха, шаркая непослушными ногами по мраморному полу, забубнила что-то себе под нос. Лишь с большим трудом можно было разобрать ее слова о том, какой Кристоф хороший мальчик, какой терпеливый...

Выйдя на тротуар, Джини посмотрела в обе стороны. Улица была совершенно пуста. У Джини мелко задрожали руки. Открыв дверцу, она в изумлении замерла, не решаясь сесть в машину. Взглянув на кожаную обивку и педали, Джини не могла сдержать испуганного возгласа. За ее спиной устраивались Стар и мадам Дюваль. Старуха вытащила свои четки. Джини, не смевшая оглянуться, поняла это, услышав мерное постукивание деревянных бусинок. Во рту у нее пересохло от страха.

Сев наконец в машину, она уже не сомневалась: бурые липкие подтеки на сиденье водителя и вязкая лужа внизу, под педалями, в которой скользили ноги, были не чем иным как кровью.

— Ага, кровь, — подтвердил кошмарную догадку Стар, наклонившийся к ней с заднего сиденья. Одновременно ей в шею уперлось дуло пистолета. — Угадай, сколько людей я замочил за сегодняшнее утро. Не мучайся, сам скажу: троих. Третьим был этот шофер. Это его кровью залито сиденье, а тело его лежит в багажнике. Но ты об этом не думай. Заводи — и вперед. Доедешь до конца бульвара, а там — направо.

Ей пришла в голову мысль «залить» двигатель. Пусть за-

хлебнется карбюратор. Выжав педаль газа до самого пола, она повернула ключ в замке зажигания. Стар злорадно засмеялся:

— Не получится. С «Мерседесом» такие штучки не проходят. Ты на «Мерседесе» каталась хоть раз? Отличная машина. У моего папы все самое лучшее. «Мерседесы», «Роллс-Ройсы». Таких, как этот, у него четыре штуки. Что, не знала?

Двигатель мягко заурчал. Кое-как поборов в душе ужас, Джини тронулась с места и поехала вдоль бульвара. Сзади продолжали постукивать четки.

— Она не за тебя молится. И не за меня, — пояснил Стар таким тоном, словно болтал с хорошей знакомой. — Она молится за мою мать. Моя мать мертва. Скоропостижно скончалась в понедельник, во второй половине дня. Таблеточки маленькие, но если принять их слишком много за один раз, может и такое случиться. Короче говоря, перебрала их моя мама. Писала мне письмо и выпила сразу три пилюльки, что было, конечно же, довольно глупо с ее стороны. Так и не дописала своего письма. Повалилась на пол. В конвульсиях задергалась. Матильда говорит, она не сразу умерла. Не слишком приятное было зрелище. Но я думаю, смерть редко бывает приятной.

Джини не ответила и этим, судя по всему, рассердила его. Посмотрев в зеркало заднего вида, она заметила, как он насупился.

— Моя мать была очень известной женщиной, — упрямо продолжил Стар. — Всемирно известной. И ты ее знаешь. Ее имя — Мария Казарес. — Он ненадолго замолчал. — На следующем перекрестке — налево. А сама-то ты кто? Из полиции? Из какого-нибудь спецподразделения? Или, может, частный детектив? Тебя, наверное, отец Майны нанял?

— Нет. Я журналист, — ответила Джини, стараясь, чтобы голос ее звучал как можно тверже. — Расследую историю с исчезновением Майны.

— Ах, вот как? И смерть Кассандры тоже? Жаль, но так уж получилось. Видел, что пишут в газетах по этому поводу. Но Майна, конечно же, ничего не знает. — Он снова умолк на несколько секунд. — Журналистка, говоришь? И в какие газеты пишешь — американские?

— Иногда. Но живу в Лондоне. Работаю в британской газете. «Корреспондент» называется.

— А-а, ну как же, наслышаны. — Стару явно льстило такое знакомство. — Очень солидная газета, если не ошибаюсь. Вроде «Таймс», верно?

— Да. Можно сказать и так.

— Ого, так это же просто прекрасно! Здесь направо, а потом — прямо по основной. — Теперь в зеркале была отчетливо видна его белозубая улыбка. От этой улыбки у Джини стыла кровь в жилах. — Знаешь, каких-нибудь несколько минут назад, возле лифта, я ничего не мог понять. Карты ясно говорили мне: ожидай неожиданного. Кажется, я уже упоминал об этом. Но вместе с тем, судя по раскладу, меня ждало что-то хорошее... — Он опять нахмурился. — Сказать тебе правду, почему я не пристрелил тебя сразу? Я тогда малость соврал: это не имеет никакого отношения к тому, умеешь ты водить машину или нет. Я просто выжидал. Естественно, ты была для меня сюрпризом, однако поначалу не слишком приятным. Казалось, ты вот-вот пустишь все мои планы под откос. Но я верил картам и, как видишь, оказался прав. Да, твое появление было для меня полной неожиданностью, но оказалось именно тем, что мне сейчас нужнее всего. Это надо же, как повезло! Гляди-ка, все сошлось... Сбавь скорость. Поверни налево.

Джини едва удерживала руль — она была ни жива ни мертва от страха. На лбу ее выступил холодный пот. Оставалось только надеяться, что он не видит этого. Она по-прежнему чувствовала дуло пистолета у себя на затылке. Стар водил стволом вниз-вверх, будто лаская ее. Джини панически боялась пистолетов. В Боснии, да и не только там, она не раз своими глазами видела, что способно сделать современное оружие с человеческим телом. Проглотив комок, который вновь встал в горле, она постаралась придать своему голосу спокойствие.

— Чем же я могу тебе пригодиться? — поинтересовалась Джини.

— А сама разве не догадываешься? Тем, что можешь написать обо мне статью, в которой все объяснишь. Вот именно, объяснишь! Если хочешь, дам тебе эксклюзивный материал. Только тебе — и никому больше. А ты напишешь статью, на которую у тебя будут исключительные права, — чтобы все газеты напечатали. Газеты всего мира. Ведь это возможно, не так ли?

— Да, такое бывает. Если тема громкая.

— Насчет этого не беспокойся: тема что надо — громче не бывает. — Он вздохнул. — Вот когда я прославлюсь. Стану знаменитостью. Мое имя будет греметь по всей Европе, в Америке. Ты поможешь мне стать звездой. Ну как, согласна?

Джини начинала постигать суть его мечтаний. Теперь ей стало абсолютно ясно, куда он ее тащит. Они проезжали рядом с предместьем Сент-Оноре. Уже сейчас можно было ви-

деть знаменитый частный отель, служивший фирме Казарес штаб-квартирой. Вскоре стало хорошо видно и соседнее здание Дома Казарес, в котором должен был состояться показ. Рядом повсюду торчали тарелки спутниковых антенн, сновали съемочные группы. Нарядно одетые люди фланировали группами по тротуару в ожидании, когда откроются двери зала.

Поколебавшись, Джини тихо осведомилась:

— Звездой? А разве ты уже не звезда? Ведь, кажется, так звучит одно из твоих имен — Стар. Не ты ли сам его для себя выбрал?

— Я, кто же еще? Если хочешь, можешь и ты обращаться ко мне так, когда будешь брать у меня интервью. Но в своей статье ты должна назвать мое имя, то, которое значится в моем свидетельстве о рождении, — Кристоф Ривьер... Эй, эй, тормози! Направо сворачивай. Остановишься перед воротами вон той конюшни.

Джини подчинилась. Остановившись, она смотрела на высокие решетчатые ворота, к которым была прикреплена табличка с надписью: «Казарес». За воротами виднелся узкий двор, где вытянулись шеренгой около двадцати гаражей, которые когда-то служили лошадиными стойлами и каретным депо. Очевидно, этой конюшней пользовались ранее хозяева двух роскошных особняков, на задворках которых она располагалась. Достав электронный пульт, Стар нажал на кнопку, и ворота раздвинулись. Он велел ей подъехать к последнему гаражу в ряду и с помощью того же устройства открыл его стальную дверь, которая с грохотом поднялась вверх. Джини въехала в гараж и выключила двигатель.

Бокс оказался узким: Стар с большим трудом сумел вытащить из машины мадам Дюваль. Отведя старуху к выходу, он тут же вернулся.

Джини сидела тихо, глядя прямо перед собой. Она знала, каким будет его следующий шаг: он запрет ее здесь. Запрет, оставив наедине с мертвецом в багажнике.

— Пожалуйста, — тихо взмолилась она, когда Стар поравнялся с открытым окном машины, — не запирай меня здесь.

— Ничего, это ненадолго, — заверил он ее бодрым голосом. — Скоро я вернусь за тобой. А пока отдай мне ключи от машины. И слушай внимательно, что я тебе сейчас скажу. Телефона в «Мерседесе» нет — я выломал его. Машину с места не сдвинешь. Дверь в гараже — пять сантиметров толщиной, из пушки не прошибешь. Кричать и барабанить можешь сколько угодно — все равно никто не услышит, потому что

все машины Казарес стоят, выстроившись в очередь, на улице Сент-Оноре. Будут развозить больших шишек после показа. Еще часа полтора здесь не будет ни одной живой души. Не считая меня, конечно. А я себя долго ждать не заставлю. Схожу только, убью своего папашу... Господи, как же долго я ждал этого дня, ждал с того самого момента, когда узнал, что он мой отец. Больше года я готовился к этому шагу. Как только дело будет сделано, я приду прямиком сюда, и... — Впервые за все время на его лицо легла тень сомнения, дуло пистолета дрогнуло. Джини увидела, как в глазах Стара заметалось беспокойство. — ...И если я буду возбужден чуть больше обычного, не пугайся. Договорились? Такое со мной случается иногда. Голова начинает болеть страшно, глаза. Но я покажу тебе, что делать. Ты должна немного погладить меня по лбу, вот так. И боль отступит. К тому же у меня есть таблетки, особые. Может, я приму одну из них. Чтобы отметить это событие. Понимаешь? — Он весело улыбнулся. — Могу даже тебе дать. В общем, посмотрим. Кстати, у тебя часы есть? Я вернусь в одиннадцать часов двадцать минут, самое позднее, к половине двенадцатого... Вот ведь болван, чуть не забыл! Слушай, как тебя зовут?

— Женевьева. Друзья зовут меня Джини. Стар, прошу тебя... — Джини колебалась. Что, если молниеносно открыть дверь? Ошеломить его, выбить из руки пистолет... Нет, рисковать в таких условиях нс имсло смысла. — Ну почему ты не хочешь взять меня с собой? У меня и статья тогда получилась бы гораздо живее.

Стар задумался, и на какую-то секунду Джини показалось, что ее уговоры подействовали. Однако он отрицательно покачал головой. И дал объяснение, обезоруживающее своей логичностью:

— Не могу. В Доме Казарес охрана на каждом углу. Служба безопасности у них там не хуже, чем у президента. С Матильдой я войду без проблем, на этот счет все улажено, а вот тебя, Джини, они точно не пустят. Не знают они тебя — вот в чем беда. Итак, в двадцать минут двенадцатого встречаемся снова здесь. Для свободного человека время — это все.

Он закрыл за собой дверь гаража, прежде чем Джини успела выйти из машины. Снаружи щелкнул замок. Однако Стар все еще возился, проверяя, надежно ли заперта дверь. В гараже стало темно — хоть глаз выколи. Пришлось передвигаться на ощупь. В темноте она оперлась рукой на то, что должно было быть багажником. И замерла, прислушиваясь. Джини была почти уверена, что внутри что-то прошелестело. Кто-то там ворочался — еле слышно, словно боясь напугать

ее. Она отшатнулась в сторону, взвизгнув от ужаса. А потом, спотыкаясь, направилась к гаражной двери и рванула ее вверх. Дверь оставалась неподвижной. Из багажника донеслось какое-то журчание.

Джини опустилась на корточки рядом с дверью. Она слышала, как Стар уводит мадам Дюваль. Нетерпеливым тоном он втолковывал ей, что им надо чуть-чуть поторопиться. Если бабуля, конечно, не хочет опоздать на праздник в честь ее ненаглядной Марии.

Джини ждала, когда стихнут их шаги. Она знала, что́ должна сделать, только сначала надо было собраться с духом. Необходимо было открыть багажник. Непременно. В конце концов трясущимися руками женщина подняла крышку багажника. Зажглась лампочка подсветки, и стало видно то, что находилось внутри. Но лучше бы она этого не видела. Сдавленно вскрикнув, Джини отшатнулась. То, что лежало в багажнике, шевелилось! Она зажала себе рот ладонью. Трудно было удержаться от крика и еще труднее — от того, чтобы тут же захлопнуть крышку багажника.

18

—Что за чертовщина? — недовольно обернулся Марков, пытаясь разглядеть, что творится за колыхавшейся сзади людской стеной.

Линдсей крепко сжимала его руку. Они почти добрались до входа в Большой салон, где должен был состояться прощальный показ коллекции Казарес. Старинная архитектура окрестных зданий — островерхие крыши, изящные окна и фронтоны в стиле семнадцатого столетия — должна была настраивать на идиллический лад. Однако то, что творилось вокруг, иначе, как адом, назвать было трудно. Впереди Линдсей видела застывших в чинном спокойствии служащих фирмы в строгих черных костюмах и мускулистых ребят из охраны. Но до них нужно было еще добраться. А сейчас кругом — спереди, сзади, с боков — бесновалась толпа, одержимая одной целью: любой ценой прорваться к входу. Все по какой-то неведомой причине ожесточенно работали локтями, чтобы дойти до цели первыми, словно могли опоздать. Перед нею уже несколько минут маячили спины трех редакторов известных журналов мод, главного закупщика для сети магазинов «Блумингдейлз», французской кинозвезды — давнего клиента Дома Казарес, — прославленной своей загадочной красотой и умением жить с шиком, международно признанного рок-идола, а также его жены, уже пятой по счету. Плюс море безвестных голов, плеч, спин, рук, размахивающих из стороны в сторону. Повсюду мелькали белые пригласительные билеты. Линдсей не переставала удивляться тому, что абсолютно все — именитые и никому не известные, могущественные и не пользующиеся никаким влиянием, богатые и бедные, старые и молодые — неизменно обязаны были проходить одну и ту же изматывающую процедуру. По словам всезнающего Маркова, все ведущие кутюрье намеренно нагнетали ажиотаж вокруг своих выставок, искусно создавая давку на входе, доходящую до паники. Они вполне рассчитанно унижали тех, на кого хотели произвести впечатление своими моделями.

— Это называется адреналиновой накачкой, — объяснил Марков, когда их трудный путь к дверям зала только начинался. — А проще говоря, запугиванием: мол, захотим — и не пустим тебя на свой божественный праздник, будь ты хоть королевой английской. Они хотят, чтобы мы на коленях перед ними ползали, лишь бы нас допустили в узкий круг «избранных». Прорвался в зал — и рад без памяти. Какое уж тут критическое восприятие действительности? Так-то вот, Линди. Манипуляторы вонючие...

Линдсей не могла с ним не согласиться, однако была бессильна противиться тому, что происходило вокруг нее. Массовая истерия, заметно усилившаяся за последние полчаса, не обошла стороной и ее. Тело ныло от толчков и пинков, голова раскалывалась от боли — в этой толчее было просто не продохнуть. Но все это было второстепенным: лишь бы протиснуться в салон, лишь бы занять свое место в заветном ряду! Она и тогда будет разевать рот, задыхаясь от духоты. Ей и тогда будет дурно от запаха пота и калейдоскопа мельтешащих лиц. Но это ни в малейшей степени не будет волновать ее. Главное то, что подтвердится ее исключительность! Подтвердится теми, кто унижает сейчас ее и всех вокруг. Вот что было для нее по-настоящему ценно... Было до сегодняшнего дня. Теперь же, задумавшись над едкой репликой Маркова, она почувствовала, что начинает презирать себя.

Тем временем паника нарастала. Было такое ощущение, что толпа вот-вот повалит ее на землю и растопчет. У Линдсей не было ни сил, ни желания оглядываться, чтобы увидеть, что там, сзади, так заинтересовало Маркова. «Дайте же пройти! Господи, хоть бы до места добраться», — озлобленно думала она.

— А вот и фараоны пожаловали. — Марков по-прежнему смотрел назад, рискуя свернуть себе шею. Он даже свои тем-

ные очки снял на секунду, чтобы лучше было видно. — Штурмовиков нам здесь только не хватало. Гляди-ка, Линди, Группа вмешательства![1]

Линдсей отважилась бросить взгляд через плечо и была поражена. Сквозь немногочисленные просветы в толпе она смогла увидеть, как подъезжающие один за другим зловещего вида черные фургоны оцепляют здание. Вспыхнула перебранка. Какие-то господа, как видно облеченные властью, пытались очистить проезжую часть от «Мерседесов» Дома Казарес и громоздких грузовиков телевидения. Коротко и мощно рявкнула сирена. Черные двери фургонов распахнулись, изрыгнув людей в блестящих шлемах и черной форме. Кто-то сзади изо всех сил пихнул Линдсей в спину.

Она думала, что упадет, но все же чудом удержалась на ногах, успев вовремя вцепиться в рукав Маркова.

— Какого дьявола?.. Я думала, они только с беспорядками борются. Террористов обезвреживают...

— С такими лучше не связываться — это единственное, что я могу сказать тебе о них наверняка, — криво ухмыльнулся Марков. — И в том, что они тут появились, не вижу ничего хорошего. Эти ребята не отличаются чувством юмора. К тому же вооружены до зубов. Одним словом, в высшей мере приятные люди. Одеты изысканно. Ты не находишь, Линди? Одна черная кожа на них чего стоит. И ботиночки эти фашистские.

— Интересно все-таки, что им тут нужно? Хотя, знаешь ли, лучше бы тебе держать язык за зубами.

Однако Маркова уже понесло. Ответом на ее слова была еще одна кривая ухмылка. Сейчас он чувствовал себя знаменитостью и, работая на публику, изрекал свои мысли вслух, чтобы все могли подивиться их мудрости.

— Полагаю, — произнес Марков нарочито равнодушным тоном, — они фильтруют толпу. Будут всех проверять — вон уже и «загон» поставили. Для них простой человек — все равно что скот. Можешь не волноваться — мы, можно сказать, уже на месте.

Очередная волна человеческих тел внесла их в открытые двери. Линдсей увидела ряды позолоченных кресел, ряды телекамер, ряды юпитеров, изливающих ослепительный свет. Миловидные девушки в униформе, несшие караульную службу, то и дело пшикали ароматным спреем из хрустальных пу-

---

[1] Группа вмешательства Национальной жандармерии, или «супержандармы», — французское элитное спецподразделение по борьбе с терроризмом, созданное в 1974 году.

зырьков. На Линдсей повеяло весной: воздух пах нарциссами и гиацинтами. Девушки, не скупясь, разбрызгивали духи «Аврора». Аромат становился все более удушливым.

В дверях она все же оглянулась. «Загон» оказался огороженной площадкой в уголке двора перед зданием. Там уже набралось немало народа — небогатого, молодого и возбужденного. Это были в основном студенты, а также полусвихнувшиеся поклонники мод и моделей. У кое-кого из них, возможно, и были пригласительные билеты. Но подавляющее большинство, несомненно, норовило проскользнуть в зал безбилетниками. Каждый год во время показа находились счастливчики, которым это удавалось. Такие пускали в ход все средства — лесть, ложь, подлог, а иногда и силу. На тех, кто попал в «загон», было больно смотреть.

Марков был прав: жандармы в черном обрушились в первую очередь именно на эту категорию гостей. Линдсей видела, как оттаскивали в сторону кого-то высокого и длинноволосого. Молодой человек, которого волокли за волосы, ругался визгливо и затейливо. Как раз в тот момент, когда толпа вносила ее внутрь салона, он благим матом заорал от боли. Потом крики стихли.

Было уже начало двенадцатого. Даже в Доме Казарес, где мероприятия организовывались с почти военной четкостью и точностью, показ начинался с явным опозданием. Несмотря на чудовищный наплыв зрителей, салон еще не заполнился и наполовину. Но здесь уже царило смешение красок, жестов, воздушных поцелуев, легких объятий, радостных возгласов. Кое-где вспыхивали обычные в подобных случаях схватки за места: слышались взаимные упреки и оскорбления, а наиболее азартные не прочь были испробовать и физические меры воздействия на упрямого противника. Вчера, например, на показе у Шанель две утонченно одетые дамы довели свой спор до рукопашной, принявшись тузить друг друга сумочками на золотых цепочках. Кстати, сумочки были абсолютно одинаковыми — обе от Шанель. Марков и Линдсей получили от этой сцены истинное наслаждение.

Сегодня все было как всегда. И все-таки нет, пожалуй, не все. Линдсей осознала это, уже когда сидела, наблюдая за тем, как наполняется огромный зал. Как выяснилось, полиция была не только снаружи, но и внутри здания — с той лишь разницей, что здесь главными были не молодчики из Группы вмешательства, а полицейские в гражданском. Они суетились в задних рядах, таская вместе с собой на поводке собаку. Обернувшись, Линдсей удивленно глазела на стражей порядка. Кресла были расположены ярусами, к тому же свет установленных сзади юпитеров бил прямо в глаза, поэтому ей было плохо видно, чем именно заняты полицейские. Однако не требовалось быть семи пядей во лбу, чтобы понять, что речь идет о какой-то достаточно серьезной ситуации, связанной с обеспечением безопасности. Она ощутила, как растет напряжение в зале. По рядам прошел встревоженный гул. Первыми забеспокоились фоторепортеры, сгрудившиеся у края подиума, и от них беспокойство распространилось по всему залу. В глазах людей появился лихорадочный блеск, до ушей Линдсей долетели обрывки произнесенных шепотом фраз: бомба, террористы, угроза, собаки ищут взрывчатку...

— Нет, не любят они все-таки черни, — проговорил Марков, глядя туда же, куда и Линдсей. — Обрати внимание на последний ряд, Линди. Ну вот, еще одного поволокли...

Линдсей прищурилась, защищая глаза ладонью от непомерно яркого света. Полицейские уводили молодого человека — уже второго по счету. Он был высок, темноволос, одет в черные джинсы. Вокруг шеи у него был обмотан длинный красный шарф. Она нахмурилась: странно все это. Очень странно.

Показ начался с получасовым опозданием. К этому времени возня на задних рядах практически улеглась. Зал понемногу успокоился, погрузившись в атмосферу ожидания. Все взгляды теперь снова были прикованы к подиуму, перешептывания стихли. Линдсей еще раз посмотрела назад. Непонятно было, что послужило причиной тревоги, но, как бы то ни было, полиция оставалась начеку. От самого верха до фоторепортерской ложи вдоль центрального прохода, который вел непосредственно к подиуму, с четким интервалом были расставлены агенты в штатском. А весь верхний ярус окаймляла цепь людей в пуленепробиваемых жилетах и черных сверкающих шлемах. В их экипировке было все, что требуется для подавления уличных беспорядков.

Зябко поежившись, Линдсей углубилась в чтение анонса. «Гвоздем» программы должны были стать три последних проекта Марии Казарес: первый откроет показ, второй отметит середину шоу, а третий будет продемонстрирован под занавес. Лазар, который всегда выходил к публике непосредственно перед Марией Казарес и находился подле нее, пока она раскланивалась перед зрителями, на сей раз должен был появиться последним. Естественно, в одиночестве.

Освещение изменилось, став чуть приглушенным, и внезапно полились мощные аккорды музыки Баха. Линдсей и Марков одновременно посмотрели на подиум. На нем по-

явилась первая модель: Куэст, покачивая бедрами, стремительно шла вперед, со своим обычным царственным высокомерием глядя на публику и объективы камер. На ней была шляпка с вуалью до половины лица и великолепное платье агрессивно-фиолетового цвета. В нем девушка была похожа на фуксию.

За какую-то долю секунды до этого Линдсей показалось, что она увидела Роуленда Макгуайра. Во всяком случае, кто-то, поразительно похожий на него, стоял в дальнем проходе и разговаривал с человеком, который мог быть только из полиции. Однако волшебная сила музыки, поэзия движений и красота наряда тут же захватили ее внимание, заставив забыть обо всем на свете. Вздох неподдельного восхищения одновременно разнесся по всему залу. Когда же Линдсей, опомнившись, снова окинула взглядом дальний проход, там уже никого не было. И тогда она полностью сосредоточилась на моделях, с профессиональной быстротой подмечая необычные детали одежды, делая наброски и записи. Восторг и упоение, ностальгия и горечь — эти чувства становились главными составляющими показа, начавшегося с таким блеском.

И потом, когда все уже было позади, Линдсей и Марков признались друг другу, что до самого конца ничего не слышали и не замечали. О случившемся знали Куэст, еще одна-две модели, а также распорядительница сцены. И, конечно, полиция. Но Дом Казарес был прежде всего театром, и согласно театральным законам, что бы ни случилось, представление должно было продолжаться. Как пожелали бы того Лазар и Казарес.

* * *

Было десять минут двенадцатого, когда Лазар впервые заметил этого молодого человека рядом с Матильдой Дюваль. Он бы, наверное, не обратил на парня особого внимания, если бы не Жюльет де Нерваль, представившая Лазару незнакомца в качестве внучатого племянника мадам Дюваль. По словам Жюльет, старуха позвонила ей накануне поздно ночью и, рыдая, заявила с нервной дрожью в голосе, что не может присутствовать на столь печальном мероприятии одна. Слава богу, ее любимый внучатый племянничек приехал из деревни, чтобы помочь ей справиться с этим горем. В общем, без него Матильда не хотела делать ни шагу, а потому Жюльет скрепя сердце пришлось дать согласие на то, чтобы он сопровождал старуху в Дом Казарес.

— Надеюсь, — тихо пробормотала она, опасливо глядя на шефа, — я правильно поступила?

Лазар смерил молодого человека взглядом, который заинтриговал Жюльет. Это был долгий, оценивающий взгляд, в котором любопытство под конец сменилось какой-то странной насмешливостью.

— Да-да, — уходя, успокоил он подчиненную, — конечно, вы приняли правильное решение. Может быть, кто-нибудь проводит этого молодого человека и мадам Дюваль в отведенную ей комнату?

Жюльет, взволнованная внезапными мероприятиями службы безопасности, поторопилась выполнить это указание. Пока что мадам Дюваль вместе со своим внучатым племянником скромно примостилась в уголке большой комнаты, где в обстановке полного хаоса манекенщицы с молниеносной быстротой меняли наряды. Оба несколько оторопело созерцали, как вертится здесь в нескончаемом водовороте целая армия визажистов, парикмахеров, гардеробщиков, моделей и их помощниц. Смешанный запах пота и лака для волос щекотал ноздри, резал глаза. Мадам Дюваль и ее пригожий племянничек, поддерживающий престарелую тетушку под локоть, казались запуганными и потерянными среди вешалок с одеждой и массы суетящихся людей.

Жюльет убедила их следовать за ней и быстро провела из раздевалки по лабиринту бесчисленных коридоров в небольшую тихую комнатку, где мадам Дюваль всегда составляла компанию Марии Казарес. Усадив старуху поудобнее, она повернула к ней монитор, на котором прекрасно был виден подиум. Оставалось только позаботиться о чае, кофе, бутербродах и прохладительных напитках. Хотя мадам Дюваль никогда ни к чему из этого не притрагивалась, данная часть ритуала, как и все остальные, исполнялась неукоснительно. Убедившись, что все сделано, Жюльет побежала в другую часть здания — объясняться с этими идиотами-полицейскими, которые всегда поднимают панику в самое неподходящее время.

В двадцать пять минут двенадцатого внимание Жана Лазара во второй раз было привлечено к племяннику мадам Дюваль. На сей раз это сделал Кристиан Бертран, старший помощник Лазара. Как всегда в подобные моменты, Лазар находился в раздевалке — единственный человек, спокойный, как скала, в беспокойном море людей. Он был вместе с Куэст — моделью, которая самому Бертрану решительно не нравилась, но тем не менее была сейчас прекрасна в этом сказочно красивом платье. Насыщенный цвет фуксии в сочетании с аметистовым колье шириной в восемь сантиметров! Лазар собственноручно поправлял вуаль на романтичной шляпке Куэст. Ему, видите ли, казалось, что эту вуальку нужно опустить на два миллиметра ниже. И он не отошел от Куэст, пока не сделал так, как считал нужным.

— Мсье Лазар... — учтиво кашлянул Кристиан Бертран. — Извините, что отрываю вас от дел в такой момент...

— Что у вас?

— Понимаете, ввиду сложившейся ситуации... Полиция, служба безопасности и все такое... Мсье Лазар, мне было сказано принять все меры предосторожности, а тут — молодой человек, который был с мадам Дюваль. Кажется, он оставил ее одну. И никто не знает, куда он подевался.

— Я знаю. — Лазар пронзил Бертрана своим знаменитым испепеляющим взглядом. — Он дожидается меня в моем кабинете. Вскоре я смогу уделить ему внимание. Так что будьте добры заняться более важными делами, чем племянник мадам Дюваль. Показ начинается, — он взглянул на часы, — через три с половиной минуты. И если он начнется хотя бы на полминуты позже, можете считать себя свободным от ваших обязанностей.

— Слушаюсь, мсье Лазар.

Бертран отступил назад. Сюда, за кулисы, шум зала доносился приглушенно, чуть слышно. Он был зовущим и нежным, как шелест морских волн, накатывающих на морской песок. Манекенщицы были готовы, помощницы тоже — все приведено в состояние полной готовности. И вот торжественно зазвучал Бах, Куэст поднялась по ступенькам, угрюмо сосредоточилась и решительно пошла вперед — на подиум. Бертран посмотрел на часы. Они показывали ровно полдвенадцатого. Пора было отправляться в свой офис, где он увидит все на экране. Выходя из раздевалки, Бертран, к собственному изумлению, обнаружил, что Жан Лазар, который обычно не выпускал на подиум ни одной модели, лично не осмотрев прежде наряд со всех сторон, тоже уходит. Дойдя до конца длинного коридора, Лазар свернул в сторону своего кабинета.

Он нарушал старую традицию, причем, судя по всему, делал это с удовольствием. Во всяком случае, Бертран заметил, что шеф ушел с выражением облегчения на лице.

* * *

Кабинет Лазара, как и любой другой в основном здании Дома Казарес, отличался скупостью обстановки. К тому же, как и все рабочие помещения здесь, этот офис имел звуконе-

проницаемые стены. Войдя в свою комнату и плотно закрыв за собой дверь, Жан Лазар мысленно задался вопросом, знает ли об этом молодой человек, выдающий себя за внучатого племянника мадам Дюваль.

Как он и ожидал, гость сидел на стуле перед обширным черным столом. Взгляд молодого мужчины был прикован к огромному экрану монитора, показывавшего подиум, по которому шла в эту секунду прекрасная и неподражаемая в своей надменности Куэст, неся на себе платье цвета фуксии. Услышав, как вошел хозяин кабинета, гость оглянулся и вежливо встал. Кажется, парень был немного растерян. Он наверняка не ожидал появления здесь Лазара в эту минуту. Не ожидал, что все окажется так просто.

Жан Лазар молча смотрел на молодого человека, который был выше его почти на голову. На посетителе был черный костюм — Лазар тоже носил в основном черное — и отутюженная белая сорочка. Ботинки безукоризненно начищены, галстук — спокойной расцветки. Молодой человек с прекрасным лицом быстро заговорил, принося извинения, но Лазар прервал его.

— Я знаю, почему вы здесь, — сказал он и подошел к столику у стены, чтобы налить себе выпить. Предложил и гостю, но тот отрицательно мотнул головой.

Лазар сразу же заметил, что визитер накануне успел зарядиться дозой чего-то сильнодействующего: его зрачки сузились до размеров булавочной головки, от него исходили невидимые лучи нервного напряжения. «Белая голубка»? Нет, сразу же отмел эту мысль Лазар. Тут, должно быть, что-то другое, по всей вероятности, кокаин или амфетамин. Если это так, то молодому человеку следовало бы постараться следить за собой: мышление неадекватное, реакция замедлена.

Взяв бокал с бренди, Лазар сел за свой письменный стол и снова с интересом вгляделся в лицо гостя. Интересно, какой он: порывистый или холодный, быстрый или неспешный? «Судя по всему, обожает драматические эффекты», — пришел к заключению Лазар. На эту мысль наводила внешность парня, в которой сквозили нетерпение и злость, но в то же время скука, усталость и определенная доля презрения.

— Вы знаете, кто я? — снова заговорил молодой человек, явно желая захватить инициативу.

Лазару уже приходилось иметь дело с молодыми и «инициативными». Они утомляли его.

— Полагаю, что не внучатый племянник мадам Дюваль, — ответил он, отхлебнув бренди. — И еще подозреваю, вам не

терпится поведать мне, кто вы такой. Так что давайте не будем тянуть время.

Такой ответ пришелся молодому человеку не по вкусу. «Вот уж действительно любитель драматического искусства», — подумал Лазар, наблюдая за собеседником, который не придумал ничего лучшего, чем вытащить из кармана пистолет и положить перед собой на стол.

Лазар с первого взгляда определил, что это «беретта». К тому же снят с предохранителя.

— Что еще? — полюбопытствовал он.

— Как у вас тут с охраной? — Глаза молодого человека воровато забегали по сторонам. — Система тревоги какая-нибудь есть?

— Разумеется. — Лазар показал на небольшую панель, встроенную в стол. — Могу включить, если желаете. Еще могу нажать ногой кнопку под столом. Но вы не беспокойтесь. Ни того, ни другого я не сделаю. Зачем? Ведь к тому времени, когда подоспеет помощь, я буду уже мертв или при смерти. Если только вы не безнадежный мазила.

Парень казался окончательно сбитым с толку, более того, затравленным. Его глаза забегали еще сильнее; лицо то бледнело, то заливалось пунцовой краской. Лазар понимал, что запугал его, но ему это было совершенно не нужно. Оттолкнувшись, он плавно отъехал на стуле от стола. И вздохнул:

— Ну вот, теперь я не дотянусь ни до одной из кнопок. Вас это устраивает?

— Устраивает. Оставайтесь там, где вы сейчас.

— Так скажите же, кто вы. — Лазар выдержал паузу. — Зачем таиться? Тем более что мне уже известно, какую роль вы сыграли в гибели Марии Казарес. Ведь это вы рассказали ей о химике из Амстердама, не так ли? О своем друге, который может сделать для Марии чудо-таблетку, способную вернуть ей счастье, дать силы работать... Мария говорила мне — боже, скоро уж год будет, — что этого человека открыл для нее один ее друг. Говорила, собрат по ремеслу, кутюрье. Я, конечно, усомнился, что этот кутюрье существует в природе, но это мало что изменило. Главное в том, что я поверил в химика. Некоторое время я по-настоящему верил в его талант, в его эксперименты, а потому дал себя уговорить финансировать их. Мне хотелось во все это верить — вот в чем дело.

— В самом деле? — Молодой человек напряженно смотрел на него. — Почему?

— Потому что к тому времени мы уже перепробовали все средства. Бесчисленные доктора, клиники, методы лечения... Я пять лет потратил на изучение новейших достиже-

ний медицины, обращаясь к кому только можно — от знахарей и полуподпольных коновалов до лучших врачей Европы. Я был в отчаянии. — Лазар ненадолго умолк. — А когда человек отчаивается, для него не бывает преград. Разве не так?

У собеседника конвульсивно дернулась рука.

Лазар нахмурился:

— И все же одна мысль не дает мне покоя. Скажите, когда вы вбили Марии в голову, что именно в этом химике с его пилюлями заключается ее спасение, вы отдавали себе отчет, что эти таблетки смертельны?

— Никакие они не смертельные. — Молодой человек окатил его презрительным взглядом. — Просто она была набитой дурой. Вы оба с ней — идиоты. Ты позволил ей дорваться до этих таблеток, вот она и наглоталась их без меры. Приняла четыре штуки в один день: одну от тебя и три — от Матильды. И при этом никакой пищи. Даже воды не пила. А ведь она больна была, кожа да кости... — Он пожал плечами. — Ну и что вышло? Остановка сердца. — Последовали несколько секунд молчания. — Но ты неглуп, и тебе я могу по секрету сказать: я не хотел, чтобы эти таблетки убили ее. Наоборот.

— Значит, ты хотел, чтобы они помогли ей присутствовать на сегодняшнем показе? Ты это хочешь сказать? Что ж, понимаю. — Лоб Лазара прорезала глубокая морщина. — Ты хотел, чтобы она вышла на подиум.

— Я хотел, чтобы вы оба появились на подиуме! — Красивое лицо исказила кривая улыбка. — С тобой-то все в порядке. А вот она разваливалась прямо на глазах. Я еще в прошлом году это заметил. А мне это вовсе ни к чему было. Мне не нужно было, чтобы она испоганила мои планы на сегодняшний день. Она обязана была сегодня здесь появиться! «Белая голубка» должна была заставить ее сделать это... — Его глаза сузились от злости. — Странно, не правда ли? Человек осторожный, педант — о тебе все так отзываются. Какую статью о тебе ни прочитай, в каждой об этом написано. Так как же ты допустил передозировку? Как позволил ей объесться этими таблетками?

На абсолютно бесстрастном лице Лазара мелькнуло нечто похожее на человеческое чувство. «А паренек-то далеко не дурак», — подумал он.

— Что ж, скажем так... — со вздохом произнес Жан Лазар. — Я затруднил Марии доступ к этим таблеткам, но не перекрыл вовсе. Они хранились в ящике моего письменного стола. Она знала, в каком именно ящике какого именно стола. Она знала, что ящик этот заперт, и знала, где я прячу ключ.

В конечном счете, не зная наверняка, к чему это приведет, я предоставил ей свободу действий. Таким образом, если Марии очень хотелось увеличить дозу — хотя я ей с самого начала недвусмысленно объяснил, какой должна быть эта доза, — у нее оставалась возможность забраться в мой стол. Таков был ее выбор... — Отвернувшись от молодого человека, он безучастно уставился в стену. — Я дошел до точки, — продолжил Лазар. — Я просто больше не мог. Вот уж никогда не думал, что кто-нибудь услышит от меня подобное признание. Потому что я не из тех, кто быстро сдается. Но повторяю: я дошел до края. И Мария, наверное, тоже. Видишь ли, есть ситуации, когда смерть кажется актом милосердия. Наступает такой момент, когда лучше всего подвести под жизнью черту, подбить все счета и закрыть гроссбух... Но боюсь, тебе этого не понять. Ты слишком молод.

Лазар приподнялся, однако, увидев, что его движение вызвало у визитера беспокойство, снова опустился на стул. Он посмотрел на часы. Потом на экран монитора.

— Итак, мне кажется, я знаю, что ты наговорил Марии. Знаю, за кого ей себя выдавал. И даже заставил ее поверить в то, что ты — тот самый человек, за которого себя выдаешь. Матильда Дюваль поведала мне кое-что на этот счет. Мне точно известны обстоятельства вашей первой встречи. Известно, как ты обманом влез в жизнь сначала мадам Дюваль, а потом и Марии. Наверное, это оказалось не так уж сложно: одна — старая, полуслепая, выжившая из ума женщина, другая — безнадежно больная. Ты лучше меня попробуй обмануть. Думаю, эта задача окажется для тебя посложнее.

Молодой человек поднялся с места, сжимая в руке пистолет. Отступив на шаг от письменного стола, он пронзительным взглядом впился в Жана Лазара. «Интересно, сколько раз он репетировал эту сцену? — мелькнуло у Лазара в мозгу. — Сколько раз оттачивал сценарий? Наверное, не раз и не два, — пришел он к выводу, бесстрастно разглядывая необычного посетителя. — Перед зеркалом, должно быть, тренировался». Молодой человек явно рисовался, словно позируя перед невидимой камерой или на сцене несуществующего театра.

— Я твой сын, — торжественно изрек он.

Лазар продолжал молча смотреть на него. Ни одна мышца не дрогнула на его лице. Рот молодого человека сжался в жесткую линию, в остекленевших глазах появился холодный блеск.

— Я твой сын. Мария Казарес была моей матерью. Меня зовут Кристоф Ривьер. Когда-то и ты носил такую же фами-

лию. Я родился в Новом Орлеане в декабре 1969 года. А ты заставил ее бросить меня. Ты был беден, вот и уговорил ее отдать меня в сиротский дом — а там, глядишь, кто-нибудь и усыновит. Да только никому я оказался не нужен. Я видел собственное свидетельство о рождении — эту бумажку показывала мне Мария. Она все мне рассказала — как не хотела расставаться со мной, как на коленях в слезах молила тебя, но ты, паскуда, и слушать не хотел. Ты, сволочь, завернул меня в тряпочку и выбросил. Как мусор...

— Понятно. — Лазар скрестил руки на груди. Одного спокойного слова оказалось достаточно, чтобы прервать поток гневных словоизлияний. Молодой человек с побелевшим лицом пристально смотрел на него. — Значит, Мария показала тебе твое свидетельство о рождении? А свидетельство о твоей смерти она случайно тебе не показывала?

Губы парня опять скривились в усмешке.

— А как же! Конечно, показывала. Но только ей было прекрасно известно, что свидетельство это — фальшивое! Потому что появилось оно только годы спустя после моей так называемой смерти. Прошли годы, прежде чем ты смог его состряпать. Пока не стал богатым настолько, что мог купить все, что угодно. Свидетельство выписать задним числом? Пожалуйста! Удостоверить факт кончины младенца? Нет проблем! Скажи, во сколько тебе это обошлось? В пятьсот долларов?

— В пять тысяч, — ответил Лазар.

Он говорил все тем же равнодушным тоном. Лицо парня исказилось от возмущения и дикой злобы. Он задергался от нервного тика. Пистолет в его руке заплясал — дуло подпрыгнуло вверх, нацелившись в потолок.

— Я так и знал. — В его голосе зазвенели истерические нотки. — Знал, чтоб мне пусто было. Ах ты, задница вонючая, сволочь мерзкая...

— С пистолетом поосторожнее, — посоветовал ему Лазар. — Не дергайся, а то пальнешь еще нечаянно. Да не бойся ты, я безоружен. Вот, смотри... — Он полез во внутренний карман, наблюдая, как в глазах собеседника заметался панический испуг. — Это всего лишь бумажник. Видишь? — Лазар положил на стол бумажник из черной кожи. — А сейчас я покажу тебе одну фотографию. Посмотри на нее внимательно.

Он вытащил из бумажника небольшую цветную фотографию и подтолкнул ее молодому человеку через стол. Парень жадно схватил снимок, но тут же небрежно пихнул его обратно.

— А это еще кто? Мальчишка какой-то больной. Заморыш скрюченный...

— Это мой сын. — У Лазара самого внезапно потемнело в глазах от ярости. Его подмывало прямо сейчас встать и разбить этому наглецу физиономию. Однако он остался сидеть, терпеливо выжидая, когда уляжется гнев. А потом продолжил холодным, ровным тоном: — Это мой сын. И звали его Кристоф Ривьер — именно так, как ты говоришь. У него от рождения был детский церебральный паралич. Знаешь, что это такое? Одно из самых тяжелых несчастий, которое может постигнуть ребенка. Это заболевание не всегда влияет на умственное развитие, но всегда поражает мышцы тела. Ты видишь это на фотографии. Оно постоянно прогрессирует, его невозможно остановить. За те деньги, что я заработал, моему сыну был обеспечен самый лучший уход. А пока денег не было, он находился в католическом приюте для больных детей в Новом Орлеане. Позже его поместили в очень хорошую клинику в штате Нью-Йорк. Я навещал его четыре раза в год. Каждый год его жизни. Он умер незадолго до того, как ему исполнилось двенадцать, в 1981 году.

Глядя на фотографию, он замолчал, а затем бережно положил ее обратно в бумажник и неспешно спрятал его в карман. Молодой человек даже не шевельнулся.

Лазар сделал сдержанный жест рукой.

— Я любил его без памяти. И очень им гордился. Тебе, да и другим, наверное, не дано понять, как я восхищался его мужеством. Решение оставить сына в Америке было самым трудным в моей жизни. Когда я пустился на поиски удачи, я сделал это ради его блага. Обеспечить его благосостояние и благосостояние его матери стало главным делом моей жизни... — Он вздохнул, и голос его зазвучал тверже. — Я вижу: ты не веришь мне. Что ж, не хочешь — не верь. По причинам, знать которые тебе не обязательно, я решил скрыть правду от Марии. Но скрывать ее от тебя я не считаю нужным. Ты фантазер. Ты не мой сын. Моего сына уже не вернуть, как страстно я ни желал бы этого.

Ему пришлось собрать в кулак все свое самообладание, когда он увидел, какой эффект произвели его слова. Лицо молодого человека дико задергалось, руки заходили ходуном. Теперь он уже не мог сдержать дрожи. Этот человек находился во власти самых необузданных, самых разрушительных эмоций: его раздирали ярость и недоверие, горечь и страх. Лазар был уверен, что в следующую секунду раздастся выстрел. Но этого не произошло, и он испытал невольное уважение к неврастенику, который смог пересилить себя.

Понурив голову, Лазар устало провел ладонью по лицу. Прилив энергии, который вызвал в нем приход этого психа,

иссяк. Теперь он не чувствовал ничего, кроме смертельной усталости души и тела. Казалось, он впал в кому, и оставалось только удивляться, почему до сих пор живо его упрямое тело, почему легкие все еще вдыхают воздух, а сердце гонит по жилам кровь.

Сейчас им владели мысли о мертвом сыне, которого он любил так безумно, так беззаветно. О долгих страданиях бедного мальчика, которые с самого начала превратили эту любовь в пытку. Ах, если бы можно было начать жизнь заново, он все сделал бы по-другому. Он прежде всего сделал бы так, чтобы свою коротенькую жизнь его сын провел с ним и Марией. Да, Мария была слабее его, и эта боль могла надломить ее. Пусть. Это было бы лучше, чем то, что с ней произошло. Но жизнь, к сожалению, прожита. Другой уже не будет.

Роковое решение было принято им, когда он был совсем еще молод. Любовь, стыд и чувство вины с одинаковой силой терзали его тогда. Чувство вины... Оно было поистине невыносимым, оно заживо пожирало его. Он был виноват не только перед сыном, но и перед Марией. Лазар медленно поднял глаза на молодого человека, сидевшего напротив. Неужели она в самом деле поверила его бредням? Наверное, поверила. Бедная женщина с помутившимся рассудком... И все же, насколько можно было судить, Мария, сохраняя остатки осмотрительности, рассказала этому мальчишке далеко не все. Парень, как видно, даже не догадывался, что люди, к которым он набивался в сыновья, были братом и сестрой. А может, Мария просто напрочь забыла об этом, выбросила этот факт из головы, как и все остальное, что причиняло ей боль? Возможно...

Теперь Жан Лазар понимал, что в его непреклонности заключалась его величайшая слабость. Приняв однажды решение, он никогда не отступал от него, боясь показаться себе малодушным. Пытаясь оградить Марию от невзгод, он лишил ее и себя близости с сыном. Однако теперь видел, что именно в этом состояла главная утрата его жизни.

Лазар глядел на высокого, красивого и сильного молодого человека, сидящего напротив. Смотрел и думал: «До чего же несуразно устроена человеческая жизнь. Он страдает, потому что у него нет отца. Я в отчаянии, потому что у меня нет сына. Неужели этот мальчик не понимает, что если бы случилось невозможное и он действительно оказался моим сыном, то я просто онемел бы от счастья? Господи, да я вскочил бы сейчас с места, сжал бы его в объятиях! Вся моя жизнь изменилась бы, обретя смысл, и, может быть, я даже поверил бы, что есть, есть на свете бог».

— Ну рассказывай, — вскинул он голову, — расскажи, зачем ты пришел сегодня? Чего хочешь?

И он рассказал — запинаясь от волнения и хвастаясь одновременно. Он был явно не в себе. «Неужели он сам не видит, насколько нереален его план?» — внутренне удивился Лазар. Парень прочно зациклился на идее о том, что эта казнь, которую он почему-то буднично называл убийством, должна быть публичной. Ему позарез нужно было, чтобы его видели, фотографировали, снимали на видео. Это пробудило в усталой душе Лазара проблеск любопытства. Слушая длинную тираду молодого человека, он размышлял об одном из самых тяжких жизненных испытаний — испытании славой, к которой была так равнодушна Мария. Кажется, он говорил об этом во вчерашней траурной речи. Да-да, говорил...

Жан Лазар и сам был чужд тщеславия. Зато этот мальчик просто бредил славой. Это проявлялось буквально во всем — в его бледном лице, горящих глазах, беспорядочных жестах. Единственным его желанием было стать известным, причем известным на весь мир, и добиться этого он предполагал очень простым способом: с помощью одного-двух выстрелов. В качестве дороги к заветной цели мальчик избрал отцеубийство, в качестве подмостков — подиум в Доме мод, в качестве зрителей — представителей мировой прессы. Лазар подавил горестный вздох. Кому, как не ему, было знать, какие опасности таит в себе слава. А этот паренек наивно полагал, что сможет столь дурацким способом самоутвердиться, более того, обрести утерянные корни, дать всем понять, кто он и откуда.

Однако у Жана Лазара вовсе не было желания умирать такой смертью. Вместе с тем он не хотел томиться ожиданием. На экране монитора вновь появилась Куэст. Она шла в черном костюме, отороченном соболями. Это была одна из последних моделей одежды, созданных Казарес. Длинный шарф из черного соболя волочился следом за манекенщицей по подиуму. Поворачиваясь, она отработанным изящным пинком отбросила роскошный мех в сторону.

Была середина показа. Костюм во всех отношениях получился просто исключительным, хотя Лазар, честно говоря, никогда не разделял страсти Марии к мехам. Сдвинув брови, он решительно встал:

— Нет, так дело не пойдет.

Не сводя с него немигающего взора, молодой человек поднял пистолет.

— Боюсь, тебе все-таки придется подчиниться. Все будет так, как скажу я. Ты выйдешь отсюда, пройдешь по коридо-

ру, через раздевалку, взойдешь на подиум. Вместе со мной. И тогда я сделаю это.

— Благодаря твоей самодеятельности мой салон битком набит вооруженной полицией.

— Тем лучше.

— Кровавую баню устроить хочешь? — Лазар смерил его холодным взглядом. — Что ж, в это можно поверить. Рискни. Но только без моей помощи. Это последняя коллекция Марии, и она будет продемонстрирована так же, как и все другие до нее. Четко. Отточенно. По всем правилам. Есть одна простая вещь, которую ты никак не можешь взять в толк... — Он посмотрел парню прямо в глаза. — Всю свою жизнь я никому не позволял командовать собой. Здесь я отдаю приказы.

— Теперь уже не ты, — злобно усмехнулся молодой человек, опять наведя на Лазара пистолет.

Ответив сумасшедшему мальчику безмятежной улыбкой, Жан Лазар встал из-за стола и направился к нему. Ствол пистолета дрогнул, молодой человек сделал шаг назад. Он быстро оглянулся на дверь, очевидно, не на шутку запаниковав. Лазар сознавал, что сейчас необходимо сказать что-то правильное, бьющее прямо в цель, причем сказать немедленно.

Может, сказать, что он, Жан Лазар, рад умереть прямо сейчас, на этом месте? Что этот любезный молодой человек обяжет его, если нажмет на спусковой крючок? А если нет, то Лазар все равно найдет какой-то другой способ свести счеты с жизнью... Нет, подумал он, приглядевшись к парню внимательнее. Такой скучный выстрел этого шизика вряд ли устроит — не то удовольствие. И признаться ему в желании умереть почти наверняка означало бы, что парень начнет тянуть время, а то и вовсе откажется от своего намерения.

Лазар влюбленными глазами посмотрел на черное дуло пистолета. «Ярость — вот что может его спровоцировать», — пришла ему в голову здравая мысль. Тем более что молодой человек уже был на взводе — казалось, он вот-вот задымится от злости.

Ярость, оскорбление... Что еще? Лазар незаметно пожал плечами: ничего, и этого достаточно.

— До чего же ты глуп, — язвительно произнес он. — Неужели ты до сих пор еще не понял, что не добьешься от меня ровным счетом ничего? Ну что, например, ты будешь делать, если я возьму и просто откажусь выйти из этой комнаты вместе с тобой? Что ты можешь? Выстрелить? Да у тебя уже сейчас руки трясутся. Кишка тонка — вот как это называется. Ведь признайся, трусишь. А если и решишься выстре-

лить, то наверняка промахнешься. Ты хоть раз до этого оружие в руках держал? Не похоже что-то.

Он спокойно прошел мимо дрожащего мальчика, который даже не попытался остановить его. Лазар намеренно шел к двери как можно медленнее. Парень стоял на месте как вкопанный. Лазар обернулся. Визитер теперь трясся всем телом, пистолет глядел куда-то в сторону. Он вытянул руку на всю длину, отчего ствол заплясал еще сильнее. В искаженном от ужаса лице не было ни кровинки. Лазару стало почти жалко этого больного человечка. Он презрительно оглядел его.

— Мой сын был мужественным человеком, — веско проговорил Жан Лазар. — И я любил его за это мужество. Все те годы, что он жил, я по-настоящему уважал его, восхищался им, преклонялся перед ним...

— Я! Я — твой сын! Я — Кристоф! А ты, сволочь, все врешь! Мария узнала меня. Моя мать знала, кто я ей...

— Мария была не в своем уме, — спокойно посмотрел ему в глаза Лазар. — Под конец она стала почти такой же помешанной, как ты... Что, страшно небось? Ты даже пистолет прямо держать не можешь, не то что выстрелить из него. В отличие от моего сына ты на поверку оказался заурядным трусом. Трус, хвастун и дурак. Ничтожество. Теперь я ясно вижу.

С этими словами Жан Лазар повернулся к молодому человеку спиной. Берясь за дверную ручку, он испытал горечь. Неужели сорвалось? Жаль. Значит, придется терпеть еще несколько часов: бессмысленные аплодисменты, восторги, славословия, а потом — пустота. Жаль до слез. «А ведь это был бы верный способ добиться того, чтобы последняя коллекция Марии Казарес запомнилась на долгие годы», — с грустной усмешкой подумал он. Хотя, впрочем, какое это имеет значение? Сегодня вечером он отправится в один из множества своих домов. В каждом из них Мария держала солидный запас снотворного и обезболивающего. Горсть этих таблеток сделает свое дело не хуже, чем пуля. Главное, чтобы количество было соответствующим.

Жан Лазар повернул дверную ручку, и в то же мгновение что-то обожгло ему спину. Стены комнаты вздрогнули от грохота. Падая, Лазар успел подумать, что молодой человек, имени которого он так и не узнал, выстрелил несколько раз. Привалившись к стене, он с удивлением услышал внутри себя странный булькающий звук.

Лазар внимательно наблюдал за процессом собственного умирания. Его поразила та ясность, с которой он ощущал свой уход из жизни. Удивительно, но оказалось, что смерть,

как и все остальное, имеет несколько стадий. Сначала кровь окрасила белую рубашку, потом стало сыро и тепло в паху. Там тоже была кровь, но Лазар подумал, что утратил контроль над мочевым пузырем, и на долю секунды почувствовал инстинктивную брезгливость. Это ему совершенно не нравилось. Он хотел что-то сказать, но вместо слов изо рта полилась алая струйка. Затем начало слабеть зрение. Комната потемнела, сузилась — и ушла куда-то в сторону.

Угасающее сознание подсказывало ему, что убийца пришел в исступление. Молодой человек пронзительно визжал, выкрикивая то ли слова любви, то ли проклятия. «Кажется, ощупывает меня», — подумал Лазар. Чужие ладони обшарили его грудь, шею, лицо. «Ну и чего он добьется? — удивился умирающий. — Только в крови вымажется».

Собрав остатки сил, Жан Лазар попытался сесть. Теперь он чувствовал к молодому человеку любовь и признательность. Хотелось утешить его, успокоить, сообщить, что почти наверняка никто не слышал выстрела — стены-то звуконепроницаемые. Что же он, в самом деле, мешкает? Хотелось сказать еще что-то неизмеримо ценное и важное. Что-то такое вертелось в холодеющем мозгу — нечто, составляющее главную тайну жизни.

Однако суть этого секрета неумолимо ускользала от него. Стар крепко вцепился в лацканы его пиджака. Рот Лазара беспомощно кривился — он пытался что-то сказать. Стар, всхлипнув, начал осыпать лицо умирающего поцелуями. Побледневшие губы шевельнулись еще раз. Стар прильнул к ним ухом, чтобы расслышать обращенное к нему слово. Прощальное слово, которое, как он надеялся, станет словом признания и любви.

Лазар слегка кашлянул. Из его рта потекла яркая струйка артериальной крови. Стар ждал. Однако ничего не происходило. Лазар не обмяк, его глаза оставались открытыми. «Совсем не как в кино, — с неудовольствием отметил про себя Стар и встряхнул его. — Нет, лучше все же подождать на всякий случай. Хотя и страшновато».

Казалось, стены кабинета пляшут и кружатся, как в каком-то бесовском хороводе. Наконец до него дошло, что не будет никакого прощального слова, никакого прощального жеста. Жан Лазар был мертв.

Стар заплакал. Поднявшись, он словно загнанный волк начал метаться по комнате. «Черт, черт, черт», — назойливо крутилось в его мозгу. Дело было совсем плохо: Стар чувствовал, как рассудок покидает его, он становился похожим на машину без тормозов. Отчаяние и боль обступали его со всех

сторон. Мятущийся мозг подкинул свежую идею: его обокрали.

От этого прозрения он вздрогнул. Засмеялся. А потом снова зарыдал. Склонившись над телом, Стар внезапно для самого себя, повинуясь необъяснимому порыву, снял с него часы и надел себе на руку. Потом снял с вешалки черный плащ Жана Лазара и натянул его черные перчатки. Перчатки оказались тесноваты, однако кое-как скрывали кровь на руках. Плащ тоже был коротковат, однако вполне годился для того, чтобы перекинуть его через плечо. Таким образом удалось прикрыть кровавое пятно на рубашке. Перезарядив и сунув в карман пистолет, Стар медленно отворил дверь.

Издалека приглушенно доносился то нарастающий, то спадающий гул зрительного зала. Сквозь открытую дверь комнатки напротив, через коридор, было видно, как полуглухая и полуслепая Матильда, сидя все в той же позе, пялит свои молочно-голубые глаза на экран. В коридоре никого не было. Быстро прошмыгнув в каморку, Стар схватил белую шелковую подушечку, сунул в нее дуло пистолета и дважды выстрелил Матильде в шею. В упор. Она умерла лучше, чем его «отец». Просто обмякла в кресле. И никакого шума. Ничего, кроме этого огромного белого безмолвия, этого безбрежного моря тишины.

Выйдя из комнаты, он повернул налево и открыл небольшую дверцу с надписью «Только для персонала». За ней оказался узкий коридорчик, завершающийся железной калиткой, возле которой стояла стеклянная будка с охранником внутри.

Полиции на выходе видно не было. До конюшни, вернее, гаражей, отсюда было всего четыре минуты ходьбы. Четыре минуты до славы...

Стар почувствовал, как ловкость и ум возвращаются к нему. От них распирало грудь, бурлила в венах кровь. Остановившись у будки, он приветливо улыбнулся охраннику, который, кажется, узнал его, поскольку раньше уже видел за кулисами. Желая испытать судьбу, Стар спросил, как пройти в ближайшую аптеку.

— Мадам Дюваль слегка переволновалась, — пояснил он, облокотившись на край открытого окошка будки. Собственные слова казались ему забавными. Коротко хмыкнув, Стар продолжил: — Ей нужен специальный настой.

Охранник понимающе закивал.

— Да-да, — быстро проговорил он, глотая окончания слов, — со старухами часто такое бывает. Пьют одно лекарство от всех болячек и никаких больше не признают. Тут до ап-

теки рукой подать. Просто отличная аптека. Как выйдете отсюда, так сразу поверните налево. Через две улицы увидите.

Стар смотрел на него долгим взглядом, чувствуя себя всемогущим. Если бы этот кретин не расписывал так рьяно достоинств аптеки, то он, глядишь, и сохранил бы ему жизнь. Но теперь — нет. К тому же у этого охранника было на редкость противное лицо — не лицо, а кроличья морда. Вынув пистолет, Стар всадил сразу две очереди в эту кроличью физиономию, которая так и брызнула во все стороны. Снова перезарядив пистолет, Стар сунул его в карман и неторопливо потрусил к гаражам, располагавшимся в паре сотен метров отсюда.

Ни сирен, ни криков, ни топота бегущих ног. «Просто, просто, просто», — запел в его мозгу сладкий голос. Господи, до чего же просто стать великим! Открыв ворота, он легко пробежал несколько метров до последнего гаража. Настороженно прислушавшись, Стар не услышал ничего. Сейчас он вообще ничего не ощущал. Кроме божественного спокойствия в голове. Он уже хотел открыть гаражную дверь, но вовремя вспомнил: «А теперь можно и побаловать себя немножко».

Стар вынул коробочку с «белой голубкой». Там оставалось шесть таблеток. Таблетка, которую он принял вместе с амфетамином прошлой ночью, когда Майна лежала рядом с ним, притворяясь, что не спит, не боится, не предаст его, как предавали все до нее, — та таблетка произвела в нем подлинный переворот, придав ему небывалую уверенность в собственных силах. Эффект оказался благотворным во всех отношениях.

Он выкатил на ладонь одну таблетку, потом другую и проглотил обе. «Водички бы надо, — мелькнула мысль, — запить». Но ничего — и так сойдет. Скоро он напьется вдоволь. Он будет пить воду, давать интервью, делать все, что ему заблагорассудится. В квартире Матильды.

— Джини, — позвал Стар, припав к гаражной двери. — Джини, не бойся, это я. Извини, припозднился.

19

— Милая, — вкрадчиво проговорил Стар, подняв дверь гаража. Он стоял перед Джини, загораживая ей выход. Она смотрела на него, не в силах пошевелиться от ужаса. Он был сплошь вымазан кровью. Кровь была на его рубашке, на руках, под ногтями, на шее, на лице. Даже волосы были мок-

рыми от крови, а к непослушному вихру прилипли какие-то белые острые кусочки.

«Кость, — осенила ее страшная догадка. — Осколки кости». Джини судорожно зажала ладонью рот. А он, насквозь пропитанный кровью, тем временем небрежно сбрасывал с себя плащ и снимал черные перчатки. На лице его блуждала блаженная улыбка.

Вся дрожа, Джини привалилась спиной к стене гаража. Скольких же он убил? Только Жана Лазара? И водителя этой машины? Или многих еще, как он похвалялся?

Водитель был молод — насколько можно определить возраст человека, у которого снесена половина лица. Сняв с себя зеленый шарф, она, как могла, перебинтовала его страшную рану. Джини знала, что произойдет дальше, — ей приходилось наблюдать подобные случаи в Боснии. Этого человека уже ничто не могло спасти, останавливать кровь было бесполезно. Тем не менее она сделала все, что от нее зависело. Он промучился еще час, прежде чем окончательно истек кровью.

Теперь и она была вся в крови. Ее бил жестокий озноб. На ней были свитер и толстое пальто, однако ей казалось, что ее пронизывает ледяной холод. Джини никак не могла унять дрожь, и Стар, когда заметил это, почувствовал себя польщенным.

— Ничего, ничего, все в порядке, — постарался успокоить он ее. — Я и сам поначалу трясся. Совсем немножко. Пока не выстрелил.

— Я не могу вести машину, — отстранилась она и показала ладони. — Смотри, я не могу взяться за руль...

Он ударил ее по лицу — изо всех сил, без предупреждения. Джини пошатнулась, но все же устояла на ногах. Когда она решилась взглянуть на него, то увидела таким, каким описывала его Шанталь: бледная кожа, горящие глаза. И еще рот... Этот рот вселял в нее ужас, в нем было что-то глубоко отталкивающее.

— Нет, ты сядешь за руль. И поведешь машину. Как миленькая поедешь. Прямо сейчас поедешь, сволочь! — Схватив Джини за отвороты пальто, Стар с силой припечатал ее спиной к дверце. С его губ уже готова была сорваться угроза: «А не то...» Однако, подумав, он не произнес этих слов вслух. Она и без того была напугана. Он видел ее страх, ощущал ее покорность.

Джини стало стыдно за собственную слабость. Стыд перерастал в злость. Она подчинилась ему, но делала все как можно медленнее. Казалось, Стар оглох и ослеп, не сознавая

грозящей ему опасности. Издалека уже доносился вой сирен. Однако он, судя по всему, ничего не слышал.

Неестественно выпрямившись, Стар сидел на соседнем сиденье. Когда они подъехали к воротам, он ткнул ей пистолетом в живот. Обмирая от страха, Джини медленно, как улитка, вывернула на улицу, молясь в душе за мощные двигатели полицейских машин и резвые ноги жандармов.

Стар заставил ее петлять по лабиринту узких улиц и переулков, и она начала молиться за то, чтобы перед их «Мерседесом» вырос в конце концов какой-нибудь заслон. Однако этого не случилось. Вой сирен приблизился, потом удалился. Но Стар, кажется, оставался все так же глух. Он напряженно вглядывался во что-то, словно, находясь в кинозале один, смотрел свой собственный фильм ужасов, но в то же время постоянно был начеку, указывая Джини, куда ехать: налево, прямо, направо...

Однажды, когда Стар уставился перед собой остекленевшим взором и, казалось, уже перестал обращать на нее всякое внимание, она рискнула включить дальний свет, пытаясь привлечь к их «Мерседесу» внимание. Однако эта попытка не осталась незамеченной.

— Выключи немедленно, — спокойно приказал он. — Не валяй дурака, Джини. Не забывай, я дам тебе бесценный материал. Это будет лучшая из всех статей. Ведь ты не хочешь упустить такую возможность? Нет? Тогда сворачивай направо.

Джини поняла, куда они едут. Они следовали совсем не тем путем, что утром, однако не оставалось никаких сомнений в том, что они возвращаются на улицу, где жила Матильда, к ее дому. Мозг Джини соображал теперь гораздо лучше. Как ни странно, страх и злость заставляли ее оценивать обстановку с необычайной ясностью и четкостью. С этой беспощадной ясностью она сознавала, что если поднимется с ним в квартиру Матильды, то он убьет ее. Рано или поздно, но убьет... Надо было как-то сопротивляться. Но как? Если она откажется следовать за ним, то он пристрелит ее прямо в машине. Или на улице. Или в вестибюле. Или в кабине лифта. Так где же? Где суждено ей встретить смерть?

— Стар, — обратилась она к нему, чуть сбавив скорость, — скажи, ты не слышишь, как воют сирены?

— Нет. А что?

— Так, просто мысли всякие... Мы возвращаемся к Матильде?

— Да.

— А ты хорошо подумал? Ведь нас, должно быть, видели. За нами может быть погоня, и если мы задержимся в этой

квартире... Подумай, Стар, ты можешь попасть в западню. Сам знаешь, как это бывает. Они окружат здание, у тебя не будет выхода...

— А мне и не нужен выход, — улыбнулся он ей белыми губами. — Ты что, не знала?

— Нет... Нет, не знала. Но, Стар...

— Ты что, думаешь, я идиот последний? — Можно было подумать, что у него начинается очередной приступ бешенства. — Я знаю: в таких случаях спасения не бывает. Никогда. Не сегодня, так завтра, на будущей неделе они обязательно возьмут меня в кольцо. И прикончат. А пока у меня есть ты, они и вести себя будут соответственно. Осторожно. Мне прекрасно известно, что они будут делать. И тебе тоже. Эвакуируют жильцов из здания. Окружат его. Расставят своих сраных снайперов по всем крышам. Займут квартиры, какие только можно, — напротив, сбоку, снизу. Напихают во все дырки подслушивающей аппаратуры, чтобы знать, в какой комнате я нахожусь. Замкнут на себя телефонную линию. И позвонит мне засранец речистый, психолог вонючий. Это у них называется научным подходом. Вот когда цирк начнется. Ах какие они будут ласковые, ах какие вежливые. Ты им говоришь: машину подавайте, самолет, вертолет, черта в ступе. А они только кивают: ясное дело, Стар, нет проблем. Может, еще чего? Может, яхту? Или сверхзвуковой «Конкорд»? А как насчет купе в Восточном экспрессе?.. — Он громко рассмеялся. — И ты думаешь, я настолько туп, чтобы поверить их посулам? Я же миллион раз про это фильмы смотрел — специально видеокассеты брал... Налево, налево сворачивай... И знаю, как это делается. Они дают тебе взопреть как следует. Ждут, когда напряжение свалит тебя. На измор берут. Они сидят и прикидывают: рано или поздно этот парень захочет спать, рано или поздно раскиснет. И когда, по их расчетам, такой момент наступает, они вводят в дело своих лучших. Все эти ребята — полицейский спецназ Америки, САС[1], Группа вмешательства — знатоки своего дела. Тридцать секунд, а то и меньше — и ты готовенький. Вот и подумай, Джини, что со мной будет. Да то же, что со всеми остальными несчастными раздолбаями: буду валяться дохлый, словно крыса сраная в своей сраной норе... — Последовал долгий прерывистый вздох. — Только так я подыхать не намерен. Не дождутся!

Джини молча выслушала эту длинную тираду. Ее заста-

---

[1] Специальная авиадесантная служба (Special Air Service) — спецназ британских вооруженных сил.

вило похолодеть то, с какой точностью он нарисовал сценарий грядущих событий. Она отчаянно вцепилась в руль — они только что повернули на Рю-де-Ренн. Через три квартала должен быть дом Матильды Дюваль. Джини притормозила.

— Так ты намерен умереть? — тихо спросила она.

— Посмотрим, — хитро улыбнулся ей Стар. — А ты волнуешься?

— Конечно. Ведь если ты умрешь, то умру и я. У меня такое чувство, будто ты только что зачитал мне смертный приговор. — Набравшись мужества, она взглянула на него. — Только не знаю, как я тогда напишу о тебе статью.

— Ничего, скоро узнаешь. — Он снова криво улыбнулся. — Только не спрашивай меня ни о чем, ладно? Не люблю женщин, которые без конца сыплют идиотскими вопросами. Я... Эй, какого хрена ты делаешь?!

Джини только что заметила перед собой двух пешеходов. Заметила и сразу же узнала. Примерно в сорока метрах перед ней и двадцати метров не доходя до дома мадам Дюваль шли Паскаль и Марианна.

Отец вел дочь за руку, на плече у него висела сумка с фотоаппаратурой. Паскаль наклонился к Марианне, которая, видно, хотела ему что-то сказать. Марианна, подпрыгивая на месте, начала весело болтать, глядя отцу в лицо. Чтобы поскорее проскочить мимо них, Джини нажала на педаль газа. Стар больно уперся пистолетом ей в низ живота.

— Там люди, Стар...

— Тормози. Тормози, говорю тебе!

— Стар, но они увидят нас. Ты весь в крови. Они...

— Тормози. Прямо здесь останавливайся. На счет «три» — стреляю. Раз. Два...

Джини остановила машину как раз перед домом, где жила Матильда Дюваль. Паскаль и Марианна оставались в десяти метрах сзади. Они по-прежнему неторопливо шли по тротуару, у кромки которого остановился «Мерседес». Джини ясно видела их в боковом зеркале.

— Подожди немного, Стар, — заговорила она.

Еще несколько секунд, и они пройдут мимо машины, мимо дома мадам Дюваль, войдут в дом, где живет Элен. Отец и дочь болтали все так же увлеченно, и оставалась надежда на то, что они ничего не заметят.

— Послушай, Стар, зачем тебе осложнения?

Однако он, не слушая, перегнулся через нее и выдернул ключи из замка зажигания. В следующую секунду Стар был уже на улице. Джини не сводила глаз с бокового зеркала. До нее уже отчетливо доносился звонкий голосок Марианны. Ее

маленькое личико с острым подбородком было поднято к Паскалю. На девочке были лосины, юбка из шотландки в красную и синюю клетку и темно-синяя теплая курточка. У нее была новая стрижка — каре. Ровная темная челка колыхалась над серыми глазами, обращенными к отцовскому лицу. Эти две пары глаз были так похожи. «Боже, ей всего девять лет», — подумала Джини.

Стар между тем запирал правую дверь. Прошло еще несколько секунд. Может, все-таки не заметят? Если она останется сидеть в машине, если Паскаль не поглядит в ее сторону, если ей удастся не закричать, если не заговорит Стар... «Господи, пронеси», — взмолилась Джини. Метр, полметра... Ну же, ну, проходите скорее!

— Mais — regarde, Papa — cet homme la...[1]

Реакция Паскаля была молниеносной — она была выработана годами, проведенными в зонах военных действий. Марианна еще не закончила своей удивленной фразы, а он уже подхватил девочку на руки и шарахнулся вместе с нею в сторону. Стар, который уже успел обойти машину спереди, открывал дверь со стороны водителя:

— Все в порядке, Джини, можешь выходить.

Джини не шелохнулась. Бледное лицо Стара приблизилось к ней, следом в открытую дверцу просунулся ствол пистолета. Нет, он, наверное, и в самом деле не только глух, но и слеп. Не слышит полицейских сирен, не видит Паскаля с Марианной. Еще каких-нибудь двадцать секунд, пусть даже пятнадцать — и отец с дочерью будут в безопасности. Глядя в черное дуло, она ожидала услышать топот убегающего человека. Однако никакого топота не последовало — только гнетущая, ужасающая тишина. И тогда Стар завопил. Его истерический вопль иглой вошел в ее сердце, эхом разнесся по улице:

— Вон из машины, сука! Быстро! Или я разнесу в куски твою вонючую башку! Вон!! Вон!!!

Джини моментально выскользнула из-за руля, потому что видела: теперь спасти ее может только расторопность. Промедление в такой ситуации было смерти подобно. Выйдя из машины, она немедленно попала в цепкие руки Стара. Он тут же принялся заламывать ей руку за спину, тыча пистолетом в горло. Уголком глаза Джини видела Паскаля. Он стоял в какой-нибудь паре метров, одной рукой обхватив Марианну за талию, а другой растопыренной пятерней прижимая девочку лицом к своему плечу. Это было похоже на мимолет-

---

[1] Ой, папа, смотри, этот дядя... (*фр.*).

ный кадр из фильма: побелевшее, решительное, сосредоточенное лицо Паскаля — как перед атакой. Видел ли их Стар? Догадывался ли, что рядом есть кто-то еще?

— Прошу тебя, Стар, — произнесла Джини умоляющим тоном, глядя ему прямо в глаза и пытаясь прикоснуться к нему свободной рукой. Она старалась повернуться так, чтобы загородить собой от него Паскаля и Марианну. — Пожалуйста, пойдем в дом. Мне хочется туда, хочется побыть с тобой...

Что-то дрогнуло в его лице, его глазах. Видно, ему в голову пришла какая-то новая идея — вид его стал еще более целеустремленным и сосредоточенным. Стар выпустил руку Джини и, несколько ослабив хватку, обнял ее за плечи. Он повел ее к широким ступенькам, не опуская, однако, пистолета. Сталь ствола больше не впивалась ей в шею — Стар нежно поглаживал ей пистолетом горло. Они подошли к лестнице под навесом. Джини начала машинально считать ступеньки — их оказалось восемь. Стар, порывшись левой рукой в кармане, вытащил ключи и отдал их ей:

— Открывай дверь. Быстрее открывай, сволочь! И лифт вызывай — быстро...

«Прекрасно, — подумала Джини. — Никого рядом». Никого. Только она, Стар и этот ключ. Мир сузился до размеров площадки перед дверью подъезда. Руки ее дрожали. Эта дрожь была неудержимой. Джини никак не могла попасть ключом в скважину.

— Я помогу тебе, Джини, — прозвучал спокойный голос справа, и она почувствовала прикосновение руки Паскаля. Он открыл дверь с первого раза.

* * *

У Паскаля было такое ощущение, будто в его мозгу лихорадочно защелкал затвор фотоаппарата. Получилась серия любопытных кадров. Дорогая машина ехала так, будто ею управлял нетрезвый или очень неопытный водитель: сперва рванула вперед, потом так же резко затормозила всего в каких-нибудь нескольких метрах перед ними. Одним ухом он еще слушал Марианну, рассказывающую ему о том, как весело будет у нее на дне рождения. Особые надежды дочь возлагала на фокусника, который будет доставать из шляпы живых кроликов. Однако уже в следующее мгновение все внимание Паскаля переключилось на мужчину, который встал с правого сиденья машины. На нем была кровь, а в руке тускло блестел пистолет. Однако это было еще полбеды:

он успел подхватить Марианну на руки и уже рванулся к ближайшему подъезду, до которого было не более пяти метров. К тому же мужчина вряд ли представлял для них опасность: он был явно не в себе, одурманенный чем-то, и дергался, как марионетка. Скорее всего он просто не замечал прохожих на тротуаре. Таким образом, еще было время спокойно повернуться и увести отсюда Марианну, не привлекая к себе внимания.

Паскаль заставил себя перейти на шаг. Когда же он совершенно неожиданно для себя услышал имя Джини, то замер на месте. Паскаль не ушел. В подобной ситуации это было единственно возможным для него поступком, который вместе с тем мог стоить ему жизни.

Джини специально тянула время, спасая его и Марианну. Паскаль видел все. Эти десять секунд показались ему вечностью. Она прикрыла их с Марианной своим телом, а потом начала подниматься с тем человеком по лестнице. Паскаль опустил Марианну на тротуар и подтолкнул к ближайшему подъезду.

— Не двигайся, — приказал он ей. — Стой, пока я не войду в тот дом с Джини и человеком, который сейчас вместе с ней. Как только дверь закроется, возвращайся скорее к маме. Пусть звонит в полицию. Немедленно. Расскажи ей все, что видела. Расскажи, где я. Ты все поняла, Марианна?

Она подняла к нему свое побледневшее личико с широко раскрытыми глазами. В его душе шевельнулся ужас: неужели заплачет? Закричит, вцепится в него, не захочет отпускать? Однако в лице ее не было паники — оно было серьезным и внимательным. Марианна молча кивнула. И Паскаль впервые в полной степени осознал, насколько дорог ему этот родной человечек, почувствовав к дочери щемящую, почти невыносимую любовь. Пожав ей на прощание ладошку, он бесшумно побежал по тротуару и столь же неслышно и быстро поднялся по ступеням. Через несколько секунд его рука накрыла ладонь Джини — он помог ей вставить в скважину ключ.

Мозг тем временем фиксировал все новую информацию — вспышка невидимого фотоаппарата работала без остановки. Пистолет оказался «береттой». Модификация — 93R. Его владелец, насколько можно судить, к огнестрельному оружию непривычен. На взводе, но реакция заторможенная. Лицо белое как мел, глаза беспокойно бегают. Наверное, он вообще не воспринимал Паскаля как часть реальности, пока входная дверь не захлопнулась за ними и все трое не оказались в вестибюле. И только там, стоя спиной к лифту на черно-белом плиточном полу в шахматную клетку, этот мужчина, по-прежнему упиравший пистолетное дуло в подбородок Джини, кажется, наконец заметил Паскаля.

«Помедленнее, помедленнее прокручивай», — подумал Паскаль, внимательно наблюдая за молодым человеком, который застыл, будто перед его глазами мелькали кадры какой-то киноленты. Должно быть, «кинопроектор» крутил пленку слишком быстро. Кое-что в этом фильме мужчина улавливал, но многое оставалось для него непонятным.

Встретив его настороженный взгляд, Паскаль приветливо улыбнулся ему, точно старому знакомому. Поправив на плече ремень сумки с фотопринадлежностями, он вежливо осведомился:

— Хотите, чтобы я вызвал лифт? Вам на какой этаж?

Простой вопрос, по-видимому, помог мужчине сориентироваться.

— Просто вызовите — и все, — ответил он.

Паскаль так и сделал. Молодой человек пятясь вошел в кабину лифта и потащил за собой Джини. Пистолет по-прежнему был приставлен к ее горлу.

Паскаль подождал, пока двери лифта начнут закрываться, и в последний момент всунул между ними ногу.

Он попытался прочитать выражение лица Джини, уловить хоть какой-то намек. Главным при этом было не совершить ошибки. Ни слова, ни жеста — ничего, что могло быть истолковано как угроза. До этого глаза Джини, расширенные от страха, глядели ему прямо в лицо. Теперь же, когда он придержал двери лифта, лицо ее стало напряженно-многозначительным. Ее взор был явно направлен на его сумку.

— Могу чем-либо помочь? — учтиво заговорил Паскаль, лихорадочно соображая, что бы мог означать этот взгляд. — Видите ли, я работаю с Джини и... — Он сосредоточенно сдвинул брови и внезапно все понял. — В общем, я фотограф.

— В самом деле? — Молодой мужчина пристально уставился на него. Его глаза были поначалу тусклыми, но затем в них вспыхнула искорка интереса. Он судорожно дернулся.

— Это камеры, что ли? — мотнул парень головой в сторону сумки. — У вас там фотоаппараты?

В его голосе послышались нотки возбуждения, пожалуй, дажс благоговения.

— Конечно. Камеры. Объективы. Пленка.

— Ну и что скажешь? Правду он говорит? — Молодого человека слегка передернуло. Тыча пистолетом Джини в подбородок, он одновременно с интересом рассматривал Паскаля.

— Это Паскаль Ламартин, — тихо произнесла Джини. — Мы с ним в самом деле работаем вместе.

— Вот видите? Так я поднимусь с вами? — Не дожидаясь ответа, Паскаль шагнул в кабину, но вглубь не пошел, оставшись у дверей. — На какой этаж едем?

Он внимательно наблюдал за лицом мужчины. Паскаль ожидал каких-то действий с его стороны, когда входил в кабину лифта, однако никакой реакции не последовало. Насколько можно было судить, имя Паскаля, прозвучавшее из уст Джини, произвело на молодого человека большое впечатление. Вначале в его глазах заметалось неверие, потом застыло непонимание и в конце концов — когда одурманенное сознание полностью усвоило прозвучавшее имя — вспыхнули облегчение и непонятное ликование.

«Только не в лифте, — подумал Паскаль. — И не на площадке десятого этажа. Места мало, к тому же он держит Джини все еще достаточно крепко».

Молодой человек бросил ему ключи и велел открыть дверь.

«А вот в квартире — другое дело, — продолжал размышлять Паскаль, когда они вошли в большое, тесно заставленное мебелью помещение. — Да, именно здесь. Когда он в конце концов отпустит ее. Когда расслабится, потеряет бдительность. Тогда».

— Я знаю тебя, Паскаль. — На лице мужчины было написано чуть ли не мессианское прозрение. Выбрав самую безопасную для себя позицию, он прислонился к стенке камина, продолжая держать перед собой Джини. — Да-да, знаю. Знаком с твоими работами. У меня даже кое-какие твои снимки есть. Ведь это ты, кажется, принцессу Каролину Монакскую фотографировал. Помнишь? Я ее фотографии отовсюду вырезаю. А еще фотографии кинозвезды американской — Сони Суон. Отличные снимки. Ты работаешь на мои любимые журналы — «Пари-матч», «Пипл»[1]... — Он наморщил лоб, словно что-то припоминая. — Только в последнее время тебя почему-то не видно.

— Верно. В последнее время я в основном другими делами занимался. Знаешь, как оно бывает...

— Ну да, конечно. Как не знать... Я это к тому, что трудно, наверное, к этим знаменитостям подобраться. Минуя охрану, собак... Снимать то, что не предназначено для чужих глаз. Мне такие снимки особенно нравятся. Взять ту же

[1] Французский и американский журналы, специализирующиеся на освещении жизни знаменитостей.

Соню Суон. Эта сучка не лучше любой проститутки, и ты показал ее именно такой, какая она есть на самом деле.

Он замолчал, прямо-таки светясь от удовольствия.

«Ирония судьбы», — внутренне усмехнулся Паскаль. Те три года его жизни, которые он считал наиболее бесполезными и презренными, которых так стыдился, неожиданно сослужили ему добрую службу. Одного взгляда на подонка, который стоял сейчас перед ним, было достаточно, чтобы поставить точный диагноз: болезненная жажда славы в тяжелой степени. «Особая форма помешательства, — подумал Паскаль. — И сколько таких по свету ходит? Поклонники, фанатики, мечтающие хотя бы на миг искупаться в лучах известности, пусть даже чужой».

— Я до сих пор храню твои снимки, которые вырезал. — Парень внезапно залился пронзительным смехом. — И находятся они тут. Кое-что из своих вещей я держу в комнате моей матери — это здесь недалеко, через коридор. Может, позже вместе посмотрим. Они в чемодане лежат, под кроватью. — Он замолчал, собираясь с мыслями, и снова скривился в судороге. — Слушай, Паскаль, ты вроде парень неглупый. Правильно я говорю? Хочу попросить тебя об одной вещи. Обойди всю квартиру, каждую комнату, закрой все жалюзи и задерни шторы. И свет зажечь не забудь. А потом пойди на кухню и принеси мне воды. В холодильнике стоит, в бутылках. Матильда специально для меня держит. Принеси запечатанную бутылку и стакан. И смотри, Паскаль, будь умницей, а не то...

— Что ты, что ты, все понимаю.

Паскаль направился к окнам. Он рассчитывал время: сколько его осталось — пять минут, десять? Включат они сирены или подкрадутся без шума?

Паскаль быстро обошел квартиру, хорошо запомнив расположение комнат. Ее «хребтом» служил длинный темный коридор, по обе стороны которого располагались по две комнаты: две большие комнаты — направо, две спальни — налево. При каждой спальне — по ванной с туалетом. Та комната, в которую они вошли сразу втроем, была гостиной. Вторая служила столовой. В конце коридора располагалась большая и старомодная кухня. Планировка была почти такая же, как и в квартире Элен, только эта была чуть меньше. Это вселяло определенную надежду.

Однако стоило ему прийти на кухню, как все его надежды рухнули. Как и в квартире Элен, с этой кухни был черный ход на пожарную лестницу. Но воспользоваться им не было

никакой возможности. Паскаль в отчаянии смотрел на дверь черного хода: надо же так обмануться!

Дверь была загорожена гигантским холодильником, сдвинуть который с места было под силу разве что трактору. Паскаль не без труда открыл защелки на всех окнах, хотя и сомневался, что это что-то даст. Эти окна не открывались, наверное, уже лет двадцать — рамы были сплошь замазаны краской. Ни единой щелочки. Он налег покрепче на окно, расположенное над раковиной. Но тщетно — рама была будто вырублена из цельного куска мрамора.

Осмотревшись получше на кухне, Паскаль быстро начал один за другим выдвигать ящики серванта и в конце концов нашел то, что искал, — длинный, узкий и очень острый нож. Он сунул его во внутренний карман куртки, однако оптимизма от этого не испытал. Нож против пистолета — практически ничто.

Паскаль возвращался с кухни с водой — интересно, зачем этому шизику вода? — когда услышал из гостиной звук, от которого у него похолодело в груди. Низкий стон сменился приглушенным вскриком. Джини!..

— Пожалуйста, не надо... — донеслось до его слуха. — Стар, нет, только не сейчас. Умоляю тебя... Нам нужно поговорить. Ты же сам говорил об интервью. У меня в сумке есть диктофон, кассеты...

Паскаль подошел к двери. Он опоздал секунд на пять. Если благоприятная возможность и была, то только раньше. Теперь же от нее не осталось и следа. Неизвестно, что делал Стар, но он, услышав шаги Паскаля, прервал свое занятие. Паскаль с лицом белее мела замер на пороге.

По отдельным деталям он мог восстановить то, что здесь только что происходило. И это повергло его в ужас. Джини стояла перед Старом на коленях и дрожала всем телом. Ремень на брюках Стара был расстегнут; в правой руке он по-прежнему сжимал пистолет, который на сей раз был приставлен к виску Джини. Его левая ладонь лежала на ее затылке. Физиономия этого мерзавца выражала неприкрытую похоть. При появлении Паскаля он рывком поднял Джини с пола.

— Воду поставь здесь, а сам отойди в угол. Быстро! — Он выждал, пока Паскаль не исполнил его приказания. — Вот и прекрасно. Я тут интервью даю, а Паскаль, думается, может тем временем нас пофотографировать. Неплохие снимочки получатся, правда? Сейчас буду рассказывать все по порядку... — Его глаза слегка затуманились, но тут же вновь обрели живой блеск. — Я мог бы многое порассказать тебе и в самом деле намеревался это сделать. Но теперь — не знаю.

Наверное, изложу только основные факты. Вкратце. Потому что мне в любую минуту может захотеться чего-нибудь другого...

Стар внезапно умолк, дернув шеей, как животное. Он весь обратился в слух. Прислушивался он. Прислушивалась Джини. Прислушивался Паскаль. Они прислушивались к нарастающему вою множества сирен.

Этот звук все приближался, становился громким, душераздирающим. И внезапно оборвался. Стар издал долгий вздох. Он вновь привлек Джини к себе, и Паскаль увидел выражение животного страха на ее лице. По ее лицу текла кровь. Она зажмурилась и сжала кулаки. В правой руке Стар держал у ее горла пистолет, а левую положил ей на грудь.

Только что Стар настороженно слушал надрывный вой сирен. А теперь, судя по всему, наслаждался наступившим безмолвием.

— Кажется, зрители пожаловали, — выдавил он.

* * *

В половине двенадцатого, в то время как Куэст, покачивая бедрами, шествовала по подиуму в платье цвета фуксии, Роуленд пробирался по проходу между секторами к выходу. Глядя на побледневшие от напряжения лица жандармов, оцепивших последний ряд, он явственно услышал внутренний голос: «Нет, все будет не так. Совсем не так». Что бы ни говорил Стар Майне, этот сценарий был слишком прост, в него слишком легко было поверить. Роуленд быстро вышел из здания. То, что здесь затевалось, было чистой воды театром, но Роуленд, кем бы ни был настоящий режиссер, не собирался исполнять в этом спектакле роль статиста.

Оказавшись на улице, он увидел, что массовка уже собирается. Прибытие Группы вмешательства, как и можно было ожидать, до предела возбудило прессу. За пределами дворика перед входом в Дом Казарес уже бурлило море репортеров, фотографов и съемочных групп. Кое-где вспыхивали ожесточенные споры с полицией. Некоторым из числа особенно бойких удавалось проникнуть за полицейское оцепление, однако их сразу же выталкивали обратно. Тем не менее натиск пишущей и снимающей братии на выставленные полицией заграждения не ослабевал. Обогнув разгоряченную толпу, Роуленд вышел на задворки. Он миновал запертые ворота, за которыми, насколько ему было известно, располагалась гаражная стоянка «Мерседесов» Казарес. Затем увидел служебный вход в здание.

Через каких-нибудь несколько минут журналисты возьмут в осаду и эту неприметную железную калитку, однако пока здесь было тихо. Угрюмый охранник на входе принял гостя не слишком приветливо.

— Посторонним вход воспрещен, — официально известил он Роуленда. — Всем посторонним.

Так что если посторонний сейчас же не уйдет отсюда подобру-поздорову, добавил охранник, угрожающе потянувшись к телефону, то через пару секунд здесь появятся крутые ребята, которые быстренько выяснят, что это за птица.

Роуленд ушел. Он знал только два места, где мог объявиться Стар, — квартира Матильды Дюваль или комната Шанталь. Однако Матильда должна была находиться сейчас здесь, на просмотре. Сидит, наверное, тихо в комнатке, о которой рассказывала ему Жюльет де Нерваль. Значит, Шанталь...

Менее чем через десять минут Роуленд вышел из такси на улице Сен-Северин. Постоял недолго у собора, затем пересек дорогу. Дверь на улицу оказалась открытой. Он замер в нерешительности на пороге, глядя на уходящие вверх ступеньки лестницы, ведущей в комнату Шанталь. Дверь наверху тоже была распахнута настежь. Роуленд внутренне напрягся, теперь ни капли не сомневаясь, что случилось что-то неладное.

Поднимаясь по лестнице, он уже примерно знал, что здесь произошло. Его худшие подозрения подтвердились сразу же. Едва войдя в комнату, Роуленд увидел застывшую на стене кровь. Где-то царапался и дико орал кот.

Кот оказался запертым в тумбочке под мойкой. По какой-то неведомой причине ему была дарована жизнь. Шанталь, Жанна и их тощая серенькая собачка такой милости не удостоились. Жанна, судя по всему, пыталась оказать сопротивление. Ее тело было распростерто на полу у залитой кровью стены. Шанталь скорее всего умерла, даже не поняв, что происходит. Она была застрелена в кровати. Ее постель была насквозь пропитана кровью. Кровь была повсюду — на полу, на тюлевых занавесках, на стенах. Это мог сделать только Стар. Словно чтобы ни у кого не оставалось в этом сомнений, убийца оставил свою подпись — на стене, под которой лежала Жанна, кровью была начертана кособокая звезда. Над изголовьем кровати, на которой вечным сном уснула Шанталь, красовался еще один кровавый знак — грубо намалеванное распятие. Рядом с трупом собачки валялась груда одежды — черные джинсы, красный шарф и прочие предметы «студенческого наряда», в котором Стар, по собственным

словам, намеревался явиться на показ коллекции Казарес. Роуленд отвел глаза от мертвецов. В раковине и на стойке рядом с ней еще не высохли до конца лужицы розоватой воды.

«Все было спланировано заранее, — понял Роуленд. — Он пришел сюда и сделал то, что задумал задолго до этого дня. А потом вымылся и переоделся».

Гнев, недоумение, шок — все эти чувства разом нахлынули на него. Обернув руку носовым платком, Роуленд поднял телефонную трубку и позвонил Люку Мартиньи. Скрежет под раковиной стал невыносим. Наклонившись, он открыл дверцу тумбочки. Тот вылетел из нее как угорелый и понесся вниз по лестнице. Роуленд попятился из комнаты. Эти распростертые тела о многом говорили ему. Здесь произошло не просто убийство. Речь шла о более гнусном злодеянии.

Не в силах больше выносить это зрелище, он сбежал вниз по лестнице, предпочтя дожидаться прибытия полиции на улице. Жадно хватая воздух ртом, Роуленд пытался оживить в памяти недавние беседы — с Шанталь вчера, с Майной сегодня утром. Обе они, каждая по-своему, втолковывали ему, что, несмотря на случавшиеся со Старом припадки бешенства, сексуальной агрессии с его стороны можно было не опасаться. «Он хороший, — вспомнились ему слова Майны, — он меня ни разу пальцем не тронул. Вы понимаете, о чем я говорю?»

Перед глазами Роуленда возвышался темный силуэт собора Святого Северина. Начался мелкий дождь. Вдали завыли сирены, их вой становился все ближе. Словно сквозь туман он видел, как Мартиньи вместе с другими полицейскими входит в дом. С лестницы послышались их шаги, приглушенные восклицания. При виде того, что творилось наверху, даже профессионалы не могли сдержать эмоций. В душе Роуленда между тем появилось страшное предчувствие, которое быстро перерастало во всепоглощающую тревогу. Где Джини? На этот вопрос не было ответа. Химеры злорадно скалились на него с высоты.

Мартиньи провел в комнате Шанталь всего несколько минут. Роуленд отметил про себя этот факт — от дурного предчувствия душа заныла еще сильнее. Вернувшись, инспектор взял его под руку и повел к полицейской машине.

— Сейчас я все объясню, — пообещал Мартиньи.

И когда машина уже во весь опор мчала их по городским улицам, выполнил свое обещание. Роуленд молча слушал его, не видя ничего, кроме ослепительно белых и ярко-синих

сполохов полицейской мигалки. Казалось, сирена воет в его мозгу.

— Убиты не только те две женщины, — сипло произнес Мартиньи. — У нас на счету уже пять трупов: во-первых, мсье Лазар, затем эта старая служанка — мадам Дюваль, охранник на служебном входе... — Он умолк.

— И? — отрывисто спросил Роуленд.

— И еще нам известно, где сейчас Стар. Нам позвонили пять минут назад. Он в квартире Матильды Дюваль. И, к сожалению, не один. Женевьева Хантер — она ваша коллега, не так ли? Так вот, она там вместе с ним. Нет-нет, послушайте... Да, она заложница, он держит ее на мушке. Но там не только она. Там же находится фотограф. Возможно, вы знаете его. Паскаль Ламартин...

Мартиньи запнулся. Роуленд на сей раз не проронил ни звука.

— Присутствие мужчины — это уже кое-что. Вы не считаете? — Мартиньи неуверенно взглянул на него. — Конечно, ситуация хреновая. Никто не станет отрицать этого. Пять трупов... Особенно те две женщины... — Он снова замялся. Роуленд смотрел ему прямо в глаза.

— Он изнасиловал их?

— Да. Боюсь, что да. Может быть, еще когда они были живы. Может, после... — Выражение лица Мартиньи стало непроницаемым. — А сейчас нам нужна ваша помощь. Вы согласны нам помочь?

Когда они прибыли на Рю-де-Ренн, инспектор с озабоченным видом куда-то исчез. И появился с уточненным списком жертв.

— Не пять, а шесть, — лаконично сообщил он. — «Мерседес» только что отбуксировали на стоянку. Поверьте, не хочется вам рассказывать, что наши ребята обнаружили в багажнике...

Мартиньи закурил сигарету и глубоко затянулся. Они с Роулендом стояли под моросящим дождем, наблюдая за тем, что происходит на бульваре. Эвакуация жильцов еще не закончилась. Подтягивалась техника: полицейские машины и черные фургоны все прибывали, запружая проезжую часть. Трепетали на ветру ленты, ограничивающие проход к месту происшествия. Грохотали по асфальту тяжелые ботинки.

Взгляд Роуленда медленно скользил по фасаду дома, где жила мадам Дюваль. На крыше этого здания, а также на крышах соседних домов перемещались темные тени: полицейские снайперы занимали свои места.

— Вон та квартира, — показал Мартиньи пальцем в небо, — на самом верху. Видите те окна, где закрыты жалюзи?

— Я знаю, где это, — кратко обронил Роуленд.

— Минут через десять мы установим с ним телефонную связь. Кажется, он не оборвал телефонный провод, что само по себе уже неплохо. Но вместе с тем не в наших интересах и спешить вступать с ним в переговоры. Разговаривая с этим безумцем, придется взвешивать каждое слово. Нам нужна ваша помощь. На каком языке лучше с ним говорить — на английском, французском? Надо подумать. Может быть, с вашей помощью можно будет найти к нему какой-то особый подход. Вам о нем известно больше, чем всем остальным.

— Да-да. Конечно, я постараюсь помочь вам. Какие могут быть разговоры...

— И помните о том, что я вам говорил. — Мартиньи доверительно взял его под локоть. — Она там с ним не одна. А это уже кое-что.

— Вы в самом деле так думаете? Но с восьми часов утра он успел отправить на тот свет уже шесть человек.

— Пусть даже так, все равно у нас остается надежда. В подобной ситуации трудно что-либо предвидеть. Не знаю почему, но я уверен: с ней все будет в порядке. С ними обоими все будет в порядке. Они нужны ему живыми — это его пропуск на свободу. Во всяком случае, так ему кажется. Сигарету не желаете?

Роуленд отрицательно покачал головой. Он не отрывал взгляда от здания напротив. Этот Мартиньи был далеко не глуп. Но и Роуленд не считал себя дураком.

— Ну хорошо, согласен, — раздраженно заговорил инспектор. — Вполне допускаю, что если они и нужны ему, то, вероятно, не оба...

— Вы знаете это на сто процентов, черт бы вас побрал! — не выдержал Роуленд. — То, что их там двое, не улучшает, а только усложняет дело. Он обожает выступать перед зрителями. Одного убьет, а перед другим красоваться будет. Потом убьет и второго.

— Если уж ему придется выбирать, то он оставит в живых женщину, — вздохнул Мартиньи. — Мы оба отлично знаем это. Тут все ясно как божий день: психологически женщина слабее, ее легче запугать, держать в подчинении.

Он умолк. Глядя этому англичанину в холодные зеленые глаза, инспектор прекрасно знал, что у того творится на душе. Потому что сам думал о том же.

— Не надо, — мягко произнес он. — В нынешней ситуации думать о худшем — последнее дело. Единственное, что нам с вами остается, — просто ждать. Через полчасика все определится. Мы тем временем им позвоним, «жучки» рас-

ставим, получим план квартиры. Нам будет известно о каждом его шаге. — Мартиньи пожал плечами. — Почти о каждом... Пройдемте-ка лучше сюда, в этот фургон. Они там сейчас телефонную связь устанавливают, магнитофоны настраивают.

Роуленд понуро поплелся за ним. Пока они разговаривали, к дому подкатили еще три фургона и пять легковых машин. Прибыли первые съемочные группы — телевизионщики захлопотали со своим оборудованием. Роуленд внимательно смотрел под ноги, переступая через всевозможные кабели и провода. На его глазах еще один отряд Группы вмешательства надел шлемы и бронежилеты. Роуленд видел подобные сцены сотни раз — в фильмах, в выпусках новостей. Подобные кадры всегда вызывали у него смутную тревогу. Теперь же, когда он увидел эти приготовления воочию, душа его с новой силой наполнилась дурными предчувствиями. Все было как в кино. Потому что так хотелось Стару. Стар по-прежнему оставался хозяином ситуации.

— Неужели вы не видите? — возбужденно обратился Роуленд к флегматичному психологу в неброском темном костюме, сидевшему в фургоне напротив него в ожидании, когда связисты подключатся к телефону в квартире мадам Дюваль. — Разве не видите, что ему только того и надо? Самое полное освещение, репортажи в лучшее время. Ведь это его сценарий! Его фильм! В котором ему уготована роль звезды. Ему, который почти всю жизнь был ничтожеством, червяком...

— Может, лестью взять попробуем? — деловито осведомился психолог.

— Может быть. Уж, во всяком случае, не критикой. К тому же он не любит, когда ему задают вопросы. Об этом говорила та девочка-голландка... И еще учтите, что у него бывают частые перепады настроения. Очень резкие. Тем более что сейчас он наверняка наркотиков нажрался. Может, кокаина, может, еще чего... — Роуленд захлебнулся от отчаяния и злости. Но именно отчаяние подсказало ему одну идею. Стоило только вспомнить о мертвой Кассандре, мертвой Марии Казарес. — Есть одна возможность... — неуверенно протянул он и тут же затряс головой. — Нет, слишком опасно.

Психолог и Мартиньи переглянулись.

— Мсье Макгуайр, — тихо, с долей укоризны, проговорил психолог, надевая наушники. — В такой ситуации каждый шаг опасен.

* * *

— Открой чемодан, Паскаль, — приказал Стар. — Открывай, и от стола — ни на шаг. Вот так. Молодец.

Паскаль послушно открыл чемодан, который, как и говорил Стар, оказался под розовой кроватью в розовой комнате, сплошь обвешанной и заставленной портретами одной женщины — Марии Казарес. Всемирно известную кутюрье на них не узнал бы разве что слепой.

Он медленно поднял глаза. Стар по-прежнему сильно нервничал, что, однако, не мешало ему проявлять величайшую осмотрительность. Этот невменяемый стоял в пяти метрах от Паскаля, прикрываясь Джини, как щитом. Пистолет по-прежнему был приставлен к ее горлу. На небольшом столике рядом стоял диктофон Джини с выносным микрофоном. Пленка уже была вставлена в гнездо.

Кассета крутилась — шла запись. И Паскаль, и Джини знали: эта пленка им не поможет. Для Стара крутящаяся кассета открывала путь к славе, к бессмертию. У него не было необходимости ни в Джини, ни в статье, которую она могла бы написать. Сложив все кусочки мозаики вместе, Паскаль теперь понимал: что бы Стар ни говорил ей раньше, на деле ему вовсе не нужно было, чтобы Джини представила читателям собственную версию происшедшего. Ему не нужно было, чтобы кто-то излагал его слова. Гораздо лучше было записать на пленку собственный живой голос — чтобы позже весь мир услышал его. Что же касается Джини, то она была обречена. И Паскаль тоже. Задачей фоторепортера было сделать в этой квартире снимки. И умереть, так и не увидев своей работы.

«Сейчас мы еще нужны ему, — подумал Паскаль. — Но едва запись будет окончена, а все кадры отсняты, он убьет нас». У него не было на этот счет ни малейшего сомнения. Он даже знал, кого из них Стар убьет первым.

Чемодан был битком набит исписанными блокнотами, газетными вырезками и фотографиями. Все это было перемешано. С величайшей осторожностью Паскаль начал доставать из чемодана содержимое и раскладывать измятые листки на столе.

— Смотри, не перепутай ничего! — резко вскрикнул Стар. — У меня там все по порядку разложено. Понял? На самом верху — информация о моих родителях. И еще мои записки, которые я начал делать, когда стал кое-что соображать.

Под своими родителями он, очевидно, имел в виду Марию Казарес и Жана Лазара. Паскаль принялся складывать

блокноты в одну стопку, вырезки с загнутыми уголками — в другую.

На дне чемодана оказались разрозненные, почти превратившиеся в лохмотья, бумаги. Впрочем, там же обнаружились и кое-какие тематические подборки. В частности, на самом дне хранилось собрание вырезок о правящей династии Монако, включая сделанные Паскалем украдкой снимки принцессы Каролины, о которых с таким восторгом отзывался Стар. Отдельные разделы впечатляющей коллекции были отведены семейству Кеннеди, какому-то английскому герцогу и его супруге-канадке, а также американско-австралийскому газетному магнату. Несколько подборок были посвящены американским кинозвездам. Все это Паскаль рассортировал на аккуратные кучки. Последними он извлек на свет изрядно потрепанные порнографические открытки, на которых были запечатлены сцены, отличающиеся крайней разнузданностью, даже садизмом. Стар странно скособочился, будто хотел дотянуться до бумажных стопок рукой, но только улыбнулся.

— Эти старые бумажки можешь считать моим фальстартом, — хмыкнул он. — Герцог этот вшивый, кинозвезды... Это было только началом. Видишь ли, я всегда знал, что не такой, как другие. Я не какой-нибудь маленький человечек с улицы. Соображаешь, к чему это я? Я всегда пытался отыскать свою мать — с тех самых пор, когда достаточно подрос, чтобы уйти из детского дома. Но Мария сумела хорошо замести следы. А знаешь ли ты, что мне хотели вбить в голову? — В его голосе зазвучали презрение и насмешка. — Эти олухи пытались заставить меня поверить в то, что мать моя — проститутка, потаскуха, подстилка дешевая. Которая к тому же уже сдохла. Но меня не проведешь! До сих пор помню, как сижу я в Монреале перед этой крысой из бюро социальной помощи, которая приволокла мне целый ворох так называемых документов. И все, заметь, с печатями. Было там и мое свидетельство о рождении — грязная бумажка с прочерком в графе «отец». Только не можешь, говорит мне крыса, ты со своей мамой увидеться, потому что погибла она. Один из клиентов отметелил так, что уже не встала... И смотрит на меня так сочувственно, так жалостливо. Что взял бы и придушил на месте. Чтобы не врала мне, гадина. Но потом раскинул я мозгами и вижу: а ведь она чей-то приказ выполняет — только и всего. Выходит, выгодно кому-то меня за нос водить. В общем, простил я ее, не стал убивать. Суку мерзкую, лживую...

Его всего передернуло. Джини боязливо вздрогнула.

— Что мне после этого оставалось? Только искать своих папу и маму. Верно я говорю? И чего они только не делали, чтобы помешать мне! Долго я шел по ложному следу, но в конце концов судьба смилостивилась надо мной: я встретил Матильду. Поначалу, когда я приехал в Париж из Амстердама, у меня ничего не складывалось: карта не шла, денег не было, да к тому же еще со своей подружкой Шанталь поссорился. И вот, когда мне совсем уже некуда было деваться, на моем пути повстречалась Матильда. Это произошло всего в нескольких кварталах отсюда. Она кормила голубей в скверике, и я с ней разговорился. Мне хотелось есть, нужна была крыша над головой. Да и чувствовал я себя тогда паршиво: головные боли совсем доконали. А она привела меня сюда, накормила. С Матильдой у меня сложилось как нельзя лучше. Хорошая бабуля была — я к ней по-настоящему привязался. Матильда была одинока и не переставая говорила о Марии. О том, кто такая Мария, я, конечно, знал — читал про нее в журналах. Но после всех этих разговоров я стал словно прозревать — медленно, постепенно. Где-то через неделю — а может быть, и меньше, может, через день, точно уже не помню — Матильда рассказала мне о том, как Мария потеряла своего крошку-сына, когда была еще в Новом Орлеане. И меня словно током ударило! Я увидел — вот именно, увидел! — как все было. Все совпадало! Даты совпали, все остальное. Я тоже когда-то жил в Новом Орлеане, правда, совсем немного. Волосы у меня черные, как у Марии и этой свиньи — Лазара. Волосы, глаза... Ведь я похож на мать. Правда, похож?

— Сходство есть, — веско произнес Паскаль.

Все это время он внимательно изучал Стара, бдительность которого, судя по всему, начинала потихоньку ослабевать. Взгляд этого парня был таким же безумным, как и его слова. Он смотрел то на Паскаля, то на Джини, то на свой пистолет, то куда-то в угол. Было такое ощущение, что этот монолог хорошо отрепетирован, заучен наизусть. Как видно, Стар частенько беседовал с самим собой.

Осторожно, как сапер на минном поле, Паскаль вышел из-за стола. Расстояние между ним и Старом слегка сократилось. Стар никак не прореагировал на это. Он был снова занят Джини, неуклюже и грубо тиская ее груди.

— Послушай, Стар, дай я проверю пленку, — лепетала она, дрожа всем телом. Ее взгляд был устремлен на Паскаля. Джини хорошо видела, какие чувства вызывает у него скотство Стара. Судя по выражению лица, Паскаль готов был в следующую секунду броситься на подонка. И она глазами

пыталась дать ему понять, что сейчас еще не время. «Остановись, вытерпи», — умоляли ее глаза.

— Стар, эта кассета скоро закончится. Ты не беспокойся, у меня их много. Разреши мне вставить новую...

— Нет. Не надо новой. Все кончено. Все.

— Нет, Стар, не все. Не может быть, чтобы все. Я... Мне еще так много надо у тебя спросить. Людям ведь небезразлично будет, как повела себя Мария, когда ты сказал ей, кем являешься на самом деле. Ведь ты сказал ей, не правда ли, сказал?

— Да, сказал.

— Вот люди и захотят узнать, что она тебе ответила. Им будет интересно, что было дальше... — Она, сдвинув брови, снова пристально посмотрела на Паскаля. — Люди захотят узнать, почему ты решил убить Жана Лазара и что случилось после того, как ты сделал это.

Ни один мускул не дрогнул на лице Паскаля. Он видел: таким образом Джини пытается ввести его в курс дела, а заодно тянет время. «А ведь это, должно быть, кровь Лазара — эти засохшие пятна на его руках и лице», — только сейчас осознал он.

— Людям потребуются факты, пойми, Стар, — продолжила Джини. — Тебе и Паскаль то же самое скажет. Ведь правда, людям все это будет интересно? Скажи, Паскаль, правда?

— Конечно. — Паскалю, несмотря ни на что, удалось сохранить ровный тон. — В подробностях — соль любого материала.

— Почему я убил его? — рассмеялся Стар. — Как убил? Как я убил бы эту гниду — свою мамашу, если бы только мог дотянуться до ее горла? Что ж, могу объяснить...

Он поднял пистолет и упер дуло в затылок Джини. «Реакция стала еще более заторможенной, — подметил Паскаль. — Ему потребовалось почти пятнадцать секунд, чтобы понять вопросы Джини».

Стар переставал замечать течение времени. Не заметил он, судя по всему, и реплики Паскаля. Одурманенный мозг отказывался служить ему. Во всяком случае, так казалось Паскалю.

Стар позволил Джини нагнуться к диктофону, чтобы заменить кассету. Паскаль выжидал. Однако удобная возможность все не появлялась. Примерно через двадцать секунд после того, как новая кассета была вставлена и Джини нажала на кнопку «запись», Стар рывком притянул ее к себе и заговорил вновь:

— Ты хочешь знать, как это произошло? Он упрашивал меня не убивать его. — Его голос становился все громче. — Это он-то, великий Жан Лазар! Великий повелитель, ползающий на коленях, умоляющий меня не стрелять, предлагающий мне все, что я только захочу, лишь бы я пощадил его. Честно признаюсь: мне это понравилось. Скажу больше: я получил истинное наслаждение. Мой сраный папаша, ползающий передо мной на коленях... Господи, как же долго я ждал этого...

Паскаль увидел, что избран неверный подход. Обсуждение подобной темы было чревато смертельной опасностью. Стар снова входил в раж. В его больной голове, по всей видимости, между унижением и сексом существовала прямая связь.

Перестав говорить, маньяк грубо притиснул Джини к себе и принялся торопливо ощупывать ее тело. Он сладострастно терся о ее спину, не спуская при этом глаз с Паскаля. Он улыбался, его глаза остановились и заблестели неживым, стеклянным блеском.

— Не вздумай, Паскаль. Мой пистолет снят с предохранителя. И очень хочет выстрелить. Ты в пистолетах разбираешься? В обойме этого — пятнадцать патронов. А пульки противные-противные. Эти пульки очень многое могут — я от них просто балдею. Ты и шагу не сделаешь, как такую схлопочешь. И она тоже. — Его голос зазвенел с новой силой. — Что, Паскаль, не нравится? Расстроен небось? Слабеньким себя ощущаешь? Может, даже импотентом? Сочувствую тебе, старина. И я то же самое когда-то испытал. Долгие годы все плевали на меня, макали меня в парашу, держали взаперти, помыкали мною как хотели. Ты знаешь, что такое пресмыкаться в приютах перед старшими педерастами, ублажать их по ночам? Знаешь, сколько лет мне было, когда впервые пришлось хлебнуть этой радости? Пять! И имели меня по полной программе — со всех сторон. Десять, нет, двенадцать лет я провел в этом аду. И все эти годы со мною обращались как с дерьмом собачьим, как с последним ничтожеством...

Паскаль словно окаменел. Джини, застонав, обеими руками зажала рот. Паскаль двинулся вперед. Он видел, что Стар вот-вот начнет стрелять. Лицо сумасшедшего напряглось, и он начал засовывать ствол пистолета в рот Джини. Но в этот момент зазвонил телефон. Стар еще некоторое время возился с пистолетом, однако после пятого звонка повернулся к телефону. Наконец-то услышал... Короткая судорога пробежала по его телу. Лицо Стара превратилось в застывшую белую маску, однако уже через секунду он пришел в себя и ткнул пистолетом в ребра Джини:

— А ну пошла к нему, быстро! За столом стойте так, чтобы я вас обоих видел. Никому не двигаться. Мне нужно ответить на срочный звонок. — Его еще раз передернуло, и он залился почти счастливым смехом. — Пора побеседовать с моим личным психоаналитиком.

Джини, пошатываясь, побрела к столу. Стар цепким взглядом проводил ее и успокоился, лишь когда она встала у противоположного края стола рядом с Паскалем. Его от них отделяло около семи метров. Держа обоих на прицеле, он снял трубку и прижал ее щекой к плечу. Лицо его расплылось в широкой улыбке. Паскаль не мог разобрать, что говорят Стару. До его слуха долетало лишь глухое бормотание. Насколько можно было понять, бормотал мужской голос, причем бормотал спокойно и уверенно. Паскаль крепко обнял Джини за плечи. Кто бы ни был этот мужчина, звонивший сейчас по телефону, он молился за него. И еще за то, чтобы говорящий понял, насколько срочно нужна им помощь.

Обнимая дрожащую от страха Джини, Паскаль поцелуями осушал слезы, струившиеся по ее щекам. Он, как мог, пытался успокоить ее, помочь ей унять дрожь. Воспользовавшись тем, что Стар начал говорить по телефону, Паскаль прильнул губами к уху Джини. Зашептав, он тут же почувствовал, как напряглись ее плечи.

Оба знали, что это, возможно, их последний разговор. За короткое время им нужно было сказать друг другу очень многое.

— Нам отпущено совсем немного. Ты понимаешь это, Джини?

— Понимаю. Я думала, он выстрелит раньше.

— Он уже готов был сделать это. Он дошел до точки. Но ему нужны фотографии, и, кажется, это дает мне шанс... — Он замолчал в ожидании, когда Стар заговорит опять. Тот начал что-то бессвязно выкрикивать в трубку, и Паскаль снова еле слышно зашептал. Джини слушала его с остановившимся взглядом. Его губы нежно щекотали ее кожу, но то, что он говорил, заставляло цепенеть от ужаса.

— Нет, — тихо пробормотала она в ответ. — Нет, Паскаль, прошу тебя, не надо. Он убьет тебя. Он и так хочет убить тебя первым. Мы должны ждать, стараться увлечь его разговором.

— Надо попытаться. Ты же видишь, какой он дерганый. Настроение меняется каждую секунду. Полиция наверняка

будет тянуть резину, пытаться измотать его, выпустить из него пар. Но у нас нет времени ждать.

Он умолк. Стар расхохотался, внимательно выслушал, что ему говорят, и заговорил сам. Паскаль в это время задумчиво смотрел на мучнисто-белое лицо Джини. Сколько же времени у них осталось? Минут десять-пятнадцать? Наверное, меньше.

— Паскаль... — Ее рука коснулась его пальцев. — Скажи, ну почему ты не ушел? Ведь ты был с Марианной. У тебя было достаточно времени, чтобы спастись.

Она замолчала, потому что и так знала ответ. А если бы не знала, то ей достаточно было просто взглянуть на лицо своего возлюбленного, исполненное нежности и печали.

— Для меня об этом не могло быть и речи, — ответил Паскаль просто. Его голос на сей раз дрогнул. — Ничто не изменилось, Джини. Я все так же люблю тебя, и ты это знаешь. — С этими словами он наклонился и поцеловал Джини в губы, повернувшись к Стару спиной, чтобы тот не видел их поцелуя.

Ее губы открылись ему навстречу. В ее объятиях были любовь и отчаяние. Эти два чувства часто идут рука об руку.

Он страстно целовал ее, думая, что, может быть, делает это в последний раз в жизни. Ответный поцелуй был не менее страстным. Паскаль посмотрел на нее и заметил в ее лице существенную перемену. Теперь оно горело решимостью.

Стар повысил голос и рассмеялся опять. Оторвавшись от губ Джини, Паскаль прошептал слова, которые могла слышать только она:

— Розовая спальня, Джини. Все должно произойти там. Мне нужно, чтобы он оказался в комнате, где ему станет не по себе. В комнате, где меньше всего света.

* * *

Роуленд сидел с наушниками на голове в фургоне связи. Полицейский психолог, который представился Стару просто как Люсьен, беседовал с ним по телефону уже почти пять минут. Все его хитрости были видны Роуленду как на ладони. Этот спец по общению с террористами и маньяками пытался успокоить засевшего в квартире вооруженного «клиента» и в то же время вытянуть из него как можно больше информации. Иными словами, установить с ним доверительные отношения. У Роуленда сложилось впечатление, что Стар

прекрасно понимал, чего от него добиваются. Похоже, психолог тоже отдавал себе в этом отчет.

Стар был сама покладистость. Однако его ответы — он постоянно переходил с французского на английский и обратно — становились все более насмешливыми, а тон голоса — издевательским.

— Не нужно ли еды? — переспросил Стар и рассмеялся. — О, прекрасная идея! Мы как раз соображаем, чем бы нам тут закусить. Хорошо, что у нас есть буфет и холодильник. Спешу вас обрадовать: они просто ломятся от провизии, так что, думаю, еды мне хватит на несколько дней, а то и недель. Короче говоря, от голода не умру. Джини и Паскаль тоже. Нам тут хорошо втроем — мы всем делимся по-братски. Правда, когда ты говорил о еде, то, должно быть, подразумевал что-то совершенно особенное? Я не ошибаюсь? Знаешь, чего мне сейчас хочется больше всего? Лангустов. Есть на улице Сен-Жермен один ресторанчик, называется «Золотой век». Вот где умеют по-настоящему готовить! Лангусты там — пальчики оближешь. Ах, если бы мне оттуда доставили этих лангустов... Прямо сейчас не надо. Разве что через час. В общем, звони через час. Нет, лучше через полчаса. А еще лучше — через двадцать минут. Буду считать, что мой заказ принят. Ну как, идет?

Психолог уныло посмотрел на Мартиньи.

— Идет. Нам это не составит никакого труда, — ответил он ровным, приветливым голосом.

— И о машине не забудь, — продолжал смеяться Стар. — Она мне может пригодиться. Подгоните-ка, пожалуй, «Роллс-Ройс» Жана Лазара 1938 года выпуска. Я именно на нем хочу поехать в аэропорт. А впрочем, с этим тоже особо торопиться не надо. Пока мне и здесь хорошо, даже слишком. Лучше я тебе еще раз оглашу весь список.

Он начал в очередной раз зачитывать список своих абсурдных требований. Психолог на время отключил свой микрофон. Поглядев вначале на Мартиньи, а потом на Роуленда, он сокрушенно покачал головой.

Мартиньи озабоченно поведал что-то сидевшему рядом с ним офицеру Группы вмешательства. В фургоне между тем продолжал монотонно звучать голос Стара. Когда восстановилась тишина, психолог снова включил микрофон. Роуленд зачарованно наблюдал за тем, как крутятся магнитофонные бобины. Чувство бессилия и страх возрастали в его душе с каждой секундой.

— А пока... — Стар выдержал эффектную фразу. — Боюсь вас там огорчить, но наши окна занавешены. Так что, к со-

жалению, нам вас отсюда не видно. Но зато и ваши снайперы нас не видят. — Он злорадно хихикнул. — Ты уж сделай одолжение, скажи, отклик в обществе есть? Пресса прибыла уже? Съемочные группы готовы? Хотя нет, лучше не отвечай. То есть ты, конечно, парень честный, но соврать мне можешь запросто. Однако я не в обиде. Это в порядке вещей. Скажи этим ребятам, что я лично выйду сегодня вечером на балкон, чтобы произнести перед ними речь. А пока я попрошу Джини выглянуть на улицу, посмотреть, что там у вас творится. Так что вы уж, пожалуйста, не стреляйте. Потерпите чуть-чуть. Ну как, Джини, хочешь на людей посмотреть и себя показать? Тогда иди вон к тому окну. Ну и как там? Си-эн-эн на месте? А другие? Отлично. Просто отлично. Можешь возвращаться к Паскалю. Тихонько, не торопясь. Вот та-ак. Хорошая девочка. А почему мы плачем? Не надо плакать. Скажи, Паскаль, хочешь поцеловать ее еще разок? Так ты целуй ее, целуй, не стесняйся. На меня внимания можешь не обращать. Валяй! Можешь даже трахнуть ее при желании. Сперва ты, после я... Да не скрипи ты зубами, не скрипи. Уж и пошутить нельзя. Видишь эти пилюльки, которые я глотаю? Они очень маленькие, но пробуждают во мне гигантскую жажду жизни. Я в самом деле не прочь с ней сейчас побаловаться... О, какое блаженство! Ах как пробирает... Слушай, Паскаль, может, конечно, и не стоило бы говорить это тебе, но поверь, по части техники вы, французы, серьезно хромаете. Слишком уж много всяких нежностей. Знаешь, что нужно, чтобы завести женщину на полные обороты? Грубая сила. Они это дело любят, особенно когда их бьешь по морде...

Роуленд низко опустил голову. Психолог счел нужным вмешаться.

— Кристоф, — проговорил он в трубку. — Послушай меня, Кристоф. У меня к тебе одно предложение. Не лучше ли будет для всех, в том числе и для тебя самого, если ты окажешь нам одну услугу? В качестве жеста доброй воли, так сказать. Мы тебе — машину, а ты отпускаешь одного из заложников.

— Кого — Джини? — немедленно залился смехом Стар. — Вам Джини нужна? Боюсь, что сейчас не смогу вам ее отдать. Она и я — мы с ней отлично ладим. Вообще-то трудный вопрос ты мне задал. Тут нужно хорошенько все обмозговать...

Психолог поднял палец вверх, призывая внимание Мартиньи.

— Тогда поступим вот как: я звоню тебе ровно через двадцать минут. Идет? А ты за это время сможешь как следует обдумать то, что я тебе предлагаю. Подумаешь заодно, что

тебе еще нужно. Может, поговорить с кем. Мы это дело мигом организуем.

— Вряд ли, — хихикнул Стар. — Очень маловероятно. Все, с кем мне хотелось поговорить, уже мертвы.

— Ну и прекрасно. Значит, через двадцать минут я тебе звоню. В два часа ровно. — Психолог отключил связь и со вздохом повернулся к Мартиньи и офицеру Группы вмешательства: — Подготовиться успеете? Минут пятнадцать хватит?

Двое начали вполголоса совещаться.

— Нам бы полчаса надо, — подвел Мартиньи итог краткого совещания. — А еще лучше сорок пять минут.

— Я бы на вашем месте не тянул.

— Значит, не думаешь, что удастся уговорить его отпустить Женевьеву Хантер?

— Никого из них он отпускать не собирается. И не нужны ему ни машина, ни самолет. Вы же сами слышали, что он несет. Героем себя чувствует, решил в игры с нами поиграть. Неужели не понятно?

— Да понятно нам все.

Роуленд был свидетелем принятия окончательного решения. Он видел, как поспешно покинул фургон офицер группы, слышал суету снаружи, клацанье оружия, удаляющийся топот.

Психолог устало потер лоб. Мартиньи, поерзав на сиденье, нервно закурил.

Все трое сидели в полном молчании. Следили за неумолимым бегом секундной стрелки, отрешенно смотрели на груду магнитофонных бобин. Из динамика звучал спокойный и ровный голос наблюдателя, следившего за обстановкой в здании. Потом раздался треск помех. Роуленд оцепенел — послышался голос Джини.

— Слава тебе, господи... — обессиленно выдохнул Мартиньи. — Наконец-то «жучки» установили. Наши ребята будут атаковать одновременно с фронта и тыла. За тридцать секунд до штурма в квартире зазвонит телефон. Через пятнадцать секунд после звонка в квартире погаснет свет, и тогда...

Он не стал продолжать. Роуленду было в общих чертах известно, что произойдет тогда. Штурмовой отряд ворвется в окна, спустившись с крыши. Отвлекающие шумы и слепящий свет. Агенты Группы вмешательства в касках и полной боевой выкладке. У всех до единого — приборы ночного видения, радиосвязь. Теоретически экипировка и боевая выучка позволяли «супержандармам» безошибочно и быстро

перемещаться в незнакомой, абсолютно темной квартире. Безошибочно и быстро определить, кто заложник, а кто — нет. Применив автоматическое оружие, безошибочно и быстро «снять» Стара. Только Стара и никого больше.

Иногда отработанные приемы срабатывали, иногда — нет.

Роуленду подумалось о том, что Паскаль и Стар были одного роста, оба — брюнеты. Главная разница между ними заключалась сейчас в том, что у одного из них было оружие, у другого — нет.

Он перевел взгляд на круглый циферблат часов на стенке фургона, над коробками с магнитофонными бобинами и каким-то радиооборудованием. Слышимость того, что происходило в квартире, была далеко не идеальной, к тому же связь то и дело прерывалась, будто кто-то ловил и никак не мог поймать нужную радиостанцию. Внезапно после шороха радиопомех послышался голос Ламартина. Голос был спокойным, можно даже сказать, беззаботным.

— Только не здесь, — сказал он. — Лучше в розовой комнате, комнате твоей матери. Там целая стена увешана ее снимками. И если ты встанешь на фоне этой стены, можно попытаться взять широкий план...

— Что? А это еще зачем?

— Потребуется головной снимок — для журнальных обложек. Хотя бы один снимок крупным планом.

— Для обложек?

— Ну да. «Тайм», «Ньюсуик», «Пари-матч». Причем фотографии нужны как цветные, так и черно-белые. Черно-белые — для газет, цветные — для журналов.

— Не нравится мне эта комната. Она принадлежит моей матери. Знаешь, моя мать... Она ведь и вернуться может.

— Что ж, не буду спорить. Попробуем здесь. Конечно, это будет не совсем то, но что поделаешь...

— Нет-нет, пойдем уж туда, где лучше. Не надо ничего пробовать. Мне нужно, чтобы наверняка получилось. Но предупреждаю: без глупостей. Иначе стреляю сразу. Она первой получит пулю...

Голоса опять пропали. В фургоне связи царила мертвая тишина.

— Какого черта он там мудрит? — не выдержав, взорвался Роуленд.

Мартиньи вздохнул и успокаивающе потрепал его по руке. Психолог неодобрительно покачал головой:

— Уж если и переходить куда-то, то только не в эту комнату. И вообще о его матери лучше даже не упоминать. Но...

— И о камерах тоже, — добавил Роуленд, вставая с места. — О камерах — вообще ни слова. Он их просто обожает. Больше всего на свете он ценит известность, рекламу — вы сами могли в этом убедиться. И ради этого вполне способен пристрелить Джини перед фотообъективом. Ламартин ничего хуже просто придумать не мог. Позвоните Стару. Немедленно! Пока не поздно, нужно помешать этому.

Мартиньи и психолог, не сговариваясь, посмотрели на часы. Со времени предыдущего разговора прошло всего пять минут. Мартиньи начал переключать какие-то рычажки, говорить в микрофон. Бобины в магнитофоне вздрогнули и снова медленно закрутились. В квартире мадам Дюваль зазвонил телефон. Трое мужчин в фургоне, надев наушники, буквально обратились в слух. Однако никто не снял трубку.

* * *

— Пускай трезвонит, — небрежно отмахнулся Стар. — Позвонит, позвонит — и перестанет. За дело браться надо. Да поживее.

Паскаль словно читал открытую книгу. Он читал этого человека с пистолетом в руке, читал эту странную комнату. Все оказалось именно так, как он и предполагал: едва войдя сюда, Стар начал вести себя заметно беспокойнее. Было похоже, что он опять смотрит какой-то фильм, который, кроме него, не видит больше никто. Кадры этого фильма, судя по всему, мелькали перед внутренним взором Стара с нарастающей скоростью. И чем быстрее крутилась пленка, тем медленнее становилась реакция зрителя. Сейчас он стоял у стены, на которую ему указал Паскаль, в обрамлении портретов своей «матери». Как и прежде, Стар держал перед собой Джини, приставив к ее шее пистолет. Освещение в розовой спальне было еще хуже, чем в гостиной, где они только что были. Паскаль поднес к глазам один из своих фотоаппаратов и посмотрел в видоискатель. Он ясно различил проблеск любопытства в глазах Стара. Торопиться было никак нельзя — надо было подождать, пока глаза Стара привыкнут к полумраку. Надо было, чтобы расширились его зрачки.

К камере было прикреплено устройство, называемое кольцевой вспышкой, к которому Паскаль прибегал в работе крайне редко. Вспышка была очень мощной, поистине ослепительной. Если полыхнуть ею прямо в глаза, да еще с близкого расстояния, то можно считать, что человек ослеп секунд на пятнадцать-двадцать, а то и на полминуты. Вполне возможно, что этого хватит. Хотя кто знает? Выигранные секун-

ды ничего не дадут, если Джини будет оставаться в том же положении, с пистолетом у горла.

Он опустил фотоаппарат. Глаза Стара были теперь прикованы к огромной розовой кровати за спиной фотографа. Вздохнув, Паскаль произнес с упреком:

— Нет, так ничего не выйдет. Джини слишком высокая, своей головой она заслоняет твое лицо.

— Чтоб ты сдох! А так лучше?

Одним резким движением он заставил Джини упасть на колени и поднес дуло к ее виску.

— Нет. — Паскаль смело смотрел ему прямо в глаза. — Такую сцену я фотографировать не буду. А если бы даже и сфотографировал, этого снимка все равно ни одна газета не напечатает.

— Чтоб вы оба сдохли! Да я... Что это, что?

Стар затрясся всем телом. Его глаза испуганно забегали по спальне. Джини низко застонала от страха. Паскаль, который тоже услышал странный скользящий звук, глядел Стару в лицо невинным взглядом.

— А в чем дело? Я ничего не слышу.

— Не ври, все ты слышишь. Вот... Вот... — Лицо Стара застыло подобно гипсовой маске. — Что-то движется. Я ясно слышу: что-то шевелится. Это там, у кровати...

Паскаль отлично слышал этот шум, который доносился сверху, скорее всего с крыши. Он снова взял фотоаппарат на изготовку и сделал шаг вперед. Стар с лицом, исказившимся от ужаса, вжался спиной в стену. Из его горла вырвался тонкий сдавленный хрип, точно его душили. Время для Паскаля будто замерло, но затем понеслось со скоростью курьерского поезда. «Еще один звук, и он начнет пальбу», — мелькнуло у него в мозгу.

— Она вернулась. Моя мать вернулась. Она... Мне нужно было вымыться. Хотел ведь вымыться. А теперь она почует запах крови. Она здесь... — Безумный взгляд человека с пистолетом в руке метался от Джини к кровати и обратно.

— А ну-ка, ты... — Он грубо пнул ее. — Посмотри, что там в постели. Откинь покрывало. Да-да, розовое. Господи Иисусе, оно шевелится!

«Пора», — решился Паскаль, когда Джини, не чувствуя больше на плече цепких пальцев Стара, быстро поднялась с пола. Пока она шла к кровати, Паскаль двигался вперед. Полметра, метр... Стар по-прежнему стоял, словно прилипнув спиной к стене. Его белые губы дрожали, он весь дрожал с головы до ног. Пистолет в его руке прыгал вверх-вниз. Рот был открыт в немом крике. Наверху что-то размеренно загромыхало, послышался скрежет. Джини, потянув покрывало за край, тихо охнула:

— О боже...

И за долю секунды до того, как Стар нажал на спусковой крючок, Паскаль привел в действие вспышку.

Комнатка мгновенно наполнилась светом и грохотом. Казалось, что рушатся ее стены. Паскаль, набычившись, нырнул вперед. Он почувствовал, как его правое плечо протаранило грудную клетку Стара. Тот начал палить из пистолета еще до того, как Паскаль совершил свой бросок, и продолжал стрелять, уже когда падал. У Паскаля едва не лопались барабанные перепонки от оглушительных выстрелов и жуткого воя Стара. Не верилось, что так может кричать человек. Когда Стар упал, Паскаль ловким пинком выбил из его руки пистолет, и тот взвыл еще громче. Воздух наполнился свинцом — пистолет, выбитый из кисти Стара, дал прощальную очередь. Со звоном посыпалось простреленное стекло. Однако Стар еще не был повержен. Приподнявшись, он ударил Паскаля кулаком в зубы.

Паскаль попытался крикнуть Джини, чтобы она скорее уходила отсюда. Он не видел ее, не знал, что с ней. Она могла быть ранена. Однако крик застрял у Паскаля в горле — Стар обрушил на него новый удар и вцепился ему в глотку. Фотограф чувствовал, как жесткие пальцы давят ему на сонную артерию. Еще десять секунд — и он потеряет сознание. Из последних сил Паскаль ударил Стара коленом в пах. По-звериному хрюкнув от боли, тот обмяк. Хватка жестких пальцев ослабла. Второй удар тоже получился хорошим — в шею. Стар отлетел в сторону, но уже через секунду снова бульдожьей хваткой вцепился в противника.

В пылу борьбы они врезались в облепленную картинками стену, повалили кресло, смели с пути один из шатких столиков, которыми была заставлена вся квартира, и наконец повалились на пол. Для Паскаля падение оказалось крайне неудачным — падая, он подвернул ногу, чем не замедлил воспользоваться Стар. Пружинисто вскочив на ноги, он изо всех сил несколько раз пнул врага, распростертого на полу. Паскаль почувствовал, как резкая боль пронзила его руку и бок. У него потемнело в глазах, но тем не менее он нашел в себе силы встать на колени. Розовая спальня плыла и качалась перед его глазами. И тут раздался женский голос, который поначалу показался ему незнакомым:

— Только тронь его еще раз — и ты мертвец.

Внутри Паскаля все содрогнулось от отчаяния. «Боже милосердный, — колоколом загудело в его голове. — Бедная

моя Джини...» Он пытался встать на ноги, но этому мешала боль, сковавшая правую руку. Кажется, она была сломана. Происходящее становилось похожим на кадры замедленной съемки, причем кино это было Паскалю хорошо известно: он абсолютно достоверно знал, что случится в следующий момент. Стар внезапно посерьезнел и сосредоточился. На его губах заиграла ленивая улыбка.

— Милая, — протянул он сладким голосом, — ну что же ты медлишь? Стреляй, не бойся. Ты все равно ничего мне не сделаешь. Карты однозначно сказали мне: ты промахнешься.

«А ведь верно, промахнется», — эта мысль вплыла в мозг Паскаля на волнах нестерпимой боли. Для такой уверенности не требовалось быть провидцем. Джини, всю жизнь ненавидевшая оружие, совершенно не умела держать пистолет.

«Беретту» надо было держать обеими руками. Однако Джини держала пистолет так, как может держать оружие только женщина, — хуже не придумаешь. Она, упершись задом в спинку кровати, держала пистолет в вытянутой руке. От тяжести пистолета и страха женская рука дрожала, и ствол выписывал в воздухе «восьмерки». Джини застыла от напряжения, ее глаза были устрашающе неподвижны, а лицо белым как снег. Стар сделал осторожный шаг вперед. Она вздрогнула. Откуда-то издалека до слуха Паскаля донеслись звуки: шаги, отдаваемые вполголоса команды. Воздух сгущался, как перед грозой. «Молодцы, только опоздали немножко», — отрешенно подумал он, будто сейчас решалась вовсе не его судьба, а судьба какого-то другого человека. Паскаль снова попытался встать на ноги. Стар сделал еще шаг вперед. Его лицо излучало теперь уверенность. Эта уверенность струилась от него, как тепло от раскаленной спирали.

— Ах ты, дырка грязная, — заговорил он тихим, почти задушевным голосом. — Знаешь, что я сейчас сделаю? То, что раньше не доделал. А дружок твой посмотрит. Узнаете у меня сейчас, почем фунт лиха. Оба узнаете. Но особенно ты пожалеешь, что родилась на свет. Мозги из тебя вышибу! На колени, сволочь! Отдай пистолет, сука!

Прижавшись к спинке кровати, Джини с остановившимся сердцем смотрела, как он приближается к ней. Стар прошел три метра. Эти несколько мгновений показались ей вечностью. Она ясно видела все до мельчайших деталей: эту разгромленную комнату, сломанную руку Паскаля, кровь, струившуюся по его помертвевшему лицу. Он все пытался встать на ноги, а Стар подходил к ней все ближе и ближе с противной улыбкой на мокрых губах. Эти мокрые губы так не вязались с его божественным ликом...

В голове ее запищал тоненький голосок. Он втолковывал ей, что Паскаль не успеет встать, не успеет защитить ее. И никто не ворвется сейчас в розовую спальню сквозь окна и дверь. Помощи ждать было неоткуда. Таким образом, можно было считать, что здесь остаются только двое: она и приближающаяся к ней зловещая тень, отдаленно похожая на человека. Да еще этот тяжелый пистолет в ее руке, в котором патроны на исходе, если уже не кончились. А это значило, что у нее нет права на промах.

Стар между тем все шел к ней, изрыгая в ее адрес ругательства одно ужаснее другого. Неизвестно, чем бы это закончилось, однако он допустил одну маленькую ошибку. Проходя мимо Паскаля, Стар пнул его ногой. И тогда все стало предельно легко и просто. Джини положила палец на спусковой крючок. Сейчас она была уже далеко отсюда — она стояла на мосту в Амстердаме, ощущая, как все ее существо наполняется чудодейственной, непобедимой силой. Это была великая женская сила — сила, заключавшаяся в матери Аннеки, сила, дремавшая до поры в самой Джини. Эта сила помогала превозмочь все, включая панический страх и жалость. И потому, когда Стар был уже в полутора метрах от нее, Джини выстрелила. Пистолет подпрыгнул в ее руке.

Пистолет дергался словно живой, а она все продолжала стрелять. Джини видела, что промахивается. Стар был огромен, он приблизился к ней почти вплотную, в него невозможно было не попасть, но тем не менее он упрямо шел на нее. Съежившись, Джини вцепилась в рукоятку пистолета обеими руками и в тот момент, когда Стар уже потянулся к ней, выстрелила прямо в кровавые пятна на его груди.

То, что за этим последовало, было поистине ужасным. Он отшатнулся, округлив от удивления глаза, и содрогнулся всем телом. Джини стреляла, а он плясал, дергаясь мелко и резко, точно марионетка. Она остановилась, ожидая, когда закончится этот жуткий танец. И он снова двинулся на нее. Джини в отчаянии нажала несколько раз на спусковой крючок, но вместо выстрелов последовали лишь сухие щелчки. Зажмурившись, она ждала, когда это чудовище схватит ее. Лишь одна мысль трепетала в ее сознании: «Промахнулась, промахнулась... Теперь крышка нам обоим, Паскалю и мне».

Джини повернулась к Паскалю, мысленно прощаясь с ним. И тут внутри у Стара что-то забулькало, будто он полоскал горло. Она изумленно вытаращила на него глаза. Он повалился на колени и начал лихорадочно ощупывать себя, словно по нему бегало какое-то проворное живое существо: сначала оно копошилось у него на животе, потом перебежа-

ло на грудь и наконец подобралось к горлу. Остановив тускнеющий взгляд на Джини, Стар разинул рот, очевидно, собираясь что-то сказать, однако слова застряли у него в глотке.

Боковым зрением она видела, как поднялся наконец Паскаль, как подошел к ней, как взял из ее руки пистолет. Наверное, отбросил в сторону. Этого Джини уже не видела. Потому что ее внимание было сосредоточено на лице Стара. Напряженно наблюдая за его кривившимися губами, она ожидала, что же он скажет. Из его рта хлынул фонтан крови. Широко раскинув руки, Стар упал лицом вниз. Но Джини продолжала смотреть на него, уверенная, что он встанет.

Паскаль бережно обнял ее за плечи. В спальне стало темно. В соседней комнате надрывался телефон. Кто-то неподалеку крушил стекла в окнах.

— Не смотри, не надо, — раздался в ушах Джини голос Паскаля. — Просто стой. А я буду обнимать тебя. Сейчас все закончится.

— Я убила его? — спросила она.

«Несколько раз», — подумал Паскаль, но ничего не сказал, а только отвел ее в сторону. Комната наполнилась громкими голосами и топотом. Прижав Джини к стене, Паскаль прикрыл ее своим телом. Это было единственное, что он сейчас мог для нее сделать.

Потом дали свет. Джини оглянулась в последний раз, когда люди в черном торопливо выводили их с Паскалем из спальни. Мертвый Стар лежал среди обломков мебели, осколков стекла и фарфора. Его широко раскинутые руки были сжаты в кулаки. Возле левого кулака лежали маленькая фарфоровая статуэтка без головы и распятие, возле правого — разорванная фотография Марии Казарес. Кое-какие предметы во время драки вывалились из его карманов. Среди них была засаленная колода карт Таро. И коробочка с тремя «белыми голубками», которыми он так и не успел воспользоваться.

20

Роуленд ждал на улице. На город спускались серые сумерки, в который уже раз начинал накрапывать мелкий дождь. В этой полутьме до неприличия резким казался искусственный свет дуговых ламп. Сощурившись от нестерпимого сияния, он отошел в тень полицейских фургонов, откуда, несмотря на скопившуюся толпу репортеров и блюстителей порядка, ему хорошо был виден весь дом, где находилась квартира мадам Дюваль. Сейчас его внимание привлекали не окна, а широкие ступеньки лестницы под навесом. Роуленд знал, что Джини жива и невредима, однако хотел убедиться в этом собственными глазами.

Переживая скоротечный миг безмятежного спокойствия, который всегда наступает между шоковым состоянием и эмоциональным всплеском, Роуленд бесстрастно анализировал ситуацию, к которой оказался причастен. У него было такое чувство, будто он наблюдает сейчас за жизненными перипетиями какого-то кинематографического персонажа.

Роуленд отрешенно думал о том, что такое героизм. Он свято верил в то, что человеческий род еще не утратил окончательно этого высокого качества, хотя и знал, что многие считают подобную веру старомодной. Но как бы то ни было, он искренне восхищался человеческой отвагой в любом ее проявлении: и сила духа, и физическое мужество вызывали у него одинаковое уважение. Кстати, с его стороны тоже потребовалось определенное мужество, чтобы признать, что он в долгу у Паскаля Ламартина, раз тот сумел уберечь Джини.

— Они спустятся через несколько минут. — Мартиньи возник около него словно из пустоты. Пытаясь согреться, он потоптался на месте, вытащил сигарету и закурил, посмотрев на Роуленда долгим взглядом. — Женщины... Они такие непредсказуемые, не правда ли? Помните, когда мы слушали? Мы ведь все были уверены, что она не выстрелит.

— Да.

— Гм, на нее, видимо, что-то нашло. Она всадила в него двенадцать пуль. Не хотел бы я быть на месте патологоанатома, когда его доставят в морг.

— Да уж.

— Все эти лохмотья, развороченные внутренности... Бр-р-р! — Полицейский передернулся и швырнул окурок в урну. — И мне казалось, что все уже кончено. Что это, по-вашему, было? Страх?

— Или злость.

— Возможно.

Мартиньи пошел прочь, но, сделав несколько шагов, остановился и обернулся к Роуленду.

— У вас такой вид... Хотите выпить? Я мог бы для вас что-нибудь достать: коньяку, виски?

— Нет, спасибо.

— Вы сейчас не сможете поговорить с ней. — Мартиньи посмотрел на него сочувственным взглядом. — Надеюсь, вы это понимаете? Для начала они оба должны пройти медицинское обследование, затем будут допрошены. Ламартином

всерьез займутся врачи — у него переломаны несколько ребер и очень неприятный перелом руки. А она — в глубоком шоке. Все зависит от того, насколько быстро она оправится. И все равно, вам не удастся увидеться с ней раньше завтрашнего утра.

— Да, понимаю.

— И все же я у вас в долгу. Так что если захотите присоединиться ко мне, когда мы начнем производить обыск в квартире... — Мартиньи внезапно усмехнулся и ткнул большим пальцем за спину, в сторону журналистов, толпившихся позади полицейского ограждения. — Я предпочитаю, чтобы именно вы первым узнали все подробности. Эти засранцы мельтешат у меня перед носом целый день. Что ж, они узнают, насколько скрытным иногда умеет быть мое ведомство. Итак, сколько вам нужно времени, чтобы написать статью? Шесть часов? Восемь? Ночь? Пусть ваши коллеги побегают за собственными хвостами до тех пор, пока завтра утром мы не проведем пресс-конференцию. Сегодня вечером я уж точно не стану этим заниматься.

Мужчины обменялись взглядами. Роуленд слабо улыбнулся.

— Завтра утром? С вашей стороны это было бы более чем щедро. Мне хотелось бы взглянуть на эту квартиру. Кроме того, я должен связаться со своим отделом новостей, переслать им кое-какие документы.

— Никаких проблем. Здесь сколько угодно бумаг: записки, письма и даже какой-то странный дневник, который он вел. И кроме того, конечно же, магнитофонные записи вашей коллеги. Короче говоря, улики — на любой вкус.

— На любой вкус, — эхом повторил Роуленд.

— Вообще-то подобные документы могут быть упомянуты в печати лишь по истечении определенного времени. Однако нередко бывает, что в сутолоке, в суматохе тот или иной журналист находит что-то важное за моей спиной... — Мартиньи многозначительно посмотрел на собеседника. — В таких случаях инструкции предписывают мне начать служебное разбирательство.

— Разумеется.

— Вот только беда — эти разбирательства никогда ни к чему не приводят. Слишком много писанины. Вы понимаете меня?

— Да, и крайне вам признателен.

— Не стоит того. — Мартиньи поежился и поплотнее запахнул свой плащ. — Может, поужинаем вместе чуть позже?

Часа в три, в четыре? Моя жена что-нибудь приготовит. Ей это страшно нравится.

— С удовольствием. — Роуленд с благодарностью посмотрел на собеседника. — А потом пропустим по рюмочке коньяку.

Мартиньи засмеялся, похлопал Роуленда по плечу и сделал чисто французский жест рукой.

— Их уже выводят, — проговорил он. — Оставляю вас наедине с самим собой — по крайней мере до тех пор, пока их не увезут. Вы ведь этого хотите?

— Черт возьми, неужели это настолько заметно? — Роуленд отвернулся.

— Для женщины, наверное, нет, а для мужчины — несомненно.

Напоследок он бросил на Роуленда еще один взгляд, в котором читались симпатия и легкое удивление, а затем удалился.

«Проницательный человек, — подумал Роуленд, — и очень тактичный». В следующий момент он забыл о Мартиньи. Толпа возле портика зашевелилась, послышались крики журналистов, вспыхнули осветительные приборы телевизионщиков.

Подъехала полицейская машина, и по ступенькам в окружении полицейских быстро спустились Джини и Ламартин. Роуленд успел заметить, что лицо женщины было белым как полотно, светлые волосы схвачены лентой. Ламартин левой рукой обнимал ее за плечи. Когда Джини скрылась в полицейской машине, Ламартин на секунду замер, и Роуленд успел ясно рассмотреть его лицо, на котором были отчетливо написаны беспокойство и любовь. Даже на том расстоянии, которое разделяло двух мужчин, это выражение яснее любых слов сказало Роуленду: муж. Оно четко обозначило рубеж, пересечь который Роуленд был не готов.

По крайней мере, так сказал он сам себе, ежась под моросящим дождем, стараясь оставаться в тени и незамеченным. Образец для подражания! Роуленд смотрел, как, оглашая пропитанный сыростью воздух завываниями сирены, отъезжает полицейская машина, и злился на себя за принятое им — тогда или раньше? — решение. Но, даже чувствуя острую боль сожаления, понимал, что оно — единственное, правильное и достойное.

Именно тогда, когда машина завернула за угол и исчезла, Роуленд задумался о том, как оторвать себя от Джини. Нужно придумать что-нибудь такое, чтобы и я, и она как можно в меньшей степени чувствовали себя виноватыми, размышлял

он. Ему придется солгать ей. В глубине его сознания шевелилась мысль: сумеет ли он сделать это, когда настанет момент? Сумеет ли солгать так, чтобы обман не был ею замечен? Наверное, да, сказал самому себе Роуленд. В конце концов, у него впереди — еще целая ночь, чтобы приготовить нужные слова.

— Готовы? — окликнул его Мартиньи.

Роуленд кивнул и подошел к инспектору. Когда мужчины вошли в вестибюль, из лифта выкатывали носилки, на которых лежало тело в пластиковом мешке. На его черной поверхности тускло отразился свет ламп. В узком пространстве около лифта они с трудом разошлись с этим страшным грузом. Бесславное прощание, подумал Роуленд и отвел глаза в сторону.

Оказавшись на верхнем этаже, в розовом полумраке спальни, Роуленд безмолвно остановился. Его воображение рисовало эту комнату, когда ему о ней рассказывала Жюльет де Нерваль, он снова пытался представить ее себе, когда мучился ожиданием в полицейском грузовичке. Но тогда Роуленд был не в состоянии представить тот жуткий кровавый кавардак, который царил здесь сейчас. Он провел рукой по глазам. И эта комната, и вся его жизнь в одночасье показались ему одинаково нереальными.

Не двигаясь с места, он молча рассматривал открывшуюся его взору картину, но тут Мартиньи помахал ему рукой, и они прошли в гостиную. Там инспектор незаметно отвел Роуленда в сторонку и сунул ему в руку пачку газетных вырезок и рукописных листов.

«Моя биография, — было написано мелким аккуратным почерком Стара. — Мне пытались внушить, что моя мать была шлюхой, а отец — одним из ее сутенеров. Когда она умерла, мне было около двух лет, и меня отдали на воспитание ее сестре, которая была замужем за каким-то идиотом-военным и жила неподалеку от Батон-Руж в Луизиане. Вероятно, я пришелся им не по вкусу, поскольку им очень быстро надоело меня «воспитывать», и они спихнули меня в первый из сиротских домов. Вся эта версия — одна большая ложь. Теперь я знаю правду, и мне она нравится гораздо больше. Так позвольте мне объяснить, кто же я на самом деле...»

Роуленд почувствовал укол жалости. Под последней фразой он был готов расписаться сам. Действительно, разве не хотел бы каждый из нас ответить на этот вопрос? Сказать всем и каждому: «Вот кто я на самом деле!» Роуленд стал читать дальше. Он заметил, как менялся, становясь все более неровным и неразборчивым, почерк Стара по мере того, как

он рассказывал о своем крестовом походе, оказавшемся одной большой — и смертоносной — ошибкой. Роуленд включил магнитофон, в котором находилась кассета с записью Джини.

* * *

Наконец-то на следующее утро Джини выпустили из больницы. Около семи утра, когда Паскаль, находясь под действием снотворного, все еще спал, прибыла машина, чтобы отвезти ее в гостиницу. Джини же отчаянно хотелось побыть одной — просто бродить и думать. Она пошла пешком, вдыхая холодный сырой воздух, глядя, как светлеет небо, вслушиваясь в гулкое эхо собственных шагов на еще пустынных в этот час улицах.

Дорога привела ее к Сене, и женщина некоторое время стояла на набережной, разглядывая рябь на воде, размышляя над событиями прошедших дней и прошлой ночи. Она вспоминала немые вопросы в глазах Паскаля — вопросы, которые ему хватило ума не задать вслух. Она видела саму себя рядом с хирургом, стоящими в крошечной приемной больницы.

— Ему необходимо сохранить руки, — говорила она этому человеку. — Ведь он фотограф! Очень хороший фотограф, и не сможет обойтись без правой руки. Он должен работать быстро, проворно. Вы понимаете?

Хирург, считавшийся звездой первой величины в своей области, сказал, что понимает. Он и без нее знал все это. Наверное, именно поэтому она не прислушивалась к его словам, когда он говорил о важности послеоперационного лечения, которое займет как минимум шесть месяцев.

Джини повторяла одни и те же слова и доводы, покуда, оборвав себя на полуслове, не сообразила: она просит хирурга вылечить не те раны, которые нанес Паскалю Стар. Ей хочется, чтобы он излечил его от всех ран — в том числе и тех, которые нанесла она.

Разумеется, она не произнесла этого вслух, но ей показалось, что врач что-то понял. Быть может, он уловил боль, вину и отчаяние, мучившие ее. Вероятно, он отнес все это на счет шока, в котором она пребывала. Джини знала, что это не так, но не стала убеждать врача в обратном, покорно приняв предписание побыть некоторое время в покое и отдохнуть.

Ее провели в маленькую палату и уложили на узкую больничную кровать. Чтобы сестра, приставленная к ней, поско-

рее ушла, Джини притворилась спящей и лежала с закрытыми глазами. Перед своим внутренним взором, с самоуничижением и отвращением к самой себе, она шаг за шагом прокручивала картины своего позора, своего предательства — не только по отношению к Паскалю, но и к самой себе.

Постепенно Джини забылась беспокойным сном.

Сейчас, глядя на серые воды городской реки, она снова вспомнила этот сон, а затем он растаял. Джини охватило уныние. Она чувствовала, что не в состоянии разобраться во всех этих событиях, а также понять тот импульс, который заставил ее нажать на курок, выстрелить из оружия, оборвать чужую жизнь. Отвернувшись от бежавшего внизу потока, она стала смотреть на чудесные домики, стоявшие вдоль набережной. По мере восхода солнца их очертания становились все более отчетливыми. Что ж, подумала женщина, трогаясь с места, если мне недостает ума и проницательности, придется обходиться чувством долга и принципами. У меня нет выбора, я дала обязательства, я почти жена.

Джини ускорила шаг, продолжая мысленно твердить эти слова, словно молитву, и они от этого, казалось, приобретали все большую власть. К тому времени, когда Джини дошла до отеля, она уже была уверена, что эти слова дадут ей силы и помогут выдержать расставание с Макгуайром — расставание безвозвратное. Это решение она также приняла по дороге в отель.

Однако, когда чуть позже в тот же день они встретились в тесной клетушке ее гостиничного номера, от тщательно приготовленного текста остались одни только банальности и лицемерие. Джини поняла, что заготовленный ею сценарий был рассчитан на совершенно другого, причем незначительного человека, которого породило ее воображение. Произносить сейчас ту заготовку было бы немыслимым. Она явилась бы оскорблением и для Роуленда, и для самой Джини.

Она боялась поднять на него взгляд и в ужасе думала о том, что произойдет, если он к ней прикоснется. Он стоял у порога в плаще, с билетом на лондонский рейс, она же неловко отодвинулась от него и, отвернувшись к окну, принялась смотреть на огни Парижа. «У меня нет выбора!» — отчаянно повторяла про себя Джини, но даже эти слова, которые поддерживали и дарили ей силу еще несколько часов назад, теперь не действовали. Вместе с Роулендом в комнату вошла возможность выбора. Его близость наполняла воздух неуверенностью, делала шаткими даже самые незыблемые и ясные вещи.

Наконец Джини обернулась и осмелилась взглянуть на

него. Он стоял, хмурясь и глядя на дверь, словно сожалел о том, что вообще пришел сюда. Затем — заговорил. Джини едва слышала его слова и тем более не могла уловить их смысл, хотя он был вполне очевиден. Она сразу же поняла, что он заранее приготовил прощальную речь и теперь скучно озвучивал ее.

Для них обоих было бы намного легче, если бы Роуленд и дальше продолжал в том же духе, однако по мере того, как он говорил, в нем угадывалось все большее возбуждение — в тоне, жестах, в его бледном напряженном лице. Огромным усилием воли он заставил себя произнести еще три или четыре предложения, а затем неожиданно, сделав яростный жест, умолк.

* * *

Это был не первый раз, когда в тот день Роуленд виделся с Джини. Только потом он понял, что именно их предыдущие встречи вселили в него необоснованное чувство уверенности, заставили поверить в то, что расставание пройдет легко и безболезненно.

Первый раз они встретились утром на пороге той же комнаты, но разговор их оказался недолгим: сухие, формальные вопросы Роуленда о самочувствии Ламартина и самой Джини, такие же лаконичные ответы с ее стороны. Мозг Роуленда горел от невысказанного, однако всю ночь он провел, работая над статьей, и решил, что подходящее время для разговора еще впереди.

После ухода Джини он ощутил некоторую нерешительность. Его чувства взбунтовались до такой степени, что он дважды откладывал свой вылет в Лондон. Однако к тому моменту, когда Роуленд все же спустился наконец в эту комнату, чтобы попрощаться, ему казалось, что он сумел побороть в себе эту слабость. Он знал, что упадет в глазах Джини, но был готов к этому. Гордому по натуре, ему было очень трудно примириться с подобной мыслью, однако Роуленд говорил себе, что это упростит для Джини их расставание, и был готов заплатить такую высокую цену.

Однако, когда он заговорил, вся его былая уверенность растаяла как дым. Собственные слова — тщательно подобранные и выверенные до этого — показались ему ничего не значащими, как крыши и шпили парижских домов, видневшиеся за окном в сумраке вечера.

Только сейчас он осмелился поднять глаза на Джини. Та стояла у окна, отвернув лицо. Глаза Роуленда блуждали по

светлой копне ее волос, нежной линии шеи, по ее серому платью. Его неудержимо потянуло к ней. Пока что это не было физическим влечением, но Роуленд знал: если он позволит себе приблизиться, прикоснуться к ней, оно не заставит себя ждать. То чувство, которое он испытывал сейчас, состояло, подобно мозаике, из тысячи кусочков: какой-то необъяснимой интуиции, призрачной надежды, чего-то еще. И тем не менее оно было сильным, и словно десяток стальных тросов тянуло его к ней. Он ощущал, как это влечение, подобно ветру, все сильнее гудит в его голове. Тишина, окружавшая их, сначала молчала, а потом заговорила, и Роуленд чувствовал, что Джини тоже вслушивается в ее язык — так же терпеливо и мудро, как и он сам. Она медленно повернула голову и встретилась с ним взглядом. Именно в этот момент Роуленд окончательно понял, что они с ней испытывают одинаковые чувства.

Джини сделала растерянный жест. Ее лицо менялось на глазах: сначала на нем была написана тревога, затем оно смягчилось и наполнилось жалостью.

— Не надо, — проговорила она, подходя к Роуленду и беря его за руку. — Ведь ты собирался произнести прощальную речь, не правда ли?

— Да, собирался.

— Не надо, прошу тебя. Я представляю, что ты хочешь сказать. Я ведь тоже заготовила примерно такую же. Но все, что мы вознамерились сказать друг другу, — неправда. Я собиралась выглядеть жестокой, беззаботной, язвительной, легкомысленной. Может быть, даже — немного дешевкой. — Она неуверенно улыбнулась. — А ты?

— Грубым, пошловатым. Эдаким крутым мужиком. Раньше у меня это получалось.

Джини снова улыбнулась и покачала головой. Глаза ее наполнились слезами.

— Я рада, что ты вовремя остановился. Мне бы это ужасно не понравилось. Это означало бы, что я в тебе ошиблась, что ты — не такой, как я думала. — Джини умолкла, а затем подняла на него глаза, полные мольбы. — Можно, я скажу тебе совсем не то, что собиралась? Наверное, мне не стоило бы этого говорить, но...

— Говори.

— Я могла бы полюбить тебя, Роуленд... — Она кашлянула, словно слова застревали у нее в горле, и, вцепившись в его руки, отвернулась, будто стыдясь. — О господи! Мне кажется, что это — правда. Не знаю почему, но я в это верю. Когда в тот день мы вошли в эту комнату и ты заговорил...

Даже до того, как притронулся ко мне, я уже была уверена в этом. Наверное, именно поэтому я и легла с тобой в постель. А может, я просто придумываю для себя оправдания? Впрочем, нет. Нет! — Она сердито потрясла головой. — Это не оправдание. Так оно и было. На меня что-то нашло. Что-то необъяснимое. Это не было каким-то решением, которое я приняла, это не объяснить здравым смыслом. Просто я... Я очень ясно представляла, что из всего этого может получиться. Я предвидела все возможные последствия. Они буквально кричали в моей голове: обман, собственная ничтожность, предательство человека, которого я любила и... продолжаю любить. О господи! — Ее лицо исказилось. — Я все понимала, все предвидела и тем не менее пошла на это. Я вовсе не горжусь тем, что сделала, но не испытываю и стыда. В тот момент в этой комнате ощущалось что-то новое и светлое. Может быть, какая-то надежда, обещание... Нет-нет, даже не обещание, а проблеск какого-то иного будущего. Не стоило мне говорить всего этого.

Джини умолкла и опустила голову на грудь. Ее била дрожь. Роуленд произнес ее имя и привлек женщину в свои объятия. Он испытывал те же чувства, о которых говорила Джини.

— Я все понимаю. Мне ясно, что ты имеешь в виду. Послушай, что я тебе скажу, Джини...

— Нет. Нет! — Она отпрянула от Роуленда. — Это ты должен выслушать меня, Роуленд. Пожалуйста, дай мне сказать. И не трогай меня — я должна закончить. Я обязана сделать выбор, я знаю это. Уже давно знаю. Я думала, думала, думала... Не могла думать ни о чем, кроме этого. Я должна была принять решение. И я решила, Роуленд. Решила. Я должна остаться с Ламартином. Он любит меня. Я обязана.

— Но почему, Джини, почему? — Роуленд снова привлек ее к себе и заставил посмотреть себе в глаза. — Ты не обязана принимать никаких решений. Пока не обязана. Ты даже не должна пытаться сделать это — по крайней мере не сейчас. Ты должна подождать, подумать... Неужели ты полагаешь, что то, что произошло здесь между нами, для меня ничего не значит? Ты сказала, что могла бы полюбить меня. Почему ты сказала это? Почему? Ты же сама понимаешь, что все не так. Чувство, существующее между нами, гораздо сильнее и глубже, нежели ты пытаешься представить.

— Нет, я говорю именно то, что думаю. Я не верю в такую любовь, Роуленд. Я не верю во влюбленность. Это — что-то вроде опьянения. В таком состоянии я не способна

мыслить. Я становлюсь слепой — ты даже сейчас увидишь это, если заглянешь мне в лицо. Смотри...

Роуленд сделал то, что она ему велела. На лице Джини были написаны одновременно смятение, боль и счастье. Ее блестевшие от слез глаза ослепили его.

— А ты думаешь, я теперь в состоянии что-нибудь видеть? — начал он срывающимся голосом. — Я тоже слеп, дорогая. Но, кроме того, я чувствую... Джини, ради всего святого, да выслушай же ты меня!

— Нет. Я и без того знаю, что ты хочешь сказать. Я чувствую. Вот здесь...

К лицу ее прилила краска. Она взяла его руку и прижала ее ладонью к своей груди, где билось сердце. — Ты лучше видишь. Ты больше видишь. Да, я согласна! Но, Роуленд, не доверяй этим чувствам. Ведь ты испытываешь их далеко не в первый раз. И у меня это тоже не впервые. Они недолговечны — ты знаешь это не хуже, чем я. Мы оба довольно пожили на свете, чтобы знать это. Сегодня они есть, а завтра растают. Вот почему я предпочитаю прислушиваться к другим голосам. К тому, что говорят мне порядочность, честь... Если, конечно, во мне еще сохранилось то и другое. Я должна помнить обещания, которые давала Паскалю, те вещи, которые говорила ему, свои клятвы. Я не могу предать все это, Роуленд. Я действительно люблю его. Я люблю его очень-очень сильно. Я так многим обязана ему... Это невозможно объяснить.

— Да и не стоит ничего объяснять. — С внезапно потемневшим лицом Роуленд сделал шаг назад. — Я знаю, чем продиктованы твои слова. Вчера он спас тебе жизнь, вот и вся причина. Если бы не это, все могло бы сложиться иначе.

— Ты не прав, — возразила Джини, задетая гневом, прозвучавшим в голосе мужчины. — Ты не прав, Роуленд. Он действительно спас мою жизнь, но я тоже спасла его.

Роуленд принялся что-то бессвязно говорить, отклоняясь назад, чтобы заглянуть ей в лицо, но затем умолк. До этого момента, наблюдая за Джини, глядя в ее глаза, он не сомневался в том, что сумеет настоять на своем, однако последнее ее замечание, сделанное ровным голосом и упрямым тоном, поколебало его. Возможно, подумалось ему, это — упрек.

— Я не верю тебе, — тихо заговорил он. — Я просто не могу в это верить. Ты хочешь, чтобы я ушел? Сейчас, после всего, что ты сказала? И больше — ничего? Ни звонков, ни разговоров, ни телеграмм? И как можно меньше встреч? Я не сделаю этого, Джини. Я люблю тебя. Я не могу этого сделать.

Что ты мне предлагаешь: вернуться к тому, что было раньше? Снова превратиться в полутруп? Послушай, Джини...

— Не хочу! Не буду! — выкрикнула она и попробовала вырвать руки из его ладоней.

— Ты должна понять... — Он крепче сжал руки, не отпуская ее. — Пойми, если я говорю, что люблю тебя, это не просто легкомысленное признание. Я — не ветреный мальчишка. Я очень тщательно выбираю слова, а слово «люблю» — в особенности. Я не произносил его вот уже шесть лет, а именно шесть лет назад, если тебе это, конечно, интересно, умерла женщина, которую я любил. Ты понимаешь, Джини?

В комнате воцарилась абсолютная тишина. Джини смотрела в его побелевшее лицо. Внезапно он отпустил ее руки и отступил назад.

— Я не хотел этого. Не хотел вдобавок ко всему остальному говорить еще и это. Я собирался уйти и оставить свои чувства при себе. Именно так я все задумывал. — Роуленд поколебался, а затем продолжал: — Теперь я вижу, как сильно любит тебя Паскаль Ламартин, и не сомневаюсь, что ты тоже любишь его. Я понимаю, что нахожусь в долгу перед ним за то, что он сделал вчера. Но вместе с тем я сознаю, что не могу... Слишком многое поставлено на карту. — Он сердито пожал плечами. — Я хочу прояснить все до конца. Я — несовременный человек, по крайней мере так говорит Линдсей. И если ты примешь меня таким, каков я есть, я женюсь на тебе. А если хочешь прогнать меня, то не забывай об этих моих словах.

Он вел себя все более скованно, а последняя его фраза прозвучала и вовсе натянуто. Глаза Джини наполнились слезами.

— Как ты можешь так говорить! Остановись, Роуленд! Ты ведь едва меня знаешь.

— Я знаю тебя вполне достаточно.

— Это не может быть правдой. Ты не должен говорить такие вещи. Это нечестно по отношению ко мне. Да и по отношению к себе самому тоже.

— Разве? — Он посмотрел на Джини тяжелым взглядом. — Почему же? Просто я слишком ясно вижу альтернативу. Я знаю, каково мне будет уйти отсюда и не видеть тебя больше, не слышать твоего голоса. Это будет жизнь наполовину. Господи, до чего же отчетливо я представляю себе эту жуть!

— Вовсе необязательно все будет именно так. — Джини спрятала лицо в ладонях. — Роуленд, ты же знаешь, что я права. Подобные чувства проходят быстро. Возможно, сей-

час тебе кажется, что все будет именно так ужасно, как описал. Возможно, я сейчас чувствую то же самое. Но если мы примем такое решение, если будем избегать друг друга, все это забудется. Со временем боль станет слабеть, а затем в один прекрасный день каждый из нас оглянется назад и подумает: «Слава тебе, господи, что так получилось! Каким же я был дураком, что дал волю своему воображению!»

Увидев, что лицо Роуленда стало неподвижным и замкнутым, Джини умолкла. Он снова взял ее ладонь в свои руки.

— Ты полагаешь, все это не более чем игра нашего воображения? Если так, то я благодарю за него всевышнего и доверяю ему больше, нежели здравому смыслу. А ты... Разве — нет?

В наступившей тишине он ждал ее ответа. С улицы раздавался бой башенных часов, слышался шум уличного движения. Все эти звуки доносились до них словно из другого измерения. Так же, как и Роуленд, Джини пыталась представить себе, что ожидает ее впереди. Будущее, подобно раннему весеннему утру, было подернуто легкой дымкой, сквозь которую, однако, уже проглядывал чудесный день. Джини смотрела на розу ветров своей жизни: север, юг, запад, восток... Картина, открывавшаяся ее взгляду, представлялась теперь светлой пасторалью, подобной той, которую когда-то подарил ей Паскаль. Оба мужчины, похоже, сумели снять какие-то защитные барьеры, существовавшие в ее мозгу, наполнив мир Джини светом и надеждой. Она, правда, не знала, удалось ли это им самим, или именно она наделила их этим даром. Однако открытие, что, помимо Паскаля, существует еще один мужчина, способный на это, смутило Джини, заставив ее усомниться в себе.

Почувствовав эту неуверенность, она по-иному взглянула на будни супружеской любви и верности. Они показались ей надежными и стабильными — настоящие крепостные стены, за которыми всегда можно чувствовать себя уютно и безопасно. А что для этого нужно? Совсем немного: оставаться правдивой по отношению к себе и Паскалю. Она в последний раз взглянула на ту, другую, Джини — женщину из зеркала, способную нарушать любые правила и безрассудно рисковать, и отвергла ее. Раз и навсегда.

Сразу же вслед за этим Джини ощутила безотчетное чувство некой утраты, но тут же подавила его, твердо сказав себе, что со временем все вернется в нормальное русло. Подняв глаза на Роуленда, она произнесла:

— Тебе пора на самолет, а мне — в больницу.

— Ясно. — В тот же момент Роуленд отпустил ее и отступил назад. — Это твое окончательное решение?

— Да, Роуленд, окончательное.

Она видела, как словно от удара изменилось его лицо. Он обернулся, а затем снова посмотрел на нее, тронул карман пиджака, где лежал билет на самолет, и проговорил именно то, что она так боялась услышать:

— Занимаясь сексом, мы не предохранялись. Мне неудобно говорить об этом, но приходится. Я в этом отношении изменил одному из своих незыблемых ранее правил. А если ты беременна? Я не могу уйти просто так, думая об этом.

— Я принимаю противозачаточные таблетки, Роуленд, — ответила Джини, потупившись. Она смотрела на ковер, на вытканные на нем полосы, которые разделяли их. Некоторое время он молча стоял, глядя на нее, потом осторожно взял Джини за подбородок, поднял ее лицо и заглянул в него.

— Ты не хочешь сказать мне правды, — спокойно проговорил он. — Я понимаю, чем это вызвано, но прошу тебя только об одном, Джини: не лги мне, когда речь идет о таких важных вещах. Взгляни на меня. Я хочу, чтобы ты пообещала мне одну вещь. Сейчас я уйду. Но ты после того, как решишь для себя все с полной определенностью, должна прислать мне телеграмму или позвонить. Просто сообщи мне свое решение. Да или нет. Ты обещаешь мне это?

— Обещаю.

Он взял ее руки в свои.

— Если ответом будет «нет», пусть будет так. Я подчинюсь твоей воле и никогда больше не появлюсь в твоей жизни. Но если ответ будет положительным, я вылечу к тебе первым же рейсом, где бы и с кем бы ты ни находилась. И тогда ты от меня уже не отделаешься.

Он видел, как изменилось ее лицо, как наполнились слезами глаза. В тот момент Роуленд не сомневался, что со временем она позовет его обратно, и даже сделал попытку уйти. Однако в этот момент что-то в ней — то ли какой-то звук, то ли жест — заставило его остановиться. Будучи человеком, мужчиной, причем гораздо менее уверенным в себе, нежели казалось со стороны, он наклонился и поцеловал ее в губы. Она ответила на поцелуй, и, возможно, это заставило бы его остаться, однако в этот момент Джини взяла его за руку, решительно подвела к двери и тихо закрыла ее за его спиной. Ни один из них не осмелился произнести больше ни слова.

Не видя ничего вокруг себя, Роуленд спустился на лифте и так же слепо добрался до аэропорта. Он ничего не замечал ни в самолете, ни когда проходил английскую таможню, и

лишь через некоторое время с удивлением обнаружил, что находится уже в своей лондонской квартире.

В течение двух недель после этого Роуленд жил словно автомат, не сомневаясь, что его все-таки призовут обратно. А в феврале получил от Джини телеграмму, состоявшую из единственного слова «нет», и тут же уехал в Шотландию, где в одиночестве ходил в горы и неоднократно подвергал себя неоправданному риску.

Однако ничего ужасного с ним не случилось, и он вернулся в Лондон, в свою квартиру, из окон которой виднелся шпиль хоксморской церкви. Как-то раз в марте в три часа утра ему позвонил Макс и сообщил, что Шарлотта родила дочь, а в апреле почта принесла ему приглашение на крестины девочки, которые должны были состояться в следующем месяце.

— Мы хотели бы, чтобы ты стал крестным отцом, — сказал ему Макс, когда по обыкновению они в его кабинете перекусывали бутербродами. — Ведь это ты предсказал, что родится именно девочка.

— Очень рад, — откликнулся Роуленд.

— Вторым крестным Шарлотта попросила быть Тома.

— Прекрасный выбор.

— А вот насчет крестных матерей мы еще не решили. Наверное, попросим одну из сестер Шарлотты и... — Макс кинул на Роуленда быстрый взгляд, —...возможно, Линдсей.

Роуленд кивнул, возвращая Максу статью, которую они собирались печатать на следующий день. Статью написала и прислала по факсу Джини. В ней рассказывалось о полицейском налете на подпольную лабораторию по производству наркотиков в Амстердаме, которой заправляли американец и молодой голландский химик. Теперь оба они уже рассматривали небо в клеточку. Подробности статьи, казалось, интересовали Роуленда гораздо больше, нежели детали будущих крестин дочери Макса и то, кто станет ее крестными.

Сразу же после того, как Роуленд вышел из его кабинета, Макс позвонил жене. Она тут же обрушила на него поток вопросов, в ответ на которые Макс лишь печально вздохнул:

— Надо смотреть в глаза реальности, Шарлотта. Я же говорил тебе: ни малейшего шанса.

* * *

Линдсей воспринимала все это совершенно иначе. За последние месяцы у нее было достаточно времени для размышлений и наблюдений, которые, без сомнения, оказали

на нее сильное влияние. Линдсей знала, что Джини осталась с Паскалем во Франции, поскольку женщины регулярно перезванивались. Она заметила, что голос подруги повеселел, наполнился оптимизмом и радостью, когда та поначалу сообщила ей об удачном исходе операции на сломанной руке Паскаля, а потом регулярно информировала ее о том, как продвигается его выздоровление. Линдсей поняла, что ни Джини, ни Паскаль не горят желанием вернуться в Лондон и намерены оставаться в Париже как минимум до конца мая. Линдсей также обратила внимание на то, что Роуленд Макгуайр работал теперь больше всех в редакции «Корреспондента» и засиживался там допоздна, даже дольше, чем Макс. И еще Линдсей заметила (правда, не без помощи Пикси), что Роуленд стал совершенно недоступен для обольстительных женщин и непроницаем по отношению к их чарам. Когда одна из его помощниц по сбору материалов — молодая женщина, страстно желавшая охомутать Роуленда, за что Линдсей возненавидела ее с первого взгляда, — по слухам, почти в открытую предложила себя Роуленду, она была отвергнута жестко и без лишних церемоний.

В те моменты, когда Линдсей испытывала прилив душевных сил, она умела не обращать внимания на подобные вещи, но в минуты слабости они заставляли ее чувствовать себя несчастной. Этому же способствовал и Марков, объявивший себя ее «любовным агентом-провокатором».

— Как продвигается твой роман, Линди, лапочка? — спросил он, когда они сидели в недрах малоизвестного ресторана. — Рассказывай, сладкая моя! Или вы все еще находитесь на стадии целомудренных ухаживаний? Ни то, ни другое? Я не верю своим ушам! На что только ты тратишь свое время? Ну, ладно, — продолжал он деловым тоном. — Перед тем как я начну плести паутину, мне необходимо знать все подробности. Итак... Многозначительные взгляды?

— Ни единого.

— Прикосновения словно невзначай?

— Если бы...

— Телефонные звонки?

— Шутишь?

— У тебя есть соперница?

— Насколько мне известно, нет. Говорят, он превратился в совершеннейшего монаха.

Марков просиял.

— Это уже обнадеживает. Его воздержание повышает твои шансы, птичка. Особенно — в данном случае. Пошли дальше. Ты предлагала ему выпить после работы?

— Да, черт побери, предлагала! Он ни разу не захотел выпить со мной. Он также не проявил желания пообедать или поужинать у меня дома. Он не купился даже на предложение сходить в кино, хотя я была уверена, что хоть это-то сработает. Три часа Эйзенштейна, плюс Том, сидящий рядом... Уж тут-то он должен был ощущать себя в полной безопасности. Я рассчитывала, что он согласится. Увы...

— Снова работает допоздна?

— Допоздна.

Марков выглядел заинтересованным и вместе с тем слегка задетым. Он снял темные очки и посмотрел на Линдсей своим беличьим взглядом.

— Просто ты не стараешься, Линди. Ты должна быть более откровенной. Действуй, иначе потом всю жизнь будешь кусать себе локти. Проглоти свою гордость, дорогая. Наступи на горло своим принципам. Прыгни туда, куда боятся совать нос ангелы.

Линдсей задумалась.

— Каким образом?

— Общие интересы — вот выход! Скажи ему, что ты хочешь научиться лазить по горам. Купи какие-нибудь идиотские альпинистские ботинки, теплую куртку на меху. Поползай с ним по скалам, птичка, вцепись словно невзначай в его руку, понеси его рюкзак...

— Ты что, совсем охренел, Марков? В этой куртке я буду похожа на чучело, а после первых же шагов по горе у меня начнется морская болезнь.

— Ладно, ладно, давай придумаем что-нибудь еще. Церкви! Ты говорила, ему нравятся церкви?

— Я сказала, что ему нравится одна церковь, Марков. Та, что стоит через дорогу от его дома.

— Не усложняй. Нравится одна, значит, нравятся все. Я уже чувствую, что из этого может что-то получиться. Представь себе, Линди: вы едете на выходные за город. В какое-нибудь место вроде Норфолка. Я там был, я знаю. В Норфолке навалом церквей. Ты, конечно, прежде чем ехать, почитаешь какие-нибудь книжки. А потом — будете говорить: о всяких там колоннах, пилястрах, межалтарных перегородках. Ты будешь делать умные замечания, блистать эрудицией...

— Межалтарные перегородки? Терпеть не могу всей этой дребедени. Налей-ка мне еще вина.

— Хорошо, давай придумаем что-нибудь попроще. Как насчет ночного клуба?

— Он их ненавидит. Я, кстати, тоже.

— Книги! — внезапно завопил Марков. — Вот что нам

надо! Ты говорила, что он только и делает, что читает: Толстого, Апдайка, Пруста. Это же так просто, дорогая, как же я раньше не сообразил! Может, почитаешь ему стихи? Одолжишь какую-нибудь книгу? Ты можешь сказать: «Слушай, Роуленд, могу я одолжить у тебя Толстого? А может, пойдем сегодня поужинаем и обсудим «Анну Каренину» и «Войну и мир»?» Учитель обязательно станет любовником. Мужчины от этого млеют, Линди. Это — беспроигрышный вариант.

— На прошлой неделе, — заговорила Линдсей с достоинством, но дрожащим голосом, — я одолжила у него роман. Книга лежала у него на столе, и я знала, что он читает ее, но подумала, что... В общем, я одолжила ее. Я вернула ему книгу через два дня, а книга была очень толстой, Марков. Я думала, на него произведет впечатление та скорость, с которой я ее прочитала. Возвращая ему книгу, я даже произнесла целую речь — умную, проникновенную. Я проявила глубокое проникновение в сюжет и характеры, я настолько сопереживала им, что едва не разрыдалась. А он...

— Что за книга?

— Неважно. Французская. А он, пока я говорила, трижды звонил по телефону и отправил четыре факса.

— Во время твоей речи? Не может быть!

— Вот именно, во время моей проникновенной речи. На мне, помимо всего прочего, было новое платье, накануне я сделала прическу. И еще... похудела.

— И — ничего?

— О, он был очень добр. Даже послушал немножко. — Линдсей вздохнула с потерянным видом. — От этой его доброты больнее всего. Я же вижу, что он хорошо ко мне относится, но не испытывает ко мне ни малейшего интереса. А я сама... Я не сплю по ночам и думаю о нем, я снова и снова перебираю в уме то, что он мне говорил, лелея надежду, что это может явиться признаком его интереса ко мне. Я все время пытаюсь что-нибудь придумать. Жалкое зрелище, Марков! Он говорит: «Доброе утро, Линдсей», — а я тут же судорожно начинаю искать в этих словах какой-то скрытый смысл.

— О черт!

Марков вновь надел черные очки. Он смотрел на миниатюрную фигурку Линдсей, в которой угадывалось напряжение, ее коротко остриженные вьющиеся волосы, бледное треугольное лицо, с которого смотрели широко открытые глаза, и видел, что она готова расплакаться. А может, рассмеяться. Разве тут угадаешь!

— Когда я встречаю его, то чувствую себя так, будто на-

ступает весна. Если я его не вижу, значит, день пропал. Я хожу на все скучные совещания — только ради того, чтобы лишние три минуты побыть в его кабинете. Мне так стыдно, Марков! Я знаю, что веду себя как последняя дура. Женщина в моем возрасте не должна гоняться за таким мужчиной, как он. Но меня не отпускает чувство, словно его куда-то заперли, а я могу помочь ему, могу дать ему ключ от этой клетки. Но чем больше усилий я прилагаю, тем хуже все становится. Я вижу, что он несчастлив, а мне бы так хотелось, чтобы было иначе! О черт, я, по-моему, сейчас расплачусь! Извини меня. Понимаешь, все дело в том... Я действительно плачу... На самом деле это совсем не смешно. Дьявольщина! Ну вот, теперь и тушь с ресниц потекла. Наверное, я слишком много выпила.

Марков ждал. Он положил ладонь на руку женщины и производил какие-то непонятные звуки, предназначенные, видимо, для того, чтобы утешить ее. Через некоторое время она успокоилась. Слезы остановились.

— Ну, ладно, — сказал Марков, — я все понял. Хватит киснуть. Если это так серьезно, нужно начинать действовать. Объявляю полную боевую готовность! Всеобщую мобилизацию! Мы используем бомбардировщик «Стэллс», Линди. Мы пролетим, незамеченные его проклятой радарной системой. Потому что ни в коем случае — ты слышишь меня, Линди, дорогая? — ни под каким видом и никоим образом Макгуайру от нас не улизнуть!

— Бомбардировщик «Стэллс»? — Линдсей фыркнула. — Марков, ты можешь сбросить на него хоть атомную бомбу, толку все равно не будет.

— Неужели? — хитро глянул на нее Марков. — Если действуешь ты одна, толку, возможно, и впрямь будет мало. Но теперь в бой вступаю я! Ему придется иметь дело с бойцом одной с ним весовой категории. Поверь мне, Линди, у меня есть план. Я еще никогда не знал поражений, особенно когда речь шла о мужчинах с таким характером, как у него.

— Ты не знаешь его характера. И теперь мне начинает казаться, что я тоже его не знаю. Этот человек — загадка, Марков.

— Чушь! Все женщины думают так про мужчин, в которых влюблены. После всего, что ты рассказала мне о Роуленде, я знаю этого парня, как собственного брата. Я знаю его снаружи и изнутри, словно я сам создал его. И у этого мужчины есть свое слабое место, своя ахиллесова пята.

— Правда?

Жизнь ничему не научила Линдсей. Она была обречена

быть вечным оптимистом. Увидев на лице Маркова выражение непоколебимой уверенности, она отпила из бокала, и в душе ее снова забрезжила надежда.

— Галантность — вот его слабое место, — многозначительно проговорил Марков. — Ему присущ сильнейший инстинкт выступать защитником по отношению к женщинам.

— У него разбито сердце, — с горечью сказала Линдсей. — По крайней мере, мне так кажется.

Взмахом руки Марков отмел этот ерундовый довод в сторону.

— Дорогая, — проговорил он, — в мире, в котором мы живем, со временем зарубцовываются даже самые глубокие сердечные раны. Это лишь вопрос времени. Я не хочу сказать, что Роуленд станет легкой добычей. Нет, противника нельзя недооценивать. Но мы с тобой должны начать с того, чтобы у тебя появился хоть какой-то шанс. Он должен заметить тебя, вы должны провести вместе какое-то время. — Марков нахмурился, а потом добавил будничным тоном: — О каких это крестинах ты упомянула? У Макса, кажется? Через две недели, верно? Там будете и он, и ты?

— Да, только мне от этого мало проку. Я по-прежнему буду оставаться невидимкой. Что, по-твоему, я должна сделать: упасть в обморок у его ног? Да он просто переступит через меня и пойдет дальше.

— Ты дашь мне договорить или нет? Это же прекрасная возможность! — Голос Маркова звучал решительно и уверенно. — Послушай меня, Линди. Послушай внимательно. Это сработает, не может не сработать!

— Что ты имеешь в виду, Марков?

— О господи, как же я не подумал об этом раньше! Это так здорово, это так блестяще, что просто не может не сработать!

— Что «это», черт бы тебя побрал?

— Ты читала в детстве сказки? Тогда вспомни принцессу Несмеяну. Именно в нее ты должна превратиться.

21

Со временем раны на сердце заживут, думала Джини, опершись на локоть и разглядывая лицо Паскаля. Он все еще крепко спал, но и часы показывали всего-то шесть утра. Его темные волосы разметались по лбу, сон расслабил черты лица, стер с них напряженность. Джини рассматривала все то, что она так любила: эти брови, скулы, рот. На закрытые

глаза Паскаля упал солнечный луч. Он поморщился, но продолжал спать. Джини склонилась еще ниже и рассматривала его со смешанным чувством ревности и наслаждения. Проснется ли он, если его поцеловать — хотя бы легонько? — думалось ей.

В итоге Джини решила воздержаться. Ей хотелось, чтобы все в это утро было идеально, а нужно было еще кое-что приготовить. Женщина очень осторожно поднялась с постели и, встав возле балюстрады, стала смотреть вниз — на их чудесную комнату-студию с высоченными потолками, огромным, выходящим на север окном и шторами, подсвеченными снаружи солнцем.

Они с Паскалем вернулись в Лондон всего два дня назад, и об этом еще никто не знал. Наверное, они поступили правильно, не сообщив никому о своем приезде, подумала Джини. Так или иначе, в эти выходные большинство их общих друзей окажутся за городом — на крестинах дочери Макса и Шарлотты. Звонить им наверняка никто не станет, слишком уж долго они находились за границей — целых три месяца. Все это вместе позволит им побыть наедине друг с другом хотя бы еще несколько дней. Они были предоставлены самим себе, и это ощущение пьянило — так, словно им двоим принадлежал весь город. Не удержавшись, Джини радостно прижала руки к груди, словно пытаясь удержать внутри себя затопившее ее счастье. Майский день, думала она, чудесный майский день, в который будет светить солнце и с легчайшим теплым ветерком в высокую арку этого окна вплывет новая жизнь для них обоих. Майский день. Утихает боль в сердце. Наконец-то приходят счастье и новая жизнь.

Джини спустилась по ступеням в нижнюю комнату и стала неторопливо прибираться. Сегодняшний день должен быть совершенен. Она выкинула вчерашние газеты, аккуратно расставила на полках книги, которые листала накануне, и сложила свитер, небрежно брошенный вчера Паскалем. Затем, повинуясь внезапному импульсу, снова расправила свитер и прижалась лицом к его складкам. От мягкой шерсти отчетливо исходил запах его кожи и волос, и это наполнило женщину безотчетным счастьем. Я была права, все мои предсказания сбылись, твердила Джини, вновь складывая свитер. Хотя время от времени Роуленд Макгуайр все еще посещал ее мысли, она внушала себе, что ей удалось окончательно излечиться от него.

Она и Паскаль были близки, очень близки к катастрофе, но, когда до нее оставались считаные дюймы, им все же удалось ее избежать. Это было непросто. Сколько раз в Па-

риже и ей, и Паскалю казалось, что все уже кончено. Но всегда что-то — то ли их стойкость, то ли воля всевышнего — спасало их. И сегодня, сейчас Джини ощущала себя счастливой. Возможно, она не заслужила этого счастья, однако оно было даровано ей с невиданной щедростью.

Я — дважды благословенная, подумала Джини и, не сдержавшись, сделала радостный пируэт, а затем натянула свитер Паскаля прямо на свою тонкую ночную рубашку. Ей хотелось ощущать запах его тела постоянно. Джини прошла в кухню и мечтательно, не понимая, что делает, начала возиться с посудой. Вытащила поднос. Зачем? Может, положить на него цветок? Чушь какая! Но все же сейчас ее занимала каждая деталь. Ей хотелось, чтобы они с Паскалем навсегда запомнили это утро: прекрасный завтрак на прекрасном подносе и прекрасное начало прекрасного дня.

* * *

— Ну что за великолепный денек! — воскликнул кто-то, когда, открыв заднюю дверь дома Фландерсов, Роуленд окунулся в свежесть майского утра. Он замер, ощутив прилив раздражения. Было всего семь часов, и в такую рань он не ожидал встретить в саду Макса кого-то еще. Специфический акцент, прозвучавший в голосе, наполнил душу Роуленда нехорошим предчувствием. Он оглянулся: сначала — налево, затем — направо. Никого.

— Да, отличный! — несколько растерянно откликнулся он.

— Прекрасный день для прогулки, — поддержал его голос. На сей раз Роуленду удалось определить, что он доносился из-за аккуратно подстриженного тисового дерева. — Не станете возражать, если я к вам присоединюсь?

Роуленд возражал, да еще как! Он быстрым шагом направился в противоположном направлении, обогнул живую изгородь и нырнул в своеобразный туннель, образованный переплетенными ветвями каких-то низкорослых деревьев, усыпанных золотистыми цветами. Однако в тот момент, когда он поздравил себя со счастливым избавлением, рядом с ним выросла фигура Маркова.

— Прекрасная мысль, — заговорил тот голосом, в котором угадывались насмешливые нотки, — прогуляться перед завтраком чудесным майским утром по английским просторам! Лицо обдувает ветер, ты бодро идешь вдоль гряды холмов... Или, наоборот, неспешно прогуливаешься вдоль излучины реки.

Роуленд смерил Маркова презрительным взглядом. Что

случилось с Шарлоттой и Максом? С ума они, что ли, сошли — приглашать на крестины дочери этого шута? Впрочем, тут, наверное, не обошлось без Линдсей. Роуленд с самого начала жалел, что приехал сюда, а теперь пожалел еще больше. Он оглядел Маркова с головы до ног. Этот несносный человек был одет в те же идиотские шмотки, что и в прошлый вечер. Штаны его, похоже, были сшиты из черного бархата, а куртка... Нет, Роуленд не мог заставить себя даже смотреть на его куртку. В ушах у Маркова были серьги, на завитых кудрях соломенного цвета — черная бейсбольная кепка козырьком назад. Глаза его, как всегда, прикрывали зеркальные солнцезащитные очки, которые он не снял даже накануне вечером во время ужина. Грозно взглянув на фотографа, Роуленд увидел в них отражение своей собственной угрюмой физиономии. Затем бросил взгляд на его белые — последний писк моды! — кроссовки и ухмыльнулся, подумав, что этот заядлый курильщик выдохнется раньше, чем они выйдут из калитки.

— Нет, — ответил он, — я иду вон туда. — И указал в сторону далеких холмов. — Конечно, пойдемте вместе, если желаете, но я хочу сразу предупредить вас: там — довольно крутой подъем и, вероятнее всего, очень грязно.

— Не беспокойтесь, — вяло махнул рукой Марков, — надеюсь, я от вас не отстану. Я люблю пешие прогулки. Дома... Я, кстати, родом из Калифорнии. Вы об этом не знали?

— Догадывался.

— Ну так вот, дома... Знаете, куда я ходил? Может, слыхали о Йосемите[1]?

— Не только слышал, но и сам там бывал, причем не раз.

— Надо же! Вот это совпадение! Так вот, я ходил туда каждый месяц. Возвращаясь после очередных съемок — неважно откуда, — я непременно отправлялся туда. В дикие места, куда не ступала нога человека. Это помогало мне прочистить мозги. Надеюсь, вы меня понимаете?

Роуленд передернул плечами и ускорил шаг. Он быстро поднимался в гору по узкой и действительно очень грязной тропинке. К его великому удивлению, Марков не отставал. Роуленд прибавил еще ходу. Он ожидал услышать нытье, жалобы и просьбы идти помедленнее, однако Марков рысил следом за ним как добрая борзая.

— Мне почему-то казалось, — сдержанно заговорил Роуленд спустя несколько минут, — что посещение крестин за городом и тем более прогулки по горам — не в вашем стиле.

[1] Один из самых известных национальных парков США.

— В таком случае вы глубоко заблуждались, — бодро откликнулся Марков и наддал ходу. — Я ни за что не упустил бы такую возможность.

Роуленд неприязненно глянул на своего спутника. Долговязый, тощий и нескладный Марков каким-то образом ухитрился оказаться впереди него. Теперь он резво топал по тропинке, а его белые кроссовки так и мелькали, когда он ловко перепрыгивал через булыжники и кроличьи норы. Роуленд замедлил шаг, однако и это не сработало. Марков, сильно вырвавшись вперед, исчез из виду, но спустя несколько секунд неожиданно вырос из-за густого кустарника. С широкой покровительственной улыбкой он вновь занял свое прежнее место возле обтянутого твидом локтя Роуленда и пошел с ним, что называется, «ноздря в ноздрю».

— В общем-то, главная причина того, почему я нахожусь здесь, это, конечно, Линдсей, — задумчиво продолжал Марков. — Я восхищаюсь ею и люблю ее, а сейчас она как никогда нуждается в моральной поддержке. Полагаю, она не говорила вам об этом? Нет? Конечно же, нет. Она ни за что не скажет. Бедняжка Линдсей! Ей очень нужны помощь и совет, но разве она попросит об этом первой? Нет. Слишком горда.

Сделав это заявление, Марков исподтишка глянул на Роуленда Макгуайра, однако на мужественном лице последнего не отразилось ровным счетом ничего. Фотограф почувствовал, как внутри его растет восхищение по отношению к этому мужчине. Линдсей была права: человек-загадка. И уж никак не легкая добыча. С ним придется повозиться гораздо дольше, нежели казалось поначалу. Марков кожей чувствовал презрение, которое испытывал Роуленд по отношению к нему. Оно таилось в холодном взгляде зеленых глаз, в суровом изгибе губ.

Марков решил, что должен произвести впечатление на этого человека, и заговорил, оставив в стороне свою обычную манерность. Интересно, сколько понадобится времени, чтобы Роуленд Макгуайр понял — его собеседник далеко не дурак: пять минут? десять? Понадобилось пятнадцать. Пять минут — чтобы поговорить о Шотландии, которую Марков, к счастью, довольно хорошо знал, поскольку бывал там на съемках. Еще пять — на обсуждение Достоевского (тут Марков был спокоен, поскольку являлся подлинным знатоком и ценителем этого писателя), и в течение еще пяти минут царило глубокое молчание. Именно оно и сыграло решающую роль, понял потом Марков. Последние пятьсот метров, отделявшие их от вершины холма, Роуленд прошел таким быстрым шагом, что намного опередил фотографа, и дожидался его наверху с легкой улыбкой на губах.

— Ну, ладно, — проговорил он, когда Марков поднялся к нему, — вы хорошо ходите и неплохо говорите. Ради чего вы сюда приехали?

— Только не подумайте, что я пытаюсь за вами ухаживать, — с некоторым бесстыдством заявил Марков.

— А я и не думаю. Вряд ли вы стали бы понапрасну терять свое драгоценное время.

— Вы правы, это не в моем духе. — Он прислонился спиной к стене, вытащил пачку «Мальборо» и закурил, а затем обратил прикрытые зеркальными очками глаза к долине, расстилавшейся далеко под ними. — Какой прекрасный отсюда вид!

Они находились неподалеку от того места, где Роуленд обнаружил тело Кассандры Морли. Задумавшись о той ночи и всех последовавших за ней событиях, он не ответил. Сейчас он тоже стоял, прислонившись к стене, и с отсутствующим выражением смотрел на долину внизу. Почувствовав произошедшую в нем перемену, Марков протянул ему сигарету, и некурящий Роуленд молча принял ее. Не произнося ни слова, они стояли у стены — в лучах солнца и клубах табачного дыма. Молчание затянулось.

— Знаете, — заговорил наконец Марков, — вы совсем не такой, каким я вас себе представлял. Вы мне почти нравитесь, честное слово. А ведь я полагал, что вы — самый настоящий монстр.

— Правда? — Макгуайр покраснел. — А благодаря чему у вас сложилось такое мнение? Наверное, благодаря Линдсей?

— Отчасти — да. И благодаря другим людям — тоже. Я расспрашивал о вас. Кроме того, вы зарезали мои фотографии, помните?

— Ах да.

— Не могу сказать, что вас ругали все без исключения. Что касается Линдсей, то она на вас разве что не молится. Постоянно поет дифирамбы вашему уму, редакторским талантам...

— Линдсей? — Роуленд был потрясен услышанным. — Не может быть! Она только и делает, что учит меня тому, как надо работать.

— Ну, это на нее похоже. — Марков сделал неопределенный жест рукой. — Это ни о чем не говорит. Линдсей таким образом просто пытается защититься. А может, подтрунивает над вами. Это вполне в ее духе. Мне кажется, она считает

вас толстокожим и еще, помнится, называла зазнайкой. Впрочем, то же говорят и другие.

Роуленд зарделся еще сильнее.

— Возможно, так оно и есть, — пожал он плечами. — Это — один из моих недостатков. Хотя на самом деле у меня их намного больше.

— Без сомнения. Это относится к любому из нас. Но про вас, помимо всего прочего, говорят еще, что вы — закоренелый бабник. Вам это известно?

Лицо Макгуайра сделалось пунцовым. Он бросил на Маркова яростный взгляд.

— Мне кажется, это не ваше дело. — Поколебавшись, он спросил: — Это вам тоже Линдсей сообщила?

— Линдсей? Нет, что вы! Кто-то другой. Линдсей ни за что не сказала бы о вас ни одного плохого слова. Во-первых, она чрезвычайно скрытна, а во-вторых, как я вам уже говорил, вы ей очень нравитесь. Во всех отношениях, не считая, конечно, вашего зазнайства. Не скажу, что ее мысли заняты исключительно вашей персоной. У нее сейчас есть над чем подумать. Вы заметили, как она переменилась?

— Переменилась? С каких это пор? Нет... пожалуй, не заметил.

— Находясь на работе, она, конечно, скрытничает. Кроме того, вы ведь не так давно работаете в «Корреспонденте», верно? Месяцев шесть-семь?

— Да, около того.

— Так вот, это произошло сразу же после вашего прихода в газету, так что вы вряд ли могли заметить эту перемену. Она вся напряжена как струна. Конечно, она не позволила бы себе раскисать или ударяться в слезы на работе или перед человеком вроде вас, но... Я знаю ее очень давно. Видите ли, я — «голубой», и она не стесняется откровенничать со мной. Когда мы встречаемся, она мне полностью открывается.

Повисло молчание. Макгуайр, казалось, взвешивал услышанное. Он задумчиво смотрел на долину, ветер трепал волосы у него на лбу. Раз или два он взглянул на Маркова, как будто намереваясь заговорить, но так ничего и не сказал. Марков был рад, что его глаза прикрыты зеркальными стеклами очков, поскольку холодный, оценивающий взгляд Макгуайра был способен вывести из равновесия даже его. Разумеется, любой нормальный человек на месте Роуленда поинтересовался бы, что происходит с Линдсей, однако Роуленд не сделал этой очевидной вещи, чем вызвал к себе еще больший интерес со стороны Маркова. Фотограф мысленно

занес на его счет еще несколько очков. Через некоторое время Роуленд проговорил:

— Теперь, когда вы об этом сказали, мне тоже кажется, что я заметил в ней некоторые перемены. Вы верно говорите: Линдсей довольно скрытна и не пускает меня к себе в душу, но мне кажется, она стала какой-то более тихой. По крайней мере, в последние пару недель.

Марков вспомнил, что ровно две недели назад они с Линдсей ужинали в том жутком литовском ресторане, но, разумеется, оставил это при себе.

— И еще... Вчера я обратил внимание на то, что она очень бледна.

Бледна и привлекательна, подумал Марков. Он лично руководил Линдсей, когда она накладывала макияж. По его глубокому убеждению, все мужчины делились на два типа: одни знали, что женщины пользуются косметикой, другим это было невдомек. Судя по всему, Макгуайр относился ко второй категории, и Марков мысленно поздравил себя с этой удачей.

— Надеюсь, она не больна? Или, может быть, у нее какие-то семейные проблемы: с матерью, с Томом?

Вопрос был задан тоном вежливым, но совершенно безразличным и сопровождался очередным прожигающим насквозь взглядом зеленых глаз. Это вывело Маркова из равновесия и, отлепившись от стены, он сделал несколько шагов по тропе.

— Нет, нет, дома у нее все в порядке, — уклончиво ответил он и замолчал, дожидаясь новых предположений со стороны Роуленда. Их, однако, не последовало. Марков мысленно выругался. — Так вот о чем я подумал, — вновь заговорил он, когда мужчины, не сговариваясь, двинулись обратно той же тропинкой, по которой пришли сюда. — Дело в том, что... э-э-э... на следующей неделе я уезжаю на съемки. Сначала — на Гаити, затем — в Танжер, а потом — еще дальше, в африканский буш. Меня не будет, наверное, с месяц...

— Гаити? Странное место вы выбрали для того, чтобы фотографировать модные наряды!

— В этом — весь я. — Марков подавил невольную улыбку. — Люблю шокировать людей, преподносить им сюрпризы.

— Н-да, это заметно.

— Так вот, я отвлекся. Линдсей будет лишена своего главного наперсника, понимаете? Вот я и присматриваюсь, ищу себе подходящую замену. На то время, пока я буду отсутствовать, — недели примерно четыре — мне нужен... э-э-э... заместитель, если можно так выразиться. И я подумал, что

вы вполне сумеете меня заменить. Вы с ней вместе работаете и, похоже, ладите друг с другом. Конечно, она не станет раскрывать перед вами сердце так, как со мной, но вы могли бы поддержать ее как-нибудь иначе: поужинать с ней раз-другой, сводить в кино, в театр. Ничего особенного. Пусть у нее будет хотя бы возможность отдохнуть от этого чудовища — ее мамочки, выйти в свет, вместо того чтобы сидеть в одиночестве и день ото дня чувствовать себя все более несчастной. Главная проблема Линдсей заключается в том, что ее душа глубоко травмирована, а когда с женщиной случается такое, она лишается уверенности в себе. Для женщины почти обычна ситуация, когда какой-то придурок кидает ее через колено, и на ближайшие три года у нее появляется идефикс: она, дескать, некрасива, глупа, никому не нужна и с ней никто не хочет разговаривать. Эдакий душевный геморрой с обильным кровотечением.

Марков умолк. Он торжественно поклялся Линдсей, что не станет откровенно врать, а будет лишь подталкивать Макгуайра к определенным выводам. Сейчас он украдкой покосился на Роуленда: достигли ли цели его намеки или придется проявить большую нахрапистость? Тот недоуменно хмурился и выглядел озадаченным.

— Я едва верю своим ушам, — сказал он. — Линдсей всегда выглядит такой уверенной в себе, такой целеустремленной. Она — прекрасный профессионал, на работе у нее все складывается более чем успешно. Никогда бы не подумал, что...

— О, вы же знаете женщин!

— В общем-то, нет. Не уверен, что знаю их так уж хорошо.

— К сожалению, все они одинаковы. Успехи по работе? Что это для них? Nada![1] Полный ноль. Конечно, они любят выглядеть преуспевающими, однако это не совсем то, что нужно им на самом деле.

— А что же им нужно? — спросил Роуленд, устремив неподвижный взгляд на собеседника.

— Любовь, разумеется, — ответил Марков, не обращая внимания на изумление, вспыхнувшее в зеленых глазах Макгуайра. — Любовь, любовь и еще раз любовь. Они живут сердцем, вот и вся разгадка.

— Мудрая позиция.

— Вы считаете? Возможно. Однако тут все хорошо до тех пор, пока не начинаются проблемы. Когда, например, мужчина решает, что должен все-таки жить своей жизнью. Вы

[1] Ничего (*исп.*).

понимаете, я рассматриваю данную ситуацию с позиции стороннего наблюдателя.

— Так, наверное, рассуждают все.

— Только не женщины! Ни-ни! Они смотрят на все это совершенно иначе, и им требуется очень много времени, чтобы снова выбраться из подобной ямы. А представьте себе такую ситуацию: какой-нибудь подонок врет женщине целых три года. Обещает жениться и еще семь верст до небес, а потом выясняется, что он давным-давно женат на богатой бабе, бросать которую и не думает, да вдобавок является отцом трех прелестных беззащитных ангелочков. Вокруг женщины громоздятся горы лжи, окружающим, естественно, все становится известно, за ее спиной начинают сплетничать и шушукаться.

Марков умолк. Этого наверняка будет достаточно. Макгуайр теперь выглядел озабоченным. Фотограф испытывал чувство удовлетворения. Косвенная ложь — залог чистой совести. Необходим разве что еще один маленький штришок напоследок.

— И конечно, хуже всего, когда женщина продолжает любить этого человека. Я в таких случаях просто места себе от злости не нахожу. — Марков исподтишка взглянул на Роуленда. — Ужасно не люблю смотреть, как гибнет хорошая, достойная женщина. А Линдсей? Ведь все при ней! Хороша собой, умна. Добрая, щедрая. Она — замечательный человек, прекрасная мать и, если найдется стоящий мужчина, станет ему замечательной женой.

— Не сомневаюсь в этом. Со временем это непременно случится.

— Возможно, хотя у меня на этот счет существуют сомнения. Тут есть ряд проблем. Одна из них заключается в том, что для Линдсей других мужчин просто не существует. — Это заявление, как и надеялся Марков, заинтересовало Роуленда. Развивая свой успех, фотограф продолжал: — Вот почему я и затеял с вами этот разговор. Не скрою, поначалу у меня были некоторые опасения на ваш счет. Вы ведь, насколько мне известно, большой любитель женщин, а я вовсе не хочу, чтобы кто-нибудь, воспользовавшись тем состоянием, в котором сейчас находится Линдсей, одержал над ней легкую победу с помощью набора дешевых приемчиков.

— Я должен расценивать это как предупреждение? — напряженным тоном спросил Роуленд. — В таком случае смею вас заверить: в этом нет надобности. Кто бы и что бы ни говорил, я подобные вещи не практикую, особенно по отношению к женщинам, у которых горе.

Лицо Маркова осветилось улыбкой.

— Теперь, когда я познакомился с вами поближе, я тоже считаю, что вы на такое не способны. Кроме того, я прошу вас об услуге, которая займет у вас не так много времени — всего-то недели четыре. Ей нужен человек, который находился бы поблизости, плечо, в которое она могла бы поплакаться. Кто-то, кто мог бы поддержать ее, дать совет.

Роуленд на это ничего не ответил. Они продолжили путь в молчании. Молча спустились с холма и приблизились к оранжерее Макса. Возле калитки Макгуайр остановился и снова задумчиво нахмурился. С ветвей падал яблоневый цвет и подобно конфетти ложился у их ног.

— Ну что ж, — внезапно заговорил Роуленд, — если Линдсей действительно нуждается в поддержке, если на какое-то время ей нужен спутник и собеседник, я, конечно, могу им стать...

— Тем более что это — ненадолго, — подхватил Марков. — Замените меня на это время. А потом, когда я вернусь из Танжера... — Он не договорил фразу.

— Или, — словно невзначай добавил Роуленд, — из отдаленных районов африканского буша...

— Верно, верно. Это — глухой уголок в верховьях Замбези...

Ощущая себя победителем — в конце концов, все оказалось не так уж и трудно, — Марков открыл калитку сада.

— Странно только, что мне раньше никто об этом не говорил, — задумчиво сказал Роуленд. — Ни одна живая душа. Ни Макс, ни Шарлотта.

— А вы полагаете, им об этом хоть что-нибудь известно? — патетически воскликнул Марков. — Уверен, что нет. Линдсей такая скрытная! Она почти ни перед кем не раскрывает свою душу. Да не почти, а вообще ни перед кем, кроме меня.

— Да и, глядя на саму Линдсей, такого не подумаешь. Помнится, в январе она была так мила, что приготовила ужин у меня дома, и я готов поклясться, что она тогда упомянула...

— Другого мужчину? — быстро договорил за него Марков. — Такое возможно, но, надеюсь, вы понимаете, что это — всего лишь ширма, прикрытие. Не могли же вы всерьез купиться на это!

— Да, возможно, меня тогда подвела толстокожесть, и я этого не сообразил, — с полуулыбкой согласился Макгуайр. — Вероятно, это ее замечание ослепило меня. Как глупо с моей стороны! Ну-ну...

Следом за Марковым он вошел в сад. Фотограф решил, что на сей раз ему лучше воздержаться от ответа. Вранье, к которому пришлось прибегнуть напоследок, далось ему с трудом. От усилий, приложенных ради спасения положения, его даже бросило в пот. Кроме того, что-то в последней реплике Макгуайра сконфузило его. Его настораживало и даже слегка пугало невероятное самообладание, присущее этому человеку.

— Может быть, мне следовало держать рот на замке? — вновь заговорил он, когда они уже подходили к дому. — Может, зря я затеял весь этот разговор? Но к кому еще мне было обращаться? Вокруг так мало холостых мужчин!

— Да, и в самом деле мало. Мы — вымирающий вид.

— К Максу с такой просьбой я обратиться не могу, да у него и времени бы на это не хватило. У него — жена, дети. Кроме того, такое под силу только человеку, которого Линдсей знает и которому верит.

— Не корите себя. — Бо́льшая и сильная ладонь Макгуайра легла на плечо Маркова. На лице его появилась теплая улыбка. — Я почту за честь замещать вас на время вашего отсутствия.

— И, надеюсь, не расскажете Линдсей о нашем разговоре? Если она узнает, что я обратился к вам с подобной просьбой, ее инфаркт хватит.

— Можете на меня положиться, — заверил его Роуленд. — Я приложу все силы для того, чтобы играть свою роль на «отлично». По крайней мере, вплоть до вашего возвращения.

Из груди Маркова вырвался вздох облегчения. Это, конечно, было не совсем то, на что он рассчитывал, но ничего больше он сейчас сделать не мог. Теперь все зависело от одной только Линдсей. Позволив Роуленду первому войти в дом, он задержался на пороге, чтобы еще раз взглянуть на сияющее небо и цветущие яблони. Губы его двигались. Иногда Марков бывал суеверным и теперь просил небеса о том, чтобы они послали им удачу.

* * *

Паскалю снились убитые. Эти сны стали посещать его много лет назад — когда он только начал работать в «горячих точках». Они прекращались, а потом снова начинались, но только уже в других формах, и с тех пор не покидали его почти никогда. Иногда ему снились реальные события, свидетелем которых он являлся в разное время и о которых, казалось, давно позабыл.

Иногда сновидения бывали расплывчатыми и неопределенными, но от этого не менее пугающими.

Почти двадцать лет пробыл он на разных войнах и давно привык к таким кошмарам. Вот и сегодня, проснувшись, прибегнул к знакомой тактике. Он дождался, когда успокоится сердцебиение, и сосредоточился на вещах, которые его окружали: кровати, комнате. Иногда с той же целью он начинал говорить с самим собой. Например, вслух перечислял те дела, которые предстояло сегодня сделать.

Нынче утром кошмар не отпускал его дольше, чем это бывало обычно, опутав, словно паутина, все уголки его сознания... Чтобы избавиться от него, Паскаль даже начал произносить вслух какие-то первые пришедшие на ум стихотворные строчки, которые читал ему еще отец. И все же сон никак не хотел отступать, парализуя Паскаля, заставляя чувствовать себя несчастным. Он напрягся, и постепенно очертания окружающих предметов стали приобретать отчетливость. Кошмар отошел назад и растаял. Паскаль вспомнил, что вновь находится в Лондоне, что они с Джини опять вместе, что его рука почти выздоровела, а пальцы обрели былую силу и стали проворными, как прежде. Он сел в постели, прислушался и потрогал простыни рядом с собой. Они уже успели остыть. Он слышал, как внизу, стараясь не шуметь, двигается Джини, как открылась и снова закрылась дверь.

Немедленно вслед за этим Паскаль ощутил прилив огромного облегчения. Его первым желанием было окликнуть Джини, но он подавил его в себе, снова лег на спину и закрыл глаза. Ему хотелось в полной мере насладиться этим облегчением, ощутить в душе надежду, а это было ох как не просто. В последние недели, проведенные ими в Париже, его не раз посещало чувство, что она к нему уже больше не вернется.

И все же, проводя в больнице одинокие ночи, которые казались ему бесконечными, он настойчиво убеждал себя в том, что им с Джини все же удастся наладить свою совместную жизнь и вдохнуть в свою любовь второе дыхание, поскольку именно этого он хотел больше всего на свете. Все трудности можно будет преодолеть. Это, твердил себе Паскаль, зависит лишь от их желания и воли.

Наконец он выписался из больницы и воссоединился с Джини. Они поселились в квартире его друзей. Начался процесс выздоровления. Сначала Паскаль возлагал все надежды на слова. Они станут говорить друг с другом — честно, без уверток — и таким образом смогут найти способ решить все проблемы. Какие именно? Его работа. Ее работа. Верность

друг другу. Возможность появления ребенка. Он постарается справиться с ревностью, которая все еще отравляла его душу, и они оба не поддадутся искушению встать на путь взаимных обвинений. Они снова будут говорить друг другу только правду.

На самом деле все получилось иначе. Начиная разговаривать, они тут же чувствовали, что сбиваются с пути и начинают плутать в каких-то дебрях. В других случаях они ловили себя на том, что говорят так отстраненно, будто обсуждают семейные проблемы каких-то чужих, малознакомых людей. Чем откровеннее они старались быть друг с другом, тем более напряженными выходили эти разговоры. Паскалю казалось, что они пытаются докричаться друг до друга, стоя по разные стороны глубокой пропасти. И никакие даже самые лучшие намерения не могли перекинуть через эту пропасть мост.

Со временем Паскаль понял, что им нужно нечто такое, что крепче связало бы их. Они попытались найти эту силу, возродить ее к жизни. Они с горечью поняли, что когда-то между ними действительно существовал этот духовный заряд, приходивший в действие от одного только взгляда или прикосновения, но это осталось в прошлом. Теперь любое прикосновение казалось либо несвоевременным, либо неуклюжим, либо фальшивым. На протяжении нескольких недель Паскаля не отпускало ощущение, что за ним наблюдают. Они не могли остаться вдвоем, поскольку даже в такие минуты ему постоянно мерещилась фигура кого-то третьего, который незримо присутствует в комнате вместе с ними. Это затрудняло их общение, делало тщетными почти все попытки заняться любовью. Паскаль пытался изгнать этот призрак, а когда понял, что Джини занята тем же, почувствовал, как к нему снова возвращается гложущая ревность. Отвечала ли она на его поцелуи? Прикасался ли он к ней вот здесь, здесь и здесь? И если да, какова была ее реакция?

Паскаль хотел знать ответы и ненавидел себя за это. Он не позволил бы себе спрашивать у нее о подобных вещах, он был слишком горд. Он видел, как эти мысли влияли на его мужские способности, и не мог не замечать беспомощных попыток Джини вернуть ему уверенность в себе. Нежные объятия, ласки, слова утешения, нескрываемый страх при мысли о том, что он больше не хочет ее, — как он ненавидел все это! Теперь она целовала его так, будто сомневалась в том, что вообще имеет на это право. Паскаль же хотел Джини сильнее, чем когда-либо, но невольно вздрагивал от каждого ее прикосновения, боясь потерпеть поражение, и еще больше — того, что она невольно станет сравнивать его с тем, другим. Это превратилось для него в подлинную пытку. Бескомпромиссный во всем, Паскаль не признавал лжи в любой ее форме. Тем более никогда прежде он не мог подумать о том, что лгать может тело, по своей наивности полагая, что для этого непременно нужна речь.

Лишь спустя шесть недель ему удалось пересилить себя и заняться с Джини любовью. А случилось это после очередного бурного объяснения, во время которого оба выпили чересчур много вина. Возможно, они бессознательно пришли к мнению, что там, где потерпели поражение забота и терпение, сможет помочь антагонизм.

Это соитие не стало символом их сближения, на что надеялся Паскаль. Оно оказалось злым, коротким и не принесло удовлетворения ни одному, ни другому. Потом Джини всхлипывала, а он — впервые в их совместной жизни — отвернулся от этих слез с холодным равнодушием, которого никогда раньше в себе не замечал.

— Это ты во всем виновата, — сказал он ей. — Ты — причина всему, что с нами происходит. — А затем встал с постели, оделся и, в ярости выскочив из дома, ходил по ночным улицам Парижа.

На следующий день они помирились. А потом последовали новые ссоры и новые примирения. Паскаль чувствовал, как в нем нарастает отчаяние. Все это было ему слишком знакомо по прежней жизни. Он не мог поверить в то, что теперь, находясь рядом с любимой женщиной, вновь пикирует по спирали отчуждения, которую однажды — со своей первой женой — он уже прошел.

Возможно, думал Паскаль, все изменится, когда закончатся слякотные февраль и март, когда он сможет нормально вести себя в постели? Возможно, тогда его отпустит все, что гнетет сейчас, и ему удастся выразить ту любовь, которая — Паскаль не сомневался в этом — по-прежнему живет в его душе, хотя и заперта в каком-то ее уголке. Он почувствовал это, увидев Стара в квартире мадам Дюваль, взглянув в глаза смерти, что притаилась в нескольких метрах от него, и немедленно понял: то же самое испытала Джини. Ошибки тут быть не могло.

Если любовь вырвалась наружу тогда, почему она не может сделать это теперь? И только тут Паскаль понял, что здравое поведение и взвешенные слова ни к чему не приведут. Здесь необходимо какое-то божественное вмешательство, для которого у него и определения-то не было. Сила воли тут не поможет. Любовь нельзя оживить насильно. Паскаль

со страхом осознал, что любовь — такая же загадка, как оазис посреди пустыни. Это — дар божий.

И все же дар этот продолжал ускользать. Паскаль и Джини удвоили свои старания. Их взаимная вежливость причиняла им обоим боль. В долгих разговорах за полночь они прикидывали различные варианты того, как может сложиться их будущее, но ни один из них — цивилизованных, предусматривающих взаимную заботу и равноправие — не казался подходящим. Паскаль предложил, чтобы они либо вообще перестали работать в «горячих точках», либо ограничивали подобные командировки одним месяцем в году. Джини заявляла, что это неприемлемо, поскольку она ни за что не позволит ему расстаться ради нее со своей любимой работой. Выслушав ее доводы, Паскаль мысленно сделал для себя пометку: Джини страдала от того же, от чего в прошлом — его бывшая жена. Теперь он уже никогда больше не совершит подобной ошибки.

Как-то раз он нашел противозачаточные таблетки, которые Джини опять начала принимать с прошлого месяца, и выкинул их в помойное ведро. Это явилось причиной крупной ссоры, однако, возможно, именно она стала поворотным пунктом во всей этой истории. В ту ночь и каждую последующую они начали заниматься любовью — ожесточенно, до беспамятства. Это происходило ночью, перед тем как, опустошенные и задыхающиеся, они засыпали в объятиях друг друга; это повторялось по утрам, когда они просыпались. Но теперь в этом действии появилось нечто новое: они страстно желали, чтобы оно повлекло за собой определенные последствия. Им казалось, что тогда, и только тогда смогут они изгнать злого духа, мешавшего им жить.

Эта перемена повлекла за собой и другие. Оба почувствовали, что постепенно, день за днем, к ним возвращается что-то утраченное ранее. Поначалу это выражалось даже не в словах, а — как и тогда, прежде — в прикосновениях и взглядах. А потом — сразу и неожиданно — все вдруг встало на свои места.

Ощутив непреодолимое желание увидеть Джини, Паскаль резко встал с кровати и быстро натянул на себя первую попавшуюся одежду. Спустившись босиком по лестнице, он остановился на пороге гостиной. Джини не слышала его шагов. Она с головой ушла в приготовление завтрака, и это до глубины души тронуло Паскаля. На голубом подносе, что стоял перед ней, Джини сосредоточенно расставляла тарелку, чашку, блюдечко и бокал. Бокал явно предназначался для шампанского. Паскаль задумчиво наморщил лоб. Из вазы,

стоявшей на каминной полке, Джини взяла цветок, до половины обрезала его стебель и также положила на поднос. Казалось, ее очень волнует то, как будет лежать цветок. Сначала она положила его на тарелку, потом переложила на голубую салфетку и наконец пристроила рядом с бокалом. На Джини была ночная рубашка, а поверх — один из его свитеров, большой — не по размеру. Однако, несмотря на нелепый наряд, в ней ощущалась грация девочки. Голова Джини склонилась над подносом, отросшие уже волосы были взлохмачены со сна.

В этот момент Паскаль почувствовал, насколько сильно любит эту женщину. Это ощущение внезапно захлестнуло его душу, как волна невероятной силы. Даже сердце защемило. На несколько секунд он ослеп, будто вынырнув из какой-то черной бездны и вновь оказавшись под ярким солнцем. Паскаль непроизвольно поднял руку, словно собираясь прикрыть глаза от ослепительного света, и благодаря этому движению она наконец заметила его. Джини подняла голову и слегка вскрикнула от неожиданности.

Позже он думал, что в тот самый момент он почти догадался, в чем дело. Несколько секунд они молча смотрели друг на друга. Лицо Джини выглядело спокойным и слегка заспанным, словно она только что пробудилась от каких-то сновидений — гораздо более приятных, нежели его собственные. Ее прекрасные глаза расширились, и Джини сделала непроизвольное движение, словно хотела спрятать от него поднос. Как будто это было возможно! Затем выражение ее лица изменилось.

Глядя на нее, Паскаль начал понимать, в чем дело, и это прозрение заставило кровь в его жилах бежать быстрее. Выражение ее лица, ее взгляд, в котором одновременно читалось счастье и опасение... В этот момент Паскаль почувствовал к ней такую нежность, что у него перехватило дыхание. Он взял ее за руку и осторожно привлек к себе. Тесно прижавшись друг к другу, они молча стояли в гостиной. Джини ощущала, как бьется его сердце, прислушивалась к тому, что она едва не потеряла и что наконец-то получила назад. Возможно, женщины вообще сомневаются реже, нежели мужчины, но в тот день сомнения окончательно отлетели от нее.

Охваченное радостью, ее тело пело, и поэтому Джини не испытывала ни малейшего желания прислушиваться к предостережениям, которые все еще нашептывал ей внутренний голос. Она верила в то, что ей давно — уже много недель назад — удалось заглушить его. Теперь же она и вовсе уверовала в то, что в будущем их ожидает счастье. Если же Паскаль все еще не проникся таким убеждением, она исцелит его.

Джини ощущала в себе силу и уверенность в том, что способна сделать это.

Сегодня для нее не существовало ничего невозможного. Она могла прикоснуться к скале, и оттуда забил бы родник, она была в состоянии сдвинуть горы. Начать жить заново? Нет ничего проще! Излечить израненное сердце? И это возможно! Она могла сделать это одним мановением руки, едва пошевелив мизинцем. Еще никогда в жизни Джини не чувствовала в себе такой женственности и такого огромного заряда силы. Она взяла руку Паскаля и, подождав, ощутила, как эта ее сила перетекает в его ладонь.

— Когда ты узнала об этом? — спросил Паскаль.

— Мне кажется, что сразу. На следующий же день. В следующую минуту. Но мне хотелось окончательно во всем убедиться, вот я и не торопилась рассказывать. А вчера я сходила к врачу.

— Вчера? Ты должна была сказать мне об этом.

— Мне хотелось обставить все как можно лучше. Я хотела разбудить тебя и потом... — Джини положила его ладонь на свой живот. — Как ты думаешь, это — девочка? Или мальчик? Мне кажется, мальчик. Твой сын. А ты знаешь его возраст? Я знаю точно: шесть недель, два дня и... м-м-м, да, примерно пять часов. Ты ведь помнишь...

— По-моему, помню. — Паскаль улыбнулся. — Хотя, учитывая то, сколько раз мы с тобой... В понедельник? Во вторник? Утром? Днем? Вечером?

— В понедельник. При лунном свете. У нас будет лунный ребенок. У нас... — Джини умолкла, увидев слезы на его глазах. — Скажи, ну скажи мне: ты хотел этого? Ты счастлив? Ты будешь его любить? Или — ее? А меня? Ты любишь меня теперь? Ты веришь мне? И всегда будешь? Ответь, пожалуйста, ответь мне, Паскаль!

Паскаль привлек Джини к себе и прижал ее голову к своей груди.

— На какой из вопросов я должен ответить в первую очередь? Ответы на все потребуют слишком много времени, дорогая.

* * *

Линдсей всегда плакала на свадьбах и, разумеется, на похоронах. Теперь она выяснила, что не может удержаться от слез и на крестинах. Сначала ее заставили расплакаться чудесные слова, которые произносил священник, затем она пустила слезу, глядя на мирно спавшего младенца Макса и Шарлотты, а под конец — оттого, что, когда на ребенка

брызнули святой водой, малышка проснулась и жалобно захныкала.

Наконец служба закончилась. Выйдя из церкви вместе с остальными, Линдсей вдохнула воздух, напоенный ароматом майских полевых цветов, и двинулась вдоль тропинки, окаймленной могильными камнями. Тут ее поймал Марков.

— Великолепно! — зашептал он. — Только не переиграй. У тебя снова тушь потекла, а нам нужно скрытое волнение. Вытри глаза.

— Пошел вон, Марков, — сказала Линдсей, — я сейчас не лицедействую. Убирайся.

Марков ушел. Линдсей вытерла уголки глаз салфеткой и укрылась в сторонке, в тени деревьев. Отсюда она стала наблюдать за тем, как участники церемонии крещения собрались на лужайке перед церковью, чтобы сфотографироваться напоследок всем вместе. Тут были все известные Линдсей друзья и соседи Фландерсов, а также ее собственный сын Том, которого ради такого торжественного случая насилу упросили надеть костюм, со своей подружкой Катей, повисшей на его руке, Шарлотта, баюкавшая очаровательную виновницу торжества, и отец семейства. Макс буквально лучился и выглядел неестественно длинным, худым, костлявым и чрезвычайно гордым. По какой-то непонятной причине худоба его едва не заставила Линдсей вновь разрыдаться. Она тихо всхлипнула и утерла глаза промокшей салфеткой. Из толпы, собравшейся у церкви, до ее слуха долетали возмущенные голоса, принадлежавшие сыновьям Макса. Они громко протестовали:

— Что, снова фотографироваться? Сколько же можно!

— Заткнись, Алекс! Стой спокойно.

— И из-за чего весь шум? Из-за какой-то глупой девчонки!

Линдсей улыбнулась. Она перевела взгляд на ряды надгробий, выстроившихся перед ней, и принялась читать высеченные на них эпитафии, датированные разными годами: 1714, 1648, 1829... «Горячо любимой жене», «возлюбленному мужу», «вдове», «дочери»... Это занятие почему-то успокоило Линдсей, и она утерла глаза.

Сфотографировавшись, толпа начала расходиться. Осталось лишь несколько гостей, остальные же отправились в дом Макса, чтобы выпить шампанского по такому торжественному случаю. Линдсей заметила высокую фигуру Роуленда Макгуайра. Он, как всегда, стоял с краю и беседовал с девушкой, в которой женщина узнала Майну Лэндис. Ее родители разводились, по крайней мере так сказала Шарлотта, и вскоре Майне предстояло вернуться вместе с матерью в Америку. Девушка была хрупкой и, судя по ее поведению, болез-

ненно стеснительной. Роуленд, похоже, пытался извлечь Майну из ее скорлупы, однако его тактичность и обходительность не имели успеха. Девушка лишь изредка кивала и отделывалась односложными ответами. Вскоре Майну окликнула ее мать, и она с облегчением упорхнула. Роуленд остался топтаться на месте, не подозревая, что за ним наблюдают.

А ведь я могла бы подойти и заговорить с ним, подумала Линдсей. Как раз в данной ситуации я могла бы применить на практике советы Маркова. Мы могли бы затеять беседу о контрфорсах и колоннах, на пару разглядывать этот знаменитый норманнский церковный портал, вместе любоваться каменными статуями ангелов и святых, и он, без сомнения, объяснял бы мне, какой смысл заключен в каждой из них. Но нет — Линдсей отвернулась в сторону. Ей ни к чему этот самообман, и она нипочем не вынесет зрелище добренького Роуленда. Ничего из этого не получится, со щемящим сердцем думала она, ничего!

Постояв на месте, Роуленд снова вошел в церковь. Для чего? Чтобы еще раз рассмотреть ее архитектурные прелести? Или — помолиться? Только тогда Линдсей вышла из-под густой листвы деревьев и двинулась по какой-то коровьей тропе. Кажется, Шарлотта называла ее «шнурком королевы Анны» — так, конечно, гораздо красивее. Линдсей достигла старых выщербленных ступеней и вышла из кладбищенских ворот. В отдалении она увидела, как последние гости подходят к крыльцу Макса. Возле дома мелькали яркие наряды женщин, раздавались крики и раскаты мужского смеха.

— Ты плакала, — послышался сзади голос Роуленда Макгуайра.

Линдсей обернулась, прищурившись от солнца, и увидела его фигуру, возвышавшуюся над ее головой по крайней мере на тридцать сантиметров, его мужественное, загадочное и, возможно, чуть-чуть удивленное лицо.

— Да, плакала, — нерешительно ответила она, продолжая идти. Роуленд двинулся рядом. — Я сентиментальна, как ребенок.

— Это видно.

— И еще я люблю кукол, котят, жеребят и овечек. Когда моя кошка окотилась в последний раз и принесла целых восемь котят, я проплакала все утро. Это нехорошо, я знаю. Сегодня здесь никто, кроме меня, не плакал.

— Плакала Шарлотта.

— У нее для этого были причины.

Некоторое время они шли в молчании. Линдсей пыталась придумать какое-нибудь глубокомысленное замечание, но из этого ничего не вышло. На протяжении первых ста

метров их совместного путешествия она ощущала себя онемевшей и умственно отсталой, а после этого — почувствовала счастливой: он сам подошел к ней и теперь находился рядом. К тому моменту, когда они достигли дома Фландерсов, Линдсей благодаря своему проклятому оптимизму уже пребывала на седьмом небе. Он здесь, со мной, думала она, наслаждаясь солнечным светом, прозрачным воздухом и запахом срезанной травы.

— Мне нравится твое платье, — как-то осторожно нарушил молчание Роуленд.

Линдсей остановилась как вкопанная, повернулась к Роуленду и уставилась на него изумленным взглядом.

— Что ты сказал?

— Твое платье... Просто я терпеть не могу навороченных платьев, а это мне нравится. Оно... — Роуленд умолк, пытаясь найти подходящее прилагательное. Линдсей оглядела свое светлое, закрывавшее колени хлопчатобумажное платье с высоким воротом и короткими рукавами.

— Обычное? — с улыбкой подсказала она. — Скромное? Элегантное? Сдержанное? Скучное? Как у матроны?

— По крайней мере, не как у матроны — это уж точно. Оно тебе идет. Ты в нем выглядишь... — Роуленд снова запнулся в поисках подходящего прилагательного. Линдсей видела, что он старается изо всех сил, и ее вдруг захлестнула волна признательности и нежности к этому человеку. С естественностью, которая удивила ее саму, она взяла его руку.

— Будет, Роуленд, я же вижу, как тяжело даются тебе комплименты. Лучше пойдем выпьем. Нас ждет шампанское и изумительный торт. Он — трехэтажный, а наверху — сахарная колыбелька с младенцем.

— Господи, какой чудесный день!

Линдсей подняла голову к небу. Роуленд молча наблюдал за ней. Затем он провел ее на лужайку. Тяготевший к торжественности Макс раскинул там огромный шатер, под навесом которого и должно было происходить торжественное поглощение шампанского. Оказавшись среди друзей, Линдсей наслаждалась происходящим, даже несмотря на то что вплоть до самого вечера возле ее локтя то и дело возникал Марков и загробным шепотом напоминал ей о необходимости выглядеть печальной.

— Боже мой, — зашипел он под вечер, когда празднество уже клонилось к концу, — ты должна выглядеть так, будто твое сердце разбито. Отойди куда-нибудь в сторонку, изобрази одиночество и глубокую задумчивость. Не спорь! И... налей мне еще этого чертова шампанского!

На сей раз Линдсей послушалась. С ее стороны это выглядело естественно, поскольку на протяжении всего торжества она ощущала на себе неотступное внимание Роуленда Макгуайра. В течение трех часов он бдительно следил за тем, чтобы ее тарелка была постоянно завалена пирожными и канапе, а бокал — наполнен. Роуленд заботился, чтобы Линдсей не оставалась в стороне от общей беседы или в одиночестве. В итоге она даже немного устала от этой опеки, впрочем, усталость эта была приятной. Линдсей ощущала в себе некую расслабленность, которая могла быть следствием как пристального внимания к ее особе, так и выпитого шампанского.

Линдсей села на стоявшую здесь шаткую скамейку и глубоко вдохнула воздух, напоенный ароматом цветов. Начинало смеркаться, очертания далеких холмов становились расплывчатыми. До ее слуха доносились звуки голосов, и Линдсей радовалась, что они так далеки и неразборчивы. Ей было хорошо одной.

— Ты в порядке? — внезапно послышалось рядом с ней. — Я искал тебя и...

Линдсей открыла глаза и увидела темную, резко очерченную на фоне закатного солнца фигуру Роуленда Макгуайра, одетого в строгий костюм.

— Да, все хорошо, — ответила Линдсей, забыв о том, что должна играть роль одинокой печальной женщины. — Наслаждаюсь всем этим, — сделала она широкий жест рукой. — Запахом цветов, травы. Тенями, пением птиц, мычанием коров...

— Я помешал тебе?

— Нет-нет, ничего подобного.

Роуленд, похоже, не особо поверил ее заверениям. Некоторое время он колебался, но затем все же сел рядом с ней. Закинул ногу на ногу, потом переменил позу и, наморщив лоб, стал смотреть в сторону поля. Может быть, он пытается вычислить в уме его площадь, подумала Линдсей, когда молчание чересчур затянулось.

— Этот твой приятель, Марков, — заговорил наконец Роуленд. — Он — интересный человек. Я представлял его другим.

— Наверное, ты испытывал к нему предубеждение. Так часто бывает. А Марков словно нарочно подыгрывает людским предубеждениям — этими своими черными очками, дурацкой одеждой...

— Наверное, я действительно был высокомерен, — веско произнес Роуленд, глядя в сторону.

— Может быть. Немножко, — с улыбкой согласилась

Линдсей. — Иногда ты действительно бываешь высокомерен, Роуленд.

— Знаю, — откликнулся он с неким мрачным удивлением.

— Тебе следует приветствовать необычное, особенно необычных людей.

— Ты так думаешь?

— Да. Мне всегда нравилось все неожиданное. В конце концов, на то и жизнь, чтобы преподносить нам бесконечные сюрпризы.

— Я тут подумал... — Роуленд вслед за Линдсей поднялся на ноги. — Я полагаю, Том и его подружка не собираются возвращаться завтра в Лондон вместе с тобой?

— Нет, они поедут к своим друзьям.

— Может быть, в таком случае ты не откажешься подвезти меня обратно? Видишь ли, я приехал сюда с Максом, и теперь...

— А ты не будешь меня критиковать?

— Даже не подумаю.

— Тогда подвезу.

Одарив Роуленда этим сухим ответом, Линдсей подумала, что дорога в Лондон займет не менее двух часов. А если она поедет медленно и на шоссе будет пробка, то и все три. Почему никогда раньше она не замечала, как прекрасен сад Макса? В эту минуту он казался ей похожим на Эдем. Линдсей двинулась обратно — по направлению к хлопавшему на ветру бело-розовому пологу роскошного шатра, взятого Максом напрокат, и невнятному гулу голосов.

Когда они дошли до стеклянной двери, что вела в кабинет Макса, оттуда вдруг послышался телефонный звонок. Извинившись, Роуленд вошел в кабинет и, судя по всему, взял трубку, поскольку трезвон прекратился, и в комнате наступила тишина.

Линдсей удовлетворенно подняла лицо к солнцу. Через несколько минут к ней присоединился Роуленд. Лицо его было бесстрастным.

— Спрашивали Макса? — спросила Линдсей. — Он, наверное, все еще у своего шатра.

— Нет, звонили мне. Похоже, я ожидал этого звонка.

— Хорошие новости или плохие? — Линдсей с любопытством взглянула на мужчину. — Что с тобой, Роуленд?

— Я в порядке. Ну что, присоединимся к остальным?

И он повел Линдсей к террасе, а когда они подошли к ступенькам, галантно предложил ей руку.

Литературно-художественное издание

Салли Боумен

ЛЮБОВЬ КРАСНОГО ЦВЕТА

Редактор *Н. Крылова*
Художественный редактор *С. Киселева*
Технический редактор *О. Куликова*
Компьютерная верстка *Е. Попова*
Корректор *Н. Дмитриева*

Налоговая льгота — общероссийский классификатор продукции
ОК-005-93, том 2; 953000 — книги, брошюры

Подписано в печать с оригинал-макета 06.12.2001.
Формат 84×108 1/32. Гарнитура «Таймс».
Печать офсетная. Бумага газетная. Усл. печ. л. 20,16.
Тираж 7000 экз. Заказ № 0116950.

ЗАО «Издательство «ЭКСМО-Пресс». Изд. лиц. № 065377 от 22.08.97.
125190, Москва, Ленинградский проспект, д. 80, корп. 16, подъезд 3.
Интернет/Home page — www.eksmo.ru
Электронная почта (E-mail) — info@ eksmo.ru

***Книга — почтой:* Книжный клуб «ЭКСМО»**
101000, Москва, а/я 333. E-mail: bookclub@ eksmo.ru

Оптовая торговля:
109472, Москва, ул. Академика Скрябина, д. 21, этаж 2
Тел./факс: (095) 378-84-74, 378-82-61, 745-89-16
E-mail: reception@eksmo-sale.ru

Мелкооптовая торговля:
117192, Москва, Мичуринский пр-т, д. 12/1
Тел./факс: (095) 932-74-71

ООО «Медиа группа «ЛОГОС». 103051, Москва, Цветной бульвар, 30, стр. 2
Единая справочная служба: (095) 974-21-31. E-mail: mgl@logosgroup.ru
contact@logosgroup.ru

ООО «КИФ «ДАКС». Губернская книжная ярмарка.
М. о. г. Люберцы, ул. Волковская, 67.
т. 554-51-51 доб. 126, 554-30-02 доб. 126.

Книжный магазин издательства «ЭКСМО»
Москва, ул. Маршала Бирюзова, 17 (рядом с м. «Октябрьское Поле»)

Сеть магазинов «Книжный Клуб СНАРК» представляет
самый широкий ассортимент книг издательства «ЭКСМО».
Информация в Санкт-Петербурге по тел. 050.

Всегда в ассортименте новинки издательства «ЭКСМО-Пресс»:
ТД «Библио-Глобус», ТД «Москва», ТД «Молодая гвардия»,
«Московский дом книги», «Дом книги на ВДНХ»

ТОО «Дом книги в Медведково». Тел.: 476-16-90
Москва, Заревый пр-д, д. 12 (рядом с м. «Медведково»)

ООО «Фирма «Книинком». Тел.: 177-19-86
Москва, Волгоградский пр-т, д. 78/1 (рядом с м. «Кузьминки»)

ООО «ПРЕСБУРГ», «Магазин на Ладожской». Тел.: 267-03-01(02)
Москва, ул. Ладожская, д. 8 (рядом с м. «Бауманская»)

Отпечатано на MBS в полном соответствии
с качеством предоставленного оригинал-макета
в ОАО «Ярославский полиграфкомбинат»
150049, Ярославль, ул. Свободы, 97.

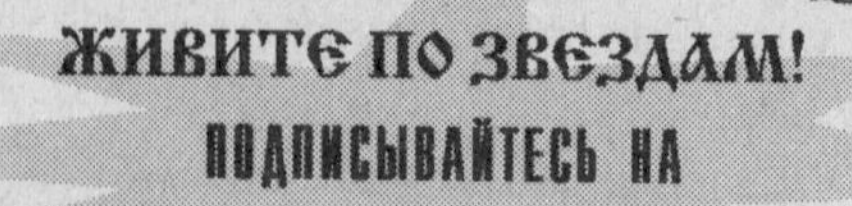

международный журнал прогнозов

Гороскоп

☎ (095) 257-3315
FAX: (095) 257-3106
E-MAIL: voskres@yahoo.com
125805, МОСКВА, УЛ. ПРАВДЫ 24.

"Гороскоп" - ваш журнал. Он познакомит вас с самой древней наукой - астрологией, научит жить по "законам" звезд.

Вы увидите прошлое, настоящее и будущее глазами великих пророков и ясновидцев.

Вы познакомитесь с известными в мире и России целителями, экстрасенсами, магами и волшебниками.

Вы вместе с нашими авторами совершите "путешествия" в параллельные, пока еще неизведанные миры.

"Гороскоп" - это полезные советы на каждый день и на всю жизнь, это ключ ко всему таинственному и загадочному.

ТОЛЬКО У НАС:

Гороскопы и календари французских, итальянских и российских астрологов: лунные, медицинские, астрологические и ваших повседневных дел - на каждый месяц.

Число читателей «Гороскопа» в России, Ближнем и Дальнем зарубежье - 40 тысяч.

Подписывайтесь и вы,
и живите по лунным и астрологическим календарям
«Гороскопа».

В розницу журнал поступает в ограниченном количестве, но на почте вас подпишут с любого месяца.

Запомните индекс **«Гороскопа»** в каталоге «Роспечати»-

72850

Дочки-Матери
И стиль, и мода, и любовь...
подписной индекс
32320
размещение рекламы
924-4296

Любите читать?
Нет времени ходить по магазинам?
Хотите регулярно пополнять домашнюю библиотеку и при этом экономить деньги?

Тогда каталоги Книжного клуба "ЭКСМО" – то, что вам нужно!

Раз в квартал вы БЕСПЛАТНО получаете каталог с более чем 200 новинками нашего издательства!

Вы найдете в нем книги для детей и взрослых: классику, поэзию, детективы, фантастику, сентиментальные романы, сказки, страшилки, обучающую литературу, книги по психологии, оздоровлению, домоводству, кулинарии и многое другое!

Чтобы получить каталог, достаточно прислать нам письмо-заявку по адресу: **101000, Москва, а/я 333.**
Телефон "горячей линии" **(095) 232-0018**
Адрес в Интернете: **http://www.eksmo.ru**
E-mail: **bookclub@eksmo.ru**